I MITI

# Thomas Harris

volumi già pubblicati
in edizione Mondadori

*Drago Rosso*
*Il silenzio degli innocenti*

# Thomas Harris

# HANNIBAL

**Traduzione
di Laura Grimaldi**

**MONDADORI**

La citazione da "Burnt Norton" a p. 91 è tratta da *Four Quartets* di T.S. Eliot.
Copyright © 1943 by T.S. Eliot; copyright © renewed 1971 by Esme Valerie Eliot.

La citazione da "Swinging on a Star" a p. 522 è tratta da "Swinging on a Star" di Johnny Burke e Jimmy Van Heusen.
Copyright © 1944 by Bourne Co. and Dorsey Bros. Music, Inc.; copyright renewed.

Il nostro indirizzo Internet è:
http://www.mondadori.com/libri

ISBN 88-04-48256-7

Copyright © 1999 by Yazoo Fabrications Inc.
Titolo originale dell'opera: *Hannibal*
© 1999 Arnoldo Mondadori Editore S.p.A., Milano
I edizione Omnibus agosto 1999
I edizione I Miti giugno 2000

# Hannibal

# PARTE PRIMA

# Washington, D.C

## 1

*Vien da pensare che un giorno così
non possa che iniziare con un tremito*

La Mustang di Clarice Starling infilò rombando la rampa d'ingresso del Bureau of Alcohol, Tobacco and Firearms (Batf) in Massachusetts Avenue. In ossequio alle leggi dell'economia, il Bureau aveva preso in affitto la sede dal reverendo Sun Myung Moon.

La forza di pronto intervento aspettava a bordo di tre veicoli: in testa un ammaccato furgone con targa civile e, dietro, due furgoni neri dello Swat (Special Weapons and Tactics) carichi di uomini e con i motori al minimo nel grande garage buio.

Starling tirò fuori dalla macchina la sacca con l'equipaggiamento e corse al furgone di testa, un veicolo bianco sporco con la scritta MARCELL'S CRAB HOUSE incollata sulle fiancate.

Quattro uomini la guardarono arrivare attraverso gli sportelli posteriori aperti. Starling era snella, nella tuta di tela blu, e si muoveva svelta sotto il peso dell'equipaggiamento, con i capelli che rilucevano alla spettrale luce fluorescente.

«Donne. Sempre in ritardo» commentò un agente della polizia di Washington.

Il responsabile dell'operazione era l'agente speciale John Brigham del Batf. «Non è in ritardo. Non l'ho avvertita finché non ci hanno dato il via» disse. «Deve aver portato il culo fin qui da Quantico... Ehi, Starling, passami la sacca.»

Lei batté il palmo della mano contro quello di Brigham. «Salve, John.»

Brigham mormorò qualcosa al trasandato agente chino sul volante e, prima ancora che gli sportelli si chiudessero, il furgone partì per emergere nel gradevole pomeriggio autunnale.

Clarice Starling, veterana delle operazioni di sorveglianza a bordo di automezzi, si abbassò per passare sotto l'oculare del periscopio e andò a sedersi il più vicino possibile al blocco di settanta chili di ghiaccio secco che, quando restavano di guardia con il motore spento, serviva da condizionatore d'aria.

Il vecchio furgone aveva quell'odore carcerario di paura e sudore impossibile da togliere. Nella sua lunga esistenza aveva cambiato molte scritte. Quelle sporche e sbiadite che ora portava sulle fiancate avevano trenta minuti di vita. I fori di proiettile riempiti di mastice erano più vecchi.

I finestrini posteriori, appositamente oscurati, funzionavano come specchi attraverso i quali si vedeva solo dall'interno. Starling poteva osservare i grossi furgoni neri dello Swat che li seguivano. Sperava di non dover essere costretta a stare ore chiusa là dentro.

Tutte le volte che girava la faccia verso i finestrini, gli agenti maschi la squadravano.

L'agente speciale dell'Fbi Clarice Starling, trentadue anni, dimostrava la sua età, e riusciva ad apparire attraente anche nella tuta di tela blu.

Brigham recuperò il suo blocco di carta dal sedile anteriore.

«Come mai piombi sempre in mezzo a questa merda, Starling?» le domandò, sorridendo.

«Perché tu continui a chiedere di me» rispose lei.

«Per questo caso mi servi. E, comunque, non ti vedrei certo per strada ad arrestare i ragazzotti di qualche banda. Non ne sono sicuro, ma secondo me c'è qualcuno che ti odia a Buzzard's Point. Dovresti venire a lavorare con me. Questi sono i miei ragazzi, gli agenti Marquez Burke e John Hare, e lui è l'agente Bolton del dipartimento di Polizia di Washington.»

Quel gruppo d'assalto, composto dal Bureau of Alcohol, Tobacco and Firearms, dalla squadra Swat della Dea e dall'Fbi, era l'inevitabile risultato delle restrizioni di budget in un periodo in cui perfino l'Accademia dell'Fbi era chiusa per mancanza di fondi.

Burke e Hare sembravano proprio due agenti; Bolton, un fattore. Sui quarantacinque anni, era sovrappeso ed enfio.

Il sindaco di Washington, dopo essere stato in carcere per droga, era ansioso di apparire un duro nella lotta agli stupefacenti e insisteva perché il suo dipartimento di Polizia condividesse il merito di qualunque operazione importante condotta nella sua città. Di qui, Bolton.

«La *posse* Drumgo cucina, oggi» disse Brigham.

«Evelda Drumgo, lo sapevo» commentò Starling senza entusiasmo.

Brigham fece un cenno di conferma. «Ha aperto una fabbrica di ghiaccio sul fiume, vicino al mercato del pesce Feliciana. Il nostro tipo dice che oggi cucinerà un bel po' di cristalli. E ha prenotato un volo per stasera, destinazione Grand Cayman. Non possiamo aspettare.»

La metanfetamina in cristalli, che sulle strade viene chiamata "ghiaccio", provoca un breve ma potentissimo flash e una micidiale dipendenza.

«La droga è una faccenda che riguarda la Dea. A noi Evelda interessa per trasporto di armi di terza classe da uno stato all'altro. Il mandato specifica che si tratta di mitragliatori Beretta e alcuni Mac 10, e che per giunta Evelda sa dove procurarsene molti altri. Starling, voglio che ti concentri su Evelda. Hai già avuto a che fare con lei. I ragazzi ti copriranno le spalle.»

«A noi tocca la parte più facile» commentò l'agente Bolton con una certa soddisfazione.

«Sarà meglio che gli spieghi chi è Evelda, Starling» disse Brigham.

Starling aspettò che il furgone smettesse di sobbalzare sui binari di una ferrovia. «Evelda combatterà. A vederla non ne sembra capace... ha fatto la modella... ma combatterà. È la vedova di Dijon Drumgo. L'ho arrestata due volte, la prima insieme a Dijon. I mandati erano stati emessi in base alla legge Rico.

«La seconda volta, nella borsa aveva una bomboletta di Mace e una 9 millimetri con tre caricatori, e nel reggiseno teneva un coltello a serramanico... non so che cosa ci tenga adesso.

«Le chiesi molto educatamente di consegnarmelo, e lei lo fece. Poi, in carcere, ha ucciso una detenuta, tale Marsha Valentine, con il manico di un cucchiaio. Con lei non si sa mai... ha una faccia difficile da decifrare. Il gran giurì l'ha assolta per legittima difesa.

«È riuscita a farsi annullare le aggravanti previste dalla Rico e diminuire la condanna. Alcune delle accuse per trasporto d'armi sono state fatte cadere perché i suoi figli erano molto piccoli e il marito era appena stato ucciso nella sparatoria di Pleasant Avenue, probabilmente dagli Spliff.

«Le chiederò di arrendersi, spero che lo faccia. Esibiremo tutta la nostra forza. Ma, statemi a sentire, se saremo costretti a bloccarla, avrò bisogno di vero aiuto. Non preoccupatevi di coprirmi le spalle. Voglio tutta l'attenzione su di lei. Signori, non pensate di vedere Evelda e la sottoscritta impegnate nella lotta nel fango.»

C'era stato un periodo in cui Starling si sarebbe affidata al giudizio di quegli uomini. Ora, a loro non piaceva ciò che stava dicendo e lei aveva visto troppe cose per preoccuparsene.

«Evelda Drumgo è collegata ai Trey-Eight Crip attraverso Dijon» spiegò Brigham. «Il nostro tizio dice che ha la protezione dei Crip, e sono i Crip a spacciare sulla costa. Ma la loro è soprattutto una protezione contro gli Spliff. Non so che cosa faranno, quando si accorgeranno che siamo noi. Se appena possono evitarlo, i Crip preferiscono non scontrarsi con i federali.»

«Altra cosa che dovete sapere: Evelda è sieropositiva» disse Starling. «L'ha contagiata Dijon attraverso un ago. Lei l'ha scoperto in carcere ed è andata fuori di testa. È stato il giorno in cui ha ucciso Marsha Valentine e picchiato le guardie. Se non è armata e reagisce, aspettatevi di venire colpiti da qualunque sostanza organica riesca a scagliarvi contro. Sputerà, morderà e, se tenterete di metterla a terra, vi urinerà e vi defecherà addosso, quindi priorità assoluta per guanti e maschere. Se poi la caricherete su un'autopattuglia, quando le proteggerete la testa con la mano, attenti che non abbia un ago fra i capelli, e legatele i piedi.»

Burke e Hare stavano facendo la faccia lunga. L'agente Bolton, decisamente seccato, indicò con il mento flaccido l'arma di Starling, una vecchia Colt .45 Government, con il calcio coperto di nastro isolante, che la ragazza portava in una cinghia yaqui dietro il fianco destro. «Vai sempre in giro con il cane di quell'affare alzato?» volle sapere.

«Preferisco essere sempre pronta a sparare, ogni minuto del giorno» rispose Starling.

«Pericoloso.»

«Agente, vieni al poligono con me e ti faccio vedere.»

Brigham li interruppe. «Bolton, l'ho addestrata io. Starling è stata per tre anni di fila campionessa interservizi di tiro con pistola da combattimento. Non preoccuparti per la sua arma. Quei tizi della squadra per il salvataggio degli ostaggi, i Cowboy Velcro, come ti hanno chiamata dopo che gli hai fatto il culo? Annie Oakley?»

«Veleno Oakley» rispose Starling, e guardò fuori dal finestrino.

Nel furgone pieno d'uomini che puzzava di capra, Starling si sentiva lacerata e sola. Chaps, Brut, Old Spice, sudore e cuoio. Aveva una certa paura, che le faceva sentire un sapore metallico sotto la lingua. *Un'immagine nella mente: suo padre in cucina, che profuma di tabacco e di sapone, mentre sbuccia un'arancia con il coltello a serramanico dalla punta della lama spezzata di netto e divide l'arancia con lei. I fanalini di coda del suo furgoncino che scompaiono, mentre il padre parte per il servizio di guardia notturno che l'avrebbe ucciso. I suoi abiti nell'armadio. La sua camicia a quadri. E nel suo, di armadio, alcuni bei vestiti da festa che ora non avrebbe più messo. Tristi vestiti da festa appesi alle grucce, simili a giocattoli in soffitta.*

«Mancano una decina di minuti» avvertì il guidatore.

Brigham guardò fuori dal parabrezza e controllò l'orologio. «Ecco la piantina» disse. Si trattava di un disegno tracciato in fretta con un evidenziatore e della sfocata planimetria di un piano dell'edificio che gli era stata mandata per fax dal dipartimento per l'Edilizia. «Il complesso del mercato del pesce fa parte di una fila di negozi e di magazzini disposti lungo la riva del fiume. Parcell Street sbocca in Riverside Avenue, in questa piazzetta di fronte al mercato.

«Vedete?, il retro dell'edificio dove si trova il mercato dà sull'acqua. Là hanno un molo che corre lungo tutta la parte posteriore, proprio qui. Al pianterreno, accanto al mercato del pesce, c'è il laboratorio di Evelda. Ingresso sul davanti, subito dopo il tendone. Mentre cucina la roba, Evelda tiene i suoi uomini sparpagliati lì attorno per almeno tre isolati. È già successo che l'avvertissero in tempo perché potesse far scomparire la droga nel cesso. E così, alle quindici, la squadra di pronto intervento della Dea, che si trova sul terzo furgone, si avvicinerà dal lato del molo a bordo di una barca da pesca. Noi, con questo furgone, possiamo avvicinarci più degli altri e raggiungere la porta che dà sulla strada un paio di minuti prima dell'irruzione. Se Evelda esce dal davanti, la blocchiamo. Se resta dentro, abbattiamo la porta da questa parte subito dopo che gli altri avranno abbattuto quella sul retro. Il secondo furgone è la nostra retroguardia. Sette uomini che entreranno in azione alle quindici, a meno che non li chiamiamo prima.»

«Come la buttiamo giù, la porta?» chiese Starling.

Intervenne Burke. «Se è tutto tranquillo, a sprangate. Se sentiamo scoppi o spari, tocca a fratello Avon.» Batté la mano sul fucile.

Starling ne aveva già visto l'effetto. "Fratello Avon" era una cartuccia magnum da tre pollici carica di piombo finemente polverizzato, capace di far saltare le serrature senza ferire la gente all'interno.

«E i bambini di Evelda, dove sono?» chiese Starling.

«Il nostro informatore l'ha vista lasciarli al nido» rispose Brigham. «Quell'uomo è vicino alla famiglia, molto vicino, o almeno quanto lo si può essere quando si pratica il sesso sicuro.»

Brigham sentì frusciare la radio negli auricolari e scrutò la parte di cielo che riusciva a vedere dal finestrino posteriore. «Forse sta solo controllando il traffico» disse nel microfono che aveva al collo. Poi, all'agente al volante: «Forza Due ha visto un elicottero della tv, un minuto fa. Tu hai notato niente?».

«No.»

«Speriamo sia l'elicottero per il controllo del traffico. Dài, cominciamo a corazzarci.»

Settanta chili di ghiaccio secco non bastano a tenere freschi cinque esseri umani all'interno di un furgone metallico in una giornata calda, soprattutto quando si affannano per infilarsi gli indumenti protettivi. Bolton alzò le braccia e dimostrò che uno spruzzo di deodorante non ha lo stesso effetto di una doccia.

Clarice Starling si era cucita due spalline imbottite sotto la camicia, perché sostenessero il peso del giubbotto in kevlar, che lei sperava a prova di proiettile. Il giubbotto aveva il peso aggiuntivo di una piastra di ceramica sia sul retro sia sul davanti.

Una tragica esperienza le aveva insegnato il valore della piastra sul retro. Effettuare un'irruzione con una squadra che non conosci, composta di persone con vari livelli di addestramento, è un'impresa pericolosa. Possono essere le pallottole amiche a fracassarti la spina dorsale, mentre guidi una colonna di uomini inesperti e spaventati.

A tre chilometri e mezzo dal fiume, il terzo furgone si staccò dagli altri per portare la squadra di pronto intervento della Dea all'appuntamento con la barca da pesca, e il furgone d'appoggio rallentò per mantenersi a una certa distanza dal veicolo bianco di testa.

Il quartiere cominciava a farsi degradato. Un terzo degli edifici aveva porte e finestre sbarrate da tavole di legno, e lungo i marciapiedi c'erano file di macchine bruciate. Giovani uomini ciondolavano davanti ai bar e ai negozietti. Alcuni bambini giocavano attorno a un materasso in fiamme.

Se le guardie di Evelda erano lì fuori, si mimetizzavano bene fra la gente comune. Nelle vicinanze dei negozi di liquori e nei posteggi dei supermercati, alcuni uomini se ne stavano seduti in macchina a chiacchierare.

Una bassa Impala decappottabile con a bordo quattro giovani afro s'infilò nello scarso traffico e proseguì lentamente dietro il furgone. Salì a metà sul marciapiede per esibirsi con le ragazze che vi sostavano, mentre il ritmo martellante del suo stereo quasi scuoteva la lamiera del furgone.

Guardando attraverso il vetro a senso unico del finestrino posteriore, Starling giudicò che i giovani della decappottabile non rappresentavano una minaccia: l'ammiraglia dei Crip era quasi sempre una grossa berlina oppure una station wagon, abbastanza vecchia da passare inosservata nel quartiere, con i finestrini posteriori completamente abbassati e un equipaggio di tre o quattro uomini. Se non si sta più che attenti, può sembrare sinistra anche una squadra di pallacanestro a bordo di una Buick.

Mentre aspettavano a un semaforo, Brigham tolse il cappuccio all'oculare del periscopio e batté la mano sul ginocchio di Bolton.

«Da' un'occhiata per vedere se sul marciapiede c'è qualche celebrità locale.»

L'obiettivo del periscopio era nascosto in un ventilatore sul tetto e poteva guardare solo sui lati.

Bolton fece ruotare l'apparecchio, poi si fermò, fregandosi gli occhi. «Quest'affare sobbalza troppo, con il motore che va» disse.

Brigham controllò la squadra della barca attraverso la radio. «Sono a quattrocento metri verso valle e si avvicinano» riferì ai suoi.

A un isolato di distanza, in Parcell Street, il furgone si bloccò a un semaforo rosso e rimase di fronte al mercato per quello che parve un tempo molto lungo. Come per controllare lo specchietto di destra, l'agente alla guida si voltò verso Brigham e gli parlò dall'angolo della bocca: «Non sembra che ci sia molta gente a comprare il pesce. Ecco che andiamo».

Il semaforo scattò sul verde, e alle quattordici e cinquantasette, esattamente tre minuti prima dell'ora X, l'ammaccato furgone bianco si fermò davanti al mercato del pesce Feliciana, in una buona posizione vicino al marciapiede.

Nel retro, gli agenti sentirono il raspare del freno a mano tirato dal guidatore.

Brigham cedette il periscopio a Starling. «Controlla anche tu.» Starling lo girò per scrutare la facciata dell'edificio.

Sul marciapiede, sotto un tendone di canapa, tavoli e banconi carichi di pesce. I merluzzi arrivati dalla Carolina erano ordinatamente disposti sul ghiaccio tritato, i granchi muovevano le chele nelle ceste aperte e le aragoste si arrampicavano l'una sull'altra in un bidone. L'astuto pescivendolo aveva coperto gli occhi dei pesci più grossi con tamponi bagnati per mantenerli lucidi fino alla sera, quando sarebbe arrivata l'ondata di sospettose casalinghe di origine caraibica pronte ad annusare e a esaminare la merce.

Il sole accendeva un arcobaleno nel getto d'acqua che schizzava dal tavolo sul quale veniva pulito il pesce, dove un uomo dall'aspetto ispanico e dalle braccia muscolose tagliava uno squalo mako muovendo ritmicamente il coltello ricurvo e annaffiando il grosso pesce con una potente pompa. L'acqua insanguinata scorreva nel canaletto lungo il marciapiede e Starling la sentiva gorgogliare sotto il furgone.

Osservò l'agente alla guida parlare con il pescivendolo e rivolgergli una domanda. Il pescivendolo guardò l'orologio, si strinse nelle spalle e indicò un ristorantino poco distante. L'agente si guardò attorno per un minuto, accese una sigaretta e mosse in direzione del locale.

All'interno del mercato, un altoparlante trasmetteva *La macarena* a volume così alto che Starling poteva sentirla da dentro il furgone. In vita sua, non sarebbe più stata capace di ascoltare quella canzone.

La porta che interessava a loro era sulla destra: di metallo, a due battenti, e incassata in un'intelaiatura anch'essa di metallo, con un solo gradino di cemento.

Starling stava per lasciare il periscopio, quando la porta si aprì. Ne uscì un omaccione bianco in sandali e camicia hawaiana. Reggeva di traverso sul torace uno zainetto, dietro al quale teneva una mano. Dopo di lui spuntò un nero segaligno con un impermeabile sul braccio.

«Ci siamo» disse Starling.

Dietro i due uomini, con il lungo collo da Nefertiti e la bella faccia visibili oltre le loro spalle, veniva Evelda Drumgo.

«Ecco Evelda. Sembra che gli altri due abbiano l'artiglieria» disse Starling.

Non riuscì a lasciare il periscopio abbastanza in fretta da impedire a Brigham di sbatterle contro. Si mise il casco.

Brigham parlava alla radio. «Forza Uno a tutte le unità. Ci siamo. Ci siamo. È uscita da questa parte. Ci muoviamo.»

«Scendete il più silenziosamente possibile» disse ai suoi sul furgone, e tolse la sicura al fucile antisommossa. «La barca sarà qui in trenta secondi. Forza, andiamo.»

Starling fu la prima a saltare giù, e le trecce di Evelda volarono sui due lati, mentre la donna girava di scatto la testa verso di lei. Starling era consapevole degli agenti accanto a lei, con le armi puntate, che sbraitavano: «A terra, a terra!».

Di Evelda che avanzava passando fra i due uomini.

Di Evelda che aveva un bambino nel marsupio legato al collo con una cinghia.

«Fermi, fermi, non voglio guai» disse agli uomini accanto a lei. «Fermi, fermi.» Avanzava con portamento regale, tenendo il bambino alto di fronte a sé fin dove lo permetteva la cinghia, la copertina che penzolava.

*Lasciatele spazio per muoversi.* Starling infilò a tentoni la pistola nella fondina e tese le braccia, le mani aperte. «Evelda, arrenditi! Vieni verso di me.» Dietro Starling, il rombo di un grosso V8 e lo stridio dei pneumatici. Starling non poteva voltarsi. *Speriamo che sia la forza d'appoggio.*

Ignorandola, Evelda avanzò verso Brigham, con la copertina che svolazzava mentre il Mac 10 sparava attraverso le pieghe e Brigham cadeva, la faccia una maschera di sangue.

L'omaccione bianco mollò lo zainetto. Burke vide la pistola mitragliatrice e sparò un innocuo sbuffo di polvere di piombo dal suo fucile. Tentò di ricaricare, ma non fece in tempo. L'omaccione esplose una raffica che lo colpì di traverso all'inguine, sotto il giubbotto anti-proiettile, poi mosse ad arco la canna verso Starling che, portata la mano alla fondina, gli sparò due volte al centro della camicia hawaiana.

Colpi d'arma da fuoco dietro Starling. Il nero segaligno lasciò cadere l'impermeabile che nascondeva la sua arma e riparò con un balzo nell'edificio, mentre un colpo simile a un violento pugno nella schiena proiettò Starling in avanti, mozzandole il fiato. Girò su se stessa e vide lontano sulla strada l'ammiraglia dei Crip, una Cadillac berlina, i vetri abbassati, con due uomini seduti stile cheyenne sul bordo dei finestrini dall'altro lato della macchina, che sparavano da sopra il tetto, e un terzo dal sedile posteriore. Fuoco e fumo da tre canne, proiettili che squarciavano l'aria attorno a lei.

Starling si tuffò tra due auto posteggiate, vide Burke contorcersi sull'asfalto. Brigham era immobile, con fiotti di sangue che colavano da sotto il casco. Hare e Bolton sparavano nascosti fra le macchine da qualche punto dall'altra parte della strada, e laggiù vetri di finestrini che si fracassavano e cadevano in frantumi sull'asfalto. Un pneumatico esplose, mentre il fuoco delle armi automatiche proveniente dalla Cadillac inchiodava a terra i due agenti. Starling, un piede piantato nel canaletto di scolo, si sporse a guardare. I due uomini seduti sul bordo dei finestrini sparavano da sopra il tetto, il guidatore stringeva la pistola nella mano libera. Starling rispose ripetutamente al fuoco. Un quarto uomo, sul sedile posteriore, aveva spalancato la portiera e tirava Evelda e il bambino per farli salire in macchina. Evelda stringeva il marsupio. Sparavano contro Bolton e Hare dall'altra parte della strada. Fumo dai pneumatici posteriori, e la macchina schizzò in avanti. Starling si eresse, seguì con la canna della pistola il movimento del veicolo e colpì il guidatore alla tempia. Sparò due volte all'uomo seduto sul bordo del finestrino anteriore e lui cadde all'indietro. Senza staccare lo sguardo dalla macchina, espulse il caricatore vuoto dalla .45 e sbatté dentro quello nuovo prima ancora che l'altro toccasse terra.

La Cadillac si diresse verso una fila di macchine ferme sull'altro lato della strada e, stridendo, andò a sbatterci contro.

Ora Starling avanzava verso la Cadillac. Uno degli uomini era ancora seduto sul bordo del finestrino posteriore, gli occhi che saettavano, le mani che facevano leva contro il tetto, il torace schiacciato fra la Cadillac e una macchina posteggiata. La sua rivoltella scivolò giù dal tetto. Dall'altro finestrino posteriore più vicino sbucarono due mani vuote. Un uomo con una bandana azzurra e la pettinatura afro scese, con le mani alzate, e corse via. Starling lo ignorò.

Spari sulla destra. L'uomo si tuffò in avanti, atterrò sulla faccia e tentò di strisciare sotto una macchina. Rotori di elicottero che vorticavano sopra di lei.

Qualcuno che urlava, nel mercato del pesce: «State giù. State giù». La gente sotto i banchi, e al tavolo abbandonato l'acqua che sprizzava nell'aria.

Starling che avanzava verso la Cadillac. Movimento nel retro della macchina. Movimento sulla Cadillac. L'auto che sussultava. Il bambino che strillava là dentro. Spari, e il finestrino posteriore che si fracassava, ricadendo verso l'interno.

Starling alzò il braccio e gridò, senza voltarsi: «SMETTETE. Cessate il fuoco. Attenti alla porta. Dietro di me. Attenti alla porta del mercato».

«Evelda.» Movimento nel retro della macchina. Il bambino che strillava là dentro. «Evelda, metti le mani fuori dal finestrino.»

Ora Evelda Drumgo stava scendendo. Il bambino continuava a strillare. *La macarena* rimbombava negli altoparlanti del mercato. Evelda era scesa e camminava verso Starling, la bella testa china, le braccia strette attorno al bambino.

Burke si contorceva sull'asfalto fra loro. Contorsioni un po' meno violente, ora che era quasi dissanguato. *La macarena* accompagnava i sussulti di Burke. Qualcuno sgattaiolò fino a lui e, accucciato, gli tamponò la ferita.

Starling teneva la pistola puntata verso terra davanti a Evelda. «Evelda, fammi vedere le mani, avanti, ti prego, fammi vedere le mani.»

Un rigonfio nella copertina. Evelda, con le trecce e gli scuri occhi egizi, alzò la testa e la guardò.

«Allora sei proprio tu, Starling» disse.

«Evelda, non farlo. Pensa al bambino.»

«Scambiamoci i fluidi corporali, troia.»

La copertina svolazzò, l'aria emise una vibrazione. Starling sparò colpendo Evelda Drumgo al labbro superiore, e la parte posteriore della testa schizzò via.

Poi, senza sapere come, si trovò seduta, con il fiato mozzo e un dolore lancinante a un lato del capo. Anche Evelda era seduta sulla strada, piegata in due, e il fiotto di sangue che le usciva dalla bocca si rovesciava sul bambino, i cui strilli erano soffocati dal suo corpo.

Starling strisciò verso di lei e sganciò le fibbie scivolose del marsupio. Estrasse il coltello a serramanico dal reggiseno di Evelda, lo aprì con uno scatto, senza guardarlo, e tagliò il marsupio per prendere il bambino, che era rosso e viscido, difficile da tenere.

Reggendolo, Starling alzò gli occhi, disperata. Vide l'acqua sprizzare nell'aria dal mercato del pesce e corse da quella parte, portando il bambino insanguinato. Spazzò via con la mano i coltelli e le interiora di pesce e lo appoggiò sul tagliere di legno dirigendo il forte getto verso di lui; e quel bambino nero, adagiato su un tagliere bianco fra coltelli e interiora di pesce, con vicino la testa dello squalo, venne lavato dal sangue infetto, mentre su di lui cadeva il sangue di Starling, che veniva portato via insieme a quello di Evelda, in un unico flusso salato esattamente come il mare.

L'acqua schizzava, creando un ironico arcobaleno della Buona Speranza, simile a una bandiera che sventolasse sull'opera compiuta dal "cieco martello divino". In quel piccolo essere umano Starling non riuscì a trovare alcuna ferita. *La macarena* batteva e un flash si accendeva e accendeva e accendeva, finché Hare non trascinò via il fotografo.

## 2

Una strada senza uscita in un quartiere operaio di Arlington, Virginia. È passata da poco la mezzanotte. Dopo la pioggia, è una calda notte autunnale. L'aria si muove a fatica davanti a un fronte freddo. Nell'odore di foglie e terra bagnata, un grillo arpeggia un motivo. Si azzittisce quando viene investito da una grossa vibrazione, il rombo soffocato di una Mustang 5 litri dai paraurti d'acciaio cromato che imbocca la strada senza uscita, seguita dall'auto di uno sceriffo federale. I due veicoli percorrono il vialetto di una linda villetta bifamiliare. Fermandosi, la Mustang sussulta leggermente. Quando il motore si fa silenzioso, il grillo aspetta un momento e poi riprende il suo motivo, l'ultimo prima che arrivi il gelo, l'ultimo per sempre.

Dal posto di guida della Mustang esce uno sceriffo federale in divisa. Fa il giro della macchina e apre la portiera a Clarice Starling. Lei scende. Una benda tiene ferma la medicazione che ha sull'orecchio. Macchie rosso-arancione di Betadine sul collo, sopra la blusa chirurgica verde che indossa al posto della camicetta.

Clarice porta i suoi effetti personali in una borsa di plastica con cerniera: qualche moneta, le chiavi, il tesserino di agente speciale del Federal Bureau of Investigation, un portamunizioni con cinque caricatori, una bomboletta di Mace. Insieme alla borsa, regge una cintura di cuoio e una fondina vuota.

Lo sceriffo le consegna le chiavi della macchina.

«Grazie, Bob.»

«Vuoi che io e Pharon restiamo un po' con te? O preferisci che chiami Sandra? Mi aspetta sveglia. La porto qui, se vuoi. Hai bisogno di compagnia.»

«No, vado, adesso. Fra un po' torna a casa Ardelia. Grazie, Bobby.»

Lo sceriffo sale sull'auto dove aspetta il suo compagno. Quando Starling è al sicuro dentro l'edificio, la macchina federale si allontana.

La lavanderia della casa di Starling è calda e sa di ammorbidente. I tubi della lavatrice e dell'asciugabiancheria sono assicurati al muro da manette di plastica. Starling deposita le sue cose sulla lavatrice. Battendo sul ripiano, le chiavi della macchina emettono un forte suono metallico. Starling toglie dalla lavatrice un carico di panni ancora bagnati e lo caccia nell'asciugabiancheria. Si sfila i calzoni della tuta e li getta nel cestello insieme alla blusa chirurgica e al reggiseno macchiato di sangue, poi dà il via al programma. Indossa calzini, slip e una fondina alla caviglia con dentro una .38 Special. Ha lividi sulla schiena e sulle costole e un'abrasione al polso. L'occhio e la guancia destri sono gonfi.

Dopo aver scaldato l'acqua, la lavatrice comincia a sciabordare. Starling si avvolge in un grande telo da mare e va nel soggiorno. Torna indietro con tre dita di Jack Daniel's liscio in un bicchiere piccolo. Al buio, si siede sul tappetino di gomma e si appoggia alla lavatrice che, ormai in piena azione, pulsa e sciacquetta. Resta seduta sul pavimento a faccia in su ed emette un paio di singhiozzi convulsi, prima che arrivino le lacrime, lacrime brucianti che le scendono sulle guance, sul viso.

L'uomo con il quale era uscita riaccompagnò a casa Ardelia Mapp verso l'una, dopo una lunga scarrozzata da Cape May, e lei gli augurò la buonanotte sulla porta. Mapp era in bagno quando sentì scorrere l'acqua e pulsare i tubi, mentre la lavatrice avanzava nei suoi cicli.

Andò sul retro della casa e accese la luce nella cucina che divideva con Starling. Di lì poteva vedere la lavanderia. Poteva vedere Starling seduta sul pavimento, la benda attorno alla testa.

«Starling! Oh, piccola.» S'inginocchiò in fretta accanto a lei. «Che cos'è successo?»

«Mi hanno sparato all'orecchio, Ardelia. Mi hanno medicata al Walter Reed Hospital. Non accendere la luce, okay?»

«Okay. Ti preparo qualcosa. Non ti ho sentito... in macchina ascoltavamo una cassetta. Racconta.»

«John è morto, Ardelia.»

«*Non Johnny Brigham!*» Mapp e Starling si erano prese tutt'e due una cotta per Brigham, quando lui era a capo della sezione armi e tiro all'Accademia dell'Fbi, ed erano rimaste affascinate dal tatuaggio sulla spalla che gli s'intravedeva attraverso la manica della camicia.

Starling annuì e si asciugò gli occhi con il dorso della mano, come una bambina. «Evelda Drumgo e i Crip. È stata Evelda a sparargli. Hanno ucciso anche Burke, Marquez Burke del Batf. Era un'operazione congiunta. Evelda era stata avvertita in anticipo, e i telegiornali sono arrivati insieme a noi. Evelda toccava a me. Non ha voluto arrendersi, Ardelia. Non ha voluto arrendersi e aveva in braccio il bambino. Ci siamo sparate a vicenda. Lei è morta.»

Mapp non aveva mai visto Starling piangere.

«Ardelia, oggi ho ucciso cinque persone.»

Mapp si sedette sul pavimento accanto a lei e le passò un braccio attorno alle spalle. Insieme, si appoggiarono alla lavatrice ancora in movimento. «E il bambino di Evelda?»

«Gli ho tolto il sangue di dosso, e da quanto sono riuscita a vedere non c'erano segni sulla sua pelle. All'ospedale hanno detto che fisicamente sta bene. Entro un paio di giorni lo consegneranno alla madre di Evelda. Sai qual è l'ultima cosa che mi ha detto Evelda? Ha detto: "Scambiamoci i fluidi corporali, troia".»

«Vado a prepararti qualcosa.»

«Lascia perdere!»

## 3

Con l'alba grigia arrivarono i giornali e i primi notiziari televisivi. Quando sentì Starling muoversi per la casa, Mapp comparve con un paio di ciambelle e li guardarono insieme.

La Cnn e tutte le altre reti trasmisero il servizio protetto da copyright che avevano comprato dalla Wful-Tv. Girato da un elicottero, era un filmato straordinario, ripreso direttamente da sopra la scena.

Starling lo guardò una sola volta. Doveva vedere se era stata Evelda a sparare per prima. Osservò Mapp e sulla sua faccia scura lesse la collera.

Poi, corse a vomitare.

«È difficile da guardare» disse quando fu di ritorno, pallida e con le gambe che le tremavano.

Come al solito, Mapp andò diritta al punto. «La tua domanda è che cosa provo io all'idea che hai ammazzato quell'afro con in braccio il bambino. Ecco la risposta: ha sparato lei per prima. Io ti voglio viva. Senti, Starling, pensa a chi ha deciso questa follia. Quale testa di cazzo ha messo te ed Evelda Drumgo insieme in quel posto squallido, con la speranza che il problema della droga potesse essere risolto da te e qualche maledetta pistola? Ti sembra intelligente? Spero che tu cominci a chiederti se vuoi continuare a essere quella che tira fuori le castagne dal fuoco per loro.» Mapp versò del tè, per dare a Starling il tempo di pensare a ciò che aveva detto. «Vuoi che resti con te? Prendo un giorno di permesso.»

«Grazie, non è necessario. Telefonami.»

Il «National Tattler», primo beneficiario del boom dei giornali negli anni Novanta, uscì con un'edizione straordinaria, eccezionale perfino per i suoi stessi standard. A metà mattinata, qualcuno ne gettò una copia davanti alla casa di Starling. Lei lo trovò quando uscì per investigare sul tonfo che aveva sentito. Si aspettava il peggio, e fu accontentata.

*L'angelo della morte. Clarice Starling, la macchina per uccidere dell'Fbi*, urlava il titolo di testa del «National Tattler», in nero corpo 72. Le tre fotografie in prima pagina erano: Clarice Starling in tuta che sparava con una pistola calibro .45 a una gara di tiro; Evelda Drumgo sull'asfalto, ripiegata sul bambino, la testa china come quella di una Madonna di Cimabue, con il cervello che fuoriusciva; e di nuovo Starling che metteva un bambino nero su un tagliere bianco, fra coltelli, interiora di pesce e la testa di uno squalo.

La didascalia sotto le fotografie diceva: "L'agente speciale dell'Fbi Clarice Starling, che uccise il serial killer Jame Gumb, aggiunge oggi almeno cinque tacche alla sua pistola. Fra i morti, dopo la fallimentare operazione antidroga, una madre con il figlioletto fra le braccia e due agenti di polizia".

L'articolo principale ripercorreva la carriera di Evelda e Dijon Drumgo nel mondo della droga e la comparsa dei Crip sul panorama della guerra fra bande di Washington, D.C. C'era anche un breve accenno al curriculum militare del defunto agente John Brigham ed erano citate le sue decorazioni.

Su Starling, un intero articolo di spalla, sotto una fotografia scattata di sorpresa in un ristorante, con lei che indossava un abito scollato e aveva l'espressione animata.

Clarice Starling, agente speciale dell'Fbi, ebbe i suoi quindici minuti di notorietà quando sette anni fa uccise a colpi di pistola l'omicida seriale Jame Gumb, detto "Buffalo Bill", nello scantinato della sua casa. Ora potrebbe dover affrontare varie imputazioni dipartimentali, nonché essere chiamata a rispondere di responsabilità civili per la morte, avvenuta giovedì, di una madre accusata di fabbricazione illegale di anfetamine.

"Questa potrebbe essere la fine della sua carriera" ha affermato una fonte del Bureau of Alcohol, Tobacco and Firearms, l'agenzia gemella dell'Fbi. "Ancora non conosciamo tutti i particolari su come si sono svolti i fatti, ma oggi John Brigham potrebbe essere vivo. Dopo Ruby Ridge, è l'ultima cosa di cui l'Fbi aveva bisogno" ha aggiunto la fonte, che ha voluto mantenere l'incognito.

Clarice Starling iniziò la sua pittoresca carriera appena entrata come recluta all'Accademia dell'Fbi. Laureata con il massimo dei voti in psicologia e criminologia presso l'università della Virginia, ottenne l'incarico di interrogare il folle criminale dottor Hannibal Lecter, soprannominato da questo giornale "Hannibal il Cannibale", e da lui ottenne informazioni utili per l'identificazione di Jame Gumb e la liberazione del suo ostaggio, Catherine Martin, figlia di un'ex senatrice del Tennessee.

Prima di ritirarsi dalle competizioni, l'agente Starling è stata per tre anni di fila campionessa interservizi di tiro con pistola da combattimento. Ironicamente, l'agente Brigham, morto al suo fianco, era istruttore di tiro a Quantico proprio durante l'addestramento di Starling, e la seguì anche durante le gare.

Un portavoce dell'Fbi ha dichiarato che, fino alla conclusione dell'inchiesta interna, l'agente Starling verrà sospesa dal servizio, ma conserverà lo stipendio. Prima della fine della settimana è attesa un'udienza di fronte all'ufficio per la responsabilità professionale (Opr), il temutissimo organismo inquisitivo dell'Fbi.

I parenti della defunta Evelda Drumgo hanno affermato che chiederanno i danni al governo degli Stati Uniti e a Starling in persona per morte ingiustificata.

Il figlioletto di tre mesi dei Drumgo, che abbiamo vi-

sto fra le braccia della madre nelle drammatiche riprese della sparatoria, non ha riportato ferite.

L'avvocato Telford Higgins, che ha difeso la famiglia
Drumgo in numerosi processi penali, ha dichiarato che
nella città di Washington, durante le operazioni di polizia, è vietato l'uso di armi come quella utilizzata dall'a-
gente speciale Starling, una Colt .45 semiautomatica
modificata. "È uno strumento pericoloso, inadatto agli
interventi di ordine pubblico" ha detto Higgins. "La sua
stessa presenza costituisce un rischio enorme per le vite
umane" ha poi aggiunto il noto penalista.

Il «Tattler», che aveva comprato da uno dei suoi
informatori il numero telefonico di Clarice Starling,
continuò a chiamare finché lei non lasciò la cornetta
staccata e cominciò a usare il cellulare dell'Fbi per tenersi in contatto con il suo ufficio.

Starling non sentiva molto male all'orecchio e al lato
gonfio della faccia, purché non toccasse la fasciatura.
Se non altro, la ferita non pulsava. Si tenne su con due
Tylenol. Non ebbe bisogno del Percocet prescritto dal
medico. Sonnecchiò appoggiata alla testiera del letto,
residui di polvere da sparo sulle mani, lacrime essicca-
te sulle guance, con il «Washington Post» che scivolava
sulla coperta e cadeva sul pavimento.

## 4

Tu t'innamori dell'Fbi,
ma l'Fbi non s'innamora di te.

*Massima degli psicologi*
*per chi è costretto a lasciare l'Fbi*

A quell'ora del mattino, la palestra dell'Fbi nel J. Edgar Hoover Building era quasi deserta. Due uomini di mezza età descrivevano lenti giri attorno alla pista coperta. Nel vasto locale riecheggiarono lo scatto di una macchina per il sollevamento pesi in un angolo lontano e gli schiocchi di una partita di squash.

Le voci dei due uomini non si sentivano. Jack Crawford correva con Tunberry, il direttore dell'Fbi, su richiesta dello stesso direttore. Avevano percorso tre chilometri e cominciavano ad ansimare.

«All'Atf, Blaylock deve per forza alzare su qualcun altro il polverone che ha sollevato con la storia di Waco. Non succederà subito, ma è un uomo finito, e lui lo sa» disse il direttore. «Tanto vale comunichi al reverendo Moon che gli lascerà liberi i locali.» Il fatto che il Bureau of Alcohol, Tobacco e Firearms avesse preso in affitto i suoi uffici di Washington dal reverendo Sun Myung Moon, per l'Fbi era una continua fonte di battute.

«E venerdì Farriday lascerà il servizio per la vicenda di Ruby Ridge» continuò.

«Questa non la capisco» disse Crawford. Negli anni Settanta, a New York, quando l'Organizzazione picchettava l'ufficio operativo dell'Fbi fra Third Avenue e 69th Street, aveva prestato servizio con Farriday. «Farriday è una brava persona. Non è stato lui a dettare le regole per l'arruolamento.»

«È quello che ho sostenuto anch'io, ieri mattina.»

«Se ne va senza fare storie?» chiese Crawford.

«Diciamo che non perderà i benefici economici. Tempi pericolosi, Jack.»

I due uomini, che correvano con la testa piegata all'indietro, accelerarono leggermente il passo. Con la coda dell'occhio, Crawford vide che il direttore studiava le sue condizioni fisiche.

«Quanti anni hai, Jack? Cinquantasei?»

«Sì.»

«Ti manca un anno alla pensione per limiti di età. Un sacco di gente se ne va a quarantotto, cinquant'anni, quando ancora può trovare un altro lavoro. Tu non hai mai voluto. Dopo la morte di Bella hai cercato solo di mantenerti indaffarato.»

Quando Crawford non rispose per ben mezzo giro, il direttore capì di aver detto la cosa sbagliata.

«Non intendevo scherzarci sopra, Jack. Proprio l'altro giorno, Doreen diceva come...»

«A Quantico ci sono ancora parecchie cose da fare. Vogliamo immettere in rete il Vicap, in modo che possa essere usato da tutti i poliziotti. Devi averlo visto nel budget.»

«Hai mai desiderato diventare direttore, Jack?»

«Non penso che sia il mio genere di lavoro.»

«Infatti, non lo è. Tu non sei un politico. No, non avresti mai potuto fare il direttore. Non saresti mai stato un Eisenhower, Jack, o un Omar Bradley.» Fece cenno a Crawford di fermarsi, e rimasero ansimanti al lato della pista. «Potevi essere un Patton, però. Riesci a trascinare i tuoi uomini all'inferno e a farti amare da loro. È un dono. Che io non ho. Io devo pungolarli continuamente.» Tunberry diede una rapida occhiata attorno a sé, raccolse l'asciugamano da una panca e se l'avvolse attorno alle spalle come la toga di un giudice. Aveva gli occhi lucidi.

Alcuni hanno bisogno di controllare la rabbia per essere duri, rifletté Crawford mentre guardava muoversi la bocca di Tunberry.

«A proposito della defunta signora Drumgo, del suo Mac 10 e del suo laboratorio di droghe, uccisa con il bambino in braccio, l'ufficio giudiziario esige un sacrificio con tanta carne. Carne fresca, sanguinante. E così i media. La Dea gliel'ha buttata, un po' di carne, e anche l'Atf. Ora tocca a noi. Ma, nel nostro caso, potrebbero accontentarsi di un po' di frattaglie. Krendler pensa che se gli diamo Clarice Starling ci lasceranno in pace. E io sono d'accordo. L'Atf e la Dea si accolleranno la colpa di aver progettato l'operazione. E Starling di aver tirato il grilletto.»

«Contro un'assassina di poliziotti che aveva sparato per prima.»

«È per via delle fotografie, Jack. Non ci arrivi, eh? La gente non ha visto Evelda Drumgo sparare a John Brigham. E non l'ha vista sparare a Starling per prima. Nessuno riesce a vedere, se non sa che cosa guardare. Duecento milioni di individui, un decimo dei quali elettori, hanno visto Evelda Drumgo seduta sulla strada, china protettivamente sul suo bambino e con il cervello spappolato. Non dirlo, Jack... Lo so che per un po' hai pensato che Starling potesse diventare una sorta di tuo alter ego. Ma ha la lingua lunga, Jack, e con certa gente è partita con il piede sbagliato.»

«Krendler è un uomo meschino.»

«Sta' a sentire, e non dire una parola finché non avrò finito. La carriera di Starling segnava comunque il passo. Verrà licenziata senza note di demerito, e dalla documentazione non emergerà niente di più grave di qualche ritardo e di un po' di assenteismo... Riuscirà a trovare un altro lavoro. Jack, tu hai fatto una gran cosa per l'Fbi: la sezione di Scienza del comportamento. Un sacco di gente è convinta che, se tu fossi stato capace di badare ai tuoi interessi, oggi saresti molto di più di un caposezione, perché meriti di meglio. Sarò il primo a proporlo, Jack. Andrai in pensione da vicedirettore. Hai la mia parola.»

«Vuoi dire se resto fuori da questa storia?»

«Il normale corso degli eventi, Jack. Accadrà quando ci sarà pace in tutto il regno. Jack, guardami.»

«Sì, direttore Tunberry?»

«Non te lo sto chiedendo, questo è un ordine preciso. Stanne fuori. Non sprecare l'occasione, Jack. A volte bisogna girare gli occhi dall'altra parte. Io l'ho fatto. Lo so che è difficile, credimi, lo so che cosa senti.»

«Che cosa sento? Sento il bisogno di una doccia.»

Starling era una donna di casa efficiente, ma non meti-
colosa. La sua parte di villetta era pulita, e lei riusciva
sempre a trovare tutto, però la roba tendeva ad am-
mucchiarsi: bucato ancora da dividere, più riviste che
posti in cui riporle.

Quando voleva vero ordine, attraversava la cucina in
comune per passare nella parte di Ardelia Mapp. Se
Ardelia era in casa, Starling godeva del beneficio dei
suoi consigli, sempre utili, anche se a volte più espliciti
di quanto avrebbe desiderato. Se Ardelia era fuori, era
sottinteso che Starling poteva starsene seduta a pensare nell'ordine assoluto della sua abitazione, purché
non vi abbandonasse niente. Là si sedette quel giorno.
Era una di quelle case in cui si avverte comunque la
presenza di chi le abita, sia fisicamente lì oppure no.

Starling rimase a fissare la polizza d'assicurazione
sulla vita della nonna di Mapp appesa al muro in una
cornice fatta a mano, proprio come lo era stata nella fattoria di cui la nonna era affittuaria e poi nell'appartamento della casa popolare dove Ardelia aveva trascorso
l'infanzia. La nonna vendeva verdure dell'orto e fiori risparmiando ogni centesimo per pagare il premio, ed era
riuscita a ottenere un prestito sulla parte già pagata della polizza per aiutare la nipote a superare le ultime difficoltà quando lavorava per pagarsi il college. C'era anche

una sua fotografia: un donnino minuscolo, che non faceva nessun tentativo di sorridere sopra l'inamidato colletto bianco, gli occhi neri accesi di antica saggezza sotto la falda del cappello di paglia.

Ardelia sentiva il proprio passato, vi traeva forza giorno dopo giorno. Ora, mentre cercava di ritrovare il controllo, Starling sentì il suo, di passato. La Lutheran Home di Bozeman l'aveva nutrita e vestita, e le aveva fornito onesti modelli di comportamento, ma per quello di cui aveva bisogno adesso doveva appellarsi al proprio sangue.

Su che cosa potete contare, se provenite da un ambiente di bianchi poveri? E da un posto in cui la Ricostruzione non è terminata fino al 1950? E se discendete da persone che nei campus vengono definite bigotte e provinciali o, in tono condiscendente, lavoratori e poveri appalachi bianchi? Se perfino la cosiddetta alta borghesia del Sud, che non riconosce nessunissima dignità al lavoro fisico, si riferisce alla vostra gente come a quei poveracci di meridionali, in quale tradizione potete trovare degli esempi? Nel fatto che quella prima volta a Bull Run gliel'avete fatta vedere? Che il vostro trisavolo si è comportato bene a Vicksburg, tanto che ora un angolo di Shiloh resterà per sempre Yazoo City?

C'è più onore e più senso nell'essere riusciti a ricavare qualcosa da ciò che era rimasto, da quei maledetti quaranta acri lavorati con l'aiuto di un mulo sempre schizzato di fango, ma bisogna essere capaci di capirlo da sé. Non ce lo dirà nessuno.

Starling aveva superato l'addestramento dell'Fbi perché non aveva niente alle spalle che la sostenesse. Aveva vissuto la maggior parte della vita in un qualche istituto, impegnandosi al massimo e rispettando le regole. Aveva sempre fatto progressi, vinto borse di studio, raggiunto gli obiettivi. Non essere riuscita a progredire nell'Fbi dopo un inizio brillante era per lei un'esperienza nuova, terribile. Le sembrava di sbattere contro muri di vetro, come un'ape dentro una bottiglia.

Aveva avuto quattro giorni per piangere John Brigham, ammazzato sotto i suoi occhi. Molto tempo prima, Brigham le aveva chiesto una cosa e lei aveva detto di no. Poi le aveva chiesto se potevano essere amici, e diceva sul serio, e lei aveva risposto di sì, e diceva sul serio.

Doveva fare i conti con quelle cinque persone che aveva ucciso al mercato del pesce. Tornava e ritornava sull'immagine del Crip con il torace schiacciato fra due macchine, avvinghiato al tetto mentre la pistola gli scivolava via.

A un certo punto, in cerca di sollievo, era andata all'ospedale per vedere il bambino di Evelda. Aveva trovato la madre di Evelda, con il piccolo fra le braccia, pronta a portarselo a casa. La donna riconobbe Starling dalle fotografie dei giornali, consegnò il bambino all'infermiera e, prima che Starling si rendesse conto delle sue intenzioni, le mollò un violento schiaffo sulla faccia, dalla parte bendata.

Lei non le restituì il colpo, ma l'afferrò per i polsi e la inchiodò contro la finestra del reparto maternità, immobilizzandola finché aveva smesso di divincolarsi, la faccia distorta contro il vetro sporco di saliva. Starling aveva sentito il sangue scorrerle sul collo, e il dolore le aveva fatto girare la testa. Si era fatta ricucire l'orecchio al pronto soccorso rifiutandosi di sporgere denuncia. Un infermiere aveva informato il «Tattler» dell'accaduto ed era stato ricompensato con trecento dollari.

Starling era dovuta uscire da casa altre due volte: per organizzare le esequie e per partecipare al funerale di John Brigham al cimitero di Arlington. Brigham aveva pochi parenti, che vivevano lontano: nelle sue ultime volontà, l'aveva incaricata di prendersi cura di tutto.

L'estensione delle ferite alla faccia aveva richiesto una bara chiusa, ma Starling aveva provveduto comunque a sistemare il meglio possibile l'aspetto di Brigham. L'aveva fatto vestire con l'impeccabile uniforme blu scuro dei marines, con la stella d'argento e i nastri delle altre decorazioni.

Dopo la cerimonia, l'ufficiale comandante aveva consegnato a Starling una cassetta con le armi personali di John Brigham, i distintivi e alcuni oggetti della sua scrivania in perenne disordine, incluso lo stupido uccello tessitore che beveva da un bicchiere.

Di lì a cinque giorni, Starling avrebbe presenziato a un'udienza che avrebbe potuto rovinarla. A parte un messaggio di Jack Crawford, il suo telefono era rimasto muto, e non c'era più nessun Brigham con cui parlare.

Chiamò l'associazione agenti dell'Fbi, e le fu consigliato di non andare all'udienza con orecchini appariscenti o scarpe dalla punta aperta.

Tutti i giorni, televisione e quotidiani riprendevano la storia di Evelda Drumgo e ci ricamavano sopra.

Ora, nell'ordine assoluto della casa di Mapp, Starling si sforzò di pensare.

Il tarlo che distrugge è la tentazione di essere d'accordo con chi ci critica, il desiderio di ottenerne l'approvazione.

Un rumore si stava intromettendo nei suoi pensieri.

Starling tentò di ricordare le parole esatte che aveva pronunciato nel furgone. Aveva detto più del necessario? Un rumore si stava intromettendo.

Brigham le aveva chiesto di informare gli altri su Evelda. Lei aveva forse espresso una qualche ostilità, usato parole poco...

Un rumore si stava intromettendo.

Ritornò in sé e si rese conto che era il suono del suo campanello dalla porta accanto. Un giornalista, probabilmente. Aspettava anche una citazione dal tribunale civile. Spostò la tenda della finestra sul davanti e vide il postino che tornava al suo veicolo. Aprì la porta d'ingresso di Mapp e lo raggiunse e, mentre firmava per ritirare l'espresso, voltò le spalle all'auto di qualche giornalista armato di teleobiettivo ferma sull'altro lato della strada. La busta era color malva, di raffinata carta intessuta di fili di seta. Per quanto sconvolta, quella carta le ricordò qualcosa. Tornata in casa, fuori dalla luce accecante, guardò l'indirizzo. La grafia era elegante, nitida.

Sopra la costante, lamentosa nota di paura che le risuonava nella mente, Starling sentì scattare un allarme. Ebbe la sensazione che la pelle del ventre tremasse, come se si fosse rovesciata addosso qualcosa di freddo.

Prese la busta per gli angoli e la portò in cucina. Dalla borsa, estrasse gli immancabili guanti bianchi che si metteva quando toccava delle prove. Premette la busta sulla dura superficie del tavolo e la palpò con cura. Malgrado lo spessore della carta, sarebbe ugualmente riuscita a sentire il rigonfio di una batteria d'orologio pronta a innescare una carica di C-4. Sapeva che avrebbe dovuto esaminare la busta al fluoroscopio. Se l'apriva, poteva cacciarsi nei guai. Guai. Già. Balle.

Aprì la busta con un coltello da cucina e ne tolse l'unico foglio di carta setosa. Capì immediatamente, prima ancora di guardare la firma, chi le aveva scritto.

Cara Clarice,

ho seguito con entusiasmo gli avvenimenti che l'hanno portata al disonore e alla vergogna pubblica. Personalmente, il disonore e la vergogna non mi hanno mai turbato, tranne che per l'inconveniente di avermi fatto finire in carcere, ma a lei potrebbero togliere il senso della prospettiva.

Dalle nostre discussioni nella cella sotterranea era emerso chiaramente che suo padre, il defunto guardiano notturno, riveste grande importanza nel suo sistema di valori. Sono convinto che il suo successo nel porre fine alla carriera di *couturier* di Jame Gumb l'abbia gratificata soprattutto perché immaginava che fosse stato lui a ottenerlo.

Ora lei è malvista dall'Fbi. Non ha forse sempre immaginato suo padre con un grado superiore al suo? Non l'ha forse immaginato caposezione o – meglio ancora di Jack Crawford – un VICEDIRETTORE, che seguiva con orgoglio i suoi progressi? E ora, non lo vede schiacciato e umiliato dalla sua vergogna? dal suo fallimento? dalla piccola, misera fine di una promettente carriera? E non vede se stessa ridotta a sbrigare tristi faccende domestiche, come lo fu sua madre dopo che quei drogati stecchirono il suo PAPÀ? Pensa che il suo fallimento si rifletterà sui suoi genitori? che la gente resterà per sempre convinta, sbagliando, che erano solo immondizia bianca, poveri abitanti di un campo di case mobili, facile preda per i tornado? Me lo dica sinceramente, agente speciale Starling.

Ci mediti su un attimo, prima di procedere nella lettura.

Ora le indicherò una sua qualità che le sarà d'aiuto: lei non si lascia accecare dalle lacrime, perché ci tiene a mantenere lo sguardo lucido.

Ecco un esercizio che potrà tornarle utile. Voglio che lei lo faccia fisicamente con me.

Ha una padella di ferro? Lei è una montanara del Sud, non riesco a credere che non l'abbia. La metta sul tavolo della cucina e accenda la luce.

Mapp aveva ereditato una padella di ferro dalla nonna e la usava spesso. Aveva una superficie nera e lucida, che nessun detersivo era riuscito a rovinare. Starling la sistemò di fronte a sé sul tavolo.

Guardi nella padella, Starling. Si chini su di essa e guardi giù. Se fosse la padella di sua madre, e potrebbe benissimo esserlo, tratterrebbe fra le sue molecole le vibrazioni di tutti i discorsi fatti in sua presenza. Di tutti gli scambi di idee, delle piccole irritazioni, delle rivelazioni importanti, degli annunci di disastri, degli ansimi e della poesia dell'amore.

41

Si sieda al tavolo, Clarice. Guardi nella padella. Se è ben tenuta, sembra una palude nera, vero? È come guardare dentro un pozzo. Sul fondo non è visibile la sua immagine dettagliata, ma la sua sagoma sì. Con la luce alle spalle, eccola là, la faccia nera circondata da una corona, come se avesse i capelli in fiamme.

Noi siamo elaborati di copie carbone, Clarice. Lei e la padella e papà morto a terra, freddo come il ferro della padella. È tutto ancora là. Ascolti. Così parlavano e vivevano, realmente, i suoi affaticati genitori. I ricordi concreti, non le immagini che le gonfiano il cuore.

Perché suo padre non era vicecapo della polizia giudiziaria, in stretto rapporto con i potenti del tribunale? Perché sua madre, per mantenerla, faceva le pulizie nei motel, anche se non riuscì a tenere unita la famiglia fino a quando lei crebbe?

Qual è il suo ricordo più vivido della cucina? Non dell'ospedale, della cucina.

*Mia madre che lava il sangue dal cappello di mio padre.*

Qual è il suo più bel ricordo della cucina?

*Mio padre che sbuccia le arance con il vecchio coltello a serramanico dalla punta spezzata e ci passa gli spicchi.*

Suo padre, Clarice, era un guardiano notturno. Sua madre una cameriera.

Una grande carriera federale era una sua o una loro speranza? Fino a che punto sarebbe stato disposto a piegare la schiena, suo padre, per avanzare in una logora burocrazia? Quanti sederi avrebbe baciato? In vita sua, l'ha mai visto comportarsi in modo servile o adulatorio?

I suoi supervisori hanno mai dato prova di possedere qualche valore, Clarice? E i suoi genitori, ne hanno mai dato prova? Se sì, quei valori erano gli stessi?

Scruti dentro l'onestà di quel ferro e me lo dica. Ha deluso la sua defunta famiglia? Loro avrebbero voluto che lei chinasse la testa? E qual era la loro idea di coraggio? Lei può essere forte quanto vuole.

Lei è una guerriera, Clarice. La nemica è morta, il bambino è salvo. Lei è una guerriera.

Gli elementi più stabili, Clarice, compaiono in mezzo alla tavola periodica, all'incirca tra il ferro e l'argento.

Tra il ferro e l'argento. Credo che questa sia la collocazione appropriata per lei.

*Hannibal Lecter*

P.S. Sa, lei mi deve ancora alcune informazioni. Mi dica se continua a svegliarsi perché sente gli agnelli. Una qualunque domenica, metta un'inserzione nella pagina degli annunci mortuari dell'edizione nazionale del «Times», dell'«International Herald-Tribune» e del «China Mail». La indirizzi ad A.A. Aaron, in modo che sia la prima, e la firmi Hannah.

Mentre leggeva, Starling sentì le parole pronunciate dalla stessa voce che, nella sezione di massima sicurezza del Manicomio criminale, l'aveva derisa, ferita e illuminata, e aveva scandagliato la sua vita quando lei aveva dovuto barattare la parte più dolorosa della propria esistenza con le informazioni vitali che Lecter aveva su Buffalo Bill. La qualità metallica di quella voce arrochita dai lunghi silenzi risuonava ancora nei suoi sogni.

Nell'angolo del soffitto della cucina c'era una nuova tela di ragno. Starling la fissò mentre i suoi pensieri si accavallavano. Contenta e dispiaciuta, dispiaciuta e contenta. Contenta per l'aiuto, contenta di intravedere un modo per guarire. Contenta e dispiaciuta perché il servizio di Los Angeles che provvedeva all'inoltro delle lettere del dottor Lecter doveva assumere degli incapaci: questa volta avevano usato un *postal meter*. Jack Crawford sarebbe stato felice della lettera, e felici sarebbero stati il laboratorio e le autorità postali.

## 6

La camera dove Mason trascorre la vita è silenziosa, ma ha una sua morbida pulsazione, il sibilo e il soffio del respiratore che gli fornisce il fiato. È buia, tranne che per il riverbero del grande acquario in cui un'anguilla esotica gira e rigira descrivendo all'infinito un otto, e l'ombra che proietta scivola come un nastro sulle pareti della stanza.

La coda intrecciata dei capelli di Mason è adagiata come una grossa spira sulla conchiglia del respiratore che gli copre il torace sul letto sollevato. Davanti a lui è sospeso un apparecchio composto di tubi, simile al flauto di Pan.

Mason sporge la lunga lingua fra i denti, la fa roteare attorno all'ultimo tubo e, alla prima pulsazione del respiratore, ci soffia dentro.

Dall'altoparlante sulla parete risponde immediatamente una voce: «Sì, signore».

«Il "Tattler".» La *t* iniziale si perde, ma la voce è profonda e sonora, una voce radiofonica.

«In prima pagina c'è...»

«Non dirmelo. Mettilo sul leggio.» Dalle frasi di Mason sono scomparse anche le *m*.

Il grande schermo del monitor posto in alto balugina. La sua luminescenza verdazzurra sfuma nel viola, quando iniziano ad apparire la rossa testata del «Tattler» e il titolo.

*L'angelo della morte. Clarice Starling, la macchina per uccidere dell'Fbi* legge Mason, durante tre lenti respiri. Vuole portare le fotografie in primo piano.

Sulla coperta del letto è adagiato un solo braccio. Mason ha una minima mobilità nella mano, che si sposta leggermente, simile a un granchio bianco, più per il movimento delle dita che per la forza dell'arto morto. Dato che Mason non può girare troppo la testa per vedere meglio, l'indice e il medio tastano in avanti come antenne, mentre il pollice, l'anulare e il mignolo fungono da zampe per far avanzare la mano. Trova il telecomando, con il quale può portare le immagini in primo piano e voltare le pagine.

Mason legge lentamente. Due volte al minuto, la sorta di monocolo che ha sull'unico occhio emette un lievissimo sibilo, quando spruzza una sostanza liquida sul bulbo privo di palpebre, e la vaporizzazione continua ad appannare la vista. Mason ci mette venti minuti per leggere l'articolo principale e quello di spalla.

«Metti le radiografie» ordinò quando ebbe finito.

Ci volle un momento. La grande lastra richiedeva un supporto chiaro per risultare ben visibile sul monitor. Comparve una mano, apparentemente danneggiata. Poi un'altra radiografia della mano e dell'intero braccio. Una freccia indicava una vecchia frattura all'omero, a metà fra il gomito e la spalla.

Mason la studiò attraverso molti respiri. «Metti la lettera» disse alla fine.

Sullo schermo comparve un'elegante grafia, nitida, con i caratteri resi assurdamente enormi dall'ingrandimento.

«"Cara Clarice"» lesse Mason «"ho seguito con entusiasmo gli avvenimenti che l'hanno portata al disonore e alla vergogna pubblica..."» Lo stesso ritmo della sua voce risvegliava in lui vecchi pensieri che lo facevano vorticare, facevano vorticare il letto, facevano vorticare la stanza, strappavano le croste ai suoi sogni vergognosi, rendevano il ritmo del cuore più veloce di quello del respiro. La macchina sentì la sua eccitazione e gli riempì i polmoni con maggiore velocità.

Lesse tutta la lettera, con dolorosa lentezza, seguendola mentre scivolava sullo schermo. Era come leggere stando in sella a un cavallo. Mason non poteva chiudere le palpebre ma, quando ebbe finito, la mente si staccò da quell'unico occhio per ritrarsi a pensare. Il respiratore rallentò il ritmo. Poi Mason soffiò nel tubo.

«Sì, signore.»

«Chiama il deputato Vellmore, portami gli auricolari e chiudi l'interfono.

«Clarice Starling» disse a se stesso con il primo respiro che la macchina gli consentì. Riuscì a pronunciare il nome piuttosto bene, senza perdere nessuna lettera. Mentre aspettava il telefono, sonnecchiò per un attimo, con l'ombra dell'anguilla che strisciava sul lenzuolo, sulla sua faccia, sulla treccia arrotolata.

## 7

Buzzard's Point, Punta dei rapaci, è l'ufficio operativo dell'Fbi per Washington e per il distretto della Columbia, e ha preso il nome dagli avvoltoi che durante la guerra civile si erano raccolti nella zona dove sorgeva l'ospedale militare.

Quel giorno vi si riunivano alcuni funzionari della Drug Enforcement Administration, del Bureau of Alcohol, Tobacco e Firearms e dell'Fbi. Dovevano discutere del destino di Clarice Starling.

Clarice era in piedi, sola, nell'ufficio del suo capo. Sentiva il sangue pulsare sotto le bende che le fasciavano la testa. Le voci maschili le arrivavano attenuate dalla porta a vetri smerigliati che separava la stanza dalla sala riunioni adiacente.

Sul vetro, era artisticamente riprodotto in foglia d'oro il grande stemma dell'Fbi con il motto: "Fedeltà, coraggio, integrità".

Le voci al di là dello stemma si alzavano e abbassavano, accalorate. Quando nessun'altra parola era chiara, Starling riusciva ugualmente a sentire il proprio nome.

L'ufficio godeva di una bella vista sul porticciolo per yacht di Fort McNair, dov'erano stati impiccati i cospiratori accusati dell'assassinio di Lincoln.

*Starling rievocò le fotografie che aveva visto di Mary*

*Surratt che superava la bara a lei destinata e saliva sulla forca, a Fort McNair, per poi fermarsi sulla botola, incappucciata, le gonne legate attorno alle gambe per impedire l'impudicizia quando sarebbe caduta nel buio, accompagnata dal tonfo della botola che si apriva sotto di lei.*

Dalla stanza vicina arrivò un rumore di sedie spinte indietro e di uomini che si alzavano. Entrarono in fila nell'ufficio dove si trovava Starling, che riconobbe alcune facce. Gesù, quello era Noonan, vicedirettore dell'intera divisione investigativa.

C'era anche la nemesi di Starling, Paul Krendler, del dipartimento della Giustizia, con il suo collo lungo e le orecchie rotonde attaccate in alto sulla testa, come quelle di una iena. Krendler era un arrampicatore, l'eminenza grigia alle spalle dell'ispettore generale. Da quando, sette anni prima, Starling aveva catturato il famoso serial killer Buffalo Bill prima di lui, Krendler non aveva perso occasione per stillare veleno nel suo fascicolo personale e per bisbigliare critiche alle orecchie dei membri del consiglio per gli avanzamenti di carriera.

Nessuno di quegli uomini era stato sul campo con lei, né aveva effettuato un arresto con lei, né era mai stato bersagliato dai proiettili con lei, né si era tolto con lei frammenti di vetro dai capelli.

Dapprima non la guardarono, poi d'un tratto la fissarono tutti insieme, come quando un branco di animali presta all'improvviso attenzione all'unico di loro che non è in grado di procedere.

«Si sieda, agente Starling.» Il suo capo, l'agente speciale Clint Pearsall, si massaggiò il grosso polso, quasi che l'orologio gli facesse male.

Senza incontrare i suoi occhi, le indicò una poltrona davanti alla vetrata. In un interrogatorio, la poltrona non è mai il posto d'onore.

I sette uomini rimasero in piedi, e le loro silhouette si stagliarono nere contro la vetrata inondata di luce.

Ora Starling non riusciva a vederne le facce, ma in basso, sotto il bagliore, ne distingueva le gambe e i piedi. Cinque di loro calzavano i mocassini con le nappine e dalla suola spessa tanto amati dai provinciali che ce l'hanno fatta a Washington. Un paio di Thom McAn con mascherina e suola di para e un paio di Florsheim con mascherina squadrata. Nell'aria, odore di cera da scarpe scaldata dal calore dei piedi.

«Nel caso non conosca tutti, agente Starling, questo è il vicedirettore Noonan. Sono certo che non ignora le sue mansioni. E questi sono John Eldredge della Dea, Bob Sneed del Batf, Benny Holcomb, assistente del sindaco, e Larkin Wainwright, uno degli esaminatori del nostro ufficio per la responsabilità professionale» disse Pearsall. «Paul Krendler – lei conosce Paul – è qui in via del tutto ufficiosa per conto dell'ispettore generale del dipartimento della Giustizia. Per noi, la sua presenza è un beneficio. È qui e non è qui, e in caso di bisogno ci aiuterà a tenere lontani i guai... Non so se mi segue.»

Starling conosceva il detto usato all'interno del servizio: l'esaminatore federale è uno che arriva sul campo di battaglia dopo che la battaglia è finita e affonda la baionetta nel corpo dei feriti.

Le teste di alcune silhouette fecero un cenno di saluto. Gli uomini allungarono il collo per vedere meglio la giovane donna per la quale si erano riuniti. Per diversi secondi, nessuno disse niente.

Il silenzio fu rotto da Bob Sneed. Starling lo ricordava come il mestatore del Batf che aveva cercato di cambiare le carte in tavola a favore della sua sezione dopo l'apocalittico disastro di Waco. Un arrampicatore sociale che faceva da spalla a Krendler.

«Agente Starling, avrà certo visto lo spazio dedicato a questa storia da televisione e giornali. Lei è stata ampiamente presentata come la persona che ha sparato uccidendo Evelda Drumgo. Per sua sfortuna, in un certo senso è stata demonizzata.»

Starling non rispose.

«Agente Starling?»

«Non ho niente a che fare con i mezzi d'informazione, signor Sneed.»

«La donna aveva in braccio il bambino. Capisce il problema che questo crea.»

«Non in braccio, ma in un marsupio messo di traverso sul petto. La Drumgo teneva le braccia e le mani sotto il marsupio, nascoste da una coperta che a sua volta nascondeva un Mac 10.»

«Ha letto il rapporto dell'autopsia?»

«No.»

«Ma non ha mai negato di aver sparato.»

«Pensa che l'avrei negato solo perché non avete trovato la pallottola?» Starling si rivolse al capo del suo ufficio: «Signor Pearsall, questa è una riunione amichevole, giusto?».

«Assolutamente.»

«Allora perché il signor Sneed ha un registratore? Sono anni che la divisione tecnica ha smesso di produrre quei microfoni con la molletta. Il signor Sneed ha nel taschino della giacca un F-Bird che continua a registrare. Ci si arma di registratore ogni volta che si va in un altro ufficio, adesso?»

Pearsall arrossì violentemente. Se Sneed aveva un registratore, era il peggior tipo di tradimento, ma nessuno voleva lasciare sul nastro la propria voce che gli chiedeva di spegnerlo.

«Non abbiamo alcun bisogno della sua aggressività e delle sue accuse» esclamò Sneed, pallido di rabbia. «Siamo tutti qui per aiutarla.»

«Per aiutarmi a fare che cosa? La sua agenzia ha chiamato questo ufficio e mi ha fatta assegnare all'operazione perché io vi aiutassi. Ho dato a Evelda Drumgo due occasioni per arrendersi. Nascondeva il Mac 10 sotto la coperta del bambino. Aveva già ucciso John Brigham. Magari, si fosse arresa! Ma non l'ha fatto. Lei ha sparato contro di me. Io ho sparato contro di lei. È morta. Forse, signor Sneed, vorrà controllare che il suo registratore non abbia perso una sola parola.»

«Aveva sentore che Evelda Drumgo sarebbe stata là?» volle sapere Eldredge.

«Sentore? Sul furgone, mentre raggiungevamo la zona, l'agente Brigham mi ha detto che Evelda Drumgo stava cucinando droga in un laboratorio sorvegliato dai suoi. E ha dato a me l'incarico di occuparmi di lei.»

«Si ricordi che Brigham è morto» disse Krendler «e così Burke. Ottimi agenti, tutti e due. E non possono essere qui a confermare o negare niente.»

Sentire Krendler pronunciare il nome di John Brigham fece torcere lo stomaco a Starling.

«Non è facile che io dimentichi che John Brigham è morto, signor Krendler. Era davvero un ottimo agente, e anche un ottimo amico. Il fatto è che è stato lui a chiedermi di occuparmi di Evelda.»

«Brigham le avrebbe affidato l'incarico malgrado lei avesse già avuto uno scontro con Evelda Drumgo?» chiese Krendler.

«E su, Paul!» intervenne Clint Pearsall.

«Quale scontro?» chiese Starling. «Un arresto del tutto pacifico. In passato, con altri agenti, Evelda aveva opposto resistenza. Con me, non aveva mai reagito. Abbiamo addirittura scambiato qualche parola... era intelligente. Siamo state corrette l'una con l'altra, e speravo che potesse ripetersi.»

«Ma non ha dichiarato che se ne sarebbe occupata lei?»

«Ho ripetuto le istruzioni che mi erano state date.»

Holcomb, l'assistente del sindaco, e Sneed avvicinarono le teste.

Sneed sparò le sue cartucce. «L'agente Bolton della polizia di Washington ci ha riferito che nel furgone, mentre eravate diretti verso il luogo dello scontro, lei ha usato espressioni estremamente aggressive nei confronti di Evelda Drumgo. Vuole commentare questo particolare?»

«Su richiesta dell'agente Brigham, ho spiegato agli altri agenti che Evelda aveva alle spalle un passato di violenza, che di solito girava armata e che era sieropositiva. Ho anche detto che le avremmo offerto l'occasione di arrendersi pacificamente. Ho chiesto aiuto fisico per immobilizzarla, nel caso fossimo arrivati allo scontro. Non ci sono stati molti volontari, gliel'assicuro.»

Clint Pearsall fece uno sforzo per mantenere un tono discorsivo. «Dopo che la macchina con i Crip armati è andata a sbattere e uno di loro è fuggito, lei è stata in grado di vedere che la macchina sobbalzava e di sentire piangere il bambino all'interno?»

«Strillare» precisò Starling. «Ho alzato la mano perché tutti cessassero il fuoco e sono uscita allo scoperto.»

«Un momento, questo è contro le procedure» esclamò Eldredge.

Starling lo ignorò. «Mi sono avvicinata alla macchina in posizione di sparo, la pistola impugnata, la canna rivolta verso il basso. In mezzo a noi, Marquez Burke stava morendo sull'asfalto. Qualcuno è corso fuori e gli ha tamponato la ferita. Evelda è scesa con il bambino. Le ho chiesto di mostrarmi le mani. Ho detto qualcosa tipo: "Evelda, non farlo".»

«Evelda ha sparato, lei ha sparato. Evelda è caduta subito?»

Starling annuì. «Le sono mancate le gambe ed è piombata a terra, ripiegata sul bambino. Era morta.»

«Lei ha afferrato il bambino ed è corsa verso l'acqua. In altri termini, ha esibito la sua preoccupazione» disse Pearsall.

«Non so che cosa ho esibito. Il bambino era coperto di sangue. Non sapevo se fosse sieropositivo o no, ma sapevo che la madre lo era.»

«E ha pensato che la sua pallottola potesse aver colpito il bambino» disse Krendler.

«No. Sapevo benissimo dov'era finita la pallottola. Posso parlare liberamente, signor Pearsall?»

Pur non incontrandone lo sguardo, Starling continuò.

«Quest'operazione è stata un gran brutto pasticcio. Mi ha messa in una posizione in cui l'unica scelta che avevo era morire o sparare a una donna con in braccio un bambino. Ho scelto, e quello che sono stata costretta a fare mi sconvolge. Ho ucciso una donna che teneva un neonato fra le braccia. Neanche gli animali più feroci fanno una cosa del genere. Signor Sneed, forse vuole controllare di nuovo la sua registrazione, nel punto in cui ammetto di averlo fatto. Maledizione, sono fuori di me per essere stata messa in quella posizione. E sono fuori di me per come mi sento adesso.» Ricordò Brigham a faccia in giù sulla strada e si spinse troppo oltre. «Guardare tutti voi che prendete le distanze da qualunque responsabilità mi fa venire il vomito.»

«Starling...» Angosciato, Pearsall la fissò in faccia per la prima volta.

«So che non ha ancora avuto la possibilità di scrivere il suo 302» intervenne Larkin Wainwright. «Quando avremo l'opportunità di...»

«Sì, signore, l'ho scritto» disse Starling. «Una copia sta già arrivando all'ufficio per la responsabilità professionale. E se non ha voglia di aspettare, ne ho un'altra copia con me. Ho messo giù tutto quello che ho fatto e visto. E lei, signor Sneed, lei l'ha ricevuto già da un pezzo.»

Starling capiva fin troppo bene la situazione, il segnale di pericolo che le arrivava, e abbassò volutamente la voce.

«Quest'operazione è andata male per un paio di ragioni. L'informatore del Batf ha mentito riguardo a dove si trovava il bambino perché aveva un bisogno disperato che tutto si concludesse prima della data in cui il gran giurì dell'Illinois avrebbe discusso la sua posizione. Ed Evelda Drumgo sapeva che saremmo arrivati. È uscita con i soldi in una borsa e la droga in un'altra. Il suo cercapersone aveva ancora registrato il numero della Wful-Tv. Ha ricevuto la spiata cinque minuti prima che raggiungessimo il posto. L'elicottero della Wful è arrivato insieme a noi. Chiedete il sequestro dei tabulati telefonici della Wful, così scoprirete chi ha passato l'informazione. Si tratta di qualcuno con interessi locali, signori. Se fosse stato il Batf ad avvertirli, come è successo a Waco, o la Dea, avrebbero tirato in ballo le reti nazionali, non una tv locale.»

Benny Holcomb parlò a nome della città. «Non ci sono prove che qualcuno dell'amministrazione comunale o della polizia di Washington abbia passato informazioni di sorta.»

«Chiedete il sequestro dei tabulati e vedremo» ribatté Starling.

«Ha lei il cercapersone della Drumgo?» chiese Pearsall.

«È sotto sigilli nella stanza corpi di reato a Quantico.»

In quel momento, a suonare fu il cercapersone del vicedirettore Noonan. Accigliato, guardò il numero, e fece le sue scuse per dover lasciare la stanza. Dopo un attimo, ritornò per chiamare Pearsall.

Wainwright, Eldredge e Holcomb, le mani in tasca, guardavano fuori dalla finestra verso Fort McNair. Sembravano in attesa in un reparto di terapia intensiva. Paul Krendler incontrò lo sguardo di Sneed e gli fece cenno di avvicinarsi a Starling.

Sneed mise una mano sullo schienale della poltrona della ragazza, si chinò su di lei. «Se all'udienza dichiarerà che, mentre era in missione per l'Fbi in un'operazione a forze congiunte, è stata la sua arma a uccidere Evelda Drumgo, il Batf è pronto a sottoscrivere che Brigham le aveva chiesto di prestare... un'attenzione particolare a Evelda, per procedere a un arresto pacifico. È stata la sua arma a uccidere, e da qui sarà il suo servizio ad assumersi qualunque altra responsabilità. Non ci sarà nessuna discussione fra le diverse agenzie su chi l'ha convocata per l'operazione, e non saremo costretti a denunciare i commenti ostili nel furgone su che razza di persona fosse Evelda Drumgo.»

Per un attimo, Starling rivide Evelda mentre usciva dalla porta e poi mentre scendeva dalla macchina, rivide il suo portamento regale e, malgrado Evelda avesse così decretato lo stupido spreco della propria vita, capì come fosse stata decisa a portare il bambino con sé, ad affrontare i suoi aggressori, a non fuggire da ciò che l'aspettava.

Starling si girò per avvicinarsi al microfono agganciato alla cravatta di Sneed. «So perfettamente che razza di persona era, signor Sneed. Certo migliore di lei.»

Pearsall tornò nella stanza senza Noonan e chiuse la porta. «Il vicedirettore Noonan è tornato in ufficio. Signori, devo interrompere la riunione. Mi metterò in contatto con ognuno di voi per telefono.»

Krendler sollevò di scatto la testa, improvvisamente attento. Aveva sentito odore di politica.

«Dobbiamo decidere alcune cose» cominciò Sneed.

«No che non dobbiamo.»

«Ma...»

«Bob, credimi, non dobbiamo decidere niente. Mi terrò in contatto con te. E... Bob?»

«Sì?»

Pearsall afferrò il filo da sotto la cravatta di Sneed e diede uno strattone, facendogli saltare i bottoni della camicia e strappandogli i cerotti dalla pelle. «Provati a tornare in questo ufficio con un registratore e ti prendo a calci nel culo.»

Nessuno guardò Starling mentre usciva, tranne Krendler.

Spostandosi verso la porta, strisciando i piedi in modo da non dover guardare dove li metteva, usò l'estesa articolazione del lungo collo per voltare la faccia verso di lei, come farebbe una iena vicina a un gregge, quando sta per scegliere la preda. Sul suo viso passò l'ombra di due diversi appetiti. Era nella natura di Krendler apprezzare le gambe di Starling e, al tempo stesso, cercare il punto vulnerabile dei garretti.

## 8

Scienza del comportamento è la sezione dell'Fbi che si occupa di omicidi seriali. Nei suoi uffici nel seminterrato, l'aria è fredda e immobile. In anni recenti, gli arredatori hanno scelto fra una vasta gamma di colori per rendere più luminoso lo spazio sotterraneo. Il risultato non è migliore dei ritocchi cosmetici effettuati dalle imprese di pompe funebri.

L'ufficio del caposezione è rimasto dei colori marrone e nocciola iniziali, con le tende a quadri color caffè che nascondono le alte finestre. Qui, circondato dai suoi infernali archivi, Jack Crawford era seduto a scrivere al suo tavolo.

Un colpetto alla porta, e sollevò lo sguardo su una vista che lo rallegrò: sulla soglia c'era Clarice Starling.

Crawford sorrise e si alzò. Capitava spesso che lui e Starling parlassero restando in piedi: era uno dei taciti formalismi che avevano imposto al loro rapporto. Non ebbero bisogno di stringersi la mano.

«Ho sentito che è venuto all'ospedale» disse Starling. «Mi dispiace di non averla vista.»

«Sono stato felice che l'avessero dimessa così in fretta» rispose lui. «Mi dica del suo orecchio. Tutto bene?»

«Sì, se le piacciono i cavolfiori. Ma mi assicurano che si sgonfierà quasi completamente.» L'orecchio era coperto dai capelli, e Starling non si offrì di mostrarglielo.

Un breve silenzio.

«Mi hanno accusata del fallimento dell'operazione, signor Crawford. Della morte di Evelda Drumgo e di tutto il resto. Erano come iene, poi si sono interrotti e sono sgattaiolati via. Qualcosa li ha portati altrove.»

«Forse ha un angelo custode, Starling.»

«Forse. Quanto le è costato, signor Crawford?»

Crawford scosse la testa. «Chiuda la porta, per favore.» Tirò fuori un Kleenex sgualcito dalla tasca e pulì gli occhiali. «L'avrei fatto, se avessi potuto. Ma non ho abbastanza influenza. Se la senatrice Martin fosse stata ancora in carica, lei avrebbe potuto avere qualche copertura... Hanno sacrificato John Brigham, in quell'operazione, è come se l'avessero buttato via. Sarebbe stato un gran peccato se avessero sacrificato allo stesso modo anche lei. Sarebbe come se avessi destinato lei e John a fare la guardia a una jeep.»

Le guance di Crawford presero colore, e Starling ricordò quel viso, nel vento gelido, sulla tomba di John Brigham. Crawford non le aveva mai parlato della sua guerra.

«Eppure qualcosa ha fatto, signor Crawford.»

Lui fece un cenno d'assenso. «Sì, qualcosa ho fatto. Ma non so quanto lei ne sarà felice. Si tratta di un lavoro.»

Un lavoro. Nel loro lessico privato, "lavoro" era una parola buona. Significava un compito immediato e specifico, e ripuliva l'aria. Se appena potevano, non parlavano mai della complessa burocrazia del Federal Bureau of Investigation. Crawford e Starling erano come missionari medici, con poca pazienza per la teologia, ognuno rigidamente concentrato sul bambino che aveva davanti, sapendo, e tacendolo, che Dio non avrebbe fatto un accidenti per aiutarli. E che non si sarebbe preso la briga di mandare la pioggia per salvare la vita a cinquantamila piccoli Ibo.

«Indirettamente, Starling, il suo benefattore è l'uomo che le ha scritto di recente.»

«Il dottor Lecter.» Starling aveva notato da tempo il disgusto che Crawford provava nel sentir pronunciare quel nome.

«Sì, proprio lui. Per tutto questo tempo ci ha elusi – era praticamente al sicuro – e poi le ha scritto una lettera. Perché?»

Erano passati sette anni da quando il dottor Hannibal Lecter, riconosciuto assassino di dieci persone, era evaso dal carcere di Memphis, stroncando in quell'occasione altre cinque vite.

Era stato come se fosse scomparso dalla faccia della terra. All'Fbi il caso restava aperto, e lo sarebbe rimasto per sempre, o almeno finché Lecter non fosse stato catturato. Ciò valeva in Tennessee e in tutte le altre giurisdizioni. Ma non c'era più una squadra incaricata di dargli la caccia, malgrado i familiari delle vittime avessero versato lacrime di rabbia di fronte ai rappresentanti dello stato del Tennessee, esigendo che intervenissero.

Erano disponibili interi tomi di ponderose congetture sulla sua mente, firmati da psicologi che non si erano mai trovati di fronte al dottor Lecter. Erano stati pubblicati studi di psichiatri che lui aveva messo alla berlina sulle riviste scientifiche, ma che ormai ritenevano di poter uscire tranquillamente allo scoperto. Alcuni affermavano che le sue aberrazioni l'avrebbero condotto inevitabilmente al suicidio e, anzi, che con ogni probabilità era già morto.

Almeno nel cyberspazio, l'interesse per il dottor Lecter restava molto vivo. La parte più torbida di Internet diffondeva le sue teorie come funghi velenosi e le persone che affermavano di averlo visto erano tanto numerose quanto quelle che sostenevano di aver visto Elvis. Le chat room erano infestate di impostori, e nella palude fosforescente del lato oscuro del Web, le fotografie delle sue atrocità, scattate dalla polizia, venivano vendute sottobanco ai collezionisti di efferatezze.

Come popolarità, quelle foto erano seconde solo a quelle dell'esecuzione di Fu-Chu-Li.

Una traccia del dottore dopo sette anni: la lettera a Clarice Starling nel momento in cui lei veniva crocifissa dai media.

La lettera non aveva impronte digitali, ma l'Fbi si sentiva ragionevolmente sicuro che fosse autentica. Clarice Starling ne era certa.

«Perché Lecter l'ha fatto, Starling?» Crawford sembrava quasi arrabbiato con lei. «Non ho mai finto di capirlo, come invece hanno fatto quegli idioti di psichiatri. Me lo dica lei.»

«Ha pensato che quanto mi stava succedendo avrebbe... distrutto la mia fiducia nel Bureau, mi avrebbe disillusa, e lui gode nel veder annientare la fede, è il suo passatempo preferito. È un po' come per le pietre che collezionava, tolte dall'ammasso di macerie della chiesa crollata in Italia su tutte le nonne presenti a quella messa speciale, e qualcuno ci aveva messo sopra un albero di Natale. Gli piacque molto. Io lo diverto, gioca con me. Quando lo interrogavo, se la spassava a sottolineare le lacune nella mia cultura, mi considera un po' rozza.»

Crawford parlò dall'alto della sua età e della sua solitudine: «Le è mai passato per la mente che lei potrebbe piacergli, Starling?».

«Credo che con me si diverta. Le cose, o lo divertono o non lo divertono. E nel secondo caso...»

«Ha mai sentito di piacergli?» Crawford insisteva sulla distinzione fra pensiero e sensazione come un battista insiste sull'immersione totale.

«Malgrado la breve conoscenza, mi disse cose di me che erano vere. Credo che sia facile scambiare la comprensione per empatia... abbiamo talmente bisogno di empatia. Forse imparare a operare questa distinzione fa parte del diventare adulti. È difficile e sgradevole sapere che qualcuno può capirci senza nemmeno provare simpatia per noi. E quando questa comprensione viene usata come strumento per depredarci, è ancora peggio. Non... non ho la più pallida idea di ciò che il dottor Lecter prova per me.»

«Che tipo di cose le disse, se non le dispiace?...»

«Che ero una campagnola benintenzionata e ben ripulita, e che i miei occhi scintillavano come pietre zodiacali da quattro soldi. Disse che anche se portavo delle brutte scarpe, per il resto un accenno di gusto l'avevo.»

«E le sembrò vero?»

«Sì, e forse lo è ancora. Ma le mie scarpe sono migliorate.»

«Starling, pensa che quando le ha mandato quella lettera di incoraggiamento potesse essere interessato a verificare se lei ci avrebbe informati?»

«Lo sapeva che l'avrei fatto. Doveva saperlo bene.»

«Lecter ha ucciso sei persone, dopo che il tribunale l'aveva condannato» disse Crawford. «Ha ucciso Miggs al Manicomio criminale perché le aveva gettato lo sperma in faccia, e altri cinque durante l'evasione. Con l'attuale situazione politica, se viene acciuffato, il dottore si becca l'iniezione letale.» Crawford sorrise al pensiero. Era stato un precursore nello studio degli omicidi seriali. Ora era vicino alla pensione, e il mostro che più l'aveva impegnato restava libero. Una prospettiva di morte per il dottor Lecter lo riempiva di piacere.

Starling sapeva che Crawford aveva accennato a Miggs per riaccendere la sua attenzione, per riportarla a quei giorni terribili quando lei tentava di interrogare Hannibal il Cannibale nel sotterraneo del Manicomio criminale di stato di Baltimora. A quando Lecter si divertiva a prenderla in giro mentre una ragazza se ne stava accucciata nel pozzo di Jame Gumb in attesa della morte. In genere, Crawford stimolava l'attenzione dei suoi interlocutori quando stava per arrivare al punto, e così fece anche in quel momento.

«Starling, lo sa che una delle prime vittime del dottor Lecter è ancora viva?»

«Il riccone. La famiglia ha stanziato una ricompensa.»

«Sì, Mason Verger. Vive nel Maryland, attaccato a un respiratore. Il padre è morto quest'anno, lasciandogli l'enorme patrimonio che aveva ammassato inscatolando carne. Il vecchio Verger ha lasciato a Mason anche un deputato degli Stati Uniti e un membro del comitato di controllo giudiziario, che senza di lui non sarebbero stati niente. Mason sostiene di avere qualcosa che potrebbe aiutarci a trovare il dottor Lecter. Vuole parlare con lei.»

«Con me?»

«Con lei. È ciò che Mason chiede, e all'improvviso tutti pensano che sia un'ottima idea.»

«È ciò che chiede dopo che gliel'ha suggerito lei?»

«Stavano per buttarla fuori, Starling, per gettarla via come un vecchio straccio. Stava per essere sacrificata, proprio come John Brigham. E solo per salvare qualche burocrate del Batf. Paura. Pressioni. Capiscono solo questo, ormai. Ho chiesto a qualcuno di fare una telefonata a Mason per dirgli che danno sarebbe stato il suo siluramento per la caccia a Lecter. Che altro è successo dopo, con chi si è messo in contatto Mason, non voglio saperlo. Probabilmente, con il deputato Vellmore.»

Un anno prima, Crawford non si sarebbe mai comportato così. Starling ne scrutò il viso, alla ricerca di quei bagliori di follia che spesso si notano nello sguardo di chi è vicino alla pensione. Non ne trovò, ma vide la stanchezza.

«Mason non è esattamente carino, Starling, e non parlo solo della sua faccia. Cerchi di scoprire che cos'ha in mano e torni qui. Ci lavoreremo sopra. Finalmente.»

Starling sapeva che da anni, da quando si era diplomata all'Accademia dell'Fbi, Crawford tentava di farla assegnare a Scienza del comportamento.

Ora che era una veterana del Bureau, una veterana con alle spalle molte missioni marginali, capiva che il suo trionfo precoce nella cattura del serial killer Jame Gumb era in parte responsabile della sua caduta in disgrazia nell'Fbi. Era come una stella nascente che si era bloccata a metà ascesa. Durante l'operazione per arrivare a Gumb, oltre a provocare l'invidia di un discreto numero di suoi coetanei maschi, si era fatta almeno un nemico potente. Questo, e una certa ruvidità di modi, avevano causato il suo continuo trasferimento da una squadra all'altra, da quelle di pronto intervento a quelle incaricate degli arresti, costringendola a vedere Newark da sopra la canna della pistola. Alla fine, giudicata troppo irascibile per il lavoro di gruppo, era stata nominata agente tecnico, incaricata di inserire microfoni nei telefoni e sulle macchine di gangster e pornografi infantili, e aveva passato notti in bianco a studiare i vari manuali sulle intercettazioni ambientali. Veniva anche continuamente data in prestito, tutte le volte che un'agenzia gemella aveva bisogno di un valido aiuto per qualche irruzione. Possedeva forza e agilità, ed era veloce e attenta con la pistola.

Crawford era convinto che quella fosse un'occasione, per lei. Riteneva che avesse sempre desiderato dare la caccia a Lecter. La verità era assai più complicata.

Ora Crawford la studiava. «Non si è mai fatta togliere quella polvere da sparo dalla guancia.»

Grani di polvere bruciata proveniente dalla rivoltella di Jame Gumb le segnavano lo zigomo con una piccola macchia nera.

«Non ne ho mai avuto il tempo» rispose Starling.

«Sa come chiamano i francesi un neo di bellezza, una *mouche* come quella, in alto sullo zigomo? Sa che cosa rappresenta?» Crawford possedeva una ricca biblioteca sui tatuaggi, sulla simbologia corporale, sulle mutilazioni rituali.

Starling scosse la testa.

«La chiamano *courage*» disse Crawford. «Merita di portarla. Se fossi in lei, non me la toglierei.»

## 9

La Muskrat Farm, dimora di famiglia dei Verger vicino al Susquehanna River, nel Maryland del Nord, ha una sua magica bellezza. Il capostipite della dinastia di inscatolatori di carne l'aveva comprata nel 1930, quando da Chicago si era spostato verso est per essere più vicino a Washington, e se l'era potuta permettere. Il fiuto per gli affari e la politica aveva messo i Verger in condizione di assicurarsi, fin dalla guerra civile, contratti per la fornitura di carne all'esercito degli Stati Uniti.

Lo scandalo del "manzo imbalsamato", scoppiato durante la guerra ispano-americana, li aveva appena sfiorati. Quando Upton Sinclair e gli "scavafango" avevano indagato sulle pericolose condizioni di lavoro nelle fabbriche di inscatolamento di Chicago, a un certo punto avevano scoperto che molti dipendenti dei Verger erano stati inavvertitamente trasformati in strutto, inscatolati e venduti come puro strutto raffinato di Durham, il preferito dai fornai. Ma la colpa non era ricaduta sui Verger, i quali non avevano perso un solo contratto governativo.

La famiglia aveva scansato questo e molti altri potenziali fastidi pagando gli uomini politici. Il loro unico smacco era stato l'approvazione della legge sul controllo della carne del 1906.

Oggi, i Verger macellano ottantaseimila capi di bestiame al giorno e circa trentaseimila maiali, numero che varia leggermente a seconda della stagione.

I prati appena tagliati di Muskrat Farm e le distese di lillà che ondeggiano nel vento non hanno certo odore di stallatico. Gli unici animali sono i pony per i bambini in visita e i buffi branchi di oche che passeggiano sui prati, muovendo i grossi deretani, le teste chine sull'erba. Non ci sono cani. La casa, il fienile e il giardino sono praticamente al centro di un parco nazionale di una decina di chilometri quadrati, e vi resteranno per sempre grazie a una concessione straordinaria del dipartimento degli Interni.

Come molte residenze dei ricchi, Muskrat Farm non è facile da trovare, la prima volta che ci si va. Clarice Starling sbagliò l'uscita dell'autostrada. Tornando indietro sulla strada privata, arrivò di fronte all'entrata di servizio, un grande cancello con lucchetto e catena inserito nell'alta recinzione che chiudeva il parco. Oltre il cancello, una strada si perdeva sotto la galleria di foglie formata dagli alberi. Nessun citofono. Starling trovò l'ingresso principale tre chilometri più avanti, rientrato di un centinaio di metri, e con un bel viale di fronte. Il guardiano in divisa aveva il suo nome segnato su un blocco di carta.

Altri tre chilometri di viale ben tenuto la portarono alla casa.

Starling fermò la rombante Mustang per lasciare che un branco di oche attraversasse. Vide una fila di bambini uscire da un bel fienile, a un paio di centinaia di metri dalla casa. L'edificio principale, che aveva di fronte, era stato progettato da Stanford White ed era armoniosamente inserito fra le basse colline. Appariva solido e accogliente, un nido di sogni gradevoli. Starling ne fu estasiata.

I Verger avevano avuto abbastanza buonsenso da lasciare la casa così com'era, con l'eccezione di un'unica aggiunta, che Starling non poteva ancora vedere da dove si trovava: un'ala moderna che sporgeva come un arto in più, trapiantato durante un grottesco esperimento chirurgico.

Starling parcheggiò sotto il portico principale. Quando spense il motore, poté sentire il proprio respiro. Nello specchietto vide qualcuno arrivare a cavallo. Mentre scendeva dalla macchina, sul selciato risuonò uno scalpitio di zoccoli.

Una persona dalle spalle larghe e dai corti capelli biondi saltò giù di sella e consegnò le redini a un inserviente, senza degnarlo di uno sguardo. «Riportalo indietro» disse. La voce era profonda, roca. «Sono Margot Verger.» Quando si avvicinò, si rivelò essere una donna. Porse la mano, con tutto il braccio teso in avanti. Era chiaro che Margot Verger faceva body building. Sotto il collo dai muscoli in rilievo, le spalle e le braccia massicce tendevano il tessuto della maglietta sportiva. Gli occhi avevano una lucidità fissa e sembravano irritati, come se soffrissero di scarsa lacrimazione. La donna portava calzoni da equitazione in tessuto cavalry e stivali senza speroni.

«Che macchina è, la sua?» chiese. «Una vecchia Mustang?»

«Sì, dell'88.»

«Una cinque litri? Sembra accucciata sulle ruote.»

«Sì, è una Mustang Roush.»

«Le piace?»

«Molto.»

«A quanto arriva?»

«Non lo so. A parecchio, penso.»

«Le fa paura?»

«La rispetto, diciamo che la uso con rispetto» precisò Starling.

«La conosceva già, o l'ha semplicemente comprata?»

«La conoscevo abbastanza da comprarla a un'asta dell'usato, quando l'ho vista. Poi ne ho imparato qualcosa di più.»

«Pensa che batterebbe la mia Porsche?»

«Dipende dal tipo di Porsche. Signorina Verger, devo parlare con suo fratello.»

«Fra cinque minuti l'avranno sistemato. Cominciamo a salire.» I calzoni da equitazione frusciavano contro le robuste cosce di Margot Verger, mentre lei procedeva sulle scale. I capelli biondo grano erano abbastanza radi all'attaccatura da far pensare a Starling che la donna assumesse steroidi e le si fosse allungata la clitoride.

Per Starling, che aveva trascorso gran parte della sua giovinezza in un orfanotrofio luterano, quella casa era come un museo, con i suoi ambienti spaziosi, le travi dei soffitti lucidate e le pareti coperte da ritratti di defunti con l'aria importante. Nei pianerottoli, vasi cloisonné cinesi, e nei corridoi lunghe passatoie marocchine.

Nell'ala nuova della residenza dei Verger, una brusca caduta di stile. Alla parte più moderna e funzionale dell'edificio si accedeva attraverso una doppia porta a vetri smerigliati, del tutto fuori luogo nell'atrio a volta.

Margot Verger ci si fermò davanti e guardò Starling con i suoi occhi lucidi, irritati.

«Qualcuno trova difficile parlare con Mason» disse. «Se la disturba, o non ce la fa, più tardi posso rivolgergli io le domande che lei si sarà dimenticata di porgli.»

Esiste un'emozione comune che tutti riconosciamo ma alla quale non abbiamo ancora dato un nome: la felice anticipazione di poter provare disprezzo per qualcuno. Starling la lesse nell'espressione di Margot Verger, e tutto ciò che disse fu: «Grazie».

Con sua grande sorpresa, la prima stanza di quell'ala era un'ampia sala giochi ben fornita. Due bambini afro-americani giocavano fra enormi animali di pezza. Uno cavalcava un triciclo e l'altro spingeva un camion giocattolo lungo il pavimento. Agli angoli, una varietà di biciclette e di macchinine, al centro vari attrezzi ginnici sopra un tratto di pavimento dalla spessa imbottitura.

A un lato della sala giochi, un uomo alto in divisa da infermiere era seduto su una poltroncina a leggere

«Vogue». Sulle pareti erano installate diverse telecamere, alcune in alto, altre ad altezza d'uomo. Una delle telecamere in alto, inserita in un angolo, seguì Starling e Margot Verger, con le lenti che ruotavano per regolare la messa a fuoco.

Starling aveva superato da un pezzo l'imbarazzo di quando la vista di un bambino dalla pelle nera le dava un senso di tristezza, ma era acutamente consapevole della presenza di quei due. Era gradevole osservare la loro allegra industriosità con i giocattoli, intanto che lei e Margot Verger attraversavano la stanza.

«A Mason piace guardare i bambini» spiegò Margot Verger. «Ma loro si spaventano quando lo vedono, tutti tranne i più piccoli, e così lui preferisce fare in questo modo. Più tardi cavalcheranno i pony. Sono bambini di un asilo dell'assistenza sociale di Baltimora.»

Alla camera di Mason Verger si accedeva solo attraverso il suo bagno, un locale degno di un impianto termale, che occupava l'intera larghezza dell'ala. Di gusto istituzionale, era tutto acciaio, cromature e moquette industriale, con ampie docce e vasche d'acciaio inossidabile dotate di meccanismi di sollevamento, flessibili arancione avvoltolati, sauna e grandi armadietti di cristallo con una ricca dotazione di preparati della Farmacia di Santa Maria Novella di Firenze. L'aria del bagno era ancora umida di vapore e impregnata di profumo di balsamo e di pino.

Starling vide filtrare la luce da sotto la porta della stanza di Mason Verger. Quando Margot toccò la maniglia, la luce si spense.

La zona salotto della stanza era potentemente illuminata dall'alto. Sul divano era appesa una discreta riproduzione dell'*Ancient of Days* di William Blake: Dio che prendeva le misure al mondo con i suoi calibri. Il quadro era drappeggiato di nero per commemorare la recente morte del patriarca dei Verger. Il resto della stanza era immerso nel buio.

Dall'oscurità arrivava il suono di una macchina che lavorava ritmicamente, sibilando a ogni movimento.

«Buon pomeriggio, agente Starling.» Una voce risonante, amplificata meccanicamente, con le labiali *b* e *p* di "buon" e "pomeriggio" andate perse.

«Buon pomeriggio, signor Verger» disse Starling rivolta all'oscurità, con la luce in alto che le riscaldava la testa. Il pomeriggio era da qualche altra parte. Il pomeriggio non entrava, là dentro.

«Si sieda.»

*Devo farlo. È il momento buono. Ora o mai più.*

«Signor Verger, il dialogo che avremo avrà il tenore di una deposizione e devo registrarlo. È d'accordo?»

«Ma certo.» La voce arrivò fra un sospiro e l'altro della macchina. Questa volta furono la *m* e la *t* a perdersi. «Margot, penso che ora tu possa lasciarci.»

Senza un'occhiata per Starling, la donna uscì in un frusciare di calzoni da equitazione.

«Signor Verger, vorrei poter assicurare il microfono al suo... ai suoi indumenti o, se la fa sentire più a suo agio, al cuscino. Oppure, se preferisce, chiamo l'infermiere perché lo faccia lui.»

«Non ce n'è bisogno» rispose Mason, perdendo la *b*. Aspettò il successivo respiro meccanico. «Può farlo lei stessa. Agente Starling, sono da questa parte.»

Starling non riuscì a trovare subito l'interruttore, ma poi pensò che ci avrebbe visto meglio senza il bagliore della luce negli occhi e si immerse nel buio, una mano tesa in avanti, orientandosi sull'odore di balsamo e pino.

Quando Mason accese la luce, Starling si accorse di essere più vicina al letto di quanto avesse pensato.

La sua faccia non mutò espressione, ma la mano che stringeva il gancetto del microfono si ritrasse di scatto, forse di un paio di centimetri.

Il suo primo pensiero – che rimase separato da ciò che sentiva nel petto e nello stomaco – fu osservare che le anomalie nell'eloquio di Mason Verger erano dovute alla totale assenza di labbra. Il secondo fu constatare che non era cieco. L'unico occhio azzurro, privo di palpebra, la fissava attraverso una sorta di monocolo che aveva attaccato un tubicino per mantenerlo umido. Quanto al resto, anni prima i chirurghi avevano fatto il possibile trapiantando estesi lembi di pelle sulle ossa.

Mason Verger, privo di naso, di labbra e di tessuto morbido sulla faccia, era solo denti, come una creatura delle profondità dell'oceano. Abituati come siamo alle maschere, il trauma della sua visione è ritardato. Lo choc arriva quando ci si rende conto che quella è una faccia umana dietro cui c'è una mente. E allora ti agghiaccia con i suoi movimenti, con l'articolazione della mandibola, con il girare dell'occhio per osservarti. Per vedere la tua faccia normale.

I capelli di Mason Verger sono belli e, stranamente, la cosa più difficile da guardare. Neri spruzzati di grigio, sono intrecciati in una coda che, se lasciata cadere giù dal cuscino, sarebbe abbastanza lunga da arrivare a terra. Oggi sono avvolti sul petto in una grossa spira, sopra quella specie di guscio di tartaruga del respiratore. Capelli umani vicino a quella livida rovina, con la treccia luccicante come scaglie di serpente.

Sotto il lenzuolo, il corpo di Mason Verger, paralizzato da tempo, degradava nel nulla sul letto d'ospedale rialzato.

Davanti al viso, aveva un sistema di comandi simile al flauto di Pan o a un'armonica di plastica trasparente. Girò la lingua attorno all'estremità di un tubo e soffiò al primo movimento del respiratore. Il letto rispose con un fruscio, voltandolo leggermente verso Starling e alzandogli la testa.

«Ringrazio Dio per quello che è successo» disse Verger. «È stata la mia salvezza. Lei ha accettato Gesù, signorina Starling? Ha fede?»

«Sono stata allevata in un ambiente rigidamente religioso, signor Verger. Ho conservato il poco che mi ha lasciato» rispose Starling. «Ora, se non le dispiace, aggancerò il microfono alla federa del cuscino. Non la infastidisce se lo metto qui, vero?» La sua voce suonò troppo brusca e professionale per piacerle.

Le sue mani accanto alla testa di Verger... Vedere le due epidermidi vicine non aiutò Starling, né l'aiutò lo spettacolo di quella faccia irrorata da vasi sanguigni che pulsavano direttamente sulle ossa. Il loro ritmico dilatarsi li faceva sembrare vermi impegnati a inghiottire.

Lieta di potersi allontanare, Starling svolse il filo e indietreggiò fino al tavolo per tornare al registratore e al suo microfono.

«Sono l'agente speciale dell'Fbi Clarice M. Starling, numero di matricola 5143690, e raccolgo la deposizione di Mason R. Verger, numero di previdenza sociale 475989823, presso il suo domicilio e alla data segnata in alto. Il signor Verger è consapevole che gli viene garantita l'immunità da parte del procuratore degli Stati Uniti del trentaseiesimo distretto e dalle autorità locali, come testimonia l'allegato promemoria stilato e sottoscritto da entrambi.

«Ora, signor Verger...»

«Voglio parlarle del campeggio» la interruppe lui, alla prima esalazione del respiratore. «Fu una meravigliosa esperienza infantile alla quale, in essenza, sono tornato.»

«Ci arriveremo, signor Verger. Ma prima...»

«Oh, possiamo arrivarci subito, signorina Starling. Vede, tutto ha un senso. Fu così che incontrai Gesù, e non le dirò mai niente di più importante di questo.» Aspettò che la macchina lo facesse respirare. «Accadde a un campeggio cristiano sul lago Michigan, sovvenzionato da mio padre. Lui pagò per tutti i centoventicinque campeggiatori. Alcuni di loro erano dei disgraziati che per una caramella avrebbero fatto qualunque cosa. Forse io ne approfittai, forse fui violento quando non accettavano la cioccolata in cambio di quello che volevo da loro... Non nascondo più niente, perché ora va tutto bene.»

«Signor Verger, vogliamo dare un'occhiata al materiale con lo stesso...»

Ma Verger non la stava ascoltando, aspettava semplicemente che la macchina gli desse il respiro. «Ho ottenuto l'immunità, signorina Starling, e ora va tutto bene. Ho ottenuto l'immunità da Gesù, ho ottenuto l'immunità dal procuratore degli Stati Uniti, ho ottenuto l'immunità dal procuratore distrettuale di Owings Mills. Alleluia. Sono libero, signorina Starling, e ora va tutto bene. Sono a posto con Lui, e ora va tutto bene. Lui è Gesù risorto. Sa, al campeggio lo chiamavamo il Ris. Non gliela fa nessuno, al Ris. Vede, lo rendemmo contemporaneo, il Ris. Lo servii in Africa, alleluia; Lo servii a Chicago, sia lode al Suo nome; e Lo servo ora, e Lui mi alzerà da questo letto e trafiggerà i miei nemici e li trascinerà davanti a me e io ascolterò i lamenti delle loro donne. Sì, ora va tutto bene.» Gli andò la saliva di traverso e dovette fermarsi, mentre i vasi sanguigni sulla fronte si facevano scuri e pulsanti.

Starling si alzò per chiamare l'infermiere, ma la voce di Verger la bloccò prima che raggiungesse la porta.

«Non si preoccupi, ora va tutto bene.»

Forse una domanda diretta era meglio che condurlo a un preciso argomento. «Signor Verger, aveva mai visto il dottor Lecter prima che il tribunale la mandasse in terapia da lui? Lo conosceva per ragioni sociali?»

«No.»

«Eravate entrambi nel consiglio dell'Orchestra filarmonica di Baltimora.»

«Io lo ero solo perché i Verger sovvenzionavano la Filarmonica. Ma quando c'era da votare, mandavo il mio avvocato.»

«Lei non ha mai testimoniato durante il processo contro il dottor Lecter.» Starling cominciava a distanziare le domande in modo che lui avesse il fiato per rispondere.

«Dissero che ne avevano abbastanza per condannarlo non sei, ma nove volte. E lui li sconfisse ottenendo l'infermità mentale.»

«Fu il tribunale a decretare che era pazzo. Lui non ottenne un bel niente.»

«Trova che questa distinzione sia importante?» chiese Mason.

A quella domanda, Starling intuì per la prima volta come la mente di quell'uomo, prensile e contorta, usasse un lessico diverso dal suo.

La grossa anguilla, abituatasi alla luce, si staccò dalle pietre dell'acquario e iniziò di nuovo il suo instancabile giro, tremulo nastro marrone dalle belle macchie irregolari color crema.

Starling avvertiva nettamente la presenza dell'animale, che si muoveva in prossimità del suo campo visivo.

«È una *Muraena kidako*» disse Mason. «A Tokyo, ce n'è una ancor più grande in cattività. Per dimensioni, questa è la seconda al mondo. È conosciuta con il nome di Murena brutale. Le piacerebbe vedere perché?»

«No» rispose Starling, e girò un foglio del suo taccuino. «Dunque, signor Verger, durante la terapia impostale dal tribunale, lei invitò il dottor Lecter a casa sua.»

«Non me ne vergogno più. Sono pronto a parlare di qualunque cosa. Ora va tutto bene. Non mi avrebbero messo in galera a seguito di quelle accuse per molestie, completamente inventate, se avessi svolto cinquecento ore di lavoro sociale, mi fossi occupato del canile comunale e fossi entrato in terapia dal dottor Lecter. Pensai che, se avessi coinvolto il dottore in qualcosa, lui mi avrebbe permesso di saltare qualche seduta, e che se non mi fossi presentato regolarmente, o se fossi andato agli appuntamenti un po' fatto, non mi avrebbe denunciato per violazione della libertà vigilata.»

«Questo accadeva quando lei abitava a Owings Mills.»

«Sì. Al dottor Lecter avevo raccontato tutto, dell'Africa, di Idi Amin e del resto, e gli dissi che volevo mostrargli alcune delle mie cose.»

«E cioè?»

«La mia attrezzatura. I miei giocattoli. Guardi nell'angolo, quella è la ghigliottina portatile che usavo per Idi Amin. Si può caricare nel retro di una jeep e andare ovunque, anche nel villaggio più lontano. È utilizzabile in quindici minuti. Il condannato ci mette dieci minuti a montarla. Un po' di più se si tratta di una donna o di un bambino. Non mi vergogno più di tutto questo, perché sono stato purificato.»

«Il dottor Lecter venne a casa sua.»

«Sì. Andai ad aprire con addosso degli indumenti di pelle. Mi aspettavo qualche reazione, ma non ce ne furono. Temevo che avesse paura di me, ma non sembrò averne. *Paura* di me! Suona ridicolo, ora. Lo invitai al piano di sopra. Gli mostrai i due cani che avevo adottato dal canile, e che erano diventati amici. Li avevo chiusi in una gabbia con molta acqua pulita, ma niente cibo. Ero curioso di vedere che cosa poteva accadere.

«Gli mostrai anche qualche cappio... sa, asfissia autoerotica. In un certo senso, è come ci si impiccasse, ma non realmente, e si prova una bella sensazione mentre... Mi segue?»

«La seguo.»

«Be', lui, invece, non sembrò seguirmi. Mi chiese come funzionava e io pensai: "Bello psichiatra, uno che non conosce questa roba", e non dimenticherò mai il suo sorriso quando disse: "Mi faccia vedere". Ero convinto di averlo in pugno, ormai.»

«E lei gli fece vedere.»

«Non me ne vergogno. Sbagliando si cresce. Sono purificato.»

«La prego, continui, signor Verger.»

«E così, tirai giù il cappio davanti al mio grande specchio, me lo infilai al collo, tenendo in una mano il comando per allentarlo e agitando l'altra nell'aria, e attesi le sue reazioni, ma non riuscii a decifrarle. In genere, so leggere nelle persone. Se ne stava seduto in un angolo della stanza, con le gambe accavallate e le dita intrecciate sul ginocchio. Poi si alzò e mise la mano nella tasca della giacca, elegantissimo, come James Mason quando cerca l'accendino. Disse: "Vuole una pastiglia di amile?". E io pensai: "Ehi!, se me ne dà una adesso, poi dovrà darmene per sempre, se non vuole essere radiato dall'albo. Sarà il mio ricettario ambulante". Be', se ha letto il rapporto, sa che era molto di più di nitrito di amile.»

«Polvere d'angelo insieme a qualche altra metanfetamina e un po' di acido» precisò Starling.

«Vuuum! Si avvicinò allo specchio nel quale mi guardavo, ruppe con un calcio la base e raccolse una scheggia di vetro. Io volavo. Mi venne accanto, mi diede il vetro e, fissandomi negli occhi, mi suggerì che forse mi sarebbe piaciuto tagliuzzarmi le guance. Liberò i cani. Li nutrii con la mia faccia. Dicono che ci misero molto tempo a strapparmela via tutta. Io non ricordo niente. Il dottor Lecter mi spezzò il collo con il cappio. Recuperarono il mio naso quando costrinsero i cani a vomitare, giù al canile, ma il trapianto non riuscì.»

Starling ci impiegò più del necessario a rimettere a posto le sue carte sul tavolo.

«Signor Verger, dopo l'evasione di Lecter dalla prigione di Memphis, la sua famiglia stabilì una ricompensa.»

«Sì, un milione di dollari. Un milione. Abbiamo pubblicizzato la notizia in tutto il mondo.»

«Vi siete offerti anche di pagare per qualunque informazione rilevante, e non, come accade di solito, per la cattura e l'arresto. Era inteso che ci avreste messo al corrente di queste informazioni. L'avete sempre fatto?»

«Non esattamente, ma non c'è mai stato niente di buono da comunicarvi.»

«Come potevate stabilirlo? Avete verificato personalmente qualche indizio?»

«Almeno fino al punto di scoprire che era privo di valore. E perché non avremmo dovuto? Voi non ci avete mai detto niente. Abbiamo ricevuto una segnalazione da Creta, risultata infondata, e una dall'Uruguay, sulla quale non siamo riusciti ad avere dati certi. Voglio che lei capisca, signorina Starling: non si tratta di vendetta. Ho perdonato il dottor Lecter, proprio come il nostro Salvatore perdonò i soldati romani.»

«Signor Verger, lei ha segnalato al mio ufficio che ora potrebbe avere qualcosa.»

«Guardi nel cassetto del tavolo là in fondo.»

Starling tirò fuori dalla borsa i guanti di cotone bianco e se li infilò. Nel cassetto trovò una grande busta commerciale. Era rigida e pesante. Ne estrasse una radiografia, che alzò verso la forte luce sul soffitto. La radiografia era di una mano sinistra che appariva ferita. Starling contò le dita. Quattro più il pollice.

«Guardi i metacarpi. Capisce che cosa intendo?»

«Sì.»

«Conti le nocche.»

Cinque nocche.

«Oltre al pollice, questa persona aveva cinque dita alla mano sinistra. Come il dottor Lecter.»

«Come il dottor Lecter.»

L'angolo sul quale dovevano comparire il numero e la provenienza della radiografia era stato tagliato.

«Da dove viene, signor Verger?»

«Da Rio de Janeiro. Per scoprirne di più, devo pagare. Molto. Potete dirmi se è la mano del dottor Lecter? Ho bisogno di esserne certo, prima di tirare fuori altri soldi.»

«Tenterò, signor Verger. Faremo del nostro meglio. Ha l'involucro nel quale è arrivata la radiografia?»

«Margot l'ha messo in una borsa di plastica che le darà. Se non le dispiace, signorina Starling, sono piuttosto stanco e ho bisogno di assistenza.»

«Riceverà notizie dal mio ufficio, signor Verger.»

Starling era appena uscita, quando Mason Verger soffiò nell'ultimo tubo e disse: «Cordell?». Dalla sala giochi arrivò l'infermiere, che lesse da un fascicolo intestato "Dipartimento per l'assistenza all'infanzia, città di Baltimora".

«Franklin, hai detto? Mandami Franklin» ordinò Mason, e spense la luce sul letto.

Il bambino stava in piedi, solo, sotto il bagliore della lampada accesa sopra la zona salotto, a scrutare nel buio profondo.

Arrivò la voce risonante: «Sei Franklin?».

«Franklin» disse il bambino.

«Con chi abiti, Franklin?»

«Con mamma, Shirley e Stringbean.»

«Stringbean sta sempre con voi?»

«Va e viene.»

«Hai detto "va e viene"?»

«Sì.»

«Mamma non è la tua vera mamma, vero, Franklin?»

«Sono in affido.»

«Non è la prima madre che ti ha preso in affido, non è così?»

«Sì.»

«Ti piace la tua casa, Franklin?»

Il bambino s'illuminò. «Abbiamo Kitty Cat. E mamma fa le torte nel forno.»

«Da quanto tempo sei a casa di mamma?»

«Non lo so.»

«Hai già festeggiato un compleanno da quando sei lì?»

«Una volta, sì. Shirley ha fatto il Kool-Aid.»

«Ti piace il Kool-Aid?»

«Alla fragola.»

«Vuoi bene a mamma e a Shirley?»

«Gli voglio bene, sì, anche a Kitty Cat.»

«Vuoi vivere là? Ti senti al sicuro, quando vai a letto?»

«Mmmm. Dormo nella stanza con Shirley. Shirley è una ragazza grande.»

«Franklin, non puoi più vivere con mamma, Shirley e Kitty Cat. Devi andartene.»

«Chi lo dice?»

«Lo dice il governo. Mamma ha perso il lavoro e l'autorizzazione a tenere bambini in affido. La polizia ha trovato una sigaretta di marijuana, a casa vostra. Dopo questa settimana, non potrai più vedere mamma. Dopo questa settimana, non potrai più vedere neanche Shirley e Kitty Cat.»

«No» disse Franklin.

«O forse sono loro a non volerti più, Franklin. C'è qualcosa di sbagliato, in te? Hai qualche malattia, o qualcosa di cattivo? Pensi che la tua pelle sia troppo scura perché loro possano volerti bene?»

Franklin si tirò su la camicia per guardarsi il piccolo stomaco marrone. Scosse la testa. Stava piangendo.

«Sai che cosa succederà a Kitty Cat? Qual è il vero nome di Kitty Cat?»

«Si chiama Kitty Cat, questo è il suo vero nome.»

«Sai che cosa succederà a Kitty Cat? I poliziotti la porteranno alla palude e un dottore le farà un'iniezione. Ti fanno le iniezioni, all'asilo? L'infermiera ti ha fatto un'iniezione? Con un ago luccicante? Faranno un'iniezione a Kitty Cat. Si spaventerà molto, quando vedrà l'ago. Glielo caccceranno dentro, e Kitty Cat soffrirà e morirà.»

Franklin prese il lembo della camicia e se lo premette sulla faccia. Si mise il pollice in bocca, una cosa che non capitava più da un anno, da quando mamma gli aveva chiesto di non farlo.

«Vieni qui» disse la voce dal buio. «Vieni qui e io ti spiegherò come impedire che facciano l'iniezione a Kitty Cat. Vuoi che facciano l'iniezione a Kitty Cat, Franklin? No? Allora vieni qui, Franklin.»

In lacrime, con il pollice in bocca, Franklin avanzò

lentamente verso il buio. Quando fu a un paio di metri dal letto, Mason soffiò nel tubo e la luce si accese.

Per coraggio innato, o per desiderio di aiutare Kitty Cat, o per la disperata consapevolezza di non avere più nessun posto in cui scappare, Franklin non batté ciglio. Rimase immobile a guardare la faccia di Mason.

Per quel risultato deludente, Mason avrebbe aggrottato la fronte, se ne avesse avuta una.

«Puoi salvare Kitty Cat da quell'iniezione solo se le darai tu stesso del veleno per topi» continuò Mason. Le *p* e le *v* si persero, ma Franklin capì.

Franklin si tolse il pollice dalla bocca.

«Dici delle cose di cacca!» esclamò. «E sei anche brutto.» Si voltò, uscì dalla camera e, attraversando il locale con i flessibili attorcigliati, tornò nella sala giochi.

Mason lo seguì sul video.

L'infermiere guardò il bambino. Fingendo di leggere «Vogue», lo osservò attentamente.

A Franklin i giocattoli non interessavano più. Andò a sedersi vicino alla giraffa, con la faccia al muro. Fu l'unica cosa che poté fare per non succhiarsi il pollice.

Cordell continuò a osservarlo per vedere se piangeva. Quando si accorse che le spalle del bambino sussultavano, andò da lui e gli asciugò delicatamente le lacrime con una garza sterile. Poi mise la garza umida nel bicchiere per martini di Mason, tenuto a gelare nel frigorifero della sala giochi, vicino ai succhi d'arancia e alle bibite gassate.

## 10

Trovare informazioni mediche sul dottor Hannibal Lecter non era facile. Considerato il suo profondo disprezzo per l'establishment scientifico in generale e per quelli che praticavano la medicina in particolare, non c'era da sorprendersi che non avesse mai avuto un medico personale.

Il Manicomio criminale di Baltimora, dov'era stato detenuto fino al disastroso trasferimento a Memphis, non esisteva più, era un edificio abbandonato in attesa di demolizione.

Prima della sua evasione, il dottor Lecter era sotto responsabilità della polizia di stato del Tennessee, ma loro sostenevano di non aver mai ricevuto le sue cartelle cliniche. Gli agenti che l'avevano portato da Baltimora a Memphis, ormai defunti, avevano firmato per il detenuto, non per le sue cartelle.

Starling passò una giornata dividendosi fra telefono e computer, poi cercò di persona nelle stanze di Quantico dov'erano custoditi i corpi di reato e nel J. Edgar Hoover Building. Per un'intera mattinata annaspò nella polvere di un magazzino maleodorante stracolmo di fascicoli del dipartimento di Polizia di Baltimora, e trascorse un pomeriggio esasperante a frugare nella collezione Hannibal Lecter, non ancora catalogata, alla Fitzhugh Memorial Library, dove il tempo si fermò mentre i custodi cercavano le chiavi.

Alla fine, si ritrovò con un unico foglio di carta: la superficiale visita medica fatta al dottor Lecter quando era stato arrestato la prima volta dalla polizia di stato del Maryland. Non era acclusa nessuna anamnesi.

Inelle Corey era sopravvissuta alla chiusura del Manicomio criminale di Baltimora ed era andata a fare di meglio alla direzione amministrativa degli ospedali del Maryland. Non volle parlare con Starling in ufficio e le diede appuntamento nella caffetteria al pianterreno.

Starling aveva l'abitudine di arrivare in anticipo agli appuntamenti, in modo da avere il tempo di osservare il luogo d'incontro da una certa distanza. Corey arrivò spaccando il secondo. Era sui trentacinque anni, robusta e pallida, senza trucco né gioielli. Portava i capelli lunghi quasi fino alla vita, come quando era al liceo, e sandali bianchi con calze pesanti.

Al banco, Starling si procurò alcune bustine di zucchero e studiò Corey che si sedeva al tavolo concordato.

Non bisogna commettere l'errore di pensare che tutti i protestanti si assomiglino, non è così. Proprio come una persona nata ai Caraibi riesce spesso a identificare con esattezza l'isola dalla quale proviene un'altra, Starling, allevata dai luterani, guardò quella donna e si disse: "Chiesa di Cristo, forse sulla via per diventare una nazarena".

Si tolse i pochi gioielli – un semplice braccialetto e un orecchino d'oro a bottone dal lobo sano – e li ripose nella borsa. L'orologio di plastica era okay. Non poteva fare molto per il resto del suo aspetto.

«Inelle Corey? Vuole del caffè?» Starling portava due tazze.

«Si pronuncia *Ainelle*. Non bevo caffè.»

«Li berrò tutti e due io, allora. Desidera qualcos'altro? Sono Clarice Starling.»

«Non prendo niente. Voleva mostrarmi delle foto da identificare?»

«Non proprio» rispose Starling. «Signora Corey... posso chiamarla Inelle?»

La donna si strinse nelle spalle.

«Inelle, ho bisogno del suo aiuto per una questione che non la riguarda assolutamente in prima persona. Vorrei un consiglio su come rintracciare una certa documentazione che si trovava al Manicomio criminale di Baltimora.»

Quando intendeva esprimere collera o perbenismo, Inelle Corey assumeva un tono particolarmente zelante.

«Al momento della chiusura del Manicomio, abbiamo discusso a lungo di questo con il consiglio d'amministrazione, signorina...»

«Starling.»

«Signorina Starling. Scoprirà che non un solo paziente lasciò l'ospedale senza il suo fascicolo. Scoprirà anche che non un solo fascicolo lasciò l'ospedale senza l'autorizzazione di un supervisore. Al dipartimento della Sanità i fascicoli dei pazienti deceduti non servivano e l'ufficio statistiche non li voleva: a quanto ne so, i fascicoli "morti", cioè quelli dei defunti, restarono al Manicomio criminale di Baltimora almeno fino a quando me ne andai, e fui una delle ultime persone a farlo. Le "fughe" finirono alla polizia municipale e all'ufficio dello sceriffo.»

«Le fughe?»

«Sì, i fascicoli di quelli che erano scappati. Capitava che i detenuti in semilibertà tagliassero la corda.»

«Il dottor Hannibal Lecter poteva essere stato registrato come una fuga? Pensa che il suo dossier possa essere finito alle forze dell'ordine?»

«Non era una fuga. Non è mai stato considerato una fuga. Non da noi, almeno. Quando evase, non era più detenuto presso il nostro istituto. Una volta, scesi là sotto per dare un'occhiata a Lecter, e lo feci vedere anche a mia sorella, quando venne a trovarmi con i ragazzi. Provo una sensazione di fastidio e di gelo, quando ci ripenso. Riuscì a eccitare uno degli altri fino a farci buttare addosso del...» abbassò la voce «del liquido. Mi capisce?»

«Capisco il termine» rispose Starling. «Era per caso il signor Miggs? Ottimo tiratore.»

«L'ho scacciato dalla mia mente. Ma mi ricordo di lei. Venne al Manicomio e parlò con Fred... il dottor Chilton... poi scese laggiù da Lecter, vero?»

«Sì.»

Il dottor Frederick Chilton, all'epoca direttore del Manicomio criminale, era scomparso durante le vacanze, dopo l'evasione del dottor Lecter.

«Sa che Fred è sparito?»

«Sì, l'ho sentito dire.»

La signorina Corey spremette qualche lacrima. «Era il mio fidanzato» spiegò. «Lui non c'era più, poi l'ospedale chiuse, e fu come se mi fosse caduto il mondo addosso. Se non avessi avuto la mia Chiesa, non sarei riuscita a tirare avanti.»

«Mi dispiace» mormorò Starling. «Ha un buon lavoro, adesso.»

«Ma non ho Fred. Era un uomo buono, molto buono. Ci amavamo di un amore che al giorno d'oggi è difficile trovare. A Canton, quando faceva il liceo, venne eletto "Ragazzo dell'anno".»

«Ma senti. Lasci che le chieda una cosa, Inelle. Il dottor Chilton teneva le cartelle dei pazienti nel suo ufficio oppure nell'anticamera, dov'era la sua scrivania?»

«Nel suo ufficio, negli armadietti a muro, ma poi i fascicoli diventarono così numerosi che li spostammo in grandi casellari nell'anticamera. Erano sempre chiusi a chiave, naturalmente. Quando ci trasferimmo, al nostro posto per un po' mandarono il centro per la distribuzione del metadone, e un sacco di documenti furono portati altrove.»

«Lei ha mai visto o maneggiato il dossier del dottor Lecter?»

«Certo.»

«Ricorda se conteneva qualche radiografia? Le radiografie venivano tenute insieme ai referti medici o separatamente?»

«Venivano archiviate insieme. Erano più grandi del resto della documentazione e perciò difficili da sistemare. Avevamo l'apparecchiatura per i raggi X, ma non radiologi a tempo pieno che tenessero le lastre separate. Onestamente, non ricordo se nel dossier di Lecter ce ne fossero. So che c'era il tracciato di un elettrocardiogramma, che Fred usava mostrare alla gente. Il dottor Lecter – ma mi rifiuto di chiamarlo ancora dottore – era collegato all'elettrocardiografo, quando si avvicinò la povera infermiera. Spaventoso... Lecter mantenne lo stesso numero di pulsazioni, mentre l'aggrediva. Si provocò una lussazione alla spalla quando tutte le guardie gli saltarono addosso per strapparlo da lei. Sono certa che a seguito di quell'incidente gli fecero una radiografia. Se vuole sapere come la penso, avrebbero dovuto provocargli molto di più di una lussazione alla spalla.»

«Nel caso le venisse in mente qualcosa a proposito di dove potrebbe essere la cartella, le dispiacerebbe telefonarmi?»

«Svolgeremo quella che chiamiamo un'indagine globale» disse la signorina Corey, assaporando il termine «ma non credo che troveremo qualcosa. Un sacco di documenti furono abbandonati, non da noi, ma dai tizi del metadone.»

Le tazze del caffè erano striate da spessi rivoli scuri. Starling osservò Inelle Corey allontanarsi, goffa e pesante, con un che di diabolico, e bevve mezza tazza di caffè tenendosi un tovagliolino sotto il mento.

Starling cominciava lentamente a tornare in sé. Sapeva che il suo sfinimento aveva una ragione. Forse era per via del cattivo gusto o, peggio ancora, della mancanza di stile. Come un'indifferenza alle cose che appagano lo sguardo. Forse era avida di un po' di stile. Perfino quello delle *drag-queens* era meglio di niente. Ne era convinta, che agli altri piacesse o no.

Starling si chiese se fosse una snob, e decise che aveva poco da essere snob. Poi, pensando allo stile, ricordò Evelda Drumgo, che ne aveva in abbondanza. E a questo pensiero, fu colta dal desiderio lancinante di uscire di nuovo da se stessa.

## 11

E così, Starling tornò nel luogo dove per lei era cominciato tutto, il Manicomio criminale di stato a Baltimora, ora in dissesto. Il vecchio edificio cupo, ostello di dolore, era sbarrato e chiuso con catene, imbrattato di graffiti e in attesa di essere demolito.

La decadenza era iniziata anni prima che il suo direttore, il dottor Frederick Chilton, scomparisse durante le vacanze. Le successive scoperte di sprechi e cattiva gestione, più la decrepitezza dello stesso fabbricato, avevano spinto l'amministrazione a tagliare i fondi. Alcuni pazienti erano stati trasferiti in altri istituti statali, alcuni erano morti e molti vagavano per le strade di Baltimora come zombi tenuti insieme dalla Torazina, e questo grazie a un mal concepito programma di assistenza esterna che aveva portato più di uno di loro a morire per congelamento.

Mentre aspettava davanti alla vecchia costruzione, Clarice Starling si rese conto del perché aveva tentato di vagliare prima tutte le altre possibilità: non avrebbe più voluto mettere piede in quel posto.

Il custode arrivò con tre quarti d'ora di ritardo. Era un uomo anziano, robusto, con una scarpa ortopedica che risuonava sulla strada come uno zoccolo e un taglio di capelli da Europa dell'Est che doveva essere stato fatto in casa. Ansimando, la condusse a una porta laterale, pochi gradini in basso rispetto al marciapiede. La serratura era stata divelta dai senzatetto e sostituita da una catena con due lucchetti. Fra gli anelli della catena, una rete di ragnatele. Mentre il custode armeggiava con le chiavi, Starling sentì l'erba cresciuta fra le fessure dei gradini solleticarle le caviglie. Il pomeriggio inoltrato era nuvoloso, e la luce opaca e priva di ombre.

«Io non conosco bene questo posto» disse l'uomo. «Controllo solo l'allarme antincendio.»

«Sa se ci sono documenti depositati là dentro? Archivi, dossier?»

L'uomo si strinse nelle spalle. «Dopo l'ospedale, qui c'è venuta per uno qualche mese la clinica del metadone. Hanno messo tutto in cantina, qualche letto, le lenzuola. Non so che altro. Laggiù è male per la mia asma, l'umido, molto brutto umido. I materassi dei letti erano umidi, fa male l'umido su letti. Non che posso respirare là dentro. E le scale mi tagliano il mio respiro. Voglio mostrare a lei, ma...»

Starling sarebbe stata lieta di avere compagnia, perfino quella dell'uomo, ma avrebbe rallentato i suoi movimenti. «No, vada pure. Dov'è il suo ufficio?»

«In fondo a isolato là, dove che prima c'era l'ufficio per le patenti dell'automobile.»

«Se non sono di ritorno fra un'ora...»

Lui guardò l'orologio. «Io credo di andare fra mezz'ora.»

*Lurido fannullone maledetto.* «Ciò che lei farà per me, signore, sarà aspettare nel suo ufficio che io le riporti le chiavi. Se non sarò tornata entro un'ora, chiami il numero su questo biglietto e, quando arrivano, gli mostri dove sono andata. Se, tornando su, scopro che lei non c'è, che ha chiuso l'ufficio e se n'è andato a casa, domattina andrò a denunciarla personalmente al suo superiore. Come se non bastasse... come se non bastasse, verrà convocato dall'ufficio imposte e la sua situazione sarà riesaminata dall'ufficio immigrazione e... naturalizzazione. Mi ha capita? Vorrei una risposta, signore.»

«Io l'aspettavo lo stesso. Non c'è bisogno di dire certe cose.»

«La ringrazio molto, signore» concluse Starling.

Il custode si afferrò con le grosse mani alla ringhiera per aiutarsi a salire fino al marciapiede, e Starling ascoltò i suoi passi irregolari allontanarsi fino a sparire. Spinse la porta e si affacciò nel pianerottolo della scala di sicurezza. Dalle alte finestre sbarrate filtrava una luce grigia. Starling si chiese se doveva chiudere la porta dietro di sé, ma decise di fare un nodo alla catena dalla parte interna, in modo da poter uscire se avesse perso le chiavi.

Durante le precedenti visite al Manicomio per interrogare il dottor Hannibal Lecter, era sempre entrata dalla porta principale e ora le ci volle un po' per orientarsi.

Salì la scala fino al primo piano. I vetri smerigliati smorzavano ancora di più la luce morente e il locale era immerso nella semioscurità. Con la sua potente torcia elettrica, Starling trovò un interruttore e accese la luce. Tre lampadine funzionavano ancora nel lampadario rotto. Le estremità strappate dei fili del telefono giacevano di traverso sulla scrivania che era stata della segretaria.

Vandali armati di bombolette spray si erano introdotti nell'edificio. Una parete della stanza era decorata con un fallo alto più di due metri, con annessi testicoli e la scritta PHARON MENAMELO.

La porta che dava nell'ufficio del direttore era aperta, Starling si fermò sulla soglia. Era là che era andata in occasione del suo primo incarico per l'Fbi, quando era ancora una recluta, quando credeva ancora in tutto ed era convinta che bastasse svolgere bene il proprio lavoro, portarlo a termine, per essere accettati, poco importava la razza, la religione, il colore della pelle, l'origine etnica o l'appartenenza al ristretto circolo dei veterani. Di tutto questo, le rimaneva solo un atto di fede. Era certa di essere in grado di portare a termine il suo lavoro.

Era stato là che Chilton, il direttore del Manicomio, le aveva offerto la sua mano untuosa e le si era avvicinato un po' troppo. Era là che aveva fatto commercio di segreti, aveva spiato e, convinto di essere intelligente quanto Hannibal Lecter, preso la decisione che aveva permesso a Lecter di evadere con tanto spargimento di sangue.

La scrivania di Chilton era rimasta nell'ufficio, ma la poltroncina era sparita, abbastanza piccola da poter essere rubata. I cassetti erano vuoti, tranne che per degli Alka-Seltzer sbriciolati. Anche i casellari erano ancora là. Avevano serrature molto semplici, e l'agente Starling le aprì in meno di un minuto. Nel cassetto più in basso, trovò un sacchetto di carta con dentro un sandwich rinsecchito, alcuni questionari del centro antidroga, uno spray per rinfrescare l'alito, una lozione per capelli, un pettine e qualche preservativo.

Starling pensò alla sezione sotterranea del Manicomio dove Lecter aveva vissuto per otto anni. Non aveva nessuna voglia di andare laggiù. Poteva usare il cellulare e chiedere a un'unità della polizia locale di scendere con lei. Oppure farsi mandare un altro agente dell'Fbi dall'ufficio operativo di Baltimora. Ma il pomeriggio grigio era inoltrato e non c'era modo di evitare il traffico dell'ora di punta. Se aspettava, sarebbe stato peggio.

Malgrado la polvere, si chinò sulla scrivania di Chilton, sforzandosi di prendere una decisione. Pensava veramente che nello scantinato potessero esserci dei documenti, o era attratta dal posto dove aveva visto per la prima volta Hannibal Lecter?

Se lavorare nelle forze dell'ordine le aveva mai insegnato qualcosa di sé, questo qualcosa era: lei non era il tipo che va in cerca del brivido, anzi, sarebbe stata felice di non conoscere più la paura. Ma potevano realmente esserci dei documenti, giù nello scantinato. Sarebbero bastati cinque minuti per scoprirlo.

Aveva ancora nelle orecchie l'eco metallica dei cancelli della sezione di massima sicurezza che sbattevano dietro di lei, quando anni prima era scesa laggiù. Nel caso ora se ne fosse chiuso uno alle sue spalle, chiamò l'ufficio operativo di Baltimora, comunicò dove si trovava e che avrebbe ritelefonato entro un'ora per avvertire che era uscita di là.

Nella scala interna attraverso la quale anni prima Chilton l'aveva accompagnata nel sotterraneo, le luci funzionavano ancora. Il direttore le aveva spiegato le procedure di sicurezza per trattare con Hannibal Lecter e si era fermato là, sotto quella luce, per tirare fuori dal portafoglio la fotografia dell'infermiera alla quale Lecter aveva mangiato la lingua, quando avevano tentato di sottoporlo a una visita medica. Se il dottor Lecter si era lussato una spalla quando le guardie gli erano saltate addosso, doveva esserci per forza una radiografia.

Una corrente d'aria le sfiorò la guancia, come se da qualche parte si fosse aperta una finestra.

Sul pianerottolo c'erano una scatola vuota di hamburger McDonald's e tovaglioli sparpagliati. Una tazza macchiata che aveva contenuto fagioli. Cibo da diseredati. Nell'angolo, escrementi e altri tovaglioli. La luce non arrivava oltre il pianerottolo in fondo alla scala, prima della grande porta d'acciaio che immetteva nel reparto violenti, ora spalancata e assicurata con un gancio al muro. La luce della torcia di Starling copriva cinque celle e proiettava un buon raggio.

Lo puntò sul lungo corridoio dell'ex sezione di massima sicurezza. C'era qualcosa di ingombrante, in fondo. Strana sensazione, vedere i cancelli delle celle aperti. Il pavimento era cosparso di bicchieri di plastica e di sacchetti per il pane. Sulla scrivania che era stata dell'infermiere che fungeva da guardiano, una lattina di Coca annerita dall'uso come pipa per crack.

Starling azionò gli interruttori della luce dietro la postazione di guardia. Niente. Tirò fuori il cellulare, la lucina rossa risaltava nella semioscurità. Là sotto il telefono era inutilizzabile, ma lei parlò ugualmente, con voce molto alta: «Barry, lascia il camion all'ingresso laterale. E porta delle pile, abbiamo bisogno di argani per spostare tutta questa roba su per le scale... Sì, vieni giù».

Poi gridò nel buio: «Attenzione, là in fondo. Sono un agente federale. Se vivete qui illegalmente, siete liberi di andarvene. Non vi arresterò, non sono interessata a voi. Se tornerete dopo che avrò terminato quello che devo fare, non sono affari miei. Venite fuori, adesso. Se tenterete di ostacolarmi potreste riportare seri danni personali, dopo che vi avrò piazzato una pallottola nel culo. Grazie».

La sua voce riecheggiò nel corridoio dove a forza di urla tanti uomini si erano ridotti a poter emettere solo qualche gracchio e avevano morso le sbarre con le gengive quando erano rimasti senza denti.

Starling ricordò come si fosse sentita rassicurata, quando era andata a interrogare il dottor Lecter, dalla presenza del grosso infermiere, Barney. E la strana cortesia con la quale si trattavano lui e Lecter. Niente Barney, adesso. Qualcosa dei tempi della scuola le balzò alla mente e, come forma di disciplina, Starling si costrinse a ricordarla:

*... Eco di passi nella memoria*
*giù per il corridoio che non prendemmo*
*verso la porta che non aprimmo*
*noi nel giardino delle rose.*

Già, il giardino delle rose. Accidenti, se quello era un roseto!

Starling, che dai recenti servizi giornalistici era stata incoraggiata a odiare non solo la sua pistola ma anche se stessa, quando si sentiva a disagio trovava che toccare l'arma non era affatto sgradevole. Con la .45 lungo la gamba, avanzò nel corridoio seguendo la luce della torcia. È difficile guardare sui due fianchi contemporaneamente, ed è essenziale non lasciarsi nessuno alle spalle.

Da qualche parte, acqua che gocciolava. In alcune celle, letti smontati e ammassati. In altre, materassi. L'acqua ristagnava in mezzo al pavimento e Starling, sempre attenta alle scarpe, procedeva saltando da una parte all'altra della piccola pozza. Ricordò il consiglio che le aveva dato Barney anni prima, quando tutte le celle erano occupate. *Si tenga al centro e non tocchi le sbarre.*

Eccoli, i casellari. In mezzo al corridoio, laggiù in fondo, verde oliva opaco alla luce della torcia.

Ecco la cella che era stata occupata da Multiple Miggs, quella che più odiava dover superare. Miggs, che le bisbigliava oscenità e le gettava fluidi corporali. Miggs, che il dottor Lecter aveva ucciso convincendolo a inghiottire la propria lurida lingua. E quando Miggs era morto, nella cella era andato a vivere Sammie, le cui rime venivano lodate dal dottor Lecter, con sorprendenti effetti sul poeta. Perfino adesso, Starling riusciva a sentire Sammie che ululava i suoi versi:

VOLLIO ANNARE A GISÙ
VOLLIO ANNARE CON GRISTO
POSSO ANNARE CON GISÙ
SEFFARÒ IL BUONO.

Da qualche parte, Starling aveva ancora il testo scritto faticosamente a pastello.

La cella ora era zeppa di materassi e di pacchi di lenzuola avvolti in coperte.

E, per ultima, la cella del dottor Lecter.

Il tozzo tavolo al quale lui leggeva era ancora imbullonato al pavimento in mezzo al locale. Le mensole che avevano retto i suoi libri erano scomparse, ma i supporti sporgevano ancora dal muro.

Starling avrebbe dovuto occuparsi dei casellari, ma era come paralizzata davanti alla cella. Là aveva avuto l'incontro più straordinario della sua vita. Là era rimasta sorpresa, disorientata, scioccata.

Là aveva sentito dire di sé cose così terribilmente vere che il suo cuore aveva risuonato come una grande, cupa campana.

Sarebbe voluta entrare. Sarebbe voluta entrare, lo desiderava come si desidera saltare giù da un balcone, come ci si lascia tentare dalle rotaie quando si sente arrivare un treno.

Starling girò il fascio di luce attorno a sé e guardò alle proprie spalle la fila di casellari, illuminò le celle vicine.

La curiosità la portò oltre la soglia. Rimase in mezzo all'angusto locale dove il dottor Lecter aveva vissuto per otto anni. Occupò il suo spazio, dove l'aveva visto fermarsi in piedi, e si aspettò di essere colta da brividi, ma non accadde. Appoggiò sul tavolo la pistola e la torcia, attenta che questa non rotolasse, e appiattì le mani sul ripiano, ma sotto le palme sentì solo briciole.

Nel complesso, l'effetto fu deludente. La cella era vuota del suo precedente inquilino come vuota è la pelle mutata di un serpente. Poi, Starling pensò di essere giunta a capire una cosa: la morte e il pericolo non devono necessariamente presentarsi ammantati dei loro simboli. Possono presentarsi con il dolce respiro del vostro innamorato. O in un pomeriggio di sole in un mercato del pesce, con *La macarena* a tutto volume dagli altoparlanti.

Al lavoro. C'erano quattro casellari in tutto, per una lunghezza di circa due metri e mezzo e un'altezza che arrivava al mento. Ognuno aveva cinque cassetti, muniti di un'unica serratura vicina al primo della fila. Nessuno era chiuso. Erano pieni di documenti, alcuni ingombranti, custoditi in cartellette. Vecchie cartellette di carta marmorizzata diventata molle con il tempo, e altri più recenti in grandi buste commerciali. Documenti sulla salute di uomini ormai deceduti, che risalivano all'apertura del Manicomio, nel 1932. Erano in un ordine alfabetico approssimativo, con parte del materiale riposto in fondo ai profondi cassetti. Starling li esaminò in fretta, reggendo la pesante torcia all'altezza della spalla, facendo scorrere le cartellette con le dita della mano libera e rammaricandosi di non aver portato una torcia più piccola da tenere fra i denti. Non appena capì il senso dell'ordine delle cartellette, poté saltare interi cassetti. Superò le J e le pochissime K, fino alla L, ed eccolo: Lecter, Hannibal.

Starling tirò fuori la lunga busta, la tastò alla ricerca della rigidità di una radiografia, poi l'appoggiò sopra gli schedari, l'aprì e trovò la storia medica del defunto I.J. Miggs. Maledizione. Miggs continuava a ossessionarla anche dalla tomba. Lasciò la busta dov'era e fece passare velocemente i fascicoli fino alla M. Ecco la busta di Miggs, in ordine alfabetico. Vuota. Errore di archiviazione? Qualcuno aveva messo per errore la documentazione di Miggs nella busta di Lecter? Esaminò tutte le M, cercando materiale senza cartelletta. Tornò alla J, consapevole di una crescente irritazione. L'odore di quel posto cominciava a darle sempre più fastidio. Il custode aveva ragione, era difficile respirare, là dentro. Era a metà della J quando si rese conto che il puzzo... stava aumentando rapidamente.

Un leggero scalpicciare nell'acqua alle sue spalle. Girò su se stessa, la torcia impugnata per colpire, mentre la mano scattava sotto la giacca verso il calcio della pistola. Il raggio di luce inquadrò un uomo alto, vestito di stracci sudici, uno dei grossi piedi gonfi immerso nella pozza. Teneva una mano lontana dal corpo e con l'altra stringeva il coccio di un piatto rotto. Aveva una delle gambe e tutt'e due i piedi bendati con strisce di lenzuolo.

«Salve» disse, la lingua ispessita dal mughetto. Da un metro e mezzo di distanza, Starling ne sentiva il fiato. Sotto la giacca, la sua mano si mosse dalla pistola alla bomboletta di Mace.

«Salve» rispose. «Le dispiace mettersi là, contro le sbarre?»

L'uomo non si mosse. «Sei Gisù?»

«No» disse Starling. «Non sono Gesù.» La voce. Starling ricordò la voce.

«Sei Gisù!» L'uomo stava contorcendo la faccia.

*Quella voce. Avanti, sforzati di ricordare.* «Salve, Sammie» esclamò. «Come stai? Stavo proprio pensando a te.»

Che cosa sapeva di Sammie? Le informazioni, riaffiorando in fretta, non erano esattamente in ordine. *Mise la testa di sua madre sul piatto per la raccolta delle elemosine mentre la congregazione cantava* Date al Signore ciò che avete di meglio. *Disse che era il meglio che aveva da offrire. Chiesa battista di chissà dove. "È arrabbiato" aveva detto il dottor Lecter "perché Gesù è così in ritardo."*

«Sei Gisù?» ripeté Sammie, questa volta in tono lamentoso. Si cacciò la mano in tasca e tirò fuori un mozzicone di sigaretta, un buon mozzicone, lungo più di cinque centimetri. Lo mise sul piatto rotto e lo tese verso Starling, come per un'offerta.

«Sammie, mi dispiace, non sono... non sono...»

All'improvviso Sammie era livido, furioso perché lei non era Gesù, e la sua voce rimbombò nel corridoio umido:

«VOLLIO ANNARE A GISÙ
VOLLIO ANNARE CON GRISTO!»

Alzò il frammento di piatto acuminato come un punteruolo e fece un passo verso Starling. Ora aveva tutt'e due i piedi nell'acqua e la faccia contorta, mentre con la mano libera graffiava l'aria fra loro.

Starling sentiva il duro dei casellari contro la schiena.

«PUOI ANDARE CON GESÙ... SE FARAI IL BUONO» recitò con voce chiara e forte, come se lo chiamasse da un posto lontano.

«Mmmm» borbottò Sammie, calmo, e si fermò.

Starling frugò nella borsa, tirò fuori una barretta di cioccolata. «Sammie, ho uno Snickers. Ti piacciono, gli Snickers?»

Lui non rispose.

Starling mise la barretta su una delle buste commerciali e gliela porse, così come lui le aveva porto il piatto.

Sammie diede il primo morso prima di togliere l'involucro, sputò fuori la carta e morse di nuovo, mangiando metà barretta.

«Sammie, ci è venuto qualcun altro, quaggiù?»

Lui ignorò la domanda, mise sul coccio del piatto quello che restava della barretta e scomparve nella sua vecchia cella, dietro una pila di materassi.

«Che diavolo è, questo?» Voce di donna. «Grazie, Sammie.»

«Chi è lei?» gridò Starling.

«Non sono affari tuoi.»

«Vive qui con Sammie?»

«Certo che no. Sono qui per un appuntamento d'amore. Pensi di poterci lasciare in pace?»

«Sì. Risponda alla mia domanda. Da quanto tempo è qui?»

«Da due settimane.»

«C'è venuto qualcun altro?»

«Qualche barbone portato da Sammie.»

«Sammie la protegge?»

«Fammi qualcosa e lo scoprirai da sola. Io cammino bene. Io posso procurare cose da mangiare, lui ha un posto sicuro dove mangiarle. Funziona così per un sacco di gente.»

«Uno di voi fa parte di un qualche programma assistenziale? Se volete entrarci, potrei aiutarvi.»

«Lui l'ha già fatta, tutta la trafila. Esci nel mondo, mangi un sacco di merda e poi torni a quello che conosci. Ma tu che cosa cerchi? Che cosa vuoi?»

«Dei fascicoli.»

«Se non sono là, qualcuno li ha rubati. Non ci vuole molto a capirlo.»

«Sammie?» chiamò Starling. «Sammie?»

Sammie non rispose. «Dorme» disse la sua amica.

«Se lascio un po' di soldi, comprerà qualcosa da mangiare?» chiese Starling.

«No, compro da bere. Da mangiare si trova, da bere no. Quando esci, attenta a non restare impigliata nella maniglia.»

«Metto i soldi sulla scrivania» disse Starling. Aveva voglia di scappare. Ricordò quando aveva lasciato il dottor Lecter, ricordò come si fosse sforzata di controllarsi mentre camminava verso quella che allora era la tranquilla isola dell'ordinato posto di sorveglianza di Barney.

Alla luce del pozzo delle scale, Starling estrasse dal portafoglio una banconota da venti dollari. Mise il denaro sulla scrivania abbandonata di Barney e lo fermò appoggiandoci sopra una bottiglia di vino vuota. Tirò fuori di tasca un sacchetto di plastica della spesa e ci infilò la copertina del fascicolo di Lecter che conteneva la documentazione di Miggs e la cartellina vuota di quello di Miggs.

«Ciao. Ciao, Sammie» gridò all'uomo che aveva girovagato per il mondo ed era tornato all'inferno che conosceva. Sperava che Gesù arrivasse presto, avrebbe voluto aggiungere, ma le parve una cosa troppo stupida da dire.

Salì per tornare alla luce e continuare il proprio girovagare per il mondo.

## 12

Se sulla via per l'inferno esistono i terminal degli autobus, devono assomigliare molto all'ingresso per ambulanze del Maryland-Misericordia General Hospital. Sull'ululato delle sirene che si va spegnendo, grida di moribondi, stridio di barelle, pianti e urla, e dalle botole colonne di vapore che, tinte di rosso dalla grande insegna al neon PRONTO SOCCORSO, s'innalzano nel buio come i pilastri di fuoco di Mosè, oscurando il giorno.

Barney emerse dai fumi, infilandosi la giacca sulle spalle possenti, la rotonda testa rasata china in avanti, e si avviò a est con lunghi passi veloci, verso il mattino.

Era uscito dal lavoro venticinque minuti più tardi del solito... La polizia aveva portato un pappone strafatto di droga, uno che picchiava le donne, con una ferita d'arma da fuoco, e il capoinfermiere aveva chiesto a Barney di fermarsi. Gli chiedevano sempre di fermarsi, quando arrivava un paziente violento.

Clarice Starling sbirciò verso di lui dal profondo cappuccio del giaccone e lasciò che superasse mezzo isolato dall'altra parte della strada prima di mettersi in spalla la sacca e seguirlo. Quando Barney superò il posteggio e la fermata dell'autobus, Starling si sentì sollevata. Era più facile non perderlo, a piedi. Non sapeva bene dove abitasse e doveva scoprirlo prima che lui si accorgesse della sua presenza.

Quello dietro l'ospedale era un tranquillo quartiere impiegatizio e multietnico. Un posto dove si mette l'antifurto alla macchina ma di sera non devi portarti a casa la batteria, e dove i bambini possono giocare all'aperto.

Dopo tre isolati, Barney aspettò che un furgone superasse l'incrocio e poi svoltò verso nord, imboccando una strada di piccole case, alcune con i gradini di marmo e il giardinetto curato. Le poche vetrine di negozi sfitti erano intatte e linde. Le botteghe cominciavano ad aprire e in giro c'era poca gente. I camion rimasti posteggiati durante la notte lungo i marciapiedi le coprirono la visuale per mezzo minuto, e Starling si trovò a ridosso di Barney prima di accorgersi che si era fermato. Quando lo vide, era esattamente alla sua altezza, dall'altro lato della strada. Forse anche lui l'aveva notata, ma non ne era sicura.

Se ne stava con le mani infilate nelle tasche della giacca, la testa china in avanti, a guardare qualcosa che si muoveva al centro della carreggiata. Era un colombo morto, con un'ala sbattuta dal vento sollevato dalle macchine di passaggio. La sua compagna continuava a saltellare attorno, fissandolo con un occhio, la piccola testa che ondeggiava a ogni passo delle zampette rosa. Sempre girando, emetteva il delicato verso dei colombi. Passarono numerose macchine e un furgone, e l'uccello scansò appena il traffico con brevi voli spiccati all'ultimo momento.

Forse Barney la vide, Starling non poteva esserne certa. Doveva continuare a camminare, altrimenti lui l'avrebbe notata. Quando alzò lo sguardo sopra la spalla, Barney era accucciato in mezzo alla strada, con un braccio sollevato per fermare il traffico.

Starling svoltò all'angolo, si tolse il giaccone con il cappuccio, prese dalla sacca un maglione, un berretto da baseball e una borsa da ginnastica e si cambiò in fretta, poi cacciò il giubbotto e la sacca dentro la borsa da ginnastica, e i capelli sotto il berretto. Si unì a un gruppo di donne delle pulizie che rincasavano e svoltò di nuovo l'angolo per tornare dov'era Barney.

Teneva il colombo morto fra le mani a coppa. La sua compagna volò via con un frusciare d'ali andando a posarsi sui fili in alto, da dove rimase a guardarlo. Barney appoggiò il volatile morto sull'erba di un prato e gli allisciò le penne, poi alzò la faccia verso la colomba sui fili e disse qualcosa. Quando continuò per la sua strada, la superstite della coppia calò sull'erba e ricominciò a girare attorno al corpo del compagno, zampettando. Barney non si voltò indietro. Nel momento in cui, salendo i gradini di un edificio un centinaio di metri più avanti, tirò fuori le chiavi, Starling scattò e superò di corsa mezzo isolato per raggiungerlo prima che aprisse la porta.

«Salve, Barney.»

Lui si voltò sulla scala senza fretta e la guardò dall'alto. Starling aveva dimenticato che gli occhi di Barney erano insolitamente distanti. Vi lesse l'intelligenza, e quando lui effettuò il collegamento fu come se fosse scattato un congegno elettronico.

Clarice si tolse il berretto e lasciò ricadere i capelli. «Sono Clarice Starling. Si ricorda di me? Sono...»

«Il federale» intervenne lui, inespressivo.

Starling unì le palme delle mani e fece un cenno d'assenso. «Be', sì, sono proprio il federale. Barney, ho bisogno di parlare con lei. Devo chiederle un paio di cose, in via del tutto informale.»

Barney scese dai gradini. Quando fu sul marciapiede di fronte a lei, Starling dovette ancora alzare la faccia per guardarlo. Non si sentiva minacciata dalla sua stazza, come sarebbe invece successo a un uomo.

«Agente Starling, sarebbe disposta a dichiarare che non mi sono stati letti i miei diritti?» Barney parlava con voce forte e sbrigativa, come il Tarzan interpretato da Johnny Weissmuller.

«Dispostissima. Non ho rispettato la legge Miranda, lo ammetto.»

«E se lo dicesse nella sua borsa?»

Starling aprì la borsa e ci parlò dentro a voce alta, come se contenesse un registratore. «Non ho letto a Barney i suoi diritti, come previsto dalla legge Miranda, quindi Barney non li conosce.»

«In fondo alla strada fanno un buon caffè» disse lui. «Quanti cappelli ha, lì dentro?» chiese, mentre s'incamminavano.

«Tre» rispose Starling.

Quando passò un furgone con l'insegna dei disabili, Starling si accorse che dall'interno la fissavano, ma gli afflitti sono spesso sfacciati, e hanno il diritto di esserlo. All'incrocio successivo, la fissarono anche gli occupanti di una macchina qualunque, e lei non disse niente a causa di Barney. Se qualcosa fosse sporto dai finestrini, si sarebbe subito allarmata – stava sempre in guardia, temendo una vendetta dei Crip – ma l'ammirazione silenziosa andava sopportata.

Appena entrò nel bar tavola calda con Barney, la macchina fece marcia indietro in un vicolo, invertì la direzione e scomparve da dov'era arrivata.

Nel locale affollato dovettero aspettare che si liberasse un tavolo, mentre il cameriere sgridava in hindi il cuoco, che con aria colpevole girava la carne con un lungo forchettone.

«Mangiamo qualcosa» propose Starling, quando si furono seduti. «Paga lo Zio Sam. Come va la vita, Barney?»

«Il lavoro è okay.»

«Che cosa fa?»

«Infermiere non specializzato.»

«Pensavo che ormai fosse a un livello più alto, magari studente di medicina.»

Barney si strinse nelle spalle e prese la panna, poi alzò la testa per guardare Starling. «Vogliono inchiappettarla per aver sparato a Evelda?»

«Vedremo. La conosceva?»

«L'ho vista una volta, quando portarono in ospedale suo marito, Dijon. Era morto, si era dissanguato prima che facessero in tempo a caricarlo sull'ambulanza. Quando arrivò da noi, gocciolava sangue infetto da tutte le parti. Evelda non voleva lasciarlo portare via e aggredì le infermiere. Dovetti... sa... Bella donna. Forte, anche. Non l'hanno portata in ospedale dopo...»

«No. È morta sul colpo.»

«Non c'è da sorprendersi.»

«Barney, dopo che consegnò il dottor Lecter alla polizia del Tennessee...»

«Non si comportarono in maniera civile, con lui.»

«Dopo che lei...»

«E ora sono tutti morti.»

«Sì. Le nuove guardie riuscirono a restare vive solo per tre giorni. Lei è durato otto anni come sorvegliante del dottor Lecter.»

«No, sei... Lui c'era già, quando arrivai io.»

«Come ha fatto, Barney? Se mi permette di chiederglielo, com'è riuscito a durare con lui? Non era solo questione di essere civile.»

Barney guardò il proprio riflesso nel cucchiaino, prima dalla parte convessa e poi da quella concava, e ci pensò per un momento. «Il dottor Lecter aveva modi perfetti, non rigidi, ma disinvolti ed eleganti. Seguivo certi corsi per corrispondenza e lui mi apriva la mente. Questo non significa che non mi avrebbe ucciso in qualunque momento, se ne avesse avuto l'occasione... In una persona, una caratteristica non cancella tutte le altre. Possono convivere fianco a fianco, le buone e le terribili. Socrate lo ha spiegato molto meglio. In un istituto di massima sicurezza non ci si può permettere di dimenticarlo, mai. Se lo si tiene sempre a mente, si è al sicuro. Forse il dottor Lecter si pentì di avermi fatto conoscere Socrate.» Per Barney, che non aveva avuto lo svantaggio di frequentare regolarmente le scuole,

Socrate era un'esperienza nuova, con la qualità della grande scoperta.

«La sicurezza non aveva niente a che fare con le nostre conversazioni, era una cosa completamente diversa» continuò. «La sicurezza non aveva mai niente di personale, neanche quando dovevo sospendergli la posta o legarlo.»

«Parlava molto con il dottor Lecter?»

«A volte faceva passare mesi senza dire una parola, altre volte chiacchieravamo la sera tardi, quando le urla si smorzavano. Io seguivo quei corsi, imparavo in fretta, e lui mi illustrava un intero mondo... Svetonio, Gibbon, roba del genere.» Barney prese la tazza. Aveva una striscia arancione di Betadine su un graffio fresco che gli attraversava il dorso della mano.

«Quando Lecter evase, ha mai pensato che potesse venire a cercarla?»

Barney scosse la grossa testa. «Una volta mi disse che, se appena "fattibile", amava mangiare i maleducati. "Maleducati ruspanti", li chiamava.» Barney rise, spettacolo molto insolito. Aveva piccoli denti infantili e la sua aria divertita aveva un che di maniacale, simile all'ilarità di un bambino che butta la pappa in faccia a uno zio adorante.

Starling si domandò se non fosse rimasto troppo a lungo sottoterra con i pazzi.

«E lei, si è mai sentita... spaurita, dopo che lui se ne andò? Ha mai temuto che venisse a cercarla?» chiese Barney.

«No.»

«Perché?»

«Disse che non l'avrebbe fatto.»

Stranamente, la risposta sembrò soddisfare entrambi.

Arrivarono le uova. Barney e Starling avevano fame e mangiarono in silenzio per qualche minuto. Poi...

«Barney, quando il dottor Lecter venne trasferito a Memphis, le chiesi i disegni che erano nella sua cella e lei me li portò. Che ne fu del resto della roba... libri, carte? All'ospedale non c'è neppure la sua documentazione medica.»

«Ci fu una grande rivoluzione...» Barney s'interruppe per battere la saliera contro il palmo della mano. «Ci fu una grande rivoluzione, all'ospedale. Venni licenziato, un sacco di gente venne licenziata, e la sua roba fu sparpagliata da tutte le parti. Chissà dove...»

«Mi scusi» disse Starling «con tutto questo rumore, non ho sentito quello che ha detto. Ieri sera ho saputo che la copia del *Grande dizionario della cucina* di Alexandre Dumas annotata e firmata dal dottor Lecter è spuntata due anni fa a un'asta privata, a New York. Venne aggiudicata a un collezionista per sedicimila dollari. L'autentica di proprietà del venditore era firmata "Cary Phlox". Conosce Cary Phlox, Barney? Spero di sì, perché è stato lui a scrivere di proprio pugno la sua domanda d'assunzione all'ospedale dove attualmente lei lavora, siglandola, però, "Barney". Ha compilato anche la sua dichiarazione dei redditi. Mi dispiace di non aver sentito quello che stava dicendo prima. Vuole ricominciare? Quanto ha ricavato dal libro, Barney?»

«Circa dieci» rispose Barney, guardandola negli occhi.

Starling annuì. «Secondo la ricevuta, dieci e cinquecento. E quanto le ha fruttato l'intervista che rilasciò al "Tattler" dopo l'evasione del dottor Lecter?»

«Quindici bigliettoni.»

«Splendido. Buon per lei. Tutte le idiozie che ha detto a quella gente se l'era inventate, vero?»

«Sapevo che al dottor Lecter non sarebbe importato. Anzi, sarebbe rimasto deluso se non le avessi diffuse.»

«Lecter aggredì l'infermiera prima che lei arrivasse al Manicomio di Baltimora?»

«Sì.»

«Gli lussarono una spalla.»

«Così ho sentito.»

«Gli fecero una radiografia?»

«È probabile.»

«La voglio.»

«Mmmm.»

«Ho scoperto che gli scritti autografi del dottor Lecter sono divisi in due gruppi, quelli a inchiostro, precarcerari, e quelli a pastello o a pennarello dalla punta morbida del periodo del Manicomio criminale. Gli scritti a pastello valgono di più, ma penso che lei lo sappia. Barney, sono convinta che tutta questa roba ce l'abbia lei e che calcoli di venderla negli anni sul mercato degli autografi.»

Barney si strinse nelle spalle senza dire nulla.

«Ho anche un'altra convinzione. Lei sta aspettando che il dottor Lecter diventi di nuovo un argomento scottante. Che cosa vuole realmente, Barney?»

«Voglio vedere tutti i Vermeer del mondo, prima di morire.»

«Devo chiederle chi le ha fatto conoscere Vermeer?»

«Parlavamo di un sacco di cose, nel cuore della notte.»

«Avete parlato anche di quello che lui avrebbe fatto se fosse stato libero?»

«No, il dottor Lecter non ha nessun interesse per le ipotesi. Non crede nei sillogismi, né nelle sintesi, né in alcun assoluto.»

«E in che cosa crede?»

«Nel caos. E non c'è neppure bisogno di crederci. È evidente.»

Starling decise di assecondare Barney per un momento.

«Lo dice come se ci credesse anche lei» esclamò. «Ma, al Manicomio, il suo unico compito era di mantenere l'ordine. Era una guardia. Apparteniamo entrambi al mondo dell'ordine. Il dottor Lecter non riuscì a fuggire da lei.»

«Gliel'ho già spiegato, questo.»

«Perché non ha mai abbassato la guardia. E anche se in un certo senso fraternizzò...»

«Non ho fraternizzato un bel niente» la interruppe Barney. «Il dottor Lecter non è il fratello di nessuno. Discutevamo argomenti di interesse comune. O almeno, quando mi spiegava le cose, io le trovavo interessanti.»

«Il dottor Lecter l'ha mai presa in giro per qualcosa che non sapeva?»

«No. E lei, l'ha mai presa in giro?»

«No» rispose Starling per non urtare la suscettibilità di Barney, mentre per la prima volta si rendeva conto del complimento implicito nella derisione del mostro nei suoi confronti. «Se avesse voluto, avrebbe potuto farlo. Sa dov'è la sua roba, Barney?»

«C'è una ricompensa per chi la trova?»

Starling piegò il tovagliolo di carta e lo mise sotto il bordo del piatto. «La ricompensa consiste nel fatto che non la denuncerò per intralcio alla giustizia. Sono già stata tollerante con lei quando mise un microfono nel banco che usai al Manicomio.»

«Il microfono era del defunto dottor Chilton.»

«*Defunto?* Come fa a sapere che è il "defunto" dottor Chilton?»

«Be', comunque è in ritardo di sette anni» rispose Barney. «Non penso proprio che ritornerà presto. Lasci che ora sia io a porle una domanda. Che cosa la soddisferebbe, agente Starling?»

«Voglio vedere la radiografia. Anzi, la esigo. E se esistono dei libri del dottor Lecter, voglio anche quelli.»

«Facciamo finta di averli. Dopo, che cosa ne sarà?»

«Be', a essere sincera, non lo so. Il procuratore potrebbe requisirli come prove utili nell'indagine sull'evasione. Dopodiché ammuffirebbe tutto nella stanza dove vengono conservati i corpi di reato. Se riuscissi a esaminare quella roba e non trovassi niente di interessante nei libri, e lo dichiarassi, lei potrebbe sostenere di averli avuti dal dottor Lecter. È stato *in absentia* per sette anni, quindi lei può esercitare il suo diritto a possederli. Il dottor Lecter non ha parenti. Io raccomanderei di consegnarle tutto il materiale non significativo. Ma sappia che la mia raccomandazione è al livello più basso della scala di potere. Probabilmente, non riuscirà mai a riavere la radiografia o le cartelle cliniche, dato che, non appartenendogli, il dottor Lecter non poteva regalarle.»

«E se le dicessi che non ho quella roba?»

«Allora il materiale di Lecter diventerà molto difficile da vendere, perché emetteremo una comunicazione per avvertire il mercato che lo requisiremmo e denunceremmo per ricettazione l'eventuale acquirente. E io mi procurerei un mandato per perquisire il suo appartamento e portare via la roba che mi sembra interessante.»

«Ora che sa dov'è il mio domicilio. O, forse, è più corretto "dove sono domiciliato"?»

«Non ne sono sicura. Ma sa che cosa le dico? Se consegna il materiale non avrà nessun fastidio per averlo preso, considerato come sarebbe finito se fosse rimasto sul posto. In quanto a prometterle che lo riavrà, non posso farlo.» Starling batté la mano sulla borsa per sottolineare quello che stava dicendo. «Sa, Barney, ho la sensazione che lei non abbia preso un diploma avanzato in medicina perché non è incensurato. Forse ha precedenti da qualche parte. Pensi un po'... non ho mai richiesto la sua fedina penale, non ho mai controllato.»

«No, è solo andata a vedere la mia dichiarazione dei redditi e la mia domanda d'assunzione. Sono commosso.»

«Se ha qualche precedente, magari il procuratore distrettuale di quella giurisdizione potrebbe fare una telefonata che provochi il suo licenziamento.»

Barney ripulì il piatto con un pezzo di pane. «Ha finito? Andiamo a sgranchirci le gambe.»

«Ho visto Sammie. Ricorda che fu trasferito nella

cella di Miggs? Vive ancora là» disse Starling quando furono fuori.

«Pensavo che quel posto fosse condannato alla demolizione.»

«Lo è.»

«Sammie è in qualche programma assistenziale?»

«No. Vive semplicemente là, al buio.»

«Secondo me, lei dovrebbe dirlo a qualcuno, dov'è. Sammie ha una grave forma di diabete, morirà. Sa perché il dottor Lecter fece inghiottire la lingua a Miggs?»

«Credo di sì.»

«Lo uccise perché lui l'aveva offesa. Fu questa la vera ragione. Non si senta in colpa... Lecter avrebbe potuto farlo comunque.»

Superarono la casa di Barney e raggiunsero il prato dove la colomba girava ancora attorno al corpo del compagno morto. Barney la raccolse fra le mani a coppa. «Avanti!» disse all'uccello «hai sofferto abbastanza. Va a finire che un gatto ti mangia.» La colomba volò via con un fruscio d'ali. Non riuscirono a vedere dove andò a posarsi.

Barney raccolse l'uccello morto. Il corpo dalle piume morbide gli scivolò facilmente nella tasca.

«Sa, un giorno il dottor Lecter mi parlò di lei. Forse l'ultima volta che l'ho visto, o una delle ultime. Me l'ha ricordato il colombo. Vuole sapere che cosa disse?»

«Certo» rispose Starling. Sentì muoversi nello stomaco quello che aveva appena mangiato, ma era determinata a non battere ciglio.

«Parlavamo di comportamenti ereditari estremi. Come esempio, usò la genetica nelle ghiandaie. Volano in alto nell'aria, tornano indietro in fila, poi calano verso terra. Ci sono quelle che scendono lentamente e quelle che scendono in picchiata. Non si possono far accoppiare due ghiandaie che scendono in picchiata, altrimenti i loro figli piomberanno giù e andranno a fracassarsi a terra. Ciò che Lecter disse fu: "L'agente Starling vola in picchiata, Barney. Speriamo che uno dei suoi genitori non lo facesse".»

Starling ci mise un po' a digerire la cosa. «Che cosa ne farà del colombo, Barney?» chiese.

«Lo spenno e lo mangio» rispose lui. «Venga a casa mia, così le do la radiografia e i libri.»

Mentre tornava con il lungo pacco verso l'ospedale e la sua macchina, Starling sentì la dolente colomba sopravvissuta emettere un grido di richiamo dall'albero.

## 13

Grazie alla stima di un pazzo e all'ossessione di un altro, per il momento Starling disponeva di ciò che aveva sempre desiderato: un ufficio nel piano sotterraneo di Scienza del comportamento. Era triste averlo ottenuto a quel modo.

Quando si era diplomata all'Accademia dell'Fbi, Starling non si aspettava certo di entrare dritta filata in quella sezione d'élite, ma era convinta di potersi guadagnare un posto in uno dei suoi uffici, pur sapendo che prima avrebbe dovuto passare molti anni nei reparti operativi.

Starling era brava nel suo lavoro, ma non altrettanto a districarsi negli intrighi interni, e aveva impiegato parecchio tempo a capire che non sarebbe mai approdata a Scienza del comportamento, malgrado che chi ne era a capo, Jack Crawford, la volesse là.

Un'altra ragione molto importante le era rimasta invisibile finché, come un astronomo che localizzi un buco nero, aveva scoperto l'influenza esercitata dal viceispettore generale Paul Krendler su tutti gli organismi che da lui dipendevano. Krendler non l'aveva mai perdonata per aver trovato il serial killer Jame Gumb prima di lui, e aveva trovato intollerabile tutta l'attenzione che la stampa le aveva dedicato.

Una volta, in un piovoso giorno d'inverno, Krendler

l'aveva chiamata a casa. Lei aveva risposto al telefono in accappatoio, pantofole di pelouche e un asciugamano attorno alla testa. Avrebbe sempre ricordato la data con esattezza perché era la prima settimana di Desert Storm. All'epoca, Starling svolgeva le mansioni di agente addetto al servizio tecnico ed era appena tornata da New York, dove aveva sostituito la radio nella limousine della delegazione irachena presso le Nazioni Unite. La nuova radio era esattamente come la vecchia, tranne che trasmetteva le conversazioni tenute nella macchina a un satellite del dipartimento della Difesa. Era stata un'operazione assai rischiosa, svolta per giunta in un garage privato, e Starling aveva ancora i nervi tesi.

In un attimo di follia, aveva pensato che Krendler volesse dirle che aveva fatto un buon lavoro.

Ricordava la pioggia contro le finestre e la voce di lui al telefono, l'eloquio leggermente impastato, con in sottofondo i rumori di un bar.

Le aveva chiesto di uscire, aggiungendo che poteva raggiungerla in mezz'ora. Era sposato.

«Penso proprio che non sia possibile, signor Krendler» aveva risposto lei, poi aveva premuto il tasto della segreteria telefonica, che aveva emesso il suo "bip" regolamentare, e la linea si era interrotta.

Ora, anni dopo, nell'ufficio che avrebbe voluto essersi guadagnata, Starling scrisse il proprio nome su un foglietto di carta e lo attaccò alla porta con lo scotch. Non era divertente. Lo strappò e lo gettò nel cestino.

Nella cassetta della corrispondenza in arrivo c'era solo una busta. L'aprì e trovò un modulo del *Guinness dei primati*, che intendeva iscriverla nei suoi elenchi per aver ucciso più criminali di qualunque altro agente donna nella storia degli Stati Uniti. Il termine "criminali", spiegava l'editore, non veniva usato alla leggera, dato che tutti i defunti avevano scontato svariate condanne nelle carceri, e su tre di loro pendeva un mandato d'arresto. Il modulo finì nel cestino insieme al foglietto con il suo nome.

Starling lavorava da due ore al computer, spingendo indietro le ciocche di capelli che le cadevano sul viso, quando Crawford bussò alla porta e mise dentro la testa.

«Starling, ha chiamato Brian dal laboratorio. La radiografia di Mason e quella che si è fatta dare da Barney sono della stessa persona. È il braccio di Lecter. Digitalizzeranno le immagini e le confronteranno, ma secondo Brian non ci sono dubbi. Poi riporremo tutto al sicuro nel file Vicap di Lecter.»

«E con Mason Verger che facciamo?»

«Gli diremo la verità» rispose Crawford. «Lo sappiamo entrambi che Mason non ci farà mai partecipi di niente, a meno che non trovi qualcosa che giudica troppo difficile da gestire da solo. Se a questo punto tentassimo di risalire alla sua pista brasiliana, ci svanirebbe fra le mani.»

«Mi aveva ordinato di lasciarlo tranquillo, e io ho obbedito.»

«Ma qualcosa stava facendo, qui dentro, adesso.»

«La radiografia di Mason è arrivata con il Dhl. Dal codice a barre e dalle informazioni sull'etichetta il Dhl è risalito al posto dove è stata ritirata la busta: l'Hotel Ibarra di Rio.» Starling alzò la mano per prevenire un'interruzione. «Ormai le fonti sono tutte di New York. Niente richieste d'informazioni al Brasile.

«Mason svolge i suoi affari telefonici, almeno per la maggior parte, attraverso il centralino di un'agenzia di scommesse di Las Vegas. Immagini la quantità di telefonate che ricevono.»

«È meglio che io non sappia come l'ha scoperto?»

«In modo del tutto legale» spiegò Starling. «Be', quasi del tutto... Non ho lasciato nulla di compromettente a casa di Mason. Ho i codici per verificare i conti telefonici, nient'altro. Ce li hanno tutti gli agenti addetti al servizio tecnico. Diciamo che Mason intralcia la giustizia. Con le sue aderenze, quanto dovremmo supplicare per ottenere un mandato che ci consentisse di controllare le sue telefonate? E se anche lui finisse in carcere, che cosa potremmo fargli? Ma usa un'agenzia di scommesse.»

«Capisco» intervenne Crawford. «La commissione per il gioco del Nevada potrebbe mettere sotto controllo il telefono dell'agenzia o costringerli a dire quello che ci serve, cioè a chi sono dirette le chiamate.»

Starling annuì. «Ho lasciato in pace Mason, proprio come aveva chiesto lei.»

«Questo lo vedo» disse Crawford. «Dica pure a Mason che potremmo aiutarlo attraverso l'Interpol e l'ambasciata. Gli dica anche che dobbiamo cominciare a muovere un po' di gente, laggiù, se vogliamo studiare con cura i termini per l'estradizione. Con ogni probabilità, Lecter ha commesso qualche reato in Sudamerica, quindi sarà meglio che lo estradiamo prima che la polizia di Rio cerchi nei suoi archivi alla parola "cannibalismo". Sempre che Lecter sia in Sudamerica. Starling, parlare con Mason non le dà la nausea?»

«Devo entrare nello spirito adatto. Me l'ha insegnato lei, quando ripescammo quello stoccafisso in West Virginia. Ma che dico "stoccafisso", era una *persona*, Kimberly Emberg. Eh, sì, Mason mi fa venire la nausea. Di recente ci sono un sacco di cose che mi danno la nausea, Jack.»

Starling si azzittì, sorpresa. Prima di allora non si era mai rivolta al caposezione Jack Crawford chiamandolo per nome, né aveva mai pensato di poterlo fare. Studiò la faccia di Crawford, una faccia celebre per la sua impenetrabilità.

Lui fece un cenno d'assenso e abbozzò un breve sorriso triste. «Anche a me, Starling. Vuole un paio di queste pasticche di Pepto-Bismolo da succhiare prima di parlare con Mason?»

Mason Verger non si abbassò a rispondere alla telefonata di Starling. Un segretario la ringraziò per il messaggio, promettendo che l'avrebbe fatta richiamare personalmente dal signor Mason. Ma Mason non la richiamò. Per lui, tanto più in alto di Starling nella lista di coloro che vengono informati tempestivamente, la notizia che le due radiografie combaciavano era già vecchia.

## 14

Mason era venuto a sapere che la radiografia in suo possesso era del braccio del dottor Lecter molto prima che ne fosse informata Starling, perché le sue fonti all'interno del dipartimento della Giustizia erano migliori di quelle di lei.

Mason fu informato da un messaggio di posta elettronica firmato Token287, che era il secondo nome in codice dell'assistente di Parton Vellmore, deputato degli Stati Uniti, presso il comitato giudiziario. L'ufficio di Vellmore aveva ricevuto un'e-mail da Cassius199, secondo alias personale di Paul Krendler, del dipartimento della Giustizia.

Mason era eccitato. Non pensava che il dottor Lecter fosse in Brasile, ma la radiografia provava che ora, alla mano sinistra, il dottore aveva le normali cinque dita. Quest'informazione si incrociò con un nuovo indizio, arrivato dall'Europa, sugli spostamenti del dottore. Mason era convinto che la segnalazione provenisse dall'interno delle forze di polizia italiane, ed era la più credibile che avesse ricevuto da anni.

E non aveva nessuna intenzione di condividere la notizia con l'Fbi. Grazie a sette anni di sforzi incessanti, all'accesso agli archivi segreti del Bureau, a un'estesa ricerca documentaria, a nessuna restrizione internazionale e a un largo uso di denaro, Mason aveva sempre preceduto l'Fbi nella caccia a Lecter. Passava le informazioni al Bureau solo quando aveva bisogno di sfruttarne le risorse.

Per salvare le apparenze, ordinò al suo segretario di tempestare ugualmente Starling di telefonate per chiedere se c'erano sviluppi. Le continue sollecitazioni costrinsero il segretario a chiamarla almeno tre volte al giorno.

Mason spedì subito cinquemila dollari al suo informatore in Brasile perché tentasse di risalire alla fonte della radiografia. La cifra che versò sul fondo spese in Svizzera era molto più alta, ed era pronto ad aumentarla non appena avesse avuto in mano qualcosa di concreto.

Era convinto che il suo informatore in Europa avesse veramente trovato il dottor Lecter, ma gli erano state rifilate tante di quelle notizie false che aveva imparato a essere prudente. La prova sarebbe arrivata presto. Fino ad allora, per alleviare lo strazio dell'attesa, Mason si concentrò su ciò che sarebbe accaduto quando il dottore fosse finito nelle sue mani. Anche questi preparativi erano stati lunghi, perché Mason era uno studioso di sofferenza...

Spesso le scelte di Dio nell'infliggere il dolore non ci sono comprensibili, né ci sembrano soddisfacenti, a meno che non sia l'innocenza a offenderlo. Ci pare evidente che Egli abbia bisogno di un qualche aiuto nel dirigere la furia cieca con la quale fustiga la terra.

Mason era arrivato a capire il proprio ruolo in tutto questo nel dodicesimo anno della sua paralisi, quando la sua sagoma non era quasi più visibile sotto le lenzuola e sapeva che non si sarebbe mai più alzato. Alla Muskrat Farm, il quartiere dove avrebbe vissuto era stato completato. Mason aveva grandi mezzi economici, ma non illimitati, perché comandava ancora il patriarca dei Verger, Molson.

Era il Natale dell'anno in cui era evaso il dottor Lecter. Soggetto anche lui al tipo di sentimenti che in genere accompagna la santa festività, Mason si pentiva amaramente di non aver fatto in modo che il dottor Lecter venisse ucciso nel Manicomio. Sapeva che, da qualche parte, percorreva la terra in lungo e in largo, avanti e indietro, e con ogni probabilità si stava divertendo.

Lui, invece, giaceva sotto un respiratore, con addosso una morbida coperta, e accanto un'infermiera che strusciava i piedi, morendo dalla voglia di sedersi. Alcuni bambini poveri erano stati portati alla Muskrat Farm in autobus perché intonassero canti di Natale. Con il permesso del medico, le finestre di Mason erano state aperte per un poco sull'aria rigida e, sotto quelle finestre, con candele nelle mani a coppa, i bambini cantavano.

Nella camera di Mason le luci erano spente e nell'aria buia sopra la casa le stelle sembravano vicine.

«Piccola città di Betlemme, così immobile ti vediamo distesa!»

*Così immobile ti vediamo distesa.*
*Così immobile ti vediamo distesa.*

L'ironia del verso parve schiacciarlo. *Così immobile ti vediamo disteso, Mason!*

Le stelle di Natale fuori dalla sua finestra mantennero il loro opprimente silenzio. Le stelle non gli dicevano mai niente, quando lui le guardava con il suo supplichevole occhio sporgente, facendo loro dei segni con le poche dita che riusciva a muovere. Mason non credeva di poter continuare a respirare a lungo. Pensava che se fosse soffocato nello spazio, l'ultima cosa che avrebbe visto sarebbero state le belle stelle silenziose, prive d'aria. E pensò che stava soffocando ora, perché la macchina non ce la faceva a seguire il suo ritmo. Per poter respirare, doveva adeguarsi alle linee verde-Natale dei quadranti e dei tracciati dei suoi parametri vitali, piccoli sempreverdi nella buia foresta notturna delle apparecchiature. Grafici per i suoi battiti cardiaci, grafici sistolici, grafici diastolici.

L'infermiera si spaventò, fece per premere il pulsante dell'allarme, fece per prendere l'adrenalina.

Ironia del verso. *Così immobile ti vediamo disteso, Mason!*

Poi, un'epifania a Natale. Prima che l'infermiera potesse suonare, o raggiungere la medicina, Mason sentì le dure setole della vendetta spazzolargli la pallida mano, quella mano spettrale simile a un granchio, e cominciò a calmarsi.

A Natale, comunioni in tutta la terra, perché i credenti sono convinti di ingerire realmente, attraverso il miracolo della transustanziazione, il corpo e il sangue di Cristo. Mason cominciò a preparare una cerimonia ancor più suggestiva, che non aveva neppure bisogno della transustanziazione. Organizzò i preparativi perché il dottor Lecter fosse divorato vivo.

## 15

L'istruzione ricevuta da Mason era stata inconsueta, ma perfettamente adeguata alla vita che il padre aveva previsto per lui e al compito che lo aspettava.

Da bambino, aveva studiato in un convitto che suo padre contribuiva in larga parte a mantenere e dove le sue frequenti assenze venivano regolarmente giustificate. A volte, per intere settimane, la vera istruzione di Mason veniva seguita dal vecchio Verger, che portava il ragazzo con sé ai recinti del bestiame e al macello sui quali fondava la sua fortuna.

Molson Verger era stato per molti aspetti un pioniere dell'allevamento del bestiame, soprattutto per quello economico. I suoi primi esperimenti con l'alimentazione a basso costo avevano precorso di cinquant'anni quelli di Batterham. Adulterava i pastoni dei maiali con setole di cinghiale, penne di gallina macinate e letame, in quantità considerate all'epoca alquanto spregiudicate. Negli anni Quaranta, era stato preso per un incosciente visionario quando, per farli ingrassare più in fretta, aveva tolto ai maiali l'acqua pulita, sostituendola con un beverone a base di rifiuti animali fermentati. Non appena i profitti erano cresciuti a dismisura, la derisione era cessata e i suoi concorrenti si erano affrettati a imitarlo.

La leadership di Molson Verger nell'industria della

carne non si era fermata qui. Aveva lottato vigorosamente e con i suoi fondi privati contro la legge per la macellazione indolore, facendone una pura questione economica, ed era riuscito a mantenere legale la marchiatura a fuoco, anche se gli era costato caro in fatto di sovvenzioni governative. Con Mason al fianco, aveva diretto esperimenti su larga scala su come tenere immobili gli animali, per stabilire quanto a lungo li si poteva privare del cibo e dell'acqua prima di macellarli, senza che subissero una significativa perdita di peso.

Era stata la ricerca genetica sponsorizzata da Verger a riuscire nell'intento di raddoppiare la muscolatura dei maiali di razza belga, senza la concomitante perdita di liquidi che aveva tanto a lungo tormentato gli allevatori di quel paese. Molson Verger aveva acquistato animali da riproduzione in tutto il mondo e finanziato numerosi programmi per lo studio della riproduzione tenuti all'estero.

Ma il buon funzionamento dei macelli è soprattutto una questione di uomini, e nessuno l'aveva capito meglio di Molson Verger, che era riuscito a domare i dirigenti sindacali quando avevano tentato di intaccare i suoi profitti con richieste salariali e di sicurezza sul lavoro. In questo campo, i suoi solidi rapporti con il crimine organizzato gli erano stati utili per trent'anni.

All'epoca, Mason aveva una forte somiglianza con il padre, con le sue lucide sopracciglia nere sopra gli occhi celesti da macellaio e la bassa attaccatura dei capelli che gli tagliava la fronte in diagonale, scendendo da destra verso sinistra. Spesso, affettuosamente, Molson Verger prendeva la testa del figlio fra le mani, limitandosi a tastarla, come per confermare la propria paternità attraverso la fisiognomica, nello stesso modo in cui tastava il grugno di un maiale e dalla struttura ossea ne indovinava l'origine genetica.

Mason era stato un buon allievo e, anche quando l'invalidità l'aveva costretto a letto, era stato capace di studiare ottimi affari che poi sarebbero stati portati a termine dai suoi dipendenti. Era stata una sua idea quella di convincere il governo degli Stati Uniti e l'Onu a sterminare tutti i maiali di Haiti, sostenendo che c'era il grave rischio che avessero contratto la peste suina africana. Così, aveva potuto vendere al governo grossi porci bianchi americani per sostituire quelli uccisi. Ma questi maiali ben pasciuti, quando avevano dovuto affrontare le condizioni ambientali haitiane, erano morti uno dopo l'altro, ed era stato necessario sostituirli più volte con animali dell'allevamento Verger, finché gli haitiani avevano risolto il problema importando dalla Repubblica Dominicana piccoli porcelli resistenti alla malattia.

Ora, con una vita di conoscenza e di esperienza alle spalle, mentre preparava gli strumenti della sua vendetta, Mason si sentiva come Stradivari quando si avvicinava al suo banco di lavoro.

Che messe di informazioni e di risorse aveva nel suo teschio privo di faccia! Sdraiato nel letto, mentre componeva mentalmente come il sordo Beethoven, ricordava i tempi in cui visitava le fiere dei suini per controllare la concorrenza insieme al padre, con il suo piccolo coltello d'argento sempre pronto a scivolare fuori dalla tasca e a penetrare nella schiena di un maiale per controllare lo spessore del grasso. Quando l'animale cacciava un acuto grugnito, lui si allontanava, troppo signorile per essere accusato, la mano di nuovo in tasca, con il pollice che segnava il punto sulla lama.

Se avesse avuto le labbra, Mason avrebbe sorriso, mentre ricordava il padre che a una gara di suini infilzava un maiale di categoria 4-H, un maiale convinto che tutti fossero suoi amici, e il giovane figlio del proprietario che scoppiava a piangere. E il padre del bambino che si avvicinava furioso, e i tirapiedi di Mason che lo scaraventavano fuori dal tendone. Oh, c'erano stati bei momenti divertenti.

Alle fiere dei suini, Mason aveva visto maiali esotici provenienti da tutto il mondo. Per il suo nuovo scopo, mise insieme il meglio di tutto ciò che aveva imparato.

Immediatamente dopo la sua epifania di Natale, cominciò a lavorare al suo programma di allevamento, decidendo di attuarlo in una piccola porcilaia che i Verger possedevano in Sardegna. Scelse il posto per la sua lontananza e per i suoi collegamenti con l'Europa.

Mason pensava – correttamente – che dopo l'evasione, la prima tappa del dottor Lecter fuori dagli Stati Uniti fosse stata il Sudamerica. Ma era convinto da sempre che un uomo dei gusti di Lecter si sarebbe stabilito in Europa, e fin dai primi tempi aveva piazzato i suoi osservatori al Festival musicale di Salisburgo e ad altri avvenimenti culturali.

Ecco che cosa mandò ai suoi allevatori in Sardegna perché preparassero la scena della morte del dottor Lecter.

Il suino gigante della foresta, l'*Hylochoerus meinertzhageni*, sei mammelle e trentotto cromosomi, animale pieno di risorse quando si tratta di procacciarsi il cibo e, come l'uomo, onnivoro opportunista. Lungo due metri, nelle famiglie delle colline, peso all'incirca duecentosettantacinque chili. Il suino gigante della foresta è il fiore all'occhiello di Mason.

Il classico cinghiale selvatico europeo, il *Sus scrofa scrofa*, con trentasei cromosomi nella sua forma più pura, grugno privo di protuberanze, tutto setole e grandi zanne appuntite, grosso animale veloce e aggressivo, capace di uccidere una vipera con lo zoccolo per poi mangiarla come se fosse un biscotto. Quando è provocato o in calore, o protegge i suoi cuccioli, carica e uccide qualunque cosa rappresenti una minaccia. Le femmine hanno dodici mammelle e sono buone madri. Nel *Sus scrofa scrofa*, Mason aveva trovato il carattere e il grugno adatti a fornire al dottor Lecter un'ultima, sconvolgente visione di se stesso dopo che l'animale avesse consumato il pasto (vedi *Harris sul Porco*, 1881).

Aveva comprato il maiale dell'Ossabaw Island per la sua aggressività, e lo Jiaxing nero per i suoi straordinari livelli di estradiolo.

Aveva commesso un passo falso quando dall'Indonesia orientale aveva introdotto un babirussa, chiamato "maiale cervo" per la lunghezza esagerata delle zanne. Era un riproduttore lento e, con due sole mammelle e i suoi cento chili di peso, era costato troppo. Ma non si era perso ugualmente tempo, dato che, anche senza il babirussa, c'erano altri maiali che continuavano a riprodursi.

In quanto a dentizione, Mason aveva avuto poche varietà fra le quali scegliere. Quasi tutte le specie avevano denti adeguati al compito, tre paia di incisivi appuntiti, un paio di canini sporgenti, quattro paia di premolari e tre paia di molari, superiori e inferiori, forti come tenaglie, per un totale di quarantaquattro denti.

I maiali mangiano gli uomini morti, ma per indurli a mangiarne uno vivo è necessaria una certa dose di addestramento. I sardi di Mason erano all'altezza del compito.

Ora, dopo uno sforzo durato sette anni e molte figliate, i risultati erano... notevoli.

## 16

Con tutti gli attori tranne il dottor Lecter in scena sulle montagne del Gennargentu, Mason dirottò l'attenzione sulle riprese cinematografiche della morte del dottore da tramandare ai posteri e da conservare per il proprio piacere visivo. Gli accordi erano stati perfezionati da tempo, ma ora bisognava dare l'allerta.

Condusse questa delicata parte dell'operazione per telefono, attraverso le linee di un'agenzia di scommesse vicina al Castaways di Las Vegas. Le sue chiamate erano fili minuscoli che si perdevano nel grande volume di traffico telefonico del fine settimana.

La voce radiofonica di Mason, senza labiali e sibilanti, rimbalzò fino al deserto dalla foresta nazionale vicina al Chesapeake, poi tornò indietro attraverso l'Atlantico e arrivò a Roma.

«Che c'è? Che c'è?»

«Accendi la luce, idiota.»

La lampada sul comodino si accende. Nel letto, tre persone. Il giovanotto vicino al telefono prende la cornetta e la passa all'uomo corpulento, più anziano, che sta in mezzo. Dall'altra parte, una ragazza bionda sulla ventina, che alza la faccia insonnolita verso la luce, poi si ributta giù.

«Pronto? Chi parla?»

«Oreste, amico mio, sono Mason.»

L'omone si riscuote, fa cenno al giovane di passargli un bicchiere d'acqua minerale.

«Ah, Mason carissimo, scusami, stavo dormendo. Che ore sono, da te?»

«È tardi ovunque, Oreste. Sai che cosa voglio: un set con due cineprese e un sonoro migliore di quello dei tuoi film porno, e siccome devi provvedere da solo all'energia elettrica, voglio due generatori, ma lontani dalla scena. Voglio anche qualche bello scorcio naturale, da usare quando monteremo il filmato, e cinguettio di uccelli. E voglio che scegli il punto domani stesso, e che lo prepari. Puoi lasciare le apparecchiature là, penserò io al servizio di sicurezza. Poi puoi tornare a Roma, finché non si gira, ma tieni pronto a partire con un preavviso di due ore. Mi hai capito, Oreste? C'è un ordine di pagamento per te alla Citibank dell'Eur. D'accordo?»

«Mason, in questo momento sto...»

«Vuoi farlo, Oreste? Hai detto che non ne potevi più di film di terza categoria, video porno e puttanate storiche per la Rai. Vuoi veramente fare un grande film, Oreste?»

«Sì, Mason.»

«Allora parti oggi stesso. I contanti sono alla Citibank. Voglio che tu vada.»

«Dove, Mason?»

«In Sardegna. Prendi un aereo per Cagliari, ci sarà qualcuno ad aspettarti.»

La telefonata successiva raggiunse Porto Torres. La conversazione fu breve. Non c'era molto da dire perché là il meccanismo era oliato da tempo ed efficiente quanto la ghigliottina portatile di Mason. Ed ecologicamente più sano, anche se non altrettanto veloce.

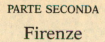

PARTE SECONDA

# Firenze

## 17

Notte nel cuore di Firenze, l'antica città sapientemente illuminata.

Palazzo Vecchio, che domina la buia piazza della Signoria, rischiarato da fasci di luce, di chiara concezione medievale con le sue finestre ad arco, i merli simili a fuochi fatui e la torre campanaria che svetta nel cielo.

I pipistrelli terranno lontane le zanzare dall'orologio fino all'alba, quando nell'aria scossa dalle campane sfrecceranno le rondini.

L'ispettore capo Rinaldo Pazzi, impermeabile nero contro le statue di marmo fisse in atti di stupro e assassinio, sbucò dalle ombre della Loggia dei Lanzi e attraversò la piazza, la testa che si voltava come un girasole verso le luci che illuminavano il palazzo. Si fermò nel punto in cui era stato arso il Savonarola e alzò lo sguardo verso la finestra dalla quale un suo antenato aveva fatto una brutta fine.

Là, da quell'alta finestra, Francesco de' Pazzi, nudo e con un cappio al collo, era stato buttato giù a morire, e si era contorto e aveva roteato contro il muro di pietra. L'arcivescovo Salviati, impiccato accanto a lui con tutti i paramenti sacri, non gli aveva fornito alcun conforto spirituale: con gli occhi strabuzzati e reso folle dal fiato che gli si mozzava, aveva affondato i denti nella carne di Francesco de' Pazzi.

Quella domenica 26 aprile del 1478 era stata trucidata gran parte della famiglia Pazzi, accusata di aver ucciso Giuliano de' Medici e del tentato omicidio di Lorenzo il Magnifico, in Duomo durante la messa.

Ora, Rinaldo Pazzi, un Pazzi dei Pazzi, decaduto e senza denaro, e con un odio per il governo più intenso di quello dei suoi antenati, aveva la sensazione di sentire il tonfo della mannaia in quel luogo dov'era andato per decidere quale fosse il modo migliore per sfruttare lo strano colpo di fortuna che gli era capitato.

L'ispettore capo Pazzi era convinto di aver scoperto che Hannibal Lecter viveva a Firenze. Gli si presentava l'occasione di catturare il criminale, e con questo di riguadagnare una reputazione e ricevere grandi riconoscimenti. Ma avrebbe anche potuto decidere di vendere Hannibal Lecter a Mason Verger per più quattrini di quanti riuscisse a immaginare... ammesso che il sospettato fosse davvero Lecter. Naturalmente, Pazzi avrebbe venduto insieme anche il suo già immiserito onore.

Non era un caso che Pazzi dirigesse la divisione investigativa della Questura: era un poliziotto molto dotato e, a suo tempo, spinto dalla sfrenata ambizione di affermarsi nel lavoro. Ma portava anche le cicatrici di uno che, per fretta e smania di eccellere, in un'occasione aveva afferrato il coltello dalla parte sbagliata.

Aveva scelto quel posto per lanciare il suo dado perché era là che una volta aveva sperimentato la solennità di una rivelazione che prima l'aveva reso famoso e poi rovinato.

In Pazzi, il senso italiano dell'umorismo era molto forte: era giusto che l'importante scoperta fosse avvenuta proprio sotto quella finestra, dove magari lo spirito furibondo del suo antenato roteava ancora contro il muro. In quello stesso luogo, lui poteva cambiare per sempre il destino dei Pazzi.

Era stata la caccia a un altro serial killer, il Mostro

di Firenze, a renderlo famoso e poi a fare in modo che i corvi gli becchettassero il cuore. Ma quella stessa esperienza aveva reso possibile la nuova scoperta. Il risultato finale delle indagini sul caso, con il gusto amaro che gli aveva lasciato in bocca, lo spingeva ora verso un pericoloso gioco fuori dalla legge.

Per diciassette anni, fino al 1985, il Mostro di Firenze aveva dato la caccia agli innamorati, avvicinandoli silenziosamente mentre si abbracciavano nei molti viottoli toscani rifugio delle giovani coppie. Aveva l'abitudine di uccidere le sue vittime con una pistola di piccolo calibro, per poi scomparire nel buio. Il suo comportamento ripetitivo lasciava un senso di déjà vu.

Dopo le prime volte, aveva usato un coltello per incidere la pelle delle ragazze morte, arrivando a impossessarsi di un paio di trofei anatomici. In un'occasione, probabilmente per errore, aveva ucciso due turisti tedeschi scambiandoli per una delle solite coppie, a causa delle chiome fluenti di uno di loro.

La pressione dell'opinione pubblica sulla Questura perché acciuffasse il Mostro era stata fortissima, tanto da far perdere l'incarico al predecessore di Rinaldo Pazzi. Quando Pazzi aveva rilevato l'indagine come ispettore capo, si era trovato come in lotta contro le api, con i giornalisti che sciamavano appena possibile nel suo ufficio, e i fotografi appostati dietro la Questura, da dove lui era costretto a passare uscendo in macchina.

I turisti che in quel periodo erano a Firenze ricorderanno i manifesti con l'unico occhio vigile, esposti ovunque per mettere in guardia le coppie contro il Mostro.

Pazzi aveva lavorato come un indemoniato.

Si era messo in contatto con la sezione Scienza del comportamento dell'Fbi, negli Stati Uniti, perché l'aiutassero a tracciare un profilo dell'assassino, e aveva letto tutto quello che era riuscito a trovare sui metodi usati dall'Fbi in questo campo.

Aveva adottato misure preventive: nei viottoli degli

innamorati e nei luoghi d'incontro vicino ai cimiteri, a bordo delle macchine c'erano state più coppie di poliziotti che di ragazzi. Dato che la polizia non disponeva di personale femminile sufficiente, quando il caldo era intenso le coppie di agenti uomini facevano a turno a portare la parrucca, e molti baffi erano stati sacrificati. Pazzi aveva dato l'esempio radendosi i suoi.

Il Mostro era prudente. Colpiva, ma le sue pulsioni non lo costringevano a colpire di frequente.

Pazzi aveva notato che c'erano stati lunghi periodi in cui il Mostro non aveva ucciso. Si era aggrappato a questo. Faticosamente, meticolosamente, esigendo di essere aiutato da tutti i dipendenti di altri organismi sui quali poteva esercitare pressioni, confiscando il computer del nipote da usare insieme all'unico in dotazione alla Questura, aveva stilato un elenco di tutti i criminali dell'Italia centrale i cui periodi di incarcerazione coincidevano con l'intervallo che aveva interrotto la serie di omicidi del Mostro. Erano novantasette.

A bordo della vecchia, comoda e veloce Alfa Romeo Gtv di un rapinatore di banche in carcere, aveva percorso più di cinquemila chilometri in un mese, visitando e interrogando di persona novantaquattro detenuti. Gli altri erano gravemente malati o morti.

Sulle scene degli omicidi non erano state trovate prove che potessero aiutarlo ad accorciare l'elenco. Nessun fluido corporale dell'assassino, niente impronte.

Avevano recuperato un solo bossolo all'Impruneta, nel punto in cui era stata uccisa una coppia. Si trattava di un bossolo Winchester-Western calibro 22 con rigature d'espulsione compatibili con una pistola Colt semiautomatica, probabilmente tipo Woodsman. Anche i proiettili usati negli altri omicidi erano calibro 22. Sulle pallottole, niente rigature prodotte da un silenziatore, anche se non si poteva escludere che ne fosse stato usato uno.

Pazzi era un Pazzi, ma soprattutto era ambizioso, e

aveva una bella moglie giovane con il becco sempre aperto. Lo sforzo aveva sottratto sei chili alla sua già snella corporatura. Gli agenti più giovani commentavano fra loro la sua rassomiglianza con Will Coyote.

Quando alcuni suoi dipendenti particolarmente svegli inserirono nel computer della Questura un programma che aveva reso possibile cambiare le facce dei Tre Tenori nei musi di un asino, di un maiale e di una capra, Pazzi rimase a fissare lo schermo per alcuni minuti, sentendo i propri lineamenti cambiare fino ad assumere le sembianze di un asino e poi tornare normali e poi cambiare ancora.

La finestra del laboratorio della Questura è inghirlandata di aglio per tenere lontani gli spiriti maligni. Visitato e torchiato inutilmente l'ultimo sospetto, Pazzi si fermò disperato davanti a quella finestra a guardare il cortile polveroso.

Pensava alla donna che aveva sposato da poco, alle sue belle caviglie sottili, alla leggera peluria che aveva sulla schiena. Pensava all'ondeggiare dei seni quando lei si lavava i denti, e a come rideva quando si accorgeva di essere osservata. Pensava ai regali che avrebbe voluto farle e la immaginava mentre apriva i pacchetti. Pensava a sua moglie in termini visivi: lei era splendida e piacevole anche da toccare, ma l'immagine era sempre la prima a comparire nella sua memoria.

Pensava soprattutto a come avrebbe voluto apparire ai suoi occhi. Certo, non nell'attuale ruolo di zimbello della stampa... La Questura di Firenze ha gli uffici in un ex ospedale psichiatrico, e i vignettisti sfruttavano il fatto al massimo.

Pazzi era convinto che il successo fosse il risultato dell'ispirazione. La sua memoria visiva era eccellente e, come molti il cui senso primario è la vista, pensava alla rivelazione come allo sviluppo di un'immagine, dapprima confusa e poi sempre più chiara. Meditava su come la maggior parte di noi cerca un oggetto che ha perso: ne richiama l'immagine e paragona quell'immagine a ciò che vede, ravvivandola mentalmente molte volte al minuto e girandola nello spazio.

Poi, un attentato dinamitardo dietro la Galleria degli Uffizi aveva distolto l'attenzione pubblica e occupato il tempo di Pazzi, allontanandolo per un po' dal Mostro.

Ma anche mentre lavorava all'importante caso della bomba al museo, Pazzi aveva trattenuto nella mente le immagini che del Mostro si era creato. Vedeva le sue vittime con la visione periferica, come quando si fissano i margini estremi di un oggetto per distinguerlo al buio. In particolare, si soffermava sul corpo di una delle ragazze, quella trascinata fuori dalla macchina e abbandonata sull'erba, il seno sinistro scoperto, alcuni fiori di campo che sembravano uscirle dalla bocca.

Un pomeriggio presto, Pazzi aveva lasciato la Galleria degli Uffizi e stava attraversando la vicina piazza della Signoria quando, dall'espositore di un venditore di cartoline, gli era balzata agli occhi un'immagine.

Non sapendo bene da dove l'immagine venisse, si era bloccato sul punto dov'era stato bruciato Savonarola. Si era voltato per guardarsi attorno. La piazza era affollata di turisti. Il poliziotto aveva sentito un brivido lungo la schiena. Forse era tutto solo nella sua testa: l'immagine, l'acuirsi dell'attenzione. Era tornato sui suoi passi e aveva ripercorso lo stesso tratto che aveva compiuto arrivando.

Eccolo: un manifesto picchiettato dalle mosche e sgualcito dalla pioggia, con la riproduzione della *Primavera* del Botticelli. Il quadro originale era alle sue spalle, nella Galleria degli Uffizi. *La Primavera*. La ninfa inghirlandata sulla destra, il seno esposto, con i fiori che le uscivano dalla bocca, e il pallido Zefiro che soffiava dal bosco.

Ecco. L'immagine della ragazza morta sull'erba, con i fiori di campo sulle labbra. Avevano pensato che i fiori fossero finiti lì casualmente, dopo essersi staccati dal prato mentre il Mostro trascinava il corpo lontano dalla macchina. E se ci fossero stati messi volutamente?

Qui era nata l'idea, qui dove il suo antenato aveva roteato appeso alla corda, soffocando contro il muro. Qui era nata l'immagine magistrale che Pazzi aveva cercato, ed era un'immagine creata cinquecento anni prima da Sandro Botticelli, lo stesso artista che per quaranta fiorini aveva dipinto l'impiccato Francesco de' Pazzi sul muro della prigione del Bargello, cappio e tutto. Come avrebbe potuto, Pazzi, resistere a un'ispirazione dalle origini tanto straordinarie?

Aveva dovuto sedersi. Tutte le panchine erano occupate. Si era ridotto a mostrare il tesserino e a ordinare di lasciargli il posto a un uomo anziano le cui grucce, onestamente, non aveva visto finché il vecchio invalido si era alzato sull'unico piede, imprecando ad alta voce e anche molto volgarmente.

Pazzi era eccitato per due ragioni. Trovare l'immagine che gli aveva ispirato il Mostro era già un trionfo, ma, ancor più importante, Pazzi sapeva di aver visto una copia della *Primavera* mentre girava per interrogare i sospetti.

Era consapevole di non dover sforzare la memoria; si era rilassato e distratto, e l'aveva sollecitata con delicatezza. Tornato agli Uffizi, era rimasto davanti alla *Primavera* autentica, ma non troppo a lungo. Era andato al mercato del Porcellino, aveva toccato il grugno del cinghiale di bronzo, aveva guidato fino alle Cascine e, appoggiato al tetto della macchina polverosa, aveva guardato dei bambini giocare a calcio.

Dapprima, nella memoria, aveva visto la scala davanti a sé, con la parte inferiore del manifesto della *Primavera* che gli appariva mentre lui saliva; era riuscito a tornare indietro e per un secondo aveva visto la porta d'ingresso, ma niente della strada, e niente facce.

*Quando hai visto il manifesto, che cos'hai sentito...? Rumore di stoviglie in una cucina al pianterreno. Quan-*

*do sei salito, ti sei fermato sul pianerottolo e hai visto il manifesto, che cos'hai sentito? La televisione. Un televisore nel soggiorno. Robert Stack che interpreta Eliot Ness negli* Intoccabili. *Hai sentito odore di cibo? Sì, odore di cibo. Hai sentito qualche altro odore? Ho visto il manifesto...* NO, *non quello che hai visto. Hai sentito qualche altro odore? Sentivo gli odori dell'Alfa, con il caldo intenso dell'abitacolo, li avevo ancora nel naso, odore di olio surriscaldato, surriscaldato da... dal raccordo, dalla velocità che avevo tenuto sul raccordo dell'autostrada... Per andare dove? A San Casciano. Ho sentito anche abbaiare un cane, a San Casciano, dove abitava un ladro e uno stupratore di nome Girolamo qualcosa.*

È in questo momento, quando scatta la connessione, è in questo spasmo sinaptico di completezza, quando il pensiero sfreccia lungo un fusibile rosso, che godiamo del nostro più grande piacere. Rinaldo Pazzi aveva vissuto il miglior momento della sua vita.

Nel giro di un'ora e mezzo, Pazzi aveva arrestato Girolamo Tocca. Sua moglie aveva preso a sassate il piccolo convoglio di macchine che le stava portando via il marito.

# 18

Tocca era l'indiziato ideale. Da giovane, aveva scontato nove anni di prigione per l'omicidio di un uomo che aveva sorpreso abbracciato alla sua fidanzata su un viottolo degli innamorati. Aveva anche dovuto rispondere di molestie sessuali nei confronti delle figlie e di altri abusi domestici, e subito una condanna per stupro.

La polizia aveva quasi distrutto la casa di Tocca per trovare qualche prova. Alla fine era stato Pazzi, mentre cercava nel giardinetto dell'uomo, a saltare fuori con la cartuccia che sarebbe diventata una delle poche prove tangibili presentate dall'accusa.

Il processo, che aveva destato enorme clamore, era stato celebrato in un edificio di massima sicurezza chiamato il Bunker, dove negli anni Settanta si erano tenuti i processi per terrorismo, e che era di fronte alla sede del quotidiano «La Nazione». I giurati, cinque uomini e cinque donne, stanchi e sotto pressione, avevano condannato Tocca nella quasi totale assenza di indizi all'infuori della sua personalità. La maggior parte dell'opinione pubblica lo considerava innocente, ma molti sostenevano che era un criminale che stava comunque bene in galera. All'età di sessantacinque anni, era stato condannato a quarant'anni e spedito nel carcere di Volterra.

I mesi successivi erano stati straordinari. Negli ultimi cinque secoli, a Firenze nessun Pazzi era stato osannato come Rinaldo. L'ultima volta era successo quando Pazzo de' Pazzi era tornato dalla prima crociata con tre pietre focaie raccolte al Santo Sepolcro.

Rinaldo Pazzi e la sua bella moglie erano in Duomo accanto all'arcivescovo quando, durante la cerimonia tradizionale di Pasqua, quelle stesse pietre focaie sacre erano state usate per accendere il piccolo razzo della "colombina", che era volata fuori dalla chiesa lungo il suo filo per andare verso il grande carro ad accendere i fuochi d'artificio davanti alla folla plaudente.

I giornali si aggrappavano a ogni parola di Pazzi, mentre lui, a ragione, estendeva ai suoi subordinati il credito per il duro lavoro svolto. Sua moglie veniva interpellata sulla moda, ed era veramente splendida negli abiti che gli stilisti la incoraggiavano a indossare. Venivano invitati a noiosi tè nelle case dei potenti, e cenarono con un conte nel suo castello pieno di armature.

Pazzi era stato indicato come futuro uomo politico, encomiato pubblicamente dal parlamento e incaricato di presiedere lo sforzo collaborativo dell'Italia con l'Fbi nella lotta alla mafia.

Quell'incarico, e una borsa di studio per i seminari di criminologia presso la Georgetown University, avevano portato Pazzi a Washington. L'ispettore capo aveva passato parecchio tempo a Scienza del comportamento di Quantico, sognando di creare una sezione analoga anche a Roma.

Poi, dopo due anni, il disastro. In un'atmosfera più tranquilla, una corte d'appello non sottoposta alla pressione dell'opinione pubblica aveva accettato il ricorso della difesa di Tocca. Pazzi era stato richiamato per assistere al processo di secondo grado. Gli ex colleghi avevano già sguainato i coltelli.

La corte d'appello aveva capovolto la sentenza di condanna contro Tocca e stigmatizzato la condotta di

Pazzi, dicendosi convinta che avesse falsificato le prove.

I suoi protettori in alto loco l'avevano mollato come un appestato. Era ancora un importante funzionario della Questura, ma la sua carriera era finita, e lui lo sapeva. Il governo italiano si muove lentamente, ma presto la mannaia sarebbe calata.

## 19

Fu nell'orribile periodo in cui aspettava di sentir calare la mannaia che Pazzi vide per la prima volta l'uomo conosciuto dagli studiosi come professor Fell.

Rinaldo Pazzi saliva le scale di Palazzo Vecchio per un incarico di poco conto, uno dei tanti che gli venivano scaricati addosso dai suoi ex dipendenti della Questura, compiaciuti della sua caduta in disgrazia. Mentre saliva con a fianco il muro affrescato, Pazzi vedeva solo la punta delle sue scarpe sulle pietre antiche, non le meraviglie artistiche che lo circondavano.

Sul pianerottolo, da uomo qual era, raddrizzò le spalle e si costrinse a incontrare gli occhi degli uomini ritratti sugli affreschi, alcuni dei quali suoi antenati. Già sentiva il vocio sopra di lui, proveniente dalla sala dei Gigli, dove aveva luogo una riunione congiunta dell'organismo dirigente della Galleria degli Uffizi e della commissione delle Belle arti.

L'incarico di Pazzi quel giorno era questo: il curatore di Palazzo Capponi era scomparso. Molti ritenevano che fosse fuggito con una donna o con i quattrini di qualcuno, oppure entrambe le cose. Negli ultimi quattro mesi, non si era più presentato a Palazzo Vecchio per le riunioni del consiglio direttivo.

Pazzi era stato mandato là per continuare l'indagine. L'ispettore capo, che dopo la bomba al museo aveva istruito severamente quegli stessi direttori degli Uffizi e i membri della rivale commissione delle Belle arti sulle misure di sicurezza da prendere, ora doveva apparire davanti a loro in circostanze veniali per interrogarli sulla vita amorosa di un curatore. Non era certo ansioso di cominciare.

I due comitati erano formati da uomini litigiosi e permalosi. Da anni non riuscivano a mettersi d'accordo neppure su dove riunirsi, dato che nessuno voleva andare nell'ufficio dell'altro. Si incontravano invece nella splendida sala dei Gigli di Palazzo Vecchio, e ogni membro era convinto che la bella stanza fosse il posto più consono alla propria eminenza e distinzione. Una volta stabilito il luogo indicato, si erano rifiutati di spostarsi da qualsiasi altra parte, malgrado che ora a Palazzo Vecchio fosse in corso l'ennesimo restauro, con impalcature, teloni e macchinari.

Nel corridoio davanti alla sala c'era il professor Ricci, vecchio compagno di scuola di Rinaldo Pazzi, in preda a un accesso di starnuti a causa della polvere di gesso. Quando si fu ripreso, voltò gli occhi lacrimosi verso il poliziotto.

«Le solite menate» disse Ricci. «Come capita sempre, stanno litigando. Sei venuto per il curatore del Capponi scomparso? In questo momento discutono su chi deve prenderne il posto. Sogliato vuole metterci il nipote. Gli studiosi sono molto ben impressionati dal curatore temporaneo nominato mesi fa, il professor Fell, e vorrebbero confermarlo.»

Pazzi lasciò l'amico che si frugava in tasca in cerca di fazzolettini di carta ed entrò nello storico salone dal soffitto a gigli dorati. I tendoni che coprivano due pareti smorzavano il vocio.

Aveva la parola il nepotista, Sogliato, e la manteneva con il volume della voce:

«La corrispondenza dei Capponi risale al tredicesimo secolo. Al professor Fell potrebbe capitare fra le mani, le sue mani *non italiane*, una nota dello stesso Dante Alighieri. Ebbene, la riconoscerebbe? Penso di *no*. L'avete esaminato sull'italiano medievale, e non nego che la sua conoscenza sia ammirevole. Per uno straniero. Ma conosce le personalità della Firenze prerinascimentale? Di nuovo, penso di *no*. E se, per esempio, nella biblioteca del Capponi trovasse un appunto di... di Guido Cavalcanti? Lo riconoscerebbe? Ancora, *no*. Vuole commentare quanto ho detto, professor Fell?»

Rinaldo Pazzi scrutò la sala e non vide nessuno che gli sembrasse il professor Fell, malgrado avesse esaminato la sua fotografia meno di un'ora prima. Non lo vide perché il professor Fell non era seduto con gli altri. Pazzi sentì prima la sua voce, e poi lo localizzò.

Era in piedi, immobile, vicino alla grande statua di bronzo di Giuditta e Oloferne, e dava le spalle all'uomo che aveva parlato e agli altri. Fece il suo discorso senza voltarsi, ed era difficile capire da quale delle figure provenisse la voce... da Giuditta, con la spada perennemente alzata per colpire il re ubriaco, o da Oloferne, tenuto per i capelli, o dal professor Fell, snello e pacato accanto alla statua di Donatello. La sua voce tagliò il brusio come un raggio laser taglia il fumo, e i presenti smisero di discutere e si azzittirono.

«Cavalcanti rispose pubblicamente al primo sonetto della *Vita Nuova* di Dante, in cui quest'ultimo descrive il suo strano sogno su Beatrice Portinari» disse il professor Fell. «Chissà, forse Cavalcanti lo commentò anche in privato. Se scrisse a un Capponi, questo Capponi doveva essere Andrea, che era miglior letterato dei suoi fratelli.» Il professor Fell si voltò verso il gruppo di uomini quando lo ritenne opportuno, dopo un intervallo che mise a disagio tutti tranne lui. «Ricorda il sonetto di Dante, professor Sogliato? *Lo ricorda?* Affascinò Cavalcanti, e vale la pena che lei gli dedichi il suo tempo. Ascoltiamo come Dante trasformò in strumento quel vernacolo che definì la *vulgari eloquentia* della gente. In parte, il sonetto dice:

> *Già eran quasi che atterzate l'ore*
> *del tempo che onne stella n'è lucente,*
> *quando m'apparve amor subitamente,*
> *cui essenza membrar mi dà orrore.*
> *Allegro mi sembrava Amor tenendo*
> *meo core in mano, e ne le braccia avea*
> *madonna involta in un drappo dormendo.*
> *Poi la svegliava, e d'esto core ardendo*
> *lei paventosa umilmente pascea:*
> *appresso gir lo ne vedea piangendo.»*

Nemmeno i più litigiosi tra i fiorentini presenti riuscirono a resistere ai versi di Dante che riecheggiavano contro le pareti affrescate nell'accurata inflessione toscana del professor Fell. Prima un applauso, e poi, per commossa acclamazione, i presenti confermarono il professor Fell curatore di Palazzo Capponi, lasciando Sogliato alla sua rabbia. Pazzi non avrebbe saputo dire se la vittoria fece piacere al professore, perché Fell voltò di nuovo la schiena. Ma Sogliato non aveva finito.

«Se il professore è un così esperto dantista, che tenga una conferenza di fronte allo Studiolo.» Sibilò il nome come se si fosse trattato dell'Inquisizione. «Che si presenti a loro *ex tempore* il prossimo venerdì, se può.» Lo Studiolo, il cui nome derivava da un sontuoso studio privato, era un piccolo e aggressivo gruppo di letterati che avevano rovinato un buon numero di reputazioni accademiche e si riunivano spesso a Palazzo Vecchio. Prepararsi per loro era un impegno considerevole, comparire di fronte a loro un rischio. Lo zio di Sogliato caldeggiò la sua mozione e il cognato chiese di metterla ai voti, voti che la sorella contò minuziosamente. La mozione passò. La nomina restava valida, ma per mantenerla il professor Fell doveva soddisfare lo Studiolo.

I comitati avevano un nuovo curatore per Palazzo Capponi; non sentivano la mancanza del vecchio e risposero asciuttamente alle domande sull'uomo scomparso poste dall'ormai poco considerato Rinaldo Pazzi, che tenne ammirevolmente testa alla situazione.

Da bravo investigatore, aveva scandagliato le circostanze in cerca del *cui prodest*. Chi avrebbe beneficiato della scomparsa del vecchio curatore? Era scapolo, uno studioso tranquillo e rispettato, con una vita ordinata. Aveva dei risparmi, niente di considerevole. Tutto ciò che aveva posseduto era il suo lavoro e il privilegio di abitare nel sottotetto di Palazzo Capponi.

Ed ecco il nuovo curatore, confermato dopo un serrato esame sulla storia fiorentina e sull'italiano volgare. Pazzi aveva esaminato la sua richiesta d'incarico e la documentazione del servizio sanitario. Gli si avvicinò mentre i membri del consiglio riponevano le carte nelle borse per andarsene a casa.

«Professor Fell.»

«Sì?»

Il nuovo curatore era piccolo e snello. Gli occhiali che portava avevano la parte superiore delle lenti affumicata e l'abito scuro aveva un taglio ineccepibile, perfino per l'Italia. Pazzi si presentò.

«Mi chiedevo se ha mai incontrato il suo predecessore.» Le antenne dei poliziotti esperti sono sempre collegate alla lunghezza d'onda della paura. Scrutando attentamente il professor Fell, Pazzi registrò una calma assoluta.

«No, non l'ho mai incontrato. Ho letto molte sue monografie su "Nuova Antologia".» Quando conversava, il professor Fell usava la stessa accurata inflessione toscana di quando recitava le poesie. Se aveva una traccia d'accento, Pazzi non riuscì a identificarla.

«So che all'inizio dell'indagine la polizia ha controllato Palazzo Capponi per vedere se c'erano appunti di qualche tipo, una lettera d'addio, la spiegazione di un suicidio, e non ha trovato niente. Se fra le carte le capitasse di scoprire qualcosa, qualcosa di personale, anche se apparentemente di nessuna importanza, può informarmi?»

«Naturalmente, dottor Pazzi.»

«Gli effetti personali sono ancora nel palazzo?»

«Riposti in due valigie, con un inventario.»

«Manderò... Passerò a ritirarle.»

«Le dispiace avvertirmi in anticipo? Così, prima che lei arrivi, disattivo il sistema di sicurezza e le faccio risparmiare tempo.»

*Quest'uomo è troppo calmo. In teoria, dovrebbe temermi un po'. E mi chiede di avvertirlo prima di andare da lui.*

I comitati avevano lisciato le penne a Pazzi, e lui non aveva potuto reagire. Ora era irritato dalla presunzione di quell'uomo. E decise di irritare lui.

«Professor Fell, posso farle una domanda personale?»

«Se il suo dovere glielo impone, sì.»

«Ha una cicatrice piuttosto recente sul dorso della mano sinistra.»

«E lei ha un anello matrimoniale piuttosto recente all'anulare della sua. La *Vita Nuova*?» Il professor Fell sorrise. Aveva denti piccoli, bianchissimi. Per un attimo Pazzi restò sorpreso e, prima che potesse decidere se doveva offendersi, il professor Fell alzò la mano con la cicatrice e continuò: «Tunnel carpale. Occuparsi di storia è pericoloso».

«Perché non ha dichiarato di soffrire di tunnel carpale sui moduli del servizio sanitario, quando è venuto a lavorare qui?»

«Avevo l'impressione che le infermità fisiche fossero rilevanti solo quando si ricevono sussidi d'invalidità, e io non li ricevo. Non sono un invalido.»

«Quindi è stato operato in Brasile, il suo paese d'origine.»

«Non in Italia, comunque. Non ho avuto niente dal governo italiano» disse il professor Fell, e sembrò convinto di aver risposto in maniera esaustiva.

Erano gli ultimi rimasti nella sala. Pazzi era arrivato alla porta, quando il professor Fell lo chiamò.

«Dottor Pazzi.»

Il professor Fell era una silhouette nera contro le alte finestre. Dietro di lui, in lontananza, s'intravedeva il Duomo.

«Sì?»

«Penso che lei sia un Pazzi dei Pazzi. Ho ragione?»

«Sì, come lo sa?» Se Fell avesse fatto riferimento alla recente campagna di stampa, Pazzi l'avrebbe considerata una gravissima offesa.

«Assomiglia a una figura dei tondi di Luca della Robbia che sono nella sua cappella di famiglia a Santa Croce.»

«Ah, quello è Andrea de' Pazzi nelle vesti di Giovanni Battista!» esclamò il poliziotto, con un briciolo di compiacimento nel cuore inacidito.

Quando Rinaldo Pazzi lasciò la figura snella nella sala, l'ultima impressione che ne ebbe fu di straordinaria immobilità.

Presto avrebbe aggiunto altre sensazioni a quell'impressione.

# 20

Oggi che la smania di rappresentazione ci ha resi insensibili alla volgarità e all'oscenità, è istruttivo stabilire che cosa ci sembri malvagio, che cosa colpisca ancora la viscida flaccidità della nostra rassegnata coscienza con tanta forza da risvegliare la nostra attenzione.

A Firenze, fu la Mostra degli atroci strumenti di tortura, e là Rinaldo Pazzi incontrò per la seconda volta il dottor Fell.

La mostra, che esibiva più di venti arnesi classici di tortura insieme a un'estesa documentazione, si teneva nell'austero Forte Belvedere, una cittadella del sedicesimo secolo appartenuta ai Medici che presidiava Firenze a sud. Inaspettatamente, l'esposizione fu invasa da un'enorme folla in preda a un'eccitazione morbosa.

Il periodo d'apertura previsto era di un mese. La Mostra degli atroci strumenti di tortura fu protratta per altri sei, uguagliando il numero di visitatori della Galleria degli Uffizi e superando quello del museo di Palazzo Pitti.

I promotori dell'esposizione, due ex impagliatori di animali che fino ad allora erano sopravvissuti nutrendosi delle frattaglie dei loro trofei, erano diventati miliardari e, agghindati nelle nuove giacche da sera, avevano fatto un giro trionfale dell'Europa insieme ai loro strumenti.

I visitatori arrivavano, per lo più a coppie, da tutta l'Europa, e approfittavano dell'orario d'apertura prolungato per sfilare fra le macchine della sofferenza e leggere attentamente in una delle quattro lingue la provenienza degli strumenti e il modo in cui venivano usati. Illustrazioni di Dürer e di altri, insieme a diari di contemporanei, spiegavano, per esempio, su quali centri del dolore agiva la ruota della tortura.

Una didascalia diceva:

> I principi italiani preferivano rompere le ossa alle loro vittime tenendole con gli arti immobilizzati sui blocchi e usando la ruota dal cerchione di ferro come agente distruttivo (vedi illustrazione). Nell'Europa del Nord, invece, il metodo più diffuso consisteva nel legare la vittima alla ruota, spezzarla a colpi di sbarra di ferro, e poi assicurarne gli arti lungo il cerchio, ora che le fratture multiple provvedevano la flessibilità necessaria, la testa ancora intatta e il tronco al centro. Questo secondo metodo forniva uno spettacolo più soddisfacente, ma il divertimento poteva finire in breve tempo se un frammento di midollo fosse entrato nel circolo sanguigno.

La Mostra degli atroci strumenti di tortura non poteva non richiamare un conoscitore dei lati peggiori del genere umano. Ma l'essenza del peggio, il vero fetidume dello spirito dell'uomo, non è nella Vergine di Norimberga o nel palo; l'essenza della Bruttura si trova sulla faccia della gente.

Nella semioscurità della grande sala di pietra, sotto le gabbie dei dannati illuminate e appese in alto, il professor Fell, acuto conoscitore delle reazioni emotive, con gli occhiali nella mano segnata dalla cicatrice, la punta di una stanghetta contro le labbra, l'espressione rapita, guardava sfilare la gente.

Fu là che lo vide Rinaldo Pazzi.

Pazzi era al suo secondo incarico di poca importanza della giornata. Invece di essere a cena con la moglie, fendeva la folla per andare ad affiggere un nuovo avvertimento alle coppie su quel Mostro che non era riuscito ad acciuffare. Lo stesso manifesto che dominava la sua scrivania, messo là dai suoi nuovi superiori, insieme ad altri manifesti di ricercati di tutto il mondo.

Gli ex impagliatori, che sorvegliavano insieme il botteghino, furono felici di aggiungere al loro spettacolo un tocco di attualità, ma chiesero a Pazzi di affiggere lui stesso il manifesto, dato che nessuno dei due sembrava disposto a lasciare l'altro con i contanti. Alcuni fiorentini lo riconobbero e, protetti dall'anonimato della folla, gli sibilarono insulti.

Pazzi spinse le puntine negli angoli del manifesto azzurro con quell'unico occhio vigile, assicurandolo a un pannello di legno vicino all'uscita, dove avrebbe attirato maggiormente l'attenzione, e accese il faretto che vi era infisso sopra. Mentre osservava le coppie che stavano andandosene, si accorse che molte erano sovreccitate e che uomini e donne si sfregavano l'uno contro l'altra in mezzo alla folla. Non aveva nessuna voglia di vedere rappresentato un altro dipinto, niente più sangue né fiori.

Pazzi voleva parlare con il professor Fell; gli avrebbe fatto comodo ritirare gli effetti del curatore scomparso, giacché era così vicino a Palazzo Capponi. Tuttavia, quando si voltò, il professore era scomparso. Non era fra la gente che usciva. Nel punto in cui si era fermato, sotto la gabbia della morte per fame con il suo scheletro in posizione fetale che ancora sembrava supplicare del cibo, c'era solo il muro di pietra.

Pazzi era irritato. Si aprì un varco tra la folla finché non fu fuori, ma non trovò il professore.

La guardia all'uscita lo riconobbe e non disse niente quando lui scavalcò il cordone per spingersi nel buio giardino di Forte Belvedere. Andò al parapetto e guardò a nord verso l'Arno. La Firenze antica era ai suoi piedi, con la grande cupola del Duomo e la torre di Palazzo Vecchio che svettava alla luce dei fari.

Pazzi era un uomo molto abile, trafitto da circostanze ridicole. E deriso dalla sua stessa città.

Ad affondargli nella schiena l'ultimo colpo di pugnale era stato l'Fbi, quando aveva dichiarato alla stampa che il profilo del Mostro tracciato dal Bureau era del tutto diverso da quello dell'uomo arrestato da Pazzi. «La Nazione» aveva aggiunto che Pazzi aveva "praticamente costruito la corsia preferenziale che aveva portato Tocca in prigione".

L'ultima volta che Pazzi aveva affisso il manifesto del Mostro era stato in America. Era un trofeo di cui andava fiero e, quando l'aveva appeso a una parete di Scienza del comportamento, gli agenti dell'Fbi gli avevano chiesto di firmarlo. Quegli agenti che sapevano tutto di lui, che lo ammiravano, che lo invitavano. Lui e sua moglie erano stati ospiti del Bureau sulla spiaggia del Maryland.

Chino sul parapetto scuro, gli occhi sulla sua antica città, Pazzi ebbe la sensazione di avere nelle narici l'aria salmastra che spirava dal Chesapeake, rivide la moglie sulla riva, con il suo nuovo costume bianco.

Negli uffici di Scienza del comportamento, a Quantico, c'era un disegno di Firenze, che gli era stato mostrato come curiosità. Era lo stesso spettacolo che aveva davanti adesso, il più bel panorama al mondo. Ma non a colori. No, tracciato a matita e sfumato con il carboncino. Il disegno era insieme a una fotografia, faceva da sfondo alla fotografia, la fotografia del serial killer americano dottor Hannibal Lecter. Hannibal il Cannibale. Lecter aveva ritratto Firenze a memoria, e il disegno era stato appeso nella sua cella del Manicomio criminale, un posto sinistro come quello in cui si trovava ora Pazzi.

Quando maturò l'idea, in Pazzi? Due immagini, la vera Firenze distesa di fronte a lui e il disegno che ricordava. L'affissione del manifesto del Mostro, pochi minuti prima. E il manifesto di Mason Verger su Hannibal Lecter che teneva appeso alla parete del suo ufficio, con la sua enorme ricompensa e i suoi avvertimenti:

IL DOTTOR LECTER È COSTRETTO A NASCONDERE LA MANO SINISTRA E POTREBBE TENTARE DI FARSELA CORREGGERE CHIRURGICAMENTE, DATO CHE IL SUO TIPO DI POLIDATTI- LIA, LA PRESENZA DI UN PERFETTO DITO IN PIÙ, È ESTRE- MAMENTE RARA E IMMEDIATAMENTE IDENTIFICABILE.

Il professor Fell che teneva gli occhiali contro le labbra con la mano segnata dalla cicatrice.

Un disegno particolareggiato di quella vista sul muro della cella di Hannibal Lecter.

L'idea venne a Pazzi mentre guardava Firenze sotto di lui, o dal buio che pulsava sopra le luci? E perché il suo araldo era stata la brezza salmastra del Chesapeake?

Stranamente, per un uomo dalla memoria visiva tanto sviluppata, il collegamento arrivò con un suono. Il suono che farebbe una goccia cadendo in una pozza d'acqua che si sta ingrossando.

*Hannibal Lecter era fuggito a Firenze.*
plop
*Hannibal Lecter era il professor Fell.*

Una voce interiore disse a Rinaldo Pazzi che forse, rinserrato com'era nella gabbia della sua situazione, era impazzito; la sua mente stravolta poteva rompersi i denti contro le sbarre, come lo scheletro nella gabbia della fame.

Senza rendersene conto, si trovò al cancello rinascimentale che dal Belvedere porta alla ripida costa San Giorgio, una stretta strada a curve che in meno di un chilometro piomba giù nel cuore della vecchia Firenze.

I passi sembravano trascinarlo per il ripido acciottolato contro la sua volontà. Camminava più velocemente di quanto desiderasse, scrutando davanti a sé in cerca dell'uomo chiamato professor Fell, perché quella era la strada che portava alla sua casa. A metà della discesa voltò in costa Scarpuccia, continuando ad andare giù finché non sbucò in via de' Bardi, vicino all'Arno. E vicino a Palazzo Capponi, residenza del professor Fell.

Ansante per la camminata, Pazzi trovò un punto in ombra dalla luce dei lampioni, l'ingresso di una casa di fronte al palazzo. Se arrivava qualcuno, poteva voltarsi e fingere di suonare un campanello.

L'edificio era immerso nel buio. In alto, sul portone a due battenti, Pazzi vide la luce rossa di una telecamera di sorveglianza. Non era sicuro che funzionasse ininterrottamente, forse scattava solo quando qualcuno suonava. Era in posizione rientrata, sotto la cornice della porta, e Pazzi non riteneva che potesse inquadrare l'intera facciata.

Attese per mezz'ora, ascoltando il proprio respiro, ma il professore non arrivò. Forse era in casa a luci spente.

La strada era deserta. Pazzi attraversò in fretta e stette rasente al muro.

Dall'interno, un suono flebile, delicato. Pazzi appoggiò la testa contro la fredda inferriata della finestra per ascoltare. Un clavicembalo, le *Variazioni Goldberg* di Bach ben eseguite.

Pazzi doveva aspettare, restare in agguato e pensare. Era troppo presto per stanare la preda. Doveva decidere una strategia. Non voleva comportarsi di nuovo da stupido. Mentre si ritirava nell'ombra dall'altra parte della strada, il suo naso fu l'ultimo a scomparire.

## 21

La tradizione dice che il martire cristiano san Miniato raccolse la propria testa recisa dalla rena dell'anfiteatro romano di Firenze e, tenendola sotto il braccio, la portò sulla collina oltre l'Arno, dove ora giace nella sua splendida chiesa.

Certo il corpo di san Miniato, eretto o no, passò dall'antica strada dove ci troviamo noi adesso, via de' Bardi. La sera si fa buia e deserta, e ora il disegno a ventaglio dell'acciottolato scintilla sotto la pioggerella invernale, non abbastanza fredda da sconfiggere l'odore dei gatti. Siamo fra i palazzi costruiti seicento anni fa dai principi mercanti della Firenze rinascimentale. A un tiro di schioppo, dall'altra parte dell'Arno, s'innalzano i severi bastioni del Palazzo della Signoria, nella piazza dove fu impiccato e arso il Savonarola, e quel grande mattatoio di Cristi appesi ai muri che è il museo degli Uffizi.

Questi palazzi di famiglia, addossati gli uni agli altri nell'antica strada, congelati dalla moderna burocrazia italiana, all'esterno sono di un'architettura carceraria, ma all'interno contengono vasti e silenziosi spazi, saloni dagli alti soffitti che nessuno vede mai, drappeggiati con sete fatiscenti e rigate dall'umidità, alle cui pareti sono rimaste appese nel buio le opere minori dei grandi maestri del Rinascimento, che da quando i tendaggi delle finestre si sono staccati, vengono illuminate dai lampi.

Qui, accanto a noi, c'è il palazzo dei Capponi, una famiglia rimasta illustre per mille anni, che stracciò l'ultimatum di un re francese in faccia allo stesso re.

Ora, dietro le sbarre, le finestre di Palazzo Capponi sono buie e gli anelli portatorce vuoti. Nel vetro incrinato di una finestra c'è un foro di proiettile che risale al 1940. Avvicinatevi. Appoggiate la testa contro il ferro freddo, come ha fatto il poliziotto, e ascoltate. Riuscite a sentire un debole suono di clavicembalo. Le *Variazioni Goldberg* di Bach, eseguite non perfettamente ma straordinariamente bene, grazie a un'eccezionale comprensione della musica. Eseguite non perfettamente ma straordinariamente bene, forse con un po' di rigidità nella mano sinistra.

Se pensaste di non correre rischi, entrereste? Entrereste in questo palazzo tanto insigne per sangue e gloria? Seguireste i vostri stessi passi nel buio, fra le ragnatele, verso la squisita armonia del clavicembalo? Il poliziotto bagnato di pioggia e appostato sotto l'androne non può vederci. Venite...

Nell'atrio, l'oscurità è quasi assoluta. Una lunga scala di pietra, la ringhiera fredda sotto le nostre dita madide di sudore, i gradini incavati da centinaia d'anni di passi, irregolari sotto i nostri piedi mentre saliamo verso la musica.

L'alta porta a due battenti del salone principale cigolerebbe e fruscerebbe, se l'aprissimo. Ma per voi, è aperta. La musica proviene dall'angolo più lontano, e dall'angolo arriva l'unica luce, la luce di molte candele che si riversa rossastra attraverso la piccola porta aperta di una cappella.

Avvicinatevi alla musica. Siamo a malapena consapevoli di superare grandi mobili drappeggiati, forme vaghe non proprio immobili alla luce tremolante delle candele, simili a un gregge addormentato. Sopra di noi, l'altezza della stanza scompare nell'oscurità.

La luce si riflette rossastra su un antico clavicembalo e sull'uomo che gli studiosi del Rinascimento conoscono come professor Fell. È elegante, contenuto, mentre s'immerge nella musica, e la luce si riflette sui suoi capelli e sulla vestaglia di seta trapunta, dal lucore di peltro.

Il coperchio alzato del clavicembalo è decorato con l'intricata scena di un banchetto, e alla luce delle candele le piccole figure sembrano ondeggiare sopra le corde. Il professore suona con gli occhi chiusi. Non ha bisogno dello spartito. Davanti a lui, sul leggio a forma di lira, è posata una copia del giornale scandalistico americano «National Tattler», piegata in modo da mostrare solo una faccia in prima pagina, la faccia di Clarice Starling.

Il nostro musicista sorride, finisce il pezzo, ripete una volta la sarabanda per il proprio piacere e, mentre nella grande stanza l'ultima corda pizzicata dal plettro vibra nel silenzio, il professore apre gli occhi, al centro di ciascuna pupilla un rosso puntino di luce. Piega la testa di lato e guarda il giornale di fronte a sé.

Si alza senza far rumore e porta il giornale nella minuscola cappella decorata, costruita molto prima della scoperta dell'America. Mentre lo avvicina alla luce delle candele e lo spiega, le icone religiose che sovrastano l'altare sembrano leggere gli articoli da sopra la sua spalla. Il titolo è in nero, corpo 72. Dice: *L'angelo della morte. Clarice Starling, la macchina per uccidere dell'Fbi*.

Le facce attorno all'altare, ritratte con espressioni sofferenti o beate, si stemperano nel buio quando il professore spegne le candele. Per attraversare il salone non ha bisogno di luce. Un soffio d'aria quando il dottor Hannibal Lecter ci passa accanto. La grande porta scricchiola e si richiude con un tonfo che fa vibrare il pavimento. Silenzio.

Passi che entrano in un'altra stanza. Nella risonanza di questo luogo, i muri sembrano più vicini, il soffitto più lontano – i rumori acuti rimandati con ritardo dall'alto – e l'aria immobile trattiene l'odore della pergamena e delle candele appena spente.

Carta che fruscia nel buio, una sedia che scricchiola e gratta il pavimento. Il dottor Lecter è seduto in una grande poltrona nella mitica biblioteca Capponi. I suoi occhi rimandano una luce rossastra, ma non brillano rossi nel buio, come giuravano alcune guardie. L'oscurità è completa. Il dottor Lecter sta meditando.

È vero che è stato lui a rendere vacante l'incarico a Palazzo Capponi facendo scomparire l'ex curatore – con un metodo semplice, che ha richiesto pochi minuti di lavoro sul vecchio studioso, più la modesta spesa di due sacchi di cemento – ma una volta sgomberata la strada, si è conquistato il posto onestamente, dimostrando alla commissione delle Belle arti di possedere una straordinaria capacità linguistica e traducendo a vista l'italiano medievale e il latino dai più densi manoscritti in nere lettere gotiche.

Qui ha trovato una pace che intende conservare... Durante il soggiorno a Firenze non ha ucciso nessuno, tranne il suo predecessore.

Per lui, la nomina a curatore della biblioteca Capponi è preziosa per molte ragioni.

Dopo gli anni di claustrofobica prigionia, gli spazi e l'altezza delle stanze del palazzo sono molto importanti. Ancor più importante, la sintonia che sente con l'edificio. È l'unica costruzione privata nella quale abbia messo piede che per dimensioni e particolari si avvicini al palazzo della memoria che si è costruito fin dalla giovinezza.

Nella biblioteca, questa collezione unica di manoscritti e corrispondenza, che risale all'inizio del tredicesimo secolo, può soddisfare una certa curiosità nei confronti di se stesso.

Da frammentari documenti di famiglia, il dottor Lecter ha tratto la convinzione di discendere da un certo Giuliano Bevisangue, terribile figura della Toscana del dodicesimo secolo, nonché da Machiavelli e dai Visconti. E questo è il posto ideale per svolgere una ricerca. Pur avendo una certa astratta curiosità per l'argomento, non si tratta di egocentrismo. Il dottor Lecter non ha bisogno di legittimazioni formali. Il suo Io, come il suo quoziente d'intelligenza e il grado di razionalità, non sono misurabili con metodi convenzionali.

Addirittura, nella comunità psichiatrica si nega che possa essere definito uomo. Da molto tempo i suoi omologhi nel campo della psichiatria, molti dei quali hanno temuto l'acidità dei suoi giudizi sulle riviste scientifiche, lo considerano qualcosa di radicalmente Altro. Per convenienza, lo chiamano "mostro".

Il mostro è seduto nella biblioteca buia, con la mente che dipinge a colori sull'oscurità, mentre nella sua testa risuona un motivo medievale. Sta pensando al poliziotto.

Il clic di un interruttore e si accende una piccola lampada.

Ora possiamo vedere il dottor Lecter nella biblioteca Capponi, seduto a un fratino del sedicesimo secolo. Accanto a lui, un'intera parete di manoscritti incasellati e volumi ricoperti di tela vecchi ottocento anni. Di fronte a sé, il dottor Lecter ha una corrispondenza del quattordicesimo secolo con un ministro della Repubblica di Venezia, tenuta ferma da una statuetta di ferro eseguita da Michelangelo come studio per il suo Mosè con le corna. E, davanti al calamaio, un computer portatile collegato on line con l'università di Milano.

Rosso vivo e azzurro fra le pile grigiastre e gialle di pergamene e carta a mano, c'è una copia del «National Tattler». Accanto, «La Nazione» di Firenze.

Il dottor Lecter prende il quotidiano italiano e legge l'ultimo attacco contro Rinaldo Pazzi, provocato da una smentita dell'Fbi a proposito del caso del Mostro. "Il profilo che abbiamo tracciato noi è ben diverso da quello di Tocca" ha dichiarato un portavoce dell'agenzia americana.

«La Nazione» accenna al passato professionale di Pazzi e al suo addestramento in America, presso la famosa accademia di Quantico, e sostiene che non avrebbe mai dovuto commettere un errore del genere.

Il caso del Mostro non interessa neanche un po' il dottor Lecter, ma il passato di Pazzi sì. Che sfortuna dover incontrare un poliziotto addestrato a Quantico, dove Hannibal Lecter è un caso da manuale.

Quando, a Palazzo Vecchio, il dottor Lecter lo ha guardato in faccia, e gli è stato abbastanza vicino da sentirne l'odore, ha acquisito la certezza che Rinaldo Pazzi non sospettasse di niente, malgrado si fosse informato della cicatrice che aveva sulla mano. Pazzi non era neppure veramente interessato a lui in relazione alla scomparsa del curatore.

Il poliziotto l'ha visto alla mostra degli strumenti di tortura. Sarebbe stato meglio incontrarlo a un'esposizione di orchidee.

Il dottor Lecter è ben consapevole che nella testa di Pazzi sono presenti tutti gli elementi dell'epifania, e vorticano a casaccio in mezzo ai milioni di altre cose che il poliziotto sa.

Che Rinaldo Pazzi debba raggiungere il defunto curatore di Palazzo Vecchio giù nell'acqua? Che il suo cadavere debba essere trovato dopo un apparente suicidio? «La Nazione» sarebbe felice di averlo spinto alla morte.

Non ora, riflette il mostro, e torna ai grandi rotoli di pergamena e ai manoscritti.

Il dottor Lecter non si preoccupa. È deliziato dallo stile con cui scriveva Neri Capponi, banchiere ed emissario a Venezia nel quindicesimo secolo, e fino a tarda notte ne legge le lettere, a tratti ad alta voce, per puro piacere personale.

## 22

Ancora prima di giorno, Pazzi aveva nelle mani le fotografie del professor Fell accluse alla pratica per il permesso di soggiorno, e i negativi di quelle custodite negli archivi dei carabinieri da quando il permesso era stato concesso. Aveva anche l'eccellente foto segnaletica riprodotta sul manifesto di Mason Verger. Le facce avevano una forma simile, ma se il professor Fell era il dottor Lecter, doveva essersi fatto qualcosa al naso e alle guance, forse iniezioni di collagene.

Le orecchie sembravano promettere molto. Come Alphonse Bertillon un centinaio d'anni prima, Pazzi studiò quelle orecchie con la lente d'ingrandimento. Sembravano identiche.

Sull'antiquato computer della Questura, batté il suo codice d'accesso al Vicap dell'Fbi, il programma per la cattura dei criminali violenti, e richiamò il voluminoso file sul dottor Lecter. Maledì la lentezza del suo modem e si sforzò di leggere il testo sgranato che era apparso sullo schermo, finché le lettere gli apparvero chiare. Conosceva la maggior parte del materiale. Due elementi gli fecero trattenere il fiato. Uno vecchio e uno nuovo. L'indicazione, recente, di una radiografia dalla quale risultava che probabilmente il dottor Lecter si era fatto operare a una mano. E, più vecchio, un rapporto scritto a mano dalla polizia del Tennessee nel quale si accennava che, mentre uccideva le guardie a Memphis, Hannibal Lecter stava ascoltando le *Variazioni Goldberg*.

Il manifesto messo in circolazione dalla ricca vittima americana, Mason Verger, incoraggiava doverosamente gli informatori a chiamare il numero dell'Fbi indicato più sotto, e riportava il solito avvertimento sul fatto che il dottor Lecter era armato e pericoloso. Ma forniva anche un numero telefonico privato, subito dopo il paragrafo sull'enorme ricompensa.

Il biglietto aereo da Firenze a Parigi era assurdamente caro, e Pazzi dovette pagarlo di tasca sua. Non si fidava che la polizia francese gli fornisse una linea telefonica non controllabile senza cacciarci dentro il naso, e non conosceva nessun altro modo per procurarsene una. Chiamò il numero privato di Mason dalla cabina dell'American Express vicino all'Opéra. Pensava che la telefonata sarebbe stata rintracciata. Lui parlava inglese abbastanza bene, ma sapeva che dall'accento avrebbero capito che era italiano.

La voce era maschile, americana, molto calma.

«Le dispiace dirmi di che cosa si tratta?»

«Potrei avere un'informazione su Hannibal Lecter.»

«Bene. Grazie per aver chiamato. Sa dov'è Lecter adesso?»

«Credo di sì. La ricompensa è sempre valida?»

«Sì. Che tipo di prova può fornire che si tratta veramente di lui? Cerchi di capire, riceviamo un sacco di telefonate inattendibili.»

«Le dirò solo che si è sottoposto a chirurgia plastica alla faccia e si è fatto operare la mano sinistra. Può ancora suonare le *Variazioni Goldberg*. Ha documenti brasiliani.»

Una pausa, poi: «Perché non ha chiamato la polizia? Ho il dovere di chiederle di farlo».

«La ricompensa vale in qualunque circostanza?»

«La ricompensa è per informazioni che portino all'arresto e all'incarcerazione.»

«E sarebbe pagabile in... circostanze speciali?»

«Sta parlando di una taglia sul dottor Lecter? E questo nel caso di qualcuno per il quale non sarebbe conveniente accettare pubblicamente una ricompensa?»

«Sì.»

«Stiamo perseguendo entrambi lo stesso fine. Quindi resti al telefono, mentre formulo un suggerimento. È contro le convenzioni internazionali e contro la legge americana offrire una taglia per la morte di qualcuno. Resti al telefono, per piacere. Posso chiederle se chiama dall'Europa?»

«Sì. Ed è tutto quello che le dirò.»

«Bene, e ora mi ascolti. Le consiglio di mettersi in contatto con un avvocato per discutere sull'illegalità delle taglie e di non intraprendere nessuna azione contro il dottor Lecter. Posso raccomandarle io un avvocato? Vive a Ginevra ed è eccellente, per questioni come questa. Le do il suo numero verde. Le consiglio caldamente di chiamarlo e di essere sincero con lui.»

Pazzi comprò una carta telefonica e fece la chiamata da una cabina del grande magazzino Bon Marché. Parlò con una persona dal duro accento svizzero. Ci vollero meno di cinque minuti.

Mason avrebbe pagato un milione di dollari per le mani e la testa del dottor Hannibal Lecter. Avrebbe pagato la stessa cifra per informazioni utili all'arresto. Avrebbe pagato in via del tutto riservata tre milioni di dollari per il dottor Lecter vivo, niente domande, discrezione garantita. I termini includevano centomila dollari di anticipo. Per avere diritto all'anticipo, Pazzi doveva fornire un'impronta digitale leggibile del dottor Lecter, impronta *in situ* su un oggetto. Se lo faceva, acquisiva il diritto di vedere il resto dei contanti depositati in una cassetta di sicurezza di una banca svizzera, alla quale avrebbe avuto accesso non appena avesse mantenuto i patti.

Prima di lasciare il Bon Marché per andare all'aeroporto, Pazzi comprò un *peignoir* di seta moiré color pesca per la moglie.

## 23

Come vi comportate, quando vi rendete conto che l'o-
nore è una moneta senza più corso? Quando siete arrivati a credere, come Marco Aurelio, che l'opinione delle generazioni future non avrà più valore dell'opinione
di quelle attuali? Resta possibile comportarsi bene? È
desiderabile comportarsi bene?

Ora Rinaldo Pazzi, un Pazzi dei Pazzi, ispettore capo della Questura di Firenze, doveva decidere quanto
valeva il suo onore, o se esisteva una saggezza più du-
ratura delle considerazioni sull'onore.

Tornò da Parigi per l'ora di cena e dormì un po'.
Avrebbe voluto sfogarsi con sua moglie, ma non poteva, anche se poi trasse ugualmente conforto da lei. Dopo, rimase sveglio a lungo, mentre il respiro di lei si ac-
quietava. A notte inoltrata, rinunciò a dormire e uscì di
casa per passeggiare e pensare.

L'avidità non è sconosciuta, in Italia, e Rinaldo Pazzi ne aveva assorbita parecchia con l'aria natia. Ma la
sua ambizione naturale, la sua voglia d'affermazione,
erano state alimentate in America, dove ogni influenza
viene recepita più in fretta, inclusa quella derivante
dalla morte di Geova e dall'incombere di Mammona.

Quando Pazzi emerse dalle ombre della Loggia dei
Lanzi e rimase nel punto di piazza della Signoria in cui
era stato arso Savonarola, guardando la finestra di Pa-

lazzo Vecchio dov'era morto il suo antenato, si sentiva convinto di stare meditando sulla scelta da fare. Ma non era così. Anche se gradualmente, aveva già deciso.

Aspettiamo sempre un po' di tempo, prima di prendere una decisione, per rivestirla di dignità, per considerarla il ponderato frutto di un pensiero razionale e consapevole. Ma le decisioni sono fatte di emozioni intrecciate, spesso sono più un ammasso informe che una somma di cose.

Pazzi aveva deciso quando era salito sull'aereo. E aveva deciso un'ora prima, dopo che sua moglie avvolta nel *peignoir* nuovo era stata disponibile solo per dovere coniugale. E qualche minuto più tardi, quando, sdraiato al buio, aveva allungato la mano per accarezzarle la guancia e darle un tenero bacio della buonanotte, e aveva sentito una lacrima sotto il palmo. Senza rendersene conto, lei gli aveva mangiato il cuore.

Di nuovo onori? Un'altra occasione per sopportare il fiato dell'arcivescovo mentre le sacre pietre focaie venivano utilizzate per accendere i razzi infilati nel culo della colomba di cartapesta? Ancora lodi da parte dei politici delle cui vite private lui sapeva fin troppo? Che cosa valeva essere conosciuto come il poliziotto che aveva catturato Hannibal Lecter? Per i poliziotti, i riconoscimenti hanno vita breve. Meglio VENDERLO.

Quel pensiero trafisse e inchiodò Rinaldo, lasciandolo pallido e determinato; e quando il Rinaldo che viveva d'immagini gettò il dado, nella mente sentì solo due profumi mescolati, quello di sua moglie e quello della spiaggia del Chesapeake.

VENDILO. VENDILO. VENDILO. VENDILO. VENDILO.

Francesco de' Pazzi non affondò il pugnale con maggior forza, quando nel 1478, con Giuliano sul pavimento del Duomo, nella foga si cacciò la lama nella coscia.

## 24

Il cartoncino con l'impronta digitale del dottor Lecter è una curiosità e una specie di oggetto di culto. L'originale, incorniciato, è appeso a una parete della sezione identificazioni dell'Fbi. In base alle procedure seguite dal Bureau nel rilevare le impronte di persone con più di cinque dita, il pollice e le quattro dita vicine sono sul davanti del cartoncino e il sesto dito sul retro.

Quando Lecter era evaso, le copie delle sue impronte avevano fatto il giro della terra; quella del pollice era riprodotta, ingrandita, sul manifesto di Mason Verger, con evidenziati sufficienti punti per essere verificata anche da qualcuno che avesse una preparazione minima.

Rilevare le impronte non richiede una grande abilità, e Pazzi avrebbe potuto farlo da esperto, così come avrebbe potuto procedere a un raffronto per essere più sicuro. Ma Mason Verger esigeva un'impronta digitale nuova, *in situ*, da sottoporre all'esame indipendente dei suoi esperti. Mason era già stato ingannato con vecchie impronte rilevate anni prima sulle scene dei vari delitti del dottor Lecter.

E, allora, come fare a prendere le impronte del professor Fell senza insospettirlo? Questo era il punto: non insospettirlo. L'uomo sarebbe stato capacissimo di scomparire di nuovo, e Pazzi sarebbe rimasto con un pugno di mosche.

Il professore lasciava raramente Palazzo Capponi, e mancava un mese alla prossima riunione delle Belle arti. Un'attesa troppo lunga per mettere un bicchier d'acqua davanti al suo posto, anzi, davanti al posto di tutti, dato che la commissione non forniva mai amenità del genere.

Una volta deciso di vendere Hannibal Lecter a Mason Verger, Pazzi dovette lavorare da solo. Non era certo il caso di attirare l'attenzione della Questura sul professor Fell chiedendo un mandato per entrare nel palazzo, e l'edificio era troppo ben protetto dal sistema d'allarme perché lui potesse penetrarvi per prendere le impronte digitali.

Il bidone dell'immondizia del professor Fell era più pulito e più nuovo degli altri dell'isolato. Pazzi ne comprò uno e, nel cuore della notte, sostituì il coperchio del bidone del professore. La superficie galvanizzata non era l'ideale e dopo un'intera notte di lavoro Pazzi restò con un intrico di impronte impossibili da decifrare.

Il mattino seguente, con gli occhi arrossati, comparve sul Ponte Vecchio. Da un orafo comprò un largo braccialetto d'argento molto lucido e il piccolo supporto foderato di velluto sul quale era esposto. Nel quartiere degli artigiani a sud dell'Arno, nel labirinto di stradine di fronte a Palazzo Pitti, chiese a un altro orafo di cancellare il nome dell'autore dal braccialetto. L'uomo si offrì di applicare una vernice antiossidante, ma Pazzi disse di no.

Il temuto carcere fiorentino di Sollicciano.

Al secondo piano della sezione femminile, Romula Cjesku, china sopra un grande lavatoio, si insaponava i seni, lavandoli e asciugandoli con cura prima di indossare una camicetta pulita di cotone. Un'altra zingara, che tornava dalla sala colloqui, passando le disse qualcosa in lingua rom. Sulla fronte di Romula comparve una ruga sottile, ma la bella faccia mantenne la solita espressione solenne.

Come ogni giorno, la fecero uscire dalla sezione alle otto e mezzo di mattina, ma quando stava per raggiungere la sala colloqui venne intercettata da una guardia che la guidò verso una stanza al pianterreno della prigione. Dentro, invece della solita infermiera, c'era Rinaldo Pazzi con in braccio il suo bambino.

«Ciao, Romula.»

Romula andò diritta verso l'alto poliziotto e lui le consegnò immediatamente il piccolo, che voleva mangiare e cominciò a strofinare la bocca contro il seno della madre.

Pazzi indicò con il mento il paravento nell'angolo della stanza. «C'è una sedia, là dietro. Possiamo parlare mentre lo allatti.»

«Parlare di che cosa, dottore?» L'italiano di Romula era passabile, così come lo erano il suo francese, il suo inglese, il suo spagnolo e il suo romani. Eppure, Romula non riusciva mai a essere convincente, la sua migliore recitazione non le aveva tolto quella condanna a tre mesi per borseggio.

Andò dietro il paravento. In una bustina di plastica nascosta negli indumenti del bambino c'erano quaranta sigarette, sessantacinquemila lire e poco più di quarantun dollari in banconote sgualcite. Romula si trovò di fronte a una scelta. Se il poliziotto aveva perquisito il bambino, quando lei avesse tirato fuori i soldi e le sigarette avrebbe potuto coglierla in flagrante e farle revocare tutti i benefici. Ci pensò per un momento, fissando il soffitto mentre il bambino succhiava. Ma perché lui doveva prendersi tutta quella briga? Era comunque in vantaggio. Si nascose la bustina sotto il vestito. Da sopra il paravento le arrivò la voce del poliziotto.

«Qui dentro crei solo fastidi, Romula. In galera, le donne che allattano fanno semplicemente perdere tempo. Qui ci sono persone veramente malate, e le infermiere dovrebbero occuparsi di loro. Non odi dover riconsegnare il bambino, quando finisce l'ora di colloquio?»

Che cosa poteva volere quell'uomo? Lei sapeva chi era, certo: un capo, un bastardo di pezzo da novanta.

Per vivere, Romula leggeva la mano per la strada, e il borseggio ne era semplicemente una derivazione. Era una trentacinquenne logora, con antenne molto lunghe. *Quel poliziotto* – lo studiò da sopra il paravento – *così elegante, con l'anello matrimoniale e le scarpe lucide, viveva con la moglie ma aveva una brava domestica: il colletto della camicia sembrava appena stirato. Portafoglio nel taschino della giacca, chiavi nella tasca destra dei calzoni, soldi nella sinistra, ben piegati e probabilmente tenuti insieme con un elastico. Il cazzo nel mezzo. Era compatto e virile, con le orecchie leggermente a cavolfiore e la cicatrice di un colpo all'attaccatura dei capelli. Non era venuto per qualche servizietto sessuale: se avesse avuto quell'idea, non avrebbe portato il bambino. Come uomo non era un granché, ma Romula non pensava che avesse bisogno di andare a cercare il sesso dalle donne in galera. Meglio non guardare nei suoi risentiti occhi neri, mentre il bambino mangiava. Perché aveva portato il bambino? Perché voleva dimostrarle il proprio potere, farle capire che poteva portarglielo via. Che cosa voleva? Informazioni? Lei avrebbe potuto dirgli tutto quello che desiderava sentire su una quindicina di zingari che non esistevano. E va bene, ma io che cosa ne ricavo? Vedremo. Mostriamogli un po' di pelle.*

Romula studiò l'espressione di Pazzi, mentre usciva da dietro il paravento, un capezzolo in vista vicino al viso del bambino.

«Fa caldo, là dietro» disse. «Non potrebbe aprire la finestra?»

«Potrei darti di più, Romula. Potrei aprire la porta, e tu lo sai.»

Silenzio nella stanza. Fuori, i rumori di Sollicciano come un mal di testa sordo, costante.

«Mi dica che cosa vuole. Ben lieta di fare qualcosa, ma non tutto.» Il suo istinto le diceva che lui l'avrebbe rispettata per il *caveat*.

«Solo ciò che fai di solito» rispose Pazzi. «Ma questa volta voglio che fallisci.»

## 25

Passarono la giornata a osservare la facciata di Palazzo Capponi dall'alta finestra protetta da persiane di un appartamento sul lato opposto della strada: Romula, la vecchia zingara che l'aiutava con il bambino e che forse era sua cugina, e Pazzi, che sottraeva il maggior tempo possibile all'ufficio.

Il braccio di legno che Romula usava per lavorare aspettava su una sedia nella stanza da letto.

Da un insegnante della vicina scuola Dante Alighieri, Pazzi aveva ottenuto di poter usare l'appartamento durante il giorno. Romula aveva insistito per avere un ripiano del frigorifero riservato a lei e al suo bambino.

Non dovettero aspettare molto.

Alle nove e mezzo di mattina del secondo giorno, la compagna di Romula emise un sibilo di richiamo dalla sedia vicino alla finestra. Una buia cavità si era aperta dall'altra parte della strada, mentre uno dei massicci portoni del palazzo si spalancava verso l'interno.

Eccolo là, l'uomo conosciuto a Firenze come professor Fell, piccolo e snello nell'inappuntabile abito scuro, che si fermava sui gradini per sentire com'era l'aria e studiava la strada nelle due direzioni. Batté un tasto sul comando a distanza per inserire l'allarme e chiuse il portone impugnando la pesante maniglia di ferro battuto roso dalla ruggine, sulla quale non potevano restare impronte. Il professor Fell aveva con sé una borsa della spesa.

Vedendolo per la prima volta attraverso la fessura delle persiane, la vecchia zingara afferrò la mano di Romula come per fermarla, la fissò in volto e scosse brevemente la testa, mentre il poliziotto non guardava.

Pazzi capì subito dove stava andando il professore.

Nella sua spazzatura, aveva visto l'elegante carta del raffinato negozio di gastronomia Vera dal 1928, in Borgo San Jacopo, vicino al Ponte Santa Trinita. Ora il professor Fell si dirigeva da quella parte, mentre Romula s'infilava l'abito zingaresco e Pazzi guardava fuori dalla finestra.

«Bene, va a comprare da mangiare» disse. Non riuscì a fare a meno di ripetere per la quinta volta a Romula le istruzioni. «Dirigiti da quella parte, e aspetta su questo lato del Ponte Vecchio. Lo intercetti quando torna indietro, con la borsa piena in una mano. Io sarò mezzo isolato davanti a lui, quindi vedrai prima me. Resterò nelle vicinanze. Se nascono dei problemi, se ti arrestano, ci penserò io. Se quell'uomo dovesse andare da qualche altra parte, torna qui. Ti telefonerò. Se invece va bene, mostra questo cartellino a un taxi qualunque. Ti porterà a casa.»

«Eccellenza» disse Romula con ironia, esagerando nell'onorificenza «se ci sono problemi e mi aiuta qualcun altro, non gli faccia del male, il mio amico non ruberà niente, lo lasci scappare.»

Pazzi non aspettò l'ascensore, si precipitò giù dalle scale con indosso una sudicia tuta da spazzino e un berretto sulla testa. A Firenze è difficile pedinare qualcuno, perché i marciapiedi sono stretti e sulla strada si rischia la vita. Pazzi aveva posteggiato davanti alla casa uno scooter scassato, con un fascio di una dozzina di scope legato dietro. Partì al primo colpo, in uno sbuffo di fumo azzurrognolo, e l'ispettore avanzò sull'acciottolato, con lo scooter che sobbalzava sulle pie-

171

tre dandogli la sensazione di essere in groppa a un trotterellante asinello.

Pazzi procedeva a velocità contenuta, investito dai clacson del traffico feroce; si fermò a comprare le sigarette e cercò di far passare il tempo per restare indietro, finché fu sicuro di dove andava il professor Fell. In fondo a via de' Bardi, Borgo San Jacopo era una via a senso unico che non si poteva prendere dal punto in cui si trovava. Così, abbandonò lo scooter per proseguire a piedi, scivolando di lato in mezzo alla folla di turisti all'estremità sud del Ponte Vecchio.

I fiorentini dicono che Vera dal 1928, con il suo trionfo di formaggi e di tartufi, profuma come i piedi degli dèi.

Il professore si fermò parecchio, là dentro. Stava scegliendo fra i primi tartufi bianchi della stagione. Pazzi ne vedeva la schiena attraverso la vetrina, oltre la splendida esposizione di prosciutti e pasta.

Poi girò l'angolo e tornò indietro, bagnandosi il viso alla fontana che sputava acqua dalla faccia barbuta con le orecchie leonine. «Dovresti raderti, per lavorare con me» disse Pazzi alla fontana, sentendo lo stomaco serrarsi per il freddo.

Il professore stava uscendo, con pochi pacchetti leggeri nella borsa. Si avviò in Borgo San Jacopo, diretto verso casa. Pazzi lo precedette sull'altro lato. La folla che ingombrava lo stretto marciapiede lo costrinse a scendere sulla strada, e lo specchietto di un'autopattuglia dei carabinieri di passaggio sbatté contro il suo orologio, facendogli male. «Stronzo! Analfabeta!» urlò il guidatore dal finestrino, e Pazzi giurò che si sarebbe vendicato. Quando raggiunse il Ponte Vecchio, aveva un vantaggio di quaranta metri.

Romula era sotto un androne, con il bambino sorretto dall'arto di legno, l'altra mano protesa verso la folla, il braccio libero invisibile fra le molli pieghe dell'abito, pronto a rubare l'ennesimo portafoglio da aggiungere agli oltre duecento che aveva sottratto nella sua vita. Al polso del braccio nascosto portava il lucido braccialetto d'argento.

Di lì a poco, la vittima avrebbe tagliato fra la calca per allontanarsi dal vecchio ponte. Non appena fosse sbucata per imboccare via de' Bardi, Romula gli sarebbe andata incontro e avrebbe assolto il suo compito per poi scomparire nel flusso di turisti diretti oltrarno.

Fra la gente, Romula aveva un amico del quale poteva fidarsi. Non sapeva niente della sua vittima e non credeva che il poliziotto avrebbe fatto qualcosa per aiutarla. Gilles Prévert, schedato nei fascicoli della polizia come Gilles Dumain o Roger LeDuc, ma noto localmente come "Gnocco", era nascosto fra i passanti all'estremità sud del Ponte Vecchio ad aspettare che Romula facesse il colpo. Gnocco veniva sminuito dagli abiti che indossava e dal viso ossuto, ma era ancora forte e scattante, e più che capace di dare una mano a Romula se le cose si fossero messe male.

In giacca e cravatta, poteva confondersi tra la folla, dalla quale saltava fuori di tanto in tanto come un cane in mezzo a una prateria. Se la vittima predestinata afferrava Romula e la immobilizzava, Gnocco avrebbe fatto finta di inciampare, sarebbe caduto addosso al malcapitato e gli sarebbe rimasto aggrappato, profondendosi in scuse, finché Romula non fosse stata lontana. L'avevano già fatto altre volte.

Pazzi superò Romula e si fermò vicino alla fila di clienti di un chiosco di bibite, da dove poteva vederla.

Romula uscì dall'androne. Giudicò con occhio esperto il traffico umano sul marciapiede fra lei e la figura snella che veniva dalla sua parte. Riusciva a muoversi con straordinaria scioltezza fra la gente, con il bambino davanti a sé, sorretto dal braccio finto di legno e tela. Era giunto il momento. Come al solito, si sarebbe baciata le dita della mano visibile e poi l'avrebbe portata al viso dell'uomo per depositarvi il bacio.

Con l'altra mano gli avrebbe toccato le costole vicino al portafoglio finché lui non l'avesse afferrata per il polso. Poi sarebbe scappata.

Pazzi le aveva assicurato che l'uomo non poteva permettersi di trattenerla per consegnarla alla polizia, e che anzi si sarebbe affrettato ad allontanarsi. In nessuno dei suoi innumerevoli tentativi di borseggio le era mai capitato che qualcuno usasse la violenza contro una donna con un bambino in braccio. Spesso, la vittima pensava che fosse stato qualcun altro lì vicino a metterle le mani in tasca. Per evitare di essere arrestata, Romula aveva denunciato come borseggiatori un sacco di spettatori innocenti.

Avanzò sul marciapiede fra la folla e liberò il braccio nascosto, ma tenendolo sotto quello falso che reggeva il bambino. Vide arrivare il suo bersaglio fra le teste ondeggianti. Era a dieci metri e si avvicinava.

Accidenti! Il professor Fell stava svoltando in mezzo alla ressa per immergersi nella fiumana di turisti diretta verso il Ponte Vecchio. Non tornava a casa. Romula tentò di aprirsi un varco, ma non riuscì a raggiungerlo. Ancora davanti al professore, Gnocco la fissava con espressione interrogativa. Romula scosse la testa e Gnocco lasciò passare l'uomo. Non sarebbe servito a niente, se fosse stato lui a rubargli il portafoglio.

Pazzi si mise a ringhiare accanto a lei, come se fosse stata colpa sua. «Va' all'appartamento. Ti telefono. Hai il tesserino del taxi per farti portare fin là? Vai, vai!»

Poi recuperò lo scooter e lo spinse fino all'estremità opposta del Ponte Vecchio, su un Arno opaco come giada. Pensava di aver perso il professore, e invece eccolo là, dall'altra parte del fiume, sotto l'arcata oltre il lungarno, a sbirciare per un attimo da sopra la spalla di un artista di strada per poi proseguire a passi veloci. Pazzi immaginò che andasse alla chiesa di Santa Croce e lo seguì a distanza in mezzo al traffico infernale.

## 26

La chiesa di Santa Croce, sede dei Francescani minori, nel suo vasto interno risuonava di otto lingue diverse, mentre le orde di turisti sfilavano seguendo gli ombrelli colorati delle guide, frugandosi in tasca nell'oscurità alla ricerca di una moneta da duecento lire da infilare nella fessura di una macchinetta e illuminare così, per un prezioso momento della loro vita, i grandi affreschi delle cappelle.

Romula entrò, provenendo dalla luce del mattino, e dovette fermarsi vicino alla tomba di Michelangelo finché gli occhi abbacinati non si abituarono al buio. Quando si accorse di aver messo i piedi su una pietra tombale nel pavimento, bisbigliò: «Mi dispiace!» e si tolse in fretta dalla lastra di marmo. Per Romula, la folla di morti sotto il pavimento era reale quanto quella dei vivi sopra di esso, e forse più influente. Figlia e nipote di spiritisti e chiromanti, considerava quelli sopra il pavimento e quelli sotto semplicemente due gruppi di uomini separati dal divisorio della mortalità. Tranne che quelli sotto, essendo più intelligenti e più vecchi, ai suoi occhi erano in netto vantaggio.

Si guardò attorno per vedere se c'era il sagrestano, un uomo con grandi pregiudizi contro gli zingari, e si rifugiò dietro la prima colonna, sotto la protezione della *Madonna del latte* di Antonio Rossellino, mentre il bambino le strofinava la bocca contro il seno. Fu là che la vide Pazzi, appostato vicino alla tomba di Galileo.

Con un cenno del mento, il poliziotto indicò il fondo della chiesa dove, oltre il transetto, le videocamere e le macchine fotografiche, proibite, emettevano nel vasto buio bagliori simili a lampi, mentre le macchinette a tempo divoravano le duecento lire, ma anche gettoni o monete australiane da venticinque centesimi.

Cristo nacque e rinacque più volte, fu tradito, e i chiodi furono infissi ancora e ancora, mentre i grandi affreschi comparivano nella vivida illuminazione per poi piombare di nuovo in un'oscurità fitta e affollata: i pellegrini che stringevano in mano guide che non riuscivano a leggere, e l'odore dei corpi e dell'incenso che si alzava nell'aria per cuocere al calore delle lampade.

Nel transetto di sinistra, il professor Fell era al lavoro nella Cappella Capponi. La gloriosa Cappella Capponi, restaurata nel diciannovesimo secolo, interessava al professor Fell perché proprio attraverso il restauro poteva scrutare nel passato. Stava rilevando a carboncino un'iscrizione in pietra così consumata che nemmeno l'illuminazione obliqua riusciva a rendere leggibile.

Guardando attraverso il piccolo binocolo, Pazzi capì perché il professore era uscito di casa solo con la borsa della spesa: teneva l'occorrente per lavorare dietro l'altare della cappella. Per un attimo, Pazzi pensò di sospendere l'azione di Romula e di lasciarla andare. Forse poteva riuscire a rilevare le impronte da quel materiale. No, il professore indossava guanti di cotone per non sporcarsi le mani con il carboncino.

Effettuare il finto furto là dentro sarebbe stato a dir poco scomodo. La tecnica di Romula era studiata per funzionare all'aperto. Ma lei era anche la cosa più lontana da ciò che un criminale avrebbe temuto, la persona con meno probabilità di far fuggire il professore. No, se il professore l'acciuffava, l'avrebbe consegnata al sagrestano. E Pazzi sarebbe intervenuto più tardi.

Quell'uomo era pazzo. E se l'avesse uccisa? E se avesse ucciso il bambino? Pazzi si pose due domande. Avrebbe affrontato il professore, se la situazione si fosse fatta tanto pericolosa? Sì. Per entrare in possesso dei quattrini, era disposto a rischiare che Romula e il bambino venissero feriti non gravemente? Sì.

Dovevano semplicemente aspettare che il professor Fell si togliesse i guanti per andare a pranzo. Mentre camminavano avanti e indietro lungo il transetto, Pazzi e Romula ebbero tempo sufficiente per sussurrarsi qualche frase.

«Chi ti segue, Romula? Farai bene a dirmelo, ho già visto la sua faccia al carcere.»

«Il mio amico, solo per bloccare la strada se devo scappare. Non sa niente. Niente. Per lei è meglio. Non dovrà sporcarsi le mani per aiutarmi.»

Per passare il tempo, pregarono nelle diverse cappelle, con Romula che bisbigliava in una lingua sconosciuta e Pazzi con un lungo elenco di cose per cui pregare, in particolar modo la casa sulla spiaggia del Chesapeake e altre alle quali non avrebbe dovuto pensare in chiesa.

Le voci melodiose del coro che iniziava le prove si levarono sul chiasso dei turisti.

Il rintocco di una campana sancì la chiusura di mezzogiorno. Sbucarono i sagrestani, facendo tintinnare le chiavi, pronti a vuotare le cassette con le monete.

Pazzi diede di gomito a Romula, del tutto inutilmente. Lei sapeva che era giunto il momento. Baciò la testa del bambino adagiato sul braccio di legno.

Il professore stava arrivando. La ressa l'avrebbe costretto a passare vicino a Romula, e lei gli andò incontro con tre lunghe falcate, gli si piazzò di fronte, si portò la mano all'altezza degli occhi per attirarne lo sguardo, si baciò le dita e fece per depositare il bacio sulla guancia di lui, con il braccio nascosto pronto a muoversi.

Qualcuno nella folla trovò una moneta da duecento lire e le luci si accesero, proprio nell'attimo in cui stava per toccare il professor Fell. Romula lo guardò in faccia, si sentì trafiggere dalle pagliuzze rosse dei suoi occhi, ebbe la sensazione che un enorme risucchio freddo le tirasse il cuore contro le costole, la mano si allontanò da quella faccia per andare a proteggere il viso del bambino. Sentì la propria voce dire: «Scusami, scusami, signore» e fuggì via, mentre lui la seguiva per un lungo momento con lo sguardo, finché la luce si spense e fu di nuovo solo una silhouette contro le candele della cappella, e se ne andò per la sua strada a lunghi passi leggeri.

Pazzi, pallido di collera, trovò Romula che si reggeva al fonte battesimale e bagnava ripetutamente la testa del bambino con l'acqua benedetta, e poi gli bagnava gli occhi, in caso avesse guardato il professor Fell. Le imprecazioni rabbiose gli si spensero sulle labbra, quando vide la faccia sconvolta di lei.

Gli occhi di Romula erano enormi, nella semioscurità. «Quello è il diavolo» esclamò. «Shaitan, Figlio del mattino. Ora l'ho visto.»

«Ti riporto in galera» disse Pazzi.

Romula guardò il bambino e sospirò, un sospiro straziante, così profondo e rassegnato che fu terribile da sentire. Si tolse il braccialetto d'argento e lo lavò nell'acqua santa.

«Non ancora» disse.

## 27

Se Rinaldo Pazzi avesse deciso di fare il suo dovere di tutore dell'ordine, avrebbe potuto fermare il professor Fell e stabilire molto in fretta se era Hannibal Lecter. Nel giro di mezz'ora avrebbe ottenuto un mandato per portarlo fuori da Palazzo Capponi, e nessun sistema d'allarme gliel'avrebbe impedito. Per l'autorità che gli veniva conferita avrebbe potuto trattenerlo, senza elevare accuse, abbastanza a lungo da avere il tempo di determinarne l'identità.

In Questura ci sarebbero voluti dieci minuti per prendergli le impronte e stabilire se il professor Fell era il dottor Lecter. E il test del Dna avrebbe confermato l'identificazione.

Ma Pazzi non poteva sfruttare tutte queste risorse. Da quando aveva deciso di vendere il professor Fell, era diventato un cacciatore di taglie, solo e al di fuori della legge. Non poteva usare neanche gli informatori che teneva in pugno, perché sarebbero corsi a raccontare tutto.

Il ritardo lo infuriò, ma rimase determinato ad andare avanti. Doveva accontentarsi di quei maledetti zingari.

«Gnocco lo farebbe al posto tuo, Romula? Puoi trovarlo?» Erano nel soggiorno dell'appartamento preso in prestito in via de' Bardi, di fronte a Palazzo Capponi, dodici ore dopo lo smacco nella chiesa di Santa Croce. La lampada sul basso tavolino illuminava la stanza fino all'altezza della vita. Sopra la luce, gli occhi neri di Pazzi scintillavano nella semioscurità.

«Lo farò io, ma senza il bambino» disse Romula. «E lei deve darmi...»

«No, non posso rischiare che ti veda per la seconda volta. Gnocco lo farebbe al posto tuo?»

Romula se ne stava piegata in avanti nel suo abito variopinto, con i seni pieni che le toccavano le cosce, la testa quasi sulle ginocchia. Il braccio di legno era su una sedia. La donna più anziana, forse cugina di Romula, era seduta in un angolo con il bambino in braccio. Le tende erano chiuse. Sbirciando fuori attraverso una piccolissima fessura nel tessuto, Pazzi vide una luce fioca a una finestra in alto di Palazzo Capponi.

«Posso riuscirci. Posso cambiare aspetto, così non mi riconosce. Posso...»

«No.»

«Allora lo farà Esmeralda.»

«No.» La voce venne dall'angolo. Era la prima volta che la donna più anziana parlava. «Romula, mi prenderò cura del tuo bambino finché muoio, ma non toccherò mai Shaitan.» Per Pazzi, il suo italiano era a malapena comprensibile.

«Alzati, Romula» esclamò il poliziotto. «Guardami. Gnocco lo farebbe al posto tuo? Romula, stasera ti rispedisco a Sollicciano. Hai ancora tre mesi da scontare. Ed è probabile che ti becchino, la prossima volta che tiri fuori i soldi e le sigarette dagli indumenti del bambino... Potrei farti prendere una condanna a sei mesi per l'ultima volta che l'hai fatto. Potrei anche farti dichiarare inadeguata a tenere il bambino. Te lo porterebbe via lo stato. Ma se prendi quelle impronte, sarai scarcerata, incasserai due milioni di lire e il tuo fascicolo scomparirà, e io ti aiuterò a ottenere il visto per l'Australia. Gnocco lo farebbe al posto tuo?»

Lei non rispose.

«Riesci a trovare Gnocco?» Pazzi buttò fuori l'aria dal naso. «Raccogli le tue cose. Potrai ritirare il tuo braccio finto quando uscirai, fra tre mesi o il prossimo anno. Il bambino dovrà finire in un istituto. La vecchia potrà andare a trovare quel coso là.»

«Coso? Andare a trovare quel coso? Mio figlio ha un nome. Si chiama...» Romula scosse la testa, decisa a non voler dire a quell'uomo il nome di suo figlio. Si coprì la faccia con le mani, sentiva il sangue che le pulsava nelle guance batterle contro il palmo. Parlò da dietro le dita. «Posso trovarlo.»

«Dove?»

«In piazza Santo Spirito, vicino alla fontana. Accenderanno un fuoco e qualcuno porterà del vino.»

«Vengo con te.»

«Meglio di no» disse Romula. «Chissà che cosa penserebbero di Gnocco. Lei avrà qui Esmeralda e il bambino... Sa che tornerò.»


Piazza Santo Spirito, la bella piazza sulla riva sinistra dell'Arno, di notte si riempie di gente equivoca. A quest'ora tarda, la chiesa è buia e con il portone chiuso, e dalla nota Trattoria Casalinga arrivano chiasso e odore di cibo.

Vicino alla fontana, il bagliore di un piccolo fuoco e la melodia di una chitarra gitana, suonata con più entusiasmo che talento. Fra i presenti c'è un buon cantante di fado. Una volta scoperto, viene spinto avanti e lubrificato con il vino di molte bottiglie. Attacca una canzone sul destino, ma viene interrotto dalle richieste di un motivo più allegro.

Roger LeDuc, conosciuto anche come Gnocco, è seduto sul bordo della fontana. Ha fumato qualcosa. Ha gli occhi offuscati, ma vede subito Romula, dietro alle persone dall'altra parte del fuoco. Compra due arance da un ambulante e segue la donna lontano dai canti. Si fermano sotto un lampione, a una certa distanza dal fuoco. Qui la luce è più fredda di quella delle fiamme e interrotta dalle poche foglie rimaste su un acero stentato. Si riflette verdastra sul pallore di Gnocco, l'ombra delle foglie simile a lividi in movimento sulla sua faccia, mentre Romula lo fissa, mettendogli una mano sul braccio.

Una lama saetta fuori dal pugno di Gnocco, simile a una piccola lingua lucente, e lui si mette a sbucciare un'arancia ottenendo un'unica, lunga striscia. Poi la porge a Romula, che se ne mette in bocca uno spicchio mentre lui inizia a sbucciare la seconda arancia.

Parlarono in fretta in romani. A un certo punto, Gnocco si strinse nelle spalle. Romula gli consegnò un cellulare e gli insegnò a usare i tasti. Poi, la voce di Pazzi risuonò nell'orecchio di Gnocco. Dopo un momento, Gnocco chiuse il telefonino e se lo infilò in tasca.

Romula si tolse una catenina cui era attaccato qualcosa, baciò il piccolo amuleto e mise la catenina al collo dell'ometto malvestito. Lui abbassò lo sguardo sull'amuleto e cominciò a saltellare, fingendo che l'immagine sacra lo bruciasse e strappando l'ombra di un sorriso a Romula. Lei si tolse anche il braccialetto a fascia e glielo infilò al polso. Il monile passò con facilità perché il braccio di Gnocco non era più grande del suo.

«Puoi restare un'ora con me?» le chiese Gnocco.

«Sì.»

## 28

Di nuovo sera, e il professor Fell ancora nella vasta sala di pietra della Mostra degli atroci strumenti di tortura a Forte Belvedere. È tranquillamente appoggiato al
muro, sotto le gabbie dei dannati appese in alto.

Sta studiando gli aspetti della dannazione sulle facce avide dei voyeur che si accalcano attorno agli strumenti di tortura e si stringono gli uni agli altri, in uno
stralunato *frottage* maleodorante, i peli delle braccia
ritti, i fiati caldi sul collo e sulle guance dei vicini. Di
tanto in tanto, il professore si preme un fazzoletto pro-
fumato sul viso per proteggersi dall'overdose di colonia
ed eccitazione.

Quelli che gli danno la caccia aspettano fuori.

Le ore passano. Il professor Fell, che agli strumenti
esposti non ha mai concesso più di un'attenzione superficiale, sembra non averne mai abbastanza della
folla. Alcuni percepiscono la sua attenzione e comin-
ciano a sentirsi a disagio. Spesso le donne lo osservano
con interesse, prima che lo strusciante movimento della fila attraverso la sala le costringa ad andare avanti.
Un contributo pagato ai due ex impagliatori che hanno
organizzato la mostra consente al professore di attardarsi dietro i cordoni, rilassato, intoccabile, immobile
contro la pietra.

Rinaldo Pazzi stava di guardia fuori dall'uscita, seduto sul parapetto sotto la pioggerella fitta. Era abituato all'attesa.

Sapeva che il professore non sarebbe tornato a casa a piedi. In fondo alla collina dietro al forte, in una piazzetta lo aspettava la sua macchina, una Jaguar Saloon nera con targa svizzera, un'elegante Mark II di trent'anni prima che luccicava sotto la pioggia, la macchina più bella che Pazzi avesse mai visto. Era chiaro che il professor Fell non aveva bisogno di lavorare per vivere. Pazzi aveva annotato il numero della targa, anche se non poteva correre il rischio di farla controllare dall'Interpol.

Gnocco aspettava sul ripido acciottolato di via di San Leonardo, tra Forte Belvedere e la macchina. La strada, male illuminata, era chiusa sui due lati da alti muri di pietra che proteggevano le ville della zona. Gnocco si era rifugiato in un angolo buio, una rientranza vicino a un cancello di ferro, dove poteva tenersi in disparte dalla fiumana di turisti che scendeva dal forte. Il cellulare che aveva in tasca gli vibrava contro la coscia ogni dieci minuti e lui doveva confermare di essere in posizione.

Alcuni turisti tenevano le cartine e i programmi sulla testa per proteggersi dalla pioggia sottile, mentre passavano sullo stretto marciapiede affollato ed erano obbligati a invadere la strada, rallentando i pochi taxi che scendevano dal Belvedere.

Nella sala dal soffitto a volta della mostra, finalmente il professor Fell si staccò dal muro al quale era rimasto appoggiato, alzò gli occhi sullo scheletro nella gabbia del digiuno appesa in alto, come se condividesse un segreto con lui, e si fece strada fra la calca in direzione dell'uscita.

Pazzi lo vide incorniciato nel vano della porta, poi lo vide ancora nel giardino, illuminato dai fari. Lo seguì a distanza. Quando fu sicuro che fosse diretto alla macchina, aprì il telefonino e avvertì Gnocco.

La testa dello zingaro si tese sopra il bavero come quella di una tartaruga. Gli occhi erano infossati e, di nuovo come in una tartaruga, la pelle era tanto tesa da mostrare le linee del teschio. Gnocco si arrotolò la manica fin sopra il gomito e sputò sul braccialetto, poi lo sfregò con uno straccio. Ora che l'argento era stato ripulito con sputo e acqua santa, mise il polso sotto la giacca, per tenerlo asciutto, e intanto sbirciava verso l'alto della collina. Si stava avvicinando una colonna di teste saltellanti. Gnocco tagliò la fiumana di gente e si portò in mezzo alla strada, dove poteva andare controcorrente e avere una visuale migliore. Senza nessuno che lo aiutasse, doveva provvedere da solo sia allo scontro con l'uomo sia al borseggio, ma non era un problema, visto che il borseggio doveva fallire. Ecco, stava arrivando l'uomo snello, vicino al bordo del marciapiede, grazie a Dio. Pazzi era una trentina di metri dietro al professore.

Gnocco fu astuto nel togliersi dal centro della strada. Approfittando di un taxi in arrivo, fece un salto come per non essere investito, si voltò per imprecare contro il tassista e andò a sbattere frontalmente contro il professor Fell. Gli infilò la mano sotto la giacca, si sentì il polso stretto in una terribile morsa, percepì un colpo ma riuscì a divincolarsi, mentre il professor Fell, senza neanche rallentare il passo, spariva nella massa dei visitatori. Gnocco era libero e lontano dalla sua vittima.

Pazzi lo raggiunse quasi subito, nella rientranza accanto al cancello di ferro, mentre Gnocco si chinava brevemente su se stesso e si tirava su di nuovo respirando a fatica.

«Ce l'ho fatta. Mi ha afferrato, eccome. Quel bastardo ha tentato di colpirmi nelle palle, ma non c'è riuscito» disse.

Pazzi, in ginocchio, stava maneggiando con cura il braccialetto per poterglielo sfilare, quando Gnocco sentì qualcosa di caldo e di bagnato colargli lungo una gamba e, mentre si spostava, un fiotto di sangue arterioso si riversò fuori da un taglio che aveva nei calzoni, schizzando sulla faccia e sulle mani del poliziotto, che tentava di togliergli il braccialetto tenendolo solo per i bordi. Il sangue si sparse ovunque. Macchiò persino la faccia di Gnocco, quando lui si chinò per guardare la ferita, mentre le gambe gli cedevano. Crollò contro il cancello, ci si aggrappò con una mano, tirò fuori un fazzoletto e se lo premette all'inguine, tentando di bloccare il fiotto che usciva dall'arteria femorale recisa.

Pazzi, con la gelida freddezza che possedeva quando era in azione, gli passò un braccio attorno per tenerlo di spalle rispetto ai passanti, costringendolo a sprizzare sangue attraverso le sbarre del cancello, e alla fine lo adagiò a terra, su un fianco.

Poi gli prese il cellulare dalla tasca e finse di chiamare un'ambulanza. Gli tolse la giacca e gliela stese sopra, e l'indumento parve un falco che avvolge la preda. La folla continuava a muoversi alle sue spalle, senza accorgersi di lui. Pazzi sfilò finalmente il braccialetto e lo ripose in una scatola che aveva portato con sé. Si mise in tasca il cellulare.

Gnocco mosse le labbra: «Madonna, che freddo».

Con uno sforzo di volontà, Pazzi allontanò dalla ferita la mano indebolita dell'uomo, la strinse come per confortarlo, e lo lasciò dissanguarsi. Quando fu sicuro che Gnocco fosse morto, lo abbandonò vicino al cancello, con la testa appoggiata al braccio come se dormisse, e si unì ai passanti.

Giunto in piazza, fissò il posteggio vuoto, mentre la pioggia cominciava a bagnare i ciottoli dov'era stata la Jaguar del dottor Lecter.

Il *dottor Lecter*... Pazzi non pensava più a lui come al professor Fell. L'uomo era il dottor Hannibal Lecter.

Nella tasca dell'impermeabile, Pazzi poteva avere una prova sufficiente a convincere Mason. Una prova sufficiente a convincere lui gli gocciolò dall'impermeabile sulle scarpe.

## 29

Le stelle del mattino su Genova erano smorzate dalla luce che si addensava a oriente, quando la vecchia Alfa di Pazzi ronzò lungo il molo. Il porto era spazzato da un vento gelido. Su un mercantile all'ancora in un ormeggio più esterno, qualcuno stava usando il saldatore, e sull'acqua scura sprizzavano scintille arancione.

Romula rimase sulla macchina per proteggere dal vento il bambino che teneva in grembo. Esmeralda era accucciata sullo stretto sedile posteriore del coupé, con le gambe piegate di lato. Da quando si era rifiutata di toccare Shaitan, non aveva più aperto bocca.

Le due donne avevano alcune paste e bicchierini di plastica pieni di denso caffè ristretto.

Rinaldo Pazzi entrò nell'ufficio spedizioni. Quando ne uscì, il sole era alto e splendeva color arancio sulla chiglia macchiata di ruggine del mercantile *Astra Philogenes*, che stava completando il carico. Pazzi fece un cenno alle due donne in macchina.

L'*Astra Philogenes*, ventisettemila tonnellate, bandiera greca, malgrado fosse senza medico di bordo era autorizzata a portare dodici passeggeri sulla sua rotta per Rio. Una volta là, spiegò Pazzi, loro due si sarebbero trasferite su una nave diretta a Sydney, Australia, e del trasferimento si sarebbe occupato il commissario di bordo dell'*Astra*. Il passaggio era tutto pagato e assolutamente non rimborsabile. In Italia, l'Australia è considerata un buon paese, dov'è possibile trovare lavoro e dove esiste una numerosa popolazione zingara.

Pazzi aveva promesso a Romula due milioni, e glieli consegnò in una busta rigonfia.

Il bagaglio delle due donne era molto limitato: una piccola valigia e il braccio di legno di Romula, chiuso nella custodia di una cornetta.

Per un mese, le due zingare sarebbero state in mare, impossibili da contattare.

Gnocco le avrebbe presto raggiunte, ripeté Pazzi a Romula per la decima volta, quel giorno non ce l'aveva fatta. Si sarebbe messo in contatto con loro scrivendo fermo posta presso l'ufficio centrale di Sydney. «Manterrò la promessa con lui, come l'ho mantenuta con voi» disse il poliziotto, mentre erano ai piedi della scaletta della nave, con il sole che proiettava le loro lunghe ombre sul ruvido selciato del molo.

Quando stavano per separarsi, la donna più anziana parlò per la seconda e ultima volta da quando Pazzi la conosceva. «Abbiamo consegnato Gnocco a Shaitan» disse sottovoce. «Gnocco è morto.» Chinandosi rigidamente, Esmeralda sputò sull'ombra di Pazzi, poi corse su per la scaletta dietro a Romula e al bambino.

## 30

La scatola del Dhl era ben confezionata. Il tecnico delle impronte digitali, seduto a un tavolo sotto la calda luce nella zona salotto della camera di Mason, tolse attentamente le viti con un cacciavite elettrico.

Il largo braccialetto d'argento era assicurato a un piccolo supporto ricoperto di velluto e agganciato all'interno della scatola, in modo che la sua superficie non subisse alcun contatto.

«Me lo porti qui» disse Mason.

Sarebbe stato molto più facile prelevare le impronte dal braccialetto alla sezione identificazioni del dipartimento di Polizia di Baltimora, dove i tecnici erano in servizio tutto il giorno, ma Mason aveva pagato una somma molto alta, e insisteva perché il lavoro fosse fatto sotto i suoi occhi. O sotto il suo occhio, rifletté acidamente il tecnico, mentre poneva braccialetto, sostegno e tutto su un vassoio di porcellana sorretto da un cameriere.

Il cameriere mise il vassoio davanti all'unico occhio di Mason. Non poteva posarlo sul rotolo di capelli adagiato sul cuore, perché il respiratore alzava e abbassava continuamente il torace.

Il pesante braccialetto lasciò cadere sulla porcellana alcune particelle dalle striature di sangue essiccato. Mason lo guardò con l'occhio sporgente. Privo di carne sulla faccia, non aveva espressione, ma l'occhio era attento.

«Rilevi le impronte» disse.

Il tecnico aveva una copia delle impronte del dottor Lecter stampate sulla parte anteriore del cartoncino custodito dall'Fbi. La sesta impronta sul retro e l'identificazione del soggetto non erano riportate.

Applicò la polvere fra le incrostazioni di sangue. Avrebbe preferito usare la Dragon's Blood, ma il suo colore era troppo simile a quello del sangue essiccato, così ricorse a quella nera, spargendola con cura.

«Abbiamo le impronte» disse, interrompendosi per asciugarsi la testa surriscaldata dalla forte luce della zona salotto. Una luce, comunque, ottima per fotografare. Il tecnico scattò alcune foto *in situ* prima di rilevare le impronte per un raffronto al microscopio. «Medio e pollice della mano sinistra coincidono in sedici punti, in tribunale sarebbero ritenute valide» comunicò alla fine. «Non ci sono dubbi, appartengono allo stesso tizio.»

A Mason non interessavano i tribunali. La sua mano pallida già strisciava sul copriletto verso il telefono.

## 31

Una mattina di sole in un lontano pascolo fra le montagne del Gennargentu, nella Sardegna centrale.

Sei uomini, quattro sardi e due romani, sono al lavoro in un'ariosa baracca costruita con legna tagliata dal vicino bosco. Nel vasto silenzio dei monti, il poco rumore che fanno sembra decuplicato.

Nella baracca, appeso a travi dalla corteccia ancora fresca, pende un enorme specchio dalla dorata cornice rococò. Lo specchio è sospeso sopra uno squadrato recinto per il bestiame munito di due cancelletti, uno dei quali si apre sul pascolo. L'altro è a battenti sovrapposti, di modo che la parte superiore e la parte inferiore possano essere aperte separatamente. L'area sotto il secondo cancelletto ha il pavimento di cemento, mentre il resto del recinto è cosparso di paglia pulita, come quella che un tempo i boia mettevano sotto le forche.

Lo specchio, con la sua cornice decorata di cherubini, può essere inclinato per consentire una vista panoramica del recinto, ed è simile agli specchi delle scuole di cucina, che offrono agli allievi una visione dall'alto dei fornelli.

Il regista cinematografico Oreste Pini e il lavorante sardo di Mason, un sequestratore di professione di nome Carlo, si erano detestati fin dal primo momento.

Carlo Deogracias è robusto, florido, e porta un cappello con una setola di cinghiale infilata nella banda. Ha l'abitudine di masticare un dente di maiale che tiene nel taschino del panciotto.

Carlo è un membro di primo piano dell'antica professione sarda dei sequestri di persona, nonché un esperto vendicatore.

Se doveste essere rapiti per riscatto, meglio cadere nelle mani dei sardi. Almeno sono dei professionisti, e non vi ucciderebbero per sbaglio o perché colti dal panico. Se i vostri parenti pagano, potreste tornare a casa sani e salvi, senza essere stati stuprati o mutilati. Se non pagano, invece, che si aspettino di vedere arrivare i vostri pezzi per posta.

Il complesso piano escogitato da Mason, a Carlo non piaceva. Lui era un esperto, in quel campo, e vent'anni prima, in Toscana, aveva dato un uomo in pasto ai maiali: un nazista in pensione, un falso conte, che in vari paesi della zona aveva imposto rapporti sessuali a bambini, ragazze e ragazzi, senza nessuna distinzione. Carlo, incaricato del lavoro, aveva trascinato l'uomo fuori dal suo giardino, a quattro chilometri da Badia di Passignano, e l'aveva fatto divorare da cinque grossi maiali domestici in una fattoria sotto Poggio alle Corti. Sebbene gli animali fossero stati tenuti a digiuno per tre giorni e il nazista avesse supplicato e cercato di divincolarsi dai lacci che lo legavano con i piedi penzoloni nel recinto, i maiali ancora non si erano decisi ad attaccargli le dita. Allora Carlo, con un certo senso di colpa perché violava l'accordo preso, aveva costretto l'uomo a mangiare una saporita insalata mista delle verdure preferite dai maiali, e poi gli aveva tagliato la gola perché gli animali potessero servirsi meglio.

Carlo era allegro ed energico, ma la presenza del regista lo irritava. Per ordine di Mason, aveva dovuto prendere lo specchio da un bordello di Cagliari di cui era proprietario, e solo per accontentare quel pornografo di Oreste Pini.

Quell'oggetto dorato era una gioia per Oreste, che aveva sempre usato gli specchi come espediente preferito in tutti i suoi film pornografici e anche nell'unico vero *snuff movie* realizzato in Mauritania. Ispirato dall'avvertenza impressa sullo specchietto della sua macchina, era stato uno dei primi a sfruttare il riflesso distorto per far sembrare alcuni oggetti più grandi di quanto appaiano a occhio nudo.

Oreste doveva usare due cineprese con un ottimo sonoro, così gli aveva ordinato Mason, e la qualità del film doveva essere buona fin dalla prima ripresa. Mason voleva un ininterrotto primo piano della faccia, a parte tutto il resto.

Per Carlo, Oreste perdeva un sacco di tempo.

«Puoi startene qui a spettegolare con me come una donna, o seguire la procedura e chiedermi tutto quello che non capisci» gli disse Carlo.

«Voglio filmarla, la procedura.»

«E va bene, prepara la tua apparecchiatura di merda e facciamola finita.»

Mentre Oreste piazzava le cineprese, Carlo e i tre sardi taciturni che erano con lui cominciarono con i preparativi.

Oreste, che amava il denaro, restava sempre sbalordito da ciò che il denaro poteva comprare.

A un lungo tavolo su cavalletti, contro un lato della baracca, il fratello di Carlo, Matteo, stava aprendo un pacco di indumenti usati. Dal mucchio scelse una camicia e un paio di calzoni, mentre gli altri due sardi, i fratelli Piero e Tommaso Falcione, avvicinavano alla baracca una barella da ambulanza, spingendola lentamente sull'erba. La barella era sporca e ammaccata.

Matteo aveva già preparato diversi secchi di carne macinata, alcuni polli morti non spennati e della frutta marcia, che già attiravano le mosche, e un secchio di trippa e interiora di manzo.

Mise sulla barella un paio di calzoni cachi e cominciò

a imbottirli con un paio di polli, un po' di carne e della frutta. Poi prese un paio di guanti di cotone, li inzeppò di carne macinata e granturco, riempiendo bene ogni dito, e li sistemò all'estremità delle gambe dei calzoni. Dagli altri indumenti scelse una camicia, che distese sulla barella e imbottì di trippa e interiora, migliorandone la forma con del pane prima di abbottonarla e infilarne con cura i lembi dentro i calzoni. Un paio di guanti riempiti allo stesso modo fu messo in fondo alle maniche. Il melone che Matteo usò come testa era coperto da una retina per capelli zeppa di carne macinata nel punto in cui sarebbe dovuta essere la faccia, e con due uova sode al posto degli occhi. Alla fine, il tozzo manichino risultò avere un aspetto migliore di quello di certe vittime d'incidenti stradali quando vengono portate via su una barella. Come tocco finale, Matteo spruzzò del dopobarba molto costoso sulla parte anteriore del melone e sui guanti vicini ai polsini della camicia.

Carlo indicò con un cenno del mento lo snello assistente di Oreste che, reggendosi alla recinzione, allungava sulla scena il microfono a giraffa per vedere fin dove arrivava.

«Di' al tuo pigliainculo che, se cade dentro, io non vado a salvarlo.»

Finalmente, fu tutto pronto. Piero e Tommaso portarono la barella nella posizione più bassa, con le gambe ripiegate, e la spinsero fino al cancello del recinto.

Carlo portò dalla casa un registratore e un amplificatore. Aveva parecchi nastri, alcuni dei quali erano stati incisi mentre tagliava ai rapiti le orecchie da spedire ai parenti. Carlo li faceva sempre sentire ai suoi maiali quando mangiavano. Ma non ne avrebbe più avuto bisogno nel momento in cui ci sarebbe stata una vera vittima a fornire le grida.

I malconci altoparlanti da esterno erano assicurati ai pali dentro la baracca. Il sole brillava sull'erba che digradava fino al bosco, fino alla solida recinzione che chiudeva il prato. Nel silenzio del mezzogiorno, Oreste sentì ronzare un'ape sotto il tetto della baracca.

«Sei pronto?» chiese Carlo.

Oreste accese la camera fissa. «Giriamo» disse rivolto al suo cameraman.

«Pronti!» arrivò la risposta.

«Motore!» Le cineprese entrarono in funzione.

«Partiti!» Entrò in funzione anche il sonoro.

«Azione!» Oreste diede di gomito a Carlo.

Il sardo premette il pulsante "play" del suo registratore ed esplosero urla strazianti, singhiozzi, suppliche. Il cameraman trasalì, poi riprese il controllo. Le urla erano orribili da sentire, ma rappresentavano l'ouverture adatta ad accogliere i grugni che emersero dal bosco, attratti dalle grida che annunciavano il pasto.

## 32

Ginevra andata e ritorno in una sola giornata per vedere il denaro.

L'aereo navetta per Milano, un sibilante reattore, decollò da Firenze di prima mattina, ondeggiando sui vigneti dai filari molto distanziati, simili a una rozza planimetria della Toscana tracciata da un costruttore edile. C'era qualcosa che non andava, nei colori del paesaggio: le nuove piscine costruite per le ville dei facoltosi stranieri erano di un azzurro incongruo. A Pazzi, che guardava fuori dal finestrino dell'aereo, quelle piscine sembravano del lattiginoso celeste che hanno gli occhi dei vecchi inglesi, un celeste fuori posto fra i cipressi scuri e l'argento degli ulivi.

L'umore di Rinaldo Pazzi saliva con l'aereo. Dentro di sé, il poliziotto era sicuro che non sarebbe invecchiato là, sottoposto ai capricci dei suoi superiori, sforzandosi di resistere fino alla pensione.

Aveva avuto una paura terribile che, dopo aver ucciso Gnocco, il dottor Lecter scomparisse. E quando in Santa Croce aveva visto riaccendersi la sua lampada da lavoro, si era sentito prossimo a qualcosa di simile alla salvezza. Il dottore era convinto di essere al sicuro.

La morte dello zingaro non aveva incrinato minimamente la calma della Questura ed era stata attribuita a questioni di droga. Fortunatamente, attorno al cadavere c'erano parecchie siringhe usate, uno spettacolo comune, a Firenze, dove le siringhe si possono trovare ovunque.

Pazzi voleva vedere il denaro. Aveva insistito su questo punto.

Grazie all'eccezionale memoria visiva, Rinaldo Pazzi ricordava l'immagine di tutto: del proprio pene per la prima volta in erezione, del proprio sangue la prima volta che era sgorgato, della prima donna nuda che gli era capitata sotto gli occhi, della macchia confusa del primo pugno che stava per colpirlo in faccia. Ricordava ancora di essere entrato per caso nella cappella di una chiesa senese e di aver inaspettatamente guardato la faccia di santa Caterina da Siena e la sua testa mummificata stretta dal soggolo di un bianco immacolato, che giaceva in un reliquiario a forma di chiesa.

Vedere i tre milioni di dollari ebbe su di lui lo stesso effetto.

Trecento mazzette di banconote da cento dollari con i numeri di serie non consecutivi.

In una piccola stanza severa, simile a una cappella, nella sede del Crédit Suisse di Ginevra, l'avvocato di Mason Verger mostrò il denaro a Rinaldo Pazzi. Venne portato su un carrello dalla camera blindata, chiuso in quattro profonde cassette di sicurezza con targhette d'ottone numerate. Il Crédit Suisse gli mise a disposizione anche una calcolatrice, una bilancia e un impiegato che la facesse funzionare. Pazzi congedò l'impiegato, poi mise le mani sopra i soldi.

Rinaldo Pazzi era un investigatore molto competente. Per vent'anni aveva smascherato e arrestato molti artisti della truffa. In piedi, alla presenza di quel denaro, ascoltò i termini dell'accordo e non vi colse una sola nota falsa. Se lui consegnava Hannibal Lecter, Mason Verger gli avrebbe dato i soldi.

Travolto da un'ondata di dolce calore, si rese conto che quella gente non scherzava, Mason Verger l'avrebbe veramente pagato. E non si fece illusioni sul destino di Lecter. L'avrebbe venduto alla tortura e alla morte. Va detto, a suo credito, che era consapevole di quello che stava facendo.

*La nostra libertà vale più della vita del mostro. La nostra felicità è più importante delle sue sofferenze*, pensò, con il freddo egoismo dei dannati. Se poi il "nostra" fosse un *pluralis maiestatis* o stesse per Pazzi e sua moglie, è una domanda a cui è difficile rispondere, e potrebbe non esserci una risposta univoca.

In quella stanza, nitida e svizzera, pulita come acqua di fonte, Pazzi assunse l'impegno finale. Si allontanò dal denaro e fece un cenno d'assenso all'avvocato Konie. Dalla prima scatola, il legale contò centomila dollari e glieli consegnò.

Konie parlò brevemente al telefono, poi porse il ricevitore al poliziotto. «Questa è una linea sicura, protetta da intercettazioni.»

La voce americana che arrivò a Pazzi aveva un ritmo strano, con le parole pronunciate in fretta in un unico respiro e poi una pausa in mezzo, ed era priva di labiali. Ascoltandola, Pazzi si sentì girare leggermente la testa, come se anche lui si sforzasse di trovare il fiato insieme al suo interlocutore.

Senza preamboli, la domanda: «Dov'è Hannibal Lecter?».

Il denaro in una mano e il telefono nell'altra, Pazzi non esitò: «È l'uomo che studia Palazzo Capponi, a Firenze. Ne è il curatore».

«Le spiace mostrare un suo documento all'avvocato Konie e passargli il telefono? Non pronuncerà il suo nome all'apparecchio.»

L'avvocato consultò un elenco che aveva estratto dalla tasca e disse alcune parole in codice a Mason, poi restituì la cornetta a Pazzi.

«Avrà il resto del denaro quando l'uomo sarà nelle nostre mani, vivo» disse Mason. «Non dovrà catturare il dottore personalmente, dovrà solo indicarcelo e metterlo nelle nostre mani. Voglio anche la documentazione, tutto quello che ha su di lui. Torna a Firenze in giornata? Stasera stessa riceverà istruzioni per un incontro vicino a Firenze. L'incontro avverrà non più tardi di domani sera. In quell'occasione, le verranno forniti ulteriori particolari dalla persona che si occuperà del dottor Lecter. Le chiederà se conosce un fioraio. Lei dovrà rispondere che i fiorai sono tutti ladri. Mi ha capito? Voglio che collabori con lui.»

«E io voglio che il dottor Lecter non sia nella mia... Non lo voglio vicino a Firenze, quando...»

«Capisco la sua preoccupazione. Stia tranquillo, non ci sarà.»

La linea si interruppe.

I documenti vennero preparati in pochi minuti, e due milioni di dollari furono versati su un conto vincolato. Mason Verger non poteva riaverli indietro, ma poteva liberarli dal vincolo perché Pazzi potesse ritirarli. Un funzionario del Crédit Suisse, convocato nella sala riunioni, informò Pazzi che la banca gli avrebbe addebitato un interesse passivo per facilitargli un deposito, se avesse deciso di cambiare i dollari in franchi svizzeri, e pagato interessi composti del tre per cento solo sui primi centomila franchi. Poi gli consegnò una copia dell'articolo 47 del *Bundesgesetz über Banken und Sparkassen* che regolava il segreto bancario e si disse pronto, se lui l'avesse richiesto, a effettuare un'immediata rimessa alla Royal Bank of Nova Scotia o alle isole Cayman, non appena fosse stato tolto il vincolo.

Davanti a un notaio, Pazzi intestò il conto anche alla moglie, in modo che potesse accedervi in caso lui fosse morto. Concluso l'affare, solo il funzionario della banca svizzera si offrì di stringere le mani. Pazzi e l'avvocato Konie non si guardarono neppure, anche se il legale gli concesse un saluto dalla porta.

Ultimo tratto del ritorno a casa, con l'aereo navetta

da Milano che s'infilava in un temporale, il reattore, dalla parte dov'era seduto Pazzi, che formava un cerchio nero contro il cielo grigio scuro. Lampi e tuoni mentre giravano sulla città. Sotto di loro, il campanile e la cupola del Duomo, le luci che si accendevano nel precoce crepuscolo, poi un bagliore e uno scoppio come quelli che Pazzi ricordava dall'infanzia, quando i tedeschi fecero saltare i ponti sull'Arno, risparmiando solo il Ponte Vecchio. E per un attimo breve come un batter di ciglia, ricordò di aver visto da piccolo un cecchino legato alla Madonna delle catene perché pregasse prima di essere fucilato.

Scendendo attraverso l'odore d'ozono dei lampi, con il rombo dei tuoni che si ripercuoteva contro la carlinga dell'aereo, Rinaldo Pazzi degli antichi Pazzi tornò alla sua antica città con i suoi obiettivi vecchi quanto il tempo.

## 33

Rinaldo Pazzi avrebbe preferito tenere sotto continua sorveglianza la sua preda di Palazzo Capponi, ma non poteva.

Ancora rapito dalla vista del denaro, dovette invece infilarsi in fretta l'abito scuro e raggiungere sua moglie a un concerto dell'Orchestra da camera di Firenze atteso da tempo.

Il Teatro della Pergola, ricostruito nel diciannovesimo secolo, è una bomboniera in oro e velluti, con cherubini che attraversano il suo splendido soffitto sfidando le leggi dell'aerodinamica.

E meno male che il teatro è bello, perché spesso gli esecutori hanno bisogno di tutto l'aiuto possibile.

È ingiusto, ma inevitabile, che a Firenze la musica venga giudicata dall'irraggiungibile altezza dell'arte della città. I fiorentini, come gran parte degli italiani, sono un popolo di grandi conoscitori e amanti della musica, ma a volte mancano completamente di buoni musicisti.

Pazzi scivolò nel posto vicino a sua moglie durante l'applauso che seguì l'ouverture.

Lei gli porse la guancia profumata. Pazzi si sentì battere il cuore mentre la guardava nell'abito da sera, sufficientemente scollata da emanare una calda fragranza dal solco fra i seni, lo spartito protetto dall'elegante cartelletta di Gucci che lui le aveva regalato.

«L'esecuzione è migliorata del cento per cento, con il nuovo suonatore di viola» gli alitò lei nell'orecchio. L'eccellente suonatore di viola da gamba era stato chiamato a sostituire il suo predecessore, un musicista inetto, cugino di Sogliato, che alcune settimane prima era inspiegabilmente scomparso.

Il dottor Hannibal Lecter guardò giù da un palco in alto, solo, impeccabile, con la cravatta bianca, la faccia e lo sparato che sembravano galleggiare nel buio.

Pazzi si accorse di lui quando, dopo il primo movimento, le luci si accesero brevemente. Un attimo prima che potesse distogliere lo sguardo, il dottore girò la testa come avrebbe fatto un gufo e i loro occhi si incontrarono. Involontariamente, Pazzi strinse con tanta forza la mano della moglie che lei si voltò a fissarlo. Dopo, Pazzi tenne gli occhi risolutamente fissi sul palcoscenico, la sua mano che stringeva quella di lei, il dorso caldo contro la coscia della moglie.

Durante l'intervallo, quando Pazzi si voltò dal banco del bar per porgere il bicchiere alla moglie, vicino a lei c'era il dottor Lecter.

«Buonasera, professor Fell» disse.

«Buonasera, dottor Pazzi.» E Lecter aspettò, con la testa leggermente china da un lato, che lui facesse le presentazioni.

«Laura, permettimi di presentarti il professor Fell. Professore, questa è mia moglie.»

La signora Pazzi, abituata a ricevere complimenti per la propria bellezza, trovò stranamente incantevole quello che seguì, anche se suo marito non fu certo della stessa idea.

«Grazie per questo privilegio» disse Lecter. Fece intravedere per un istante la rossa lingua appuntita, prima di chinarsi sulla mano della donna, le labbra forse più vicine alla pelle di quanto si usasse a Firenze, e comunque abbastanza vicine perché lei potesse sentire il respiro sulle dita.

Sollevò lo sguardo sulla donna, prima di alzare la testa dai capelli lucidi.

«Ho la sensazione che Scarlatti le piaccia in modo particolare, signora Pazzi.»

«È vero.»

«È stato piacevole osservarla mentre seguiva lo spartito, non lo fa quasi più nessuno. Spero che questo possa interessarle.» Tolse da sotto il braccio una cartelletta che conteneva un antico spartito in pergamena, tracciato a mano. «Viene dal Teatro Capranica di Roma e risale al 1688, anno in cui è stato composto il pezzo.»

«Che meraviglia! Guarda, Rinaldo.»

«Mentre eseguivano il primo movimento, ho segnato sulla carta velina alcune delle differenze con lo spartito moderno» continuò il dottor Lecter. «La dovrebbe divertire fare lo stesso con il secondo movimento. La prego, lo tenga. Posso sempre farmelo restituire da suo marito... Lei permette, dottor Pazzi?»

Il dottor Lecter lo guardò intensamente, intensamente, mentre Pazzi rispondeva.

«Se ti fa piacere, Laura.» Poi, ricordando: «Si presenterà allo Studiolo, professore?».

«Sì, venerdì sera. Sogliato non aspetta altro che di vedermi screditato.»

«Dovrò venire in centro, le restituirò allora lo spartito. Laura, il professor Fell si esibirà davanti ai draghi dello Studiolo per assicurarsi il pane.»

«Sono sicura che la sua, di esecuzione, sarà molto, molto buona, professore» disse lei, fissandolo con i suoi grandi occhi scuri... entro i limiti della convenienza, ma a malapena.

Il dottor Lecter sorrise, scoprendo i piccoli denti bianchi. «Signora, se fossi io a produrre il Fleur du Ciel, le offrirei il Cape Diamond da portare. A venerdì sera, dottor Pazzi.»

Pazzi si assicurò che il dottore tornasse al suo palco,

e non lo guardò più finché si augurarono la buonanotte da lontano, sui gradini del teatro.

«Ti ho regalato Fleur du Ciel per il tuo compleanno» disse Pazzi.

«Sì, e mi piace moltissimo, Rinaldo. Hai un gusto straordinario.»

## 34

L'Impruneta è l'antica cittadina toscana dove vennero fabbricate le tegole del Duomo di Firenze. Di notte, grazie ai lumi perpetui sulle tombe, il suo cimitero è visibile per chilometri dalle ville sulle colline. All'interno, l'illuminazione è scarsa, ma sufficiente perché il visitatore possa orientarsi fra i morti, anche se per leggere le epigrafi c'è bisogno di una pila.

Rinaldo Pazzi arrivò alle nove meno cinque con un mazzetto di fiori che intendeva mettere su una tomba a caso. Camminava a passi lenti sulla ghiaia del vialetto.

Sentiva la presenza dell'uomo, ma ancora non lo vedeva.

Carlo parlò dalla parte opposta di una cappella funebre che lo nascondeva completamente. «Conosce un buon fioraio in città?»

*L'uomo aveva l'accento sardo. Bene, probabilmente sapeva il fatto suo.*

«I fiorai sono tutti ladri» rispose Pazzi.

Carlo uscì subito da dietro la costruzione di marmo, senza prima sbirciare fuori.

A Pazzi parve un tipo brutale, basso e rotondo, possente, con braccia e gambe agili. Indossava un panciotto di pelle e aveva una setola di cinghiale nella banda del cappello. Pazzi calcolò di avere le braccia più lunghe di sei o sette centimetri, rispetto all'altro, e di essere più alto di una decina. Ma dovevano avere all'incirca lo stesso peso. A Carlo mancava un pollice. Pazzi pensò che gli sarebbero bastati cinque minuti per rintracciare quell'uomo negli archivi della polizia. Tutti e due erano illuminati dal basso dalle lampade delle tombe.

«La casa di quel tizio ha un ottimo sistema d'allarme» disse Pazzi.

«Ho già dato un'occhiata. Devi indicarmi lui, ora.»

«Domani sera, venerdì, terrà una conferenza. Puoi agire tanto in fretta?»

«Vedremo.» Carlo voleva provocare un po' il poliziotto, stabilire il proprio controllo. «Dovrai camminare al suo fianco. O hai paura? Farai quello che sei pagato per fare. Me lo indicherai.»

«Attento a come parli. Farò quello che sono pagato per fare, e anche tu. O, se preferisci, potrai passare gli anni della pensione come pigliainculo al carcere di Volterra.»

Quando lavorava, Carlo era insensibile agli insulti, così come alle grida di dolore. Si accorse di aver sottovalutato il poliziotto. Allargò le braccia. «Dimmi quello che devo sapere.» Si spostò per mettersi vicino a Pazzi, come se entrambi fossero là per piangere davanti alla cappella. Sul vialetto passò una coppia, mano nella mano. Carlo si tolse il cappello, e i due uomini chinarono la testa. Pazzi mise i fiori davanti alla porta del monumento funebre. Dal copricapo di Carlo esalava un fetore rancido, come di salsiccia fatta con carne mal macellata.

Pazzi allontanò la testa. «È svelto con il coltello. Colpisce basso.»

«Ha una pistola?»

«Non lo so. A quanto mi risulta, non ne ha mai usata una.»

«Non voglio doverlo tirare fuori dalla macchina. Lo voglio in strada, senza troppa gente intorno.»

«Come farai a prenderlo?»

«Sono affari miei.» Carlo si mise in bocca il dente di

maiale e lo masticò, facendolo sporgere di tanto in tanto dalle labbra.

«Sono anche affari miei» esclamò Pazzi. «Come farai?»

«Lo intontisco con una pistola a dardi, lo lego e poi, magari, gli farò un'iniezione. Devo controllare in fretta che non abbia una capsula di veleno nascosta in un dente.»

«Terrà una conferenza. Comincia alle sette a Palazzo Vecchio. Se venerdì lavorerà nella Cappella Capponi di Santa Croce, raggiungerà Palazzo Vecchio a piedi. Conosci Firenze?»

«La conosco bene. Puoi procurarmi un permesso di circolazione per il centro?»

«Sì.»

«Non lo prenderò appena fuori dalla chiesa» dichiarò Carlo.

Pazzi annuì. «È meglio che si presenti alla conferenza, così per due settimane non noteranno la sua assenza. E io, dopo l'incontro, avrò una scusa per riaccompagnarlo a Palazzo Capponi.»

«Non voglio beccarlo a casa sua. Quello è il suo territorio. Lui lo conosce e io no. Starà allerta, e sulla porta si guarderà attorno. Lo voglio in strada.»

«Stammi a sentire, allora. Usciremo dal portone principale di Palazzo Vecchio, perché quello di via dei Leoni sarà chiuso. Imboccheremo via de' Neri e attraverseremo l'Arno dal Ponte alle Grazie. Dall'altra parte, davanti al Museo Bardini, gli alberi nascondono la luce dei lampioni. A quell'ora, quando le scuole sono chiuse, la zona è tranquilla.»

«Quindi, diciamo davanti al Museo Bardini, ma potrei farlo prima, se capita l'occasione, più vicino al palazzo... anche con qualche ora di anticipo, se avremo la sensazione che senta puzza di pericolo e intenda scappare. Potremmo essere a bordo di un'ambulanza. Resta con lui finché non lo colpisco con il dardo, e poi scappa in fretta.»

«Lo voglio fuori dalla Toscana prima che gli accada qualcosa.»

«Credimi, scomparirà dalla faccia della terra, *a piedi in avanti*» disse Carlo, sorridendo alla propria battuta, e dal sorriso sporse fuori il dente di maiale.

## 35

Venerdì mattina, in una stanzetta nel sottotetto di Palazzo Capponi. Tre delle pareti imbiancate a calce sono vuote. Sulla quarta è appesa una Madonna del Trecento della scuola di Cimabue, enorme nella piccola stanza, la testa china verso l'angolo firmato come quella di un uccello curioso, gli occhi a mandorla che guardano una minuscola figura addormentata in basso sul dipinto.

Il dottor Hannibal Lecter, veterano delle brandine delle prigioni e dei manicomi, è immobile nel letto angusto, le mani sul petto.

Apre gli occhi e all'improvviso è completamente vigile, con il sogno di sua sorella Mischa, morta e digerita da tempo, che continua a vorticargli nella mente anche da sveglio: pericolo, pericolo imminente.

Sapere di essere in pericolo non ha turbato il suo sonno più di quanto l'abbia turbato uccidere il borseggiatore.

Ora è vestito per affrontare la giornata, snello e inappuntabile nell'abito nero di seta. Spegne i sensori di movimento in cima alle scale del quartiere della servitù è scende nei grandi spazi del palazzo.

Adesso può muoversi attraverso il vasto silenzio delle molte stanze che, dopo tanti anni di prigionia in una cella sotterranea, gli danno sempre un'inebriante sensazione di libertà.

Come i muri affrescati di Santa Croce o di Palazzo Vecchio sono soffusi di pensiero, così la biblioteca Capponi pulsa della presenza del dottor Lecter, che lavora davanti alla grande parete di caselle piene di manoscritti. Sceglie le pergamene arrotolate e soffia via la polvere; il pulviscolo balugina in un raggio di sole come se i morti, anch'essi ormai polvere, accorressero per rivelargli il loro e il suo destino. Il dottor Lecter lavora con efficienza, ma senza eccessiva fretta, riponendo alcune cose nel portacarte, raccogliendo libri e illustrazioni per la conferenza che dovrà tenere davanti allo Studiolo. Ci sono tante cose che gli sarebbe piaciuto leggere.

Apre il computer portatile. Passando attraverso la facoltà di criminologia dell'università di Milano, si collega al sito Web dell'Fbi, come può fare qualunque cittadino, all'indirizzo www.fbi.gov. Viene così a sapere che l'udienza del sottocomitato giudiziario sulla fallita operazione antidroga di Clarice Starling non è ancora in calendario. Non possiede i codici d'accesso di cui avrebbe bisogno per guardare nel proprio file presso l'Fbi. Dalla pagina "Pericoli pubblici maggiormente ricercati", la sua ex faccia lo guarda, in mezzo a quelle di un terrorista e di un piromane.

Da un mucchio di pergamene, prende un giornale a colori e guarda la fotografia di Clarice Starling in prima pagina, ne sfiora il viso con le dita. La lama lucente compare nella sua mano come se l'avesse fatta germogliare per sostituire il sesto dito. Il coltello è un Harpy con la lama dentellata, a forma di artiglio. Scivola attraverso il «National Tattler» con la stessa facilità con cui è scivolata nell'arteria femorale dello zingaro... è entrato e uscito dalla carne così in fretta che il dottor Lecter non ha avuto neanche bisogno di pulirlo.

Ritaglia l'immagine di Clarice Starling e l'incolla su un foglio di pergamena senza scritte.

Prende una penna e, con fluida facilità, disegna il corpo di una leonessa alata, un grifone con la faccia di

Starling. Sotto, scrive con la sua nitida grafia: "Si è mai chiesta, Clarice, perché i filistei non la capiscono? Perché lei è la risposta all'indovinello di Sansone: è il miele nella leonessa".

A quindici chilometri di distanza, Carlo Deogracias, che per non dare nell'occhio aveva posteggiato il furgoncino dietro un alto muro di pietra all'Impruneta, controllò l'equipaggiamento, mentre suo fratello Matteo si allenava sulla morbida erba in una serie di mosse di judo insieme agli altri due sardi, Piero e Tommaso Falcione. Entrambi i Falcione erano veloci e molto forti: Piero aveva giocato per qualche tempo nella squadra di calcio del Cagliari; Tommaso aveva studiato per diventare prete, e parlava un inglese accettabile. A volte, pregava con le sue vittime.

Il furgoncino Fiat bianco di Carlo aveva la targa di Roma ed era stato regolarmente noleggiato. All'interno, pronte da incollare sulle fiancate, c'erano le scritte OSPEDALE DELLA MISERICORDIA. Il pavimento e le pareti erano stati imbottiti con pannelli di gommapiuma, in caso il soggetto si fosse agitato dentro il veicolo.

Carlo intendeva portare avanti il progetto esattamente come voleva Mason, ma, anche se il piano fosse fallito e lui fosse stato costretto a uccidere il dottor Lecter sul continente, mandando a monte le riprese filmate in Sardegna, non tutto sarebbe andato perduto. Carlo sapeva di poterlo macellare e tagliargli testa e mani in meno di un minuto.

Se non avesse avuto abbastanza tempo, gli avrebbe mozzato il pene e un dito, più che sufficienti per il test del Dna. Chiusi nella plastica e impacchettati con il ghiaccio, sarebbero stati nelle mani di Mason in meno di ventiquattr'ore, garantendo a Carlo il diritto a una ricompensa da aggiungere alla cifra pattuita.

Ordinatamente riposti dietro i sedili c'erano una piccola motosega, cesoie dai manici lunghi, una sega chirurgica, coltelli affilati, borse di plastica con cerniera, un Black & Decker multiuso per immobilizzare le braccia del dottor Lecter e una cassetta del Dhl con spedizione prepagata in base al calcolo che la testa del dottor Lecter doveva pesare sei chili e le mani un chilo l'una.

Se poi si fosse verificata l'esigenza di dover filmare la macellazione d'urgenza, Carlo l'avrebbe fatto: era sicuro che, anche dopo aver sputato fuori il milione di dollari per la testa e le mani, Mason avrebbe pagato un extra per vedere il dottor Lecter scannato vivo. A questo scopo, si era procurato una buona videocamera, con cavalletto e proiettori, e aveva insegnato a Matteo i rudimenti su come usarla.

Anche l'equipaggiamento per la cattura aveva ricevuto la stessa attenzione. Piero e Tommaso erano esperti nel maneggiare la rete, ora piegata con la stessa cura di un paracadute. Carlo aveva una siringa ipodermica e una pistola a dardi caricate con sufficiente acepromazina, un tranquillante per animali, da far crollare in pochi secondi una bestia della stazza del dottor Lecter. Aveva detto a Rinaldo Pazzi che intendeva servirsi della pistola a dardi, sempre carica e pronta, ma che, se si fosse presentata l'occasione di cacciare un ago ipodermico nelle natiche o nelle gambe del dottor Lecter, non ne avrebbe avuto alcun bisogno.

I sequestratori e la loro vittima sarebbero rimasti nel continente per circa quaranta minuti, il tempo necessario a raggiungere l'aeroporto di Pisa, dove li aspettava un aereo sanitario. L'aeroporto di Firenze era più vicino, ma là il traffico era scarso, e un volo privato sarebbe stato notato più facilmente.

In meno di un'ora e mezzo avrebbero raggiunto la Sardegna, dove il comitato d'accoglienza del dottore cominciava a farsi famelico.

Carlo aveva valutato ogni cosa, nella sua testa intelligente quanto maleodorante. Mason non era uno stupido. I pagamenti erano stati stabiliti in modo che a Rinaldo Pazzi non succedesse niente; Carlo ci avrebbe rimesso, se l'avesse ucciso e tentato di ottenere l'intera ricompensa. Mason non voleva l'iradiddio che si sarebbe scatenata a seguito della morte di un poliziotto. No, meglio fare come diceva lui. Ma Carlo si sentiva prudere ovunque al pensiero di quello che avrebbe potuto combinare con pochi colpi di lama, se fosse stato lui a trovare il dottor Lecter.

Provò la motosega. Partì al primo colpo.

Parlò brevemente con i compagni, poi inforcò un vecchio motorino e partì per la città, armato solo di un coltello, di una pistola e di una siringa ipodermica.

Il dottor Hannibal Lecter uscì dal chiasso della strada per entrare nella Farmacia di Santa Maria Novella, uno dei luoghi più gradevolmente profumati del mondo. Rimase fermo per qualche minuto, gli occhi chiusi, la testa all'indietro, a inalare gli aromi dei meravigliosi saponi, delle lozioni, delle creme e di tutti gli ingredienti riposti nel laboratorio. I commessi, provvisti in genere di una certa spocchia, erano abituati a lui e gli tributavano grande rispetto. Gli acquisti del cortese professor Fell nei mesi che aveva trascorso a Firenze non avevano superato le trecentomila lire, ma le fragranze e le essenze che sceglieva e chiedeva di combinare dimostravano una sensibilità che sorprendeva e gratificava quei commercianti di aromi dediti all'olfatto.

Era stato per preservare questo piacere che il dottor Lecter non si era alterato il naso con la rinoplastica, limitandosi a iniezioni esterne di collagene. Per lui, l'aria era dipinta di profumi distinguibili e vividi come colori, che poteva sovrapporre e scindere come se stesse dipingendo ad acquerello. Qui non c'era niente della galera. Qui l'aria era musica. Qui era un concerto di pallide stille di incenso che aspettavano di essere estratte, e bergamotto, legno di sandalo, cannella e mimosa, sopra le note di fondo della vera ambra grigia, dello zibetto, dell'estratto di castoro e dell'essenza di muschio.

A volte, il dottor Lecter coltivava l'illusione di poter sentire gli odori attraverso le mani, le braccia e le guance, di poterli annusare con la faccia e con il cuore. Di esserne addirittura soffuso.

Per varie ragioni, l'odorato sollecita la memoria più di qualunque altro senso.

Qui, nella Farmacia, il dottor Lecter fu colpito da frammenti e lampi di ricordi, mentre se ne stava sotto la luce diffusa dalle grandi lampade art déco, annusando, annusando. Qui non c'era niente della galera. Tranne... che cos'era? Clarice Starling, perché? Non l'Air du Temp che lui aveva colto quando la ragazza aveva aperto la borsetta vicino alle sbarre della sua gabbia al Manicomio criminale. Non era questo. Profumi così non venivano venduti, nella Farmacia. Né si trattava della sua lozione per la pelle. Ah! *Sapone di mandorle*. Il famoso sapone di mandorle della Farmacia. Dove aveva sentito quel profumo? A Memphis, quando lei era stata davanti alla sua cella, quando per un attimo le aveva sfiorato un dito, poco prima dell'evasione. Starling, dunque. Bella struttura, ricca. Cotone asciugato al sole e stirato di fresco. Clarice Starling, dunque. Affascinante e gradevole. Noiosa nella sua onestà e assurda nei suoi principi. Arguta, di un'arguzia ereditata dalla madre.

D'altro canto, per il dottor Lecter i brutti ricordi erano sempre associati agli odori sgradevoli, e qui nella Farmacia era lontano forse come mai dalle fetide e buie segrete sotto il castello della sua memoria.

In quel grigio venerdì, contrariamente alle sue abitudini, il dottor Lecter comprò una grande quantità di saponi, lozioni e oli da bagno. Ne prese alcuni con sé e chiese alla Farmacia di spedire gli altri, scrivendo lui stesso l'indirizzo sulle etichette con la sua nitida grafia ordinata.

«Il signore vuole accludere un biglietto?» chiese il commesso.

«Perché no?» rispose Lecter, e mise nella scatola il disegno piegato del grifone.

La Farmacia di Santa Maria Novella è adiacente al convento di via della Scala, e Carlo, sempre devoto, si tolse il cappello prima di appostarsi sotto l'immagine della Vergine, vicino all'ingresso. Aveva notato che la pressione dell'aria nello spazio dopo la porta interna della Farmacia faceva socchiudere quella esterna alcuni secondi prima che ne uscisse qualcuno. Questo gli dava tempo di nascondersi e di sbirciare, da dove si trovava, ogni volta che un cliente lasciava il negozio.

Quando comparve il dottor Lecter con il suo portacarte, Carlo era ben nascosto dietro la bancarella di un venditore di cartoline. Il dottore si avviò per la sua strada. Passando davanti all'immagine della Vergine, alzò di scatto la testa e allargò le narici, mentre guardava la statua e annusava l'aria.

Carlo lo prese per un gesto di devozione. Si chiese se il dottor Lecter fosse religioso, come spesso lo sono i matti. Forse, prima della fine, lo avrebbe portato a maledire Dio... Questo sarebbe dovuto piacere a Mason. Naturalmente, dopo aver spedito lontano il pio Tommaso.

A pomeriggio inoltrato, Rinaldo Pazzi scrisse una lettera alla moglie, accludendo anche un suo tentativo di sonetto, composto quando erano agli inizi della loro storia d'amore e lui era troppo timido per darglielo. Accluse anche i codici necessari per poter incassare il denaro depositato in Svizzera e una lettera che la moglie avrebbe dovuto spedire a Mason in caso quest'ultimo avesse tentato di rinnegare il loro accordo. Mise la busta dove lei l'avrebbe trovata solo raccogliendo i suoi effetti.

Alle sei, prese lo scooter e andò al Museo Bardini, dove incatenò il veicolo a una ringhiera di ferro, la stessa dalla quale gli ultimi studenti stavano ritirando le loro biciclette. Vide il furgone bianco con le scritte

215

dell'ambulanza posteggiato vicino al museo e immaginò che potesse essere di Carlo. A bordo, c'erano due uomini. Quando si voltò, sentì i loro occhi su di sé.

Aveva qualche ora davanti a sé. I lampioni erano già accesi, e Pazzi camminò lentamente verso l'Arno, attraverso le favorevoli ombre scure proiettate dagli alberi attorno al museo. Attraversando il Ponte alle Grazie, abbassò lo sguardo sul lento movimento del fiume e si abbandonò agli ultimi pensieri sui quali avrebbe avuto il tempo di attardarsi. La serata sarebbe stata buia. Bene. Su Firenze, nuvole basse correvano verso est, sfiorando la crudele picca di Palazzo Vecchio, e il vento che si stava levando faceva vorticare il pulviscolo e spargeva gli escrementi di piccione nella piazza davanti a Santa Croce, dov'era diretto ora Pazzi, con le tasche appesantite da una Beretta .380, uno sfollagente piatto di cuoio e un pugnale con il quale infilzare il dottor Lecter, se fosse stato necessario ammazzarlo subito.

La chiesa di Santa Croce chiude alle sei del pomeriggio, ma un sagrestano lo fece entrare da una porticina laterale. Pazzi non voleva chiedere se il "professor Fell" stava lavorando, così andò a vedere da solo, avanzando guardingo. Le candele accese davanti agli altari lungo le pareti fornivano luce sufficiente. Percorse in lunghezza tutta la chiesa finché non raggiunse il transetto. Era difficile distinguere, oltre le candele votive, se il professor Fell fosse nella Cappella Capponi. Pazzi avanzò in silenzio, con lo sguardo attento. Una grande ombra si stagliò contro il muro della cappella, e per un attimo il respiro di Pazzi si fermò. Era il dottor Lecter, chino sulla lampada posata a terra, al lavoro sulle scritte. Il dottore si eresse, sbirciò nel buio come un gufo, la testa che si voltava, il corpo immobile illuminato dalla lampada da lavoro, l'ombra immensa dietro di lui. Poi l'ombra si ritrasse verso la parte bassa della cappella, quando Lecter si chinò per riprendere il lavoro.

Pazzi si sentì colare il sudore lungo la schiena, ma il viso era freddo.

Mancava ancora un'ora all'incontro di Palazzo Vecchio, ed era intenzione di Pazzi arrivare tardi alla conferenza.

Nella sua bellezza severa, la cappella che Brunelleschi costruì in Santa Croce per la famiglia Pazzi è una delle glorie dell'architettura rinascimentale. Là il quadrato e il cerchio armonizzano. La cappella è una struttura separata fuori dalla chiesa e la si può raggiungere solo attraverso un chiostro ad archi.

Pazzi pregò nella Cappella de' Pazzi, inginocchiato sulla pietra, e cercò una rassomiglianza fra sé e il tondo di Luca della Robbia in alto. Sentiva le proprie preghiere soffocate dal cerchio di apostoli sul soffitto, e pensò che forse sarebbero fuggite nel chiostro buio dietro di lui per spiccare il volo verso il cielo aperto e verso Dio.

Con uno sforzo, immaginò alcune delle buone cose che avrebbe potuto fare con il denaro avuto in cambio del dottor Lecter. Vide se stesso e sua moglie distribuire spiccioli ai piccoli mendicanti e donare alcune apparecchiature mediche a un ospedale. Vide le onde della Galilea, che a lui sembrava molto simile al Chesapeake. Vide l'affusolata e rosea mano della moglie stretta attorno al suo pene, in modo da aumentarne il turgore.

Si guardò attorno e, non scorgendo nessuno, disse ad alta voce, rivolto a Dio: «Grazie, Padre, per avermi consentito di liberare la Tua terra da questo mostro, da questo mostro dei mostri. Grazie anche a nome delle anime alle quali Noi risparmieremo il dolore». Non è chiaro se il "noi" fosse un *pluralis maiestatis* o indicasse che Pazzi si sentiva in società con Dio, e la risposta potrebbe non essere univoca.

La parte di sé che non gli era amica gli diceva che lui e il dottor Lecter avevano ucciso insieme: Gnocco era vittima di entrambi, dato che lui non aveva fatto niente per salvarlo ed era stato contento che la morte gli avesse chiuso la bocca.

Si trae sempre un po' di conforto dalla preghiera, rifletté Pazzi uscendo dalla cappella. Mentre attraversava il chiostro buio, ebbe la netta sensazione di non essere solo.

Carlo, che aspettava sotto l'androne di un palazzo lì vicino, si mise al fianco di Pazzi. Parlarono molto poco.

Raggiunto Palazzo Vecchio, controllarono che l'uscita su via dei Leoni fosse chiusa e che le finestre in alto avessero gli scuri serrati.

L'unica porta aperta era l'ingresso principale del palazzo.

«Usciremo di qui. Scenderemo i gradini e, svoltato l'angolo, andremo verso via de' Neri» spiegò Pazzi.

«Io e mio fratello saremo sulla piazza, dal lato della Loggia dei Lanzi. Vi seguiremo a una certa distanza. Gli altri sono al Museo Bardini.»

«Li ho visti.»

«Anche loro ti hanno visto.»

«La pistola a dardi fa molto rumore?»

«Non molto, non come una vera pistola, ma la sentirai e lui cadrà in fretta.» Carlo non disse che sarebbe stato Piero a sparare, appostato nell'ombra di fronte al museo, quando Pazzi e il dottor Lecter si fossero trovati ancora in favore di luce. Non voleva che Pazzi si ritraesse istintivamente prima dello sparo, preavvertendo il dottore del pericolo.

«Devi confermare a Mason che l'hai preso. Devi farlo stasera.»

«Non preoccuparti. Questo cazzone passerà la serata al telefono a implorare Mason» rispose Carlo, guardando Pazzi con la coda dell'occhio e sperando di vederlo sulle spine. «Prima supplicherà Mason di risparmiarlo, e dopo un po' supplicherà di morire.»

## 36

Scese la sera, e gli ultimi turisti furono invitati a lasciare Palazzo Vecchio. Molti di essi, mentre si sparpagliavano nella piazza, ebbero la sensazione di sentirsi pesare sulle spalle l'ombra imponente del castello e dovettero voltarsi a guardare per un'ultima volta gli sporti smerlati del suo ballatoio, in alto sopra di loro.

Si accesero i fari, che sciabolarono di luce il rude bugnato, accentuando le ombre sotto il torrione. Quando le rondini si ritirarono nei nidi, apparvero i primi pipistrelli, disturbati nella loro caccia più che dalla luce, dagli stridii degli attrezzi elettrici degli uomini della manutenzione.

All'interno del palazzo, l'interminabile opera di conservazione e mantenimento sarebbe andata avanti per un'altra ora, tranne che nella sala dei Gigli, dove il dottor Lecter stava parlando con il responsabile della squadra di operai.

L'uomo, abituato all'avarizia e alle acide richieste della commissione delle Belle arti, trovò il dottore tanto cortese quanto estremamente generoso.

Dopo pochi minuti, i suoi uomini stavano riponendo gli attrezzi e sgomberando il campo da compressori e lucidatrici, che misero contro le pareti. Poi arrotolarono le funi e i fili elettrici, disposero in fretta le sedie pieghevoli per la riunione dello Studiolo – ne servivano solo dodici – e spalancarono le finestre per liberare l'aria dall'odore di vernice, di cera e di antiossidanti.

Il dottore insistette per avere un vero e proprio leggio. Uno grande quanto un pulpito fu trovato nello studio adiacente alla sala, che era stato di Niccolò Machiavelli, e fu portato dentro con un alto carrello a mano, insieme al proiettore del palazzo.

Il piccolo schermo in dotazione non soddisfece il dottor Lecter, che lo rimandò indietro. Provò, invece, a mostrare le immagini a grandezza naturale, proiettandole su uno dei teloni appesi a protezione di un muro appena rinfrescato. Dopo aver sistemato meglio gli anelli che lo reggevano e allisciato le pieghe, si accorse che avrebbe funzionato benissimo.

Infilò un segnalibro in molti punti dei pesanti volumi impilati sul leggio, poi si mise alla finestra girando le spalle alla stanza, mentre arrivavano e prendevano posto i membri dello Studiolo nei loro abiti scuri. Il loro tacito scetticismo era evidente. Gli studiosi spostarono le sedie ordinate a semicerchio e le risistemarono in una disposizione simile a quella del banco di una giuria.

Guardando fuori dalla grande finestra, il dottor Lecter poteva vedere il Duomo e il campanile di Giotto, scuri contro il cielo a ovest, ma non, in basso, il battistero tanto amato da Dante. I fari voltati verso l'alto gli impedivano di distinguere alcunché nel buio della piazza, dove lo aspettavano i suoi assassini.

Mentre quegli uomini, gli studiosi e conoscitori del Medioevo e del Rinascimento più stimati al mondo, si sistemavano sulle loro sedie, il dottor Lecter compose mentalmente la conferenza che avrebbe tenuto per loro. Non gli ci vollero più di tre minuti. L'argomento era l'*Inferno* di Dante e Giuda Iscariota.

In completo accordo con il gusto dello Studiolo per il pre-Rinascimento, il dottor Lecter cominciò da Pier della Vigna, logoteta del Regno di Sicilia, la cui avarizia gli aveva guadagnato un posto nell'inferno dantesco. Per la prima mezz'ora, il dottore affascinò i presenti con gli intrighi medievali dietro la fine di Pier della Vigna.

«Della Vigna cadde in disgrazia e fu accecato per aver tradito la fiducia dell'imperatore a causa della propria avidità» proseguì poi il dottor Lecter, avvicinandosi al punto principale. «Dante lo trovò nel settimo girone dell'inferno, riservato ai suicidi. Come Giuda Iscariota, anche Della Vigna morì impiccato.

«Giuda, Pier della Vigna e Achitofèl, l'ambizioso consigliere di Assalonne, vengono collegati da Dante per l'avidità che vi riconobbe e per la loro conseguente morte per impiccagione.

«Nelle menti antiche e medievali, avidità e impiccagione erano associate. San Girolamo scrive che lo stesso patronimico di Giuda, Iscariota, significa "denaro" o "prezzo", mentre Origene sostiene che Iscariota deriva dall'ebraico "per soffocamento" e che il nome completo sta per "Giuda il Soffocato".»

Il dottor Lecter alzò gli occhi dal suo podio per guardare, da sopra gli occhiali, verso la porta.

«Ah, dottor Pazzi, benvenuto. Giacché è il più vicino all'interruttore, vuole essere così gentile da attenuare le luci? Quello che sto per dire la interesserà, visto che nell'inferno di Dante ci sono già due Pazzi...» I professori dello Studiolo emisero delle risatine sarcastiche. «C'è Camicion de' Pazzi, che uccise un parente, e aspetta l'arrivo di un secondo Pazzi... ma non è lei... è Carlino, che verrà collocato ancora più in basso nell'inferno per tradimento nei confronti dei Guelfi Bianchi, la stessa fazione di Dante.»

Da una delle finestre aperte volò dentro un pipistrello, che descrisse alcuni cerchi sopra le teste dei professori. In Toscana è un evento comune, e tutti lo ignorarono.

Il dottor Lecter riprese il tono da conferenziere. «Avidità e impiccagione, dunque, collegate fin dall'antichità.

La loro rappresentazione compare più volte nell'arte.»
Premette il tasto del comando che aveva in mano e il
proiettore mostrò un'immagine sul telone che copriva la
parete. Ne seguirono altre in rapida successione, mentre
Lecter parlava.

«Questa è la prima raffigurazione conosciuta della
Crocifissione, intarsiata su una scatola d'avorio in Gallia
all'incirca nel Quattrocento dopo Cristo. Include la morte per impiccagione di Giuda, con il viso rivolto verso il
ramo che lo sorregge. E qui, su un reliquiario di Milano
del quarto secolo, e ora su un dittico in avorio del nono
secolo, Giuda impiccato, che ancora guarda in alto.»

Il piccolo pipistrello svolazzò davanti allo schermo,
a caccia di insetti.

«In questo pannello del portale del Duomo di Bene-
vento, vediamo Giuda impiccato, con le budella che gli
fuoriescono, così come san Luca, il medico, ce l'ha descritto negli Atti degli Apostoli. Qui, invece, pende as-
sediato dalle Arpie, e sopra di lui, nel cielo, si vede la
faccia di Caino nella Luna. Ed eccolo dipinto dal vostro Giotto, di nuovo con le budella che pendono.

«E, infine, su un'edizione dell'*Inferno* del quindici-
mo secolo, è il corpo di Pier della Vigna a pendere da
un albero sanguinante. Non tornerò sull'ovvio parallel-
lo con Giuda Iscariota.

«Dante Alighieri non aveva bisogno di illustrazioni
per essere capito. È il suo stesso genio a far parlare
Pier della Vigna, ormai all'inferno, con suoni rochi e sibilanti, come se ancora avesse il cappio al collo. Ascol-
tatelo, mentre racconta di come trascina il proprio corpo morto, insieme agli altri dannati, per andare a
impiccarlo a un albero:

*Surge in vermena ed in pianta silvestra:*
*l'Arpìe, pascendo poi delle sue foglie,*
*fanno dolore, ed al dolor fenestra.»*

La faccia normalmente pallida del dottor Lecter si arrossa, mentre lui ricrea per lo Studiolo le parole strozzate e gorgoglianti di Pier della Vigna in agonia. Quando preme con il pollice il pulsante del comando, su larghi tratti del tendone di canapa compaiono alternativamente le immagini di Della Vigna e di Giuda con le budella fuori.

> *«Come l'altre verrem per nostre spoglie,*
> *ma non però ch'alcuna sen rivesta;*
> *ché non è giusto aver ciò ch'om si toglie.*
> *Qui le trascineremo, e per la mesta*
> *selva saranno i nostri corpi appesi,*
> *ciascuno al prun dell'ombra sua molesta.*

«È così che Dante ricorda, attraverso il suono delle parole, la morte di Giuda nella morte di Pier della Vigna, inflitte entrambe per lo stesso crimine di avidità e tradimento.

«Achitofèl, Giuda, lo stesso vostro Pier della Vigna. Avidità, impiccagione, autodistruzione, con l'avidità che provoca tanto l'autodistruzione quanto l'impiccagione. E che cosa dice l'anonimo suicida fiorentino alla fine del canto?

*Io fei giubbetto a me delle mie case.*

«E io... e io trasformai la mia casa nella mia forca.

«Alla prossima occasione, forse vi interesserà discutere del figlio di Dante, Pietro. Incredibilmente, fu l'unico dei primi commentatori del tredicesimo canto a stabilire un parallelo fra Pier della Vigna e Giuda. Credo anche che sarebbe altrettanto interessante riprendere la questione dell'antropofagia in Dante. Il conte Ugolino che divora la nuca del vescovo, Satana a tre facce che mangia Giuda, Bruto e Cassio, tutti traditori come Pier della Vigna.

«Grazie per la vostra attenzione.»

Gli studiosi applaudirono soddisfatti, nel loro modo controllato e sommesso, e il dottor Lecter lasciò le luci basse, mentre li salutava ognuno per nome, reggendo i libri, in modo da non essere costretto a stringere loro la mano.

Il dottor Lecter e Rinaldo Pazzi, ora soli nella grande sala, sentirono che, mentre scendevano le scale, gli studiosi discutevano sugli esiti della conferenza.

«Secondo lei, dottor Pazzi, mi sono salvato il posto?»

«Non sono un esperto, professor Fell, ma chiunque si sarebbe accorto che ha fatto colpo su di loro. Professore, se per lei va bene, l'accompagnerei a casa, così ritiro gli effetti del suo predecessore.»

«Riempiono due valigie, e lei ha già la borsa. Vuole portarle personalmente?»

«A Palazzo Capponi mi aspetta un'autopattuglia.» Pazzi avrebbe insistito, se necessario.

«Bene» disse Lecter. «Fra un minuto avrò sistemato le mie cose.»

Pazzi fece un cenno d'assenso e, con il cellulare, andò alle grandi finestre senza mai staccare gli occhi da Lecter, che gli appariva perfettamente calmo.

Dal piano di sopra arrivò un rumore di attrezzi elettrici.

Pazzi fece un numero e, quando rispose Carlo Deogracias, disse: «Laura, amore, sto arrivando».

Il dottor Lecter prese i libri dal leggio e li ripose in una borsa. Si avvicinò al proiettore: il ventilatore ronzava ancora e la polvere danzava nel suo fascio di luce.

«Avrei dovuto mostrare questa. Non so come ho fatto a dimenticarmene.» Proiettò la diapositiva di un'altra immagine: un uomo nudo appeso a un cappio sotto le merlature del palazzo. «Dovrebbe trovarla interessante, dottor Pazzi. Vediamo se riesco a migliorare la messa a fuoco.»

Armeggiò con il proiettore, poi si avvicinò all'immagine riflessa sul muro, la sua silhouette scura contro il telone, e della stessa grandezza dell'impiccato.

«La vede bene? Non riesco a ingrandirla di più. Qui è quando l'arcivescovo lo morse. E sotto c'è scritto il nome.»

Pazzi non si avvicinò al dottor Lecter, limitandosi a fare qualche passo verso il muro. Sentì l'odore di una sostanza chimica e per un attimo l'attribuì al materiale usato dagli operai.

«Riesce a distinguere i caratteri? La scritta dice "Pazzi", e segue una poesiola volgare. Questo è il suo antenato, Francesco, appeso fuori da Palazzo Vecchio, sotto queste finestre.» Il dottor Lecter fissò Pazzi attraverso il fascio di luce che li divideva.

«E a proposito, dottor Pazzi, devo confessarle una cosa: sto pensando seriamente di mangiare sua moglie.»

Il dottor Lecter strappò il telone e lo gettò su Pazzi, che agitò le braccia, tentando di levarselo dalla testa, mentre il suo cuore sembrava fermarsi. Lecter scivolò veloce alle sue spalle, gli strinse il collo in una morsa e, da sopra la tela che gli copriva la faccia, gli premette sulla bocca un tampone imbevuto d'etere.

Rinaldo Pazzi, con i piedi e le braccia impigliati nella tela, riuscì in un moto convulso a mettere mano alla sua Beretta, e mentre cadevano insieme sul pavimento, tentò di puntarla contro Lecter. Tirò il grilletto ma riuscì soltanto a spararsi nella coscia, mentre precipitava in un vortice buio...

Lo sparo della piccola .380 da sotto il telone non aveva fatto più rumore dei colpi e dei ronzii provocati dagli operai ai piani inferiori. Non salì nessuno. Il dottor Lecter andò alla grande porta della sala dei Gigli, la chiuse e girò la chiave.

Nausea e un'impressione di soffocamento, mentre Pazzi tornava in sé, con il sapore dell'etere in gola e un senso di costrizione al petto.

Scoprì di essere ancora nella sala dei Gigli e di non potersi muovere. Rinaldo Pazzi era tenuto in piedi dal telone e dalle corde, rigido come un orologio a pendolo, legato all'alto carrello a mano che gli operai avevano usato per trasportare il leggio. Aveva la bocca sigillata con nastro adesivo. Una benda gli bloccava il sangue della ferita alla coscia.

Mentre lo guardava standosene appoggiato al leggio, il dottor Lecter ricordò se stesso, legato allo stesso modo, quando lo spostavano su un carrello in giro per il Manicomio criminale.

«Riesce a sentirmi, dottor Pazzi? Faccia dei respiri profondi, finché può, e cerchi di schiarirsi la mente.»

Mentre parlava, il dottor Lecter aveva le mani indaffarate. Aveva portato nella stanza una grossa lucidatrice industriale ed era impegnato, con il filo elettrico, a realizzare un nodo scorsoio all'estremità dov'era la spina. Il filo, ricoperto di plastica arancione, emetteva una sorta di stridio, mentre Lecter l'avvolgeva nei tredici giri tradizionali.

Completò il nodo scorsoio con uno strattone e lo posò sul leggio. La spina sporgeva dal rotolo che formava il cappio.

La pistola di Pazzi, le manette, il contenuto delle sue tasche e la borsa erano sul leggio.

Il dottor Lecter esaminò le carte. Si infilò sotto la camicia il fascicolo dei carabinieri con il suo permesso di soggiorno, le fotografie e i negativi della sua nuova faccia.

Ed ecco lo spartito musicale che aveva prestato alla signora Pazzi. Lo prese e se lo batté leggermente sui denti. Allargò le narici e inspirò profondamente, la sua faccia vicina a quella di Pazzi. «Laura, se posso chiamarla così, deve usare una meravigliosa crema per le mani, la notte. Di prim'ordine. Da principio fredda, poi calda. Profumo di fiori d'arancio. Laura, l'*orange*. Mmmm. Non ho messo niente sotto i denti, oggi. In realtà, il fegato e i reni dovrebbero essere usati subito per cena... stasera stessa... ma il resto della carne può durare anche una settimana, con il fresco che fa. Non ho visto le previsioni del tempo. E lei? Immagino che intenda "no".

«Se mi dirà quello che voglio sapere, mi potrebbe convenire andarmene senza mangiare, e la signora Pazzi resterà incolume. Adesso le farò delle domande, poi vedremo. Può fidarsi di me, sa, anche se mi aspetto che per lei sia difficile fidarsi di qualcuno, conoscendo se stesso.

«Me ne sono reso conto, a teatro, che mi aveva riconosciuto, dottor Pazzi. Si è bagnato i calzoni, quando mi sono chinato sulla mano della sua signora? Quando non ho visto arrivare la polizia, ho capito che mi aveva venduto. A chi? A Mason Verger? Batta due volte le palpebre, se la risposta è sì.

«Grazie, l'avevo capito. Una volta ho chiamato il numero stampato sull'onnipresente manifesto di Mason. L'ho chiamato da un posto lontano da qui, tanto per divertirmi. I suoi uomini aspettano fuori? Mmmm. E uno di loro puzza di salsiccia di cinghiale rancida? Capisco. Ha detto di me a qualcuno della Questura? Era un unico battito di palpebre, quello? Bene. Adesso, voglio che lei ci pensi per un minuto e mi dica qual è il suo codice d'accesso per il programma Vicap di Quantico.»

Il dottor Lecter aprì il suo coltello Harpy. «Le tolgo il nastro adesivo, così potrà parlare.» Alzò il coltello. «Non tenti di gridare. Pensa di riuscirci?»

Pazzi era roco per l'etere. «Giuro su Dio che non conosco il codice. Non riesco a mettere insieme le idee. Vada alla mia macchina, ho delle carte...»

Il dottor Lecter girò il carrello perché Pazzi si trovasse di fronte al muro e fece passare, avanti e indietro, le immagini di Pier della Vigna impiccato e di Giuda impiccato e con le budella fuori.

«Come le preferisce le budella, Pazzi? Dentro o fuori?»

«Il codice è nella mia agenda.»

Il dottor Lecter tenne l'agenda all'altezza della faccia di Pazzi finché, fra i numeri di telefono, trovò l'annotazione.

«E può inserirsi a distanza, come ospite?»

«Sì» gracchiò Pazzi.

«Grazie.» Il dottor Lecter inclinò il carrello e spinse Pazzi davanti a una delle grandi finestre.

«Mi ascolti!» urlò lui. «Ho del denaro! Lei avrà bisogno di denaro, per scappare. Mason Verger non si arrenderà mai. Mai. E lei non può andare a casa a prendere i soldi, perché la sua abitazione è sorvegliata.»

Il dottor Lecter tolse due assi dall'impalcatura lasciata dagli operai e le appoggiò sotto al davanzale per creare una rampa.

Il vento che entrava dalla finestra era freddo, sulla faccia di Pazzi, che si mise a parlare in fretta. «Non uscirà mai vivo da questo edificio. Io ho del denaro: centosessanta milioni in contanti. Mi lasci telefonare a mia moglie. Le dirò di andare a prenderli, di metterli sulla mia macchina e di lasciare l'auto qui davanti.»

Il dottor Lecter recuperò il suo nodo scorsoio dal leggio e lo portò verso Pazzi, trascinando il filo arancione dietro di sé. L'altro capo era avvolto in una serie di giri attorno alla pesante lucidatrice.

Pazzi parlava ancora. «Quando sarà qui fuori, mia moglie può chiamarmi sul cellulare, e poi lascerà il denaro per lei. Ho il permesso di circolazione della polizia, mia moglie può attraversare tutta la piazza fino all'ingresso del palazzo. Farà quello che le dico. Lei guarderà fuori e vedrà qui sotto la macchina con il motore acceso, le chiavi nel cruscotto.»

Lecter lo inclinò verso il davanzale della finestra, che gli arrivava alle cosce.

Pazzi guardò giù verso la piazza e distinse il punto in cui era stato arso Savonarola, proprio lì dove aveva deciso di vendere il dottor Lecter a Mason Verger. Alzò gli occhi sulle nuvole che correvano basse, colorate dalla luce dei riflettori, e si augurò, con tutto il cuore, che Dio potesse vederlo.

Giù era l'abisso, e lui non poté fare a meno di guardare là, verso la morte, sperando contro ogni ragione che i fasci luminosi dei fari dessero sostanza all'aria, che in qualche modo si stringessero attorno a lui, tanto da potervisi aggrappare.

Il rivestimento di gomma arancione del filo, freddo contro il suo collo. Il dottor Lecter così vicino.

«Addio, dottor Pazzi.»

Bagliore del coltello davanti ai suoi occhi, la lama che squarcia la tela e la carne e poi taglia le corde con le quali è legato al carrello, e lui che vola in avanti, trascinando con sé il filo arancione; e la terra che gli sale incontro, la bocca spalancata nell'urlo e, dentro la sala, la lucidatrice che corre sul pavimento finendo contro il davanzale. La testa di Pazzi scattò in su, il collo si ruppe, le budella fuoriuscirono.

Pazzi e la sua appendice ruotavano e sbattevano contro il muro di pietra del palazzo illuminato dai riflettori, contraendosi in spasmi postumi, e non per il soffocamento, perché Pazzi era già morto. Le luci rendevano enorme la sua ombra proiettata sul muro, ondeggiante, con le budella che penzolavano sotto di lui formando un breve arco che si muoveva più velocemente del resto, la sua virilità che tendeva i calzoni nella rigidità della morte.

Carlo schizzò fuori da sotto un androne, insieme a Matteo, attraversò la piazza verso l'ingresso del palazzo, dando spallate ai turisti, due dei quali avevano le videocamere puntate sull'edificio.

«È un trucco» disse qualcuno in inglese, mentre lui lo superava.

«Matteo, sorveglia l'uscita posteriore. Se viene fuori, ammazzalo e fallo a pezzi» ordinò Carlo, maneggiando il cellulare mentre correva. Ora si trovava nel palazzo, su per le scale fino al primo piano, poi fino al secondo.

La grande porta della sala era socchiusa. Appena dentro, Carlo puntò la pistola verso la figura proiettata sul muro, poi corse alla finestra e infine guardò dentro lo studio di Machiavelli.

Con il cellulare si mise in contatto con Piero e Tommaso, che aspettavano sul furgoncino davanti al museo. «Andate a casa sua, sorvegliate l'ingresso principale e quello sul retro. Ammazzatelo subito e squartatelo.»

Carlo compose un altro numero. «Matteo?»

Il cellulare ronzò nel taschino della giacca, mentre Matteo, ansante, se ne stava davanti al portone posteriore chiuso del palazzo. Aveva scrutato in alto, verso le finestre buie, e aveva provato ad aprire la porta, una mano sotto la giacca, sulla pistola infilata nella cintola.

Aprì il telefonino. «Pronto?»

«Che cosa vedi?»

«La porta è chiusa.»

«E in alto?»

Matteo guardò di nuovo in su, ma non abbastanza in fretta da notare una finestra che si apriva sopra di lui.

Carlo sentì un fruscio e un grido arrivargli dal cellulare, e corse, corse giù per le scale, cadendo su un pianerottolo, di nuovo in piedi e di corsa, oltre la guardia che prima stava davanti al portone del palazzo e adesso era fuori, oltre le statue ai due lati dell'ingresso e oltre l'angolo. Ora sfrecciava verso il retro dell'edificio, urtando alcune coppie. Là dietro era buio, e il cellulare squittiva come un animaletto nella sua mano. Davanti a lui, una figura ammantata di bianco attraversò di corsa la strada, urtò uno scooter, fu gettata a terra, si rialzò andando a sbattere contro le vetrine di un negozio dall'altra parte della viuzza che portava al palazzo, si voltò e riprese a correre, alla cieca. Un'apparizione in bianco, che urlava: «Carlo! Carlo!». Grandi macchie si allargavano sul tessuto che la copriva, e Carlo accolse suo fratello fra le braccia, tagliò il nastro adesivo che gli girava attorno al collo per tenere ferma la tela sulla testa, quella tela che era una maschera di sangue. Scoprì Matteo e lo trovò orribilmente squarciato, con tagli sulla faccia, attraverso l'addome, e uno al torace, tanto profondo che la ferita era slabbrata. Lo lasciò il tempo sufficiente per correre all'angolo e guardare da entrambi i lati della via, poi tornò da lui.

Mentre le sirene si avvicinavano e piazza della Signoria si riempiva di autopattuglie, il dottor Lecter, imperturbabile, si allontanò e raggiunse una gelateria nella vicina piazza dei Giudici. Lungo il marciapiede erano posteggiati motociclette e scooter.

Si accostò a un ragazzo in giubbotto di pelle che stava mettendo in moto una grossa Ducati.

«Giovanotto, sono disperato» gli disse con un sorriso contrito. «Se non sono a Bellosguardo entro dieci minuti, mia moglie mi ucciderà.» Tirò fuori una banconota da cinquantamila lire. «Ecco quanto vale mia moglie per me.»

«Tutto qui? Vuoi un passaggio?» esclamò il ragazzo.

Il dottor Lecter allargò le braccia: «Appunto, un passaggio».

La veloce motocicletta tagliò il traffico sul lungarno, con il dottor Lecter chino sul giovane guidatore, in testa un casco di scorta che odorava di lacca per capelli e profumo. Il ragazzo sapeva dove andare, mentre sfrecciava per via de' Serragli verso piazza Tasso, e su per via Villani, infilando lo stretto passaggio di fianco alla chiesa di San Francesco di Paola che immette sulla strada tutta curve per Bellosguardo, la bella zona residenziale sulle colline che guardano Firenze da sud. Il motore della grossa Ducati riecheggiò sui muri di pietra ai due lati del passaggio con un suono simile a quello di una tela che si squarcia, rallegrando il dottor Lecter mentre si piegava per seguire le curve e tentava di resistere all'odore di lacca e di profumo da due soldi del casco. Si fece lasciare all'ingresso della piazza di Bellosguardo, poco lontano dalla villa del conte Montauto, dove aveva vissuto Nathaniel Hawthorne. Il motociclista si cacciò nel taschino le cinquantamila lire, e il fanalino di coda della moto scomparve in fretta giù per la strada tutta curve.

Euforico per la corsa, il dottor Lecter percorse altri quaranta metri fino alla Jaguar nera, prese le chiavi da dietro il paraurti e mise in moto. Nel palmo della mano aveva una lieve escoriazione, nel punto in cui il guanto si era spostato, mentre gettava il telone su Matteo e saltava su di lui dalla finestra del primo piano del palazzo. Si applicò un po' di Cicatrene e si sentì subito meglio.

Intanto che il motore dell'auto si scaldava, cercò fra le cassette. Decise per Scarlatti.

## 37

L'aereo sanitario si alzò sopra le tegole rosse dei tetti e diresse a sudovest verso la Sardegna, con la Torre di Pisa che spuntava da sopra un'ala in una virata più stretta di quanto il pilota si sarebbe concesso se avesse portato un paziente vivo.

Sulla barella destinata a Hannibal Lecter giaceva il cadavere di Matteo Deogracias. Suo fratello maggiore Carlo sedeva vicino al corpo, con gli abiti rigidi per il sangue rappreso.

Carlo Deograciàs fece mettere gli auricolari all'infermiere e alzò il volume della musica, mentre con il cellulare chiamava Las Vegas, dove un ripetitore che rendeva irrintracciabili le telefonate trasferiva la linea sulle sponde del Maryland...

Per Mason Verger, il giorno e la notte erano molto simili. Quel giorno capitò che dormisse. Erano spente anche le luci dell'acquario. La testa di Mason era posata di lato sul cuscino, l'unico occhio sempre aperto, come gli occhi della grossa anguilla, anch'essa addormentata. Gli unici rumori erano i sibili e i sospiri del respiratore, e il tenue ribollire dell'aeratore nell'acquario.

A quei suoni ripetuti se ne aggiunse un altro, soffocato e urgente. Il ronzio della linea più riservata di Mason. La mano pallida camminò sulle dita come un granchio per premere il pulsante dell'apparecchio. La cornetta era accanto al cuscino, con il microfono vicino alle rovine della sua faccia.

Prima, Mason sentì l'aeroplano in sottofondo, poi un motivetto stucchevole, *Gli innamorati*.

«Sono qui. Dimmi.»

«È un gran casino» cominciò Carlo.

«Va' avanti.»

«Mio fratello Matteo è morto. Tengo la mano sul suo cadavere, in questo momento. Anche Pazzi è morto. Li ha uccisi il professor Fell, e poi se n'è andato.»

Mason non rispose subito.

«Lei deve duecentomila dollari a Matteo» continuò Carlo. «Alla sua famiglia.» I killer sardi chiedono sempre una gratifica per la morte.

«Me ne rendo conto.»

«Succederà l'iradiddio, per la morte di Pazzi.»

«Sarà meglio mettere in giro la voce che Pazzi non era pulito» disse Mason. «La prenderanno meglio, se sapranno che era sporco. Ma lo era?»

«A parte questa storia, non lo so. E se da Pazzi risalissero a lei?»

«Me ne occuperò io.»

«E io devo occuparmi di me stesso» esclamò Carlo. «È troppo. Un ispettore capo della Questura morto. Stavolta non ne esco.»

«Voi non avete fatto niente, vero?»

«Non abbiamo fatto niente, ma se la Questura collega il mio nome a questa storia... Cristo d'un Dio! Mi controlleranno per il resto della vita. Nessuno vorrà più avere a che fare con me, non potrò più muovere un dito. E Oreste? Sapeva chi doveva filmare?»

«Non credo.»

«La Questura identificherà il professor Fell domani stesso, o al massimo fra due giorni. Non appena leggerà la notizia, Oreste farà due più due, se non altro per la coincidenza delle date.»

«Oreste è ben pagato. È innocuo, per noi.»

«Forse per lei, ma il prossimo mese deve comparire davanti a un giudice di Roma per un'accusa di pornografia. Ora ha qualcosa da offrire. Se lei già non la sapeva, questa storia del giudice, allora dovrebbe prendere qualcuno a pedate nel culo. Oreste le serve proprio?»

«Parlerò con lui» promise Mason, scegliendo con cura le parole, il caldo tono da annunciatore radiofonico che usciva dalla faccia devastata. «Carlo, sei ancora in gioco? *Vuoi* trovare il professor Fell, vero? *Devi* trovarlo, per Matteo.»

«Sì, ma a spese sue.»

«Allora continua a mandare avanti la fattoria. Procurati della peste suina certificata e iniezioni di colera per maiali. Procurati anche gli imballaggi per le spedizioni. Hai un buon passaporto?»

«Sì.»

«Intendo dire uno veramente *buono*, Carlo, non quella merda che ci si procura in Trastevere.»

«È buono.»

«Mi farò vivo.»

Nel ronzio dell'aereo, interrompendo il contatto, Carlo schiacciò inavvertitamente un numero memorizzato del cellulare. Il telefonino di Matteo suonò forte fra le dita irrigidite, stretto nella morsa d'acciaio dello spasmo cadaverico. Per un attimo, Carlo pensò che il fratello se lo sarebbe portato all'orecchio. Frastornato, rendendosi conto che Matteo non poteva rispondere, interruppe la chiamata. Aveva l'espressione così sconvolta, che l'infermiere dell'aereo non riuscì più a guardarlo.

## 38

L'Armatura del diavolo dall'elmo con le corna aggraziate, simili a quelle dei camosci, è uno splendido esemplare del quindicesimo secolo che si trova, fin dal 1501, appesa in alto su una parete della chiesa del paese di Santa Reparata, vicino a Firenze. Le manopole appuntite sono attaccate dove dovrebbero essere le scarpe, alla fine degli schinieri, e ricordano i piedi caprini di Satana.

Secondo una leggenda locale, un giovane con indosso l'armatura, mentre passava davanti alla chiesa, pronunciò il nome della Vergine invano, e più tardi scoprì che non si sarebbe più potuto togliere la corazza se prima non supplicava la Vergine di perdonarlo. Alla fine, lasciò l'armatura alla chiesa come dono votivo. L'armatura è una presenza imponente e, quando nel 1942 una bomba scoppiò nella chiesa, fece onore all'armaiolo che l'aveva costruita.

Ora che la messa sta per finire, l'armatura, con la superficie coperta da un rivestimento di polvere che la rende simile a feltro, sembra guardare in basso verso l'altare. L'incenso si alza nell'aria, passa attraverso la celata vuota.

Alla messa hanno assistito solo tre persone, due donne anziane, entrambe vestite di nero, e il dottor Hannibal Lecter. Fanno tutte e tre la comunione, anche se il dottor Lecter è riluttante ad avvicinare le labbra alla pisside.

Il prete completa la benedizione e si ritira. Le donne se ne vanno. Il dottor Lecter continua a pregare finché non resta solo nella chiesa.

Dal soppalco in cui si trova l'organo, allunga la mano sopra la ringhiera e, sporgendola fra le corna, alza la celata polverosa dell'elmo dell'Armatura del diavolo. All'interno, un amo sorregge un filo e un pacchetto che pende nella corazza all'altezza del cuore. Il dottor Lecter lo tira su con molta cautela.

Un pacchetto: passaporti della miglior fattura brasiliana, documenti d'identità, contanti, libretti bancari, chiavi. Se lo mette sotto il braccio all'interno della giacca.

Il dottor Lecter non era solito indulgere ai rimpianti, ma gli dispiaceva lasciare l'Italia. A Palazzo Capponi c'erano carte che gli sarebbe piaciuto scoprire e leggere. Gli sarebbe piaciuto anche suonare il clavicembalo e magari comporre; e avrebbe potuto cucinare per la vedova Pazzi, una volta che lei avesse superato il dolore.

## 39

Mentre il sangue ancora gocciolava dal corpo appeso di Rinaldo Pazzi, friggendo e fumando sui fari bollenti disposti davanti a Palazzo Vecchio, la polizia chiamò i vigili del fuoco perché lo tirassero giù.

I pompieri usarono un'estensione per allungare la scala del loro veicolo. Sempre pratici, con la sicurezza che l'impiccato fosse morto, impiegarono tutto il tempo necessario a recuperare Pazzi. Era un procedimento delicato, che li costrinse a raccogliere le viscere penzolanti, a riportarle all'altezza del corpo e ad avvolgere una rete tutt'attorno, prima di assicurare una corda per calarlo a terra.

Quando il cadavere raggiunse le braccia tese di quelli che lo aspettavano in basso, «La Nazione» scattò una straordinaria fotografia, che ricordò ai lettori i grandi dipinti della Deposizione.

La polizia lasciò il cappio dov'era, finché non si fossero rilevate le impronte digitali, e poi tagliò il grosso filo elettrico in modo da preservare integro il nodo.

Molti fiorentini erano convinti che quella morte fosse un suicidio spettacolare, avendo deciso che Rinaldo Pazzi si era legato le mani da solo, come facevano i suicidi in carcere, e ignorando che anche i piedi erano legati. In un primo momento, la radio locale ipotizzò che Pazzi, oltre a impiccarsi, si fosse fatto harakiri con un coltello.

La polizia capì immediatamente che le cose non stavano in questo modo: le corde recise sul carrello, la pistola mancante, i testimoni oculari che avevano visto Carlo precipitarsi nel palazzo e la figura ammantata, sporca di sangue, correre alla cieca nella strada, indicavano senza ombra di dubbio che quello di Pazzi era un omicidio.

Poi, l'opinione pubblica decise che era stato il Mostro a uccidere il poliziotto.

La Questura iniziò da quel povero cristo di Girolamo Tocca, arrestato tempo prima con l'accusa di essere il Mostro. Andarono a prenderlo a casa e lo portarono via, con la moglie che urlò di nuovo in mezzo alla strada. Ma l'alibi di Tocca era incontestabile. All'ora del delitto, stava bevendo un Ramazzotti al bar, sotto gli occhi di un prete. Fu rilasciato a Firenze e dovette tornare a San Casciano in autobus, pagandosi il biglietto.

Subito vennero interrogati i dipendenti di Palazzo Vecchio, e gli interrogatori si estesero ai membri dello Studiolo.

La polizia non riuscì a trovare il professor Fell. Da mezzogiorno di sabato, l'attenzione cominciò a essere puntata su di lui. Alla Questura si ricordarono che Pazzi era stato incaricato di indagare sulla scomparsa del predecessore di Fell.

Poi, un archivista dei carabinieri riferì che negli ultimi giorni Pazzi aveva esaminato un permesso di soggiorno. La ricevuta per il ritiro del fascicolo del professor Fell, completa di fotografie, negativi e impronte digitali, era stata firmata con un nome falso con quella che sembrava la scrittura di Pazzi. L'Italia non ha ancora computerizzato gli archivi su scala nazionale e i permessi di soggiorno vengono custoditi a livello locale.

Gli archivi dell'ufficio immigrazione fornirono il numero di passaporto del professor Fell, ed entrò in ballo il Brasile.

Ma la polizia ancora non si insospettì sulla vera identità del professore. Rilevarono le impronte dal filo elettrico del nodo scorsoio e dal leggio, dal carrello e dalla cucina di Palazzo Capponi. In pochi minuti venne preparato un ritratto del professor Fell.

Domenica mattina, un esperto in impronte digitali di Firenze era laboriosamente arrivato alla conclusione, dopo averle esaminate punto per punto, che le impronte sul leggio, sul cappio e sugli utensili della cucina del professor Fell a Palazzo Capponi erano le stesse.

L'impronta del pollice di Hannibal Lecter, riprodotta sul manifesto appeso negli uffici direttivi della Questura, non venne presa in considerazione.

Le impronte digitali rilevate sulla scena del delitto andarono all'Interpol domenica sera e vennero inviate con procedura di routine al comando dell'Fbi di Washington, D.C., insieme a settemila altre. Sottoposte al sistema di classificazione automatizzato, le impronte arrivate da Firenze provocarono una tale onda d'urto che l'allarme arrivò fino all'ufficio del vicedirettore della sezione identificazioni. Dopo aver visto la faccia e le dita di Hannibal Lecter scivolare fuori dalla stampante, l'agente del turno di notte chiamò a casa il vicedirettore dell'Fbi, che prima avvertì il direttore e poi Krendler, del dipartimento della Giustizia.

Il telefono di Mason suonò all'una e trenta di notte. Lui si finse sorpreso e interessato.

Il telefono di Jack Crawford squillò all'una e trentacinque. Crawford sbuffò diverse volte e rotolò verso la parte vuota del letto matrimoniale, dove un tempo dormiva la sua defunta moglie Bella. Il lenzuolo era freddo, e Crawford ritirò la mano.

Clarice Starling fu l'ultima a essere informata telefonicamente che il dottor Lecter aveva ucciso di nuovo. Dopo aver riattaccato, rimase immobile per molti minuti, al buio, e gli occhi le pizzicarono per qualche ragione che non riuscì a capire, ma non pianse. Guardando in alto, con la testa appoggiata sul cuscino, vide la faccia di lui ondeggiare nell'oscurità. Era la vecchia faccia del dottor Lecter, naturalmente.

## 40

Il pilota dell'aereo sanitario si rifiutò di atterrare al buio nel piccolo aeroporto di Arbatax, privo di controlli. Scese a Cagliari, fece rifornimento e aspettò la luce del giorno, poi volò sulla costa, in un'alba spettacolosa che proiettò un falso colorito rosa sul viso morto di Matteo.

Sulla pista di Arbatax aspettava un furgone con una bara. Il pilota si mise a discutere sul compenso, e Tommaso intervenne prima che Carlo lo prendesse a ceffoni.

Tre ore su per la montagna, e arrivarono a casa.

Carlo andò da solo nella baracca di tronchi che aveva costruito con Matteo. Là era tutto pronto, con le cineprese già sistemate per filmare la morte di Lecter. Carlo rimase sotto quella che era stata soprattutto opera delle mani di Matteo e si osservò nel grande specchio rococò appeso sul recinto degli animali. Guardò i grossi tronchi che avevano segato insieme, pensò alle grandi mani squadrate di Matteo strette sulla sega e gli sfuggì un grido acuto, un grido che proruppe dal suo cuore lacerato, tanto forte che riecheggiò contro gli alberi. Da dietro gli arbusti del pascolo di montagna comparvero alcuni grugni muniti di zanne.

Piero e Tommaso, anche loro fratelli, lo lasciarono fare.

Sul pascolo cinguettavano gli uccelli.

Dalla casa uscì Oreste Pini, che con una mano si chiudeva la patta e nell'altra stringeva il cellulare. «E così, vi siete lasciati scappare Lecter. Che sfiga.»

Carlo sembrò non averlo sentito.

«Ascolta, non tutto è perduto. Può ancora funzionare» continuò. «Ho Mason al telefono. Vuole una simulazione. Qualcosa da mostrare a Lecter quando gli metterà le mani addosso, visto che è tutto pronto. Abbiamo un cadavere... Mason dice che è di un tirapiedi che avevi assoldato. Secondo lui, quando arrivano i maiali, potremmo semplicemente farlo ballonzolare al di sotto della recinzione e come sonoro trasmettere quelle registrazioni. Ecco qui, parla con Mason.»

Carlo si voltò e guardò Oreste come se lo vedesse per la prima volta. Alla fine prese il cellulare. Scambiò qualche parola con Mason, la faccia gli si rasserenò e su di lui parve scendere una certa pace.

Chiuse il cellulare con uno scatto. «Tienti pronto» disse.

Carlo parlò con Piero e Tommaso, e con l'aiuto del cameraman portarono la bara nella baracca.

«Non iniziamo subito con questa inquadratura» disse Oreste. «Prima giriamo una scena con gli animali che si agitano nel recinto e da lì spostiamo la ripresa sul cadavere.»

Sentendo l'attività nella baracca, i primi maiali si fecero da presso.

«Pronti a girare!» gridò Oreste.

Arrivarono di corsa, i maiali selvatici, marrone e argento, così alti da arrivare ai fianchi di un uomo, petti larghi, setole lunghe. Avanzavano sui piccoli zoccoli con la velocità di lupi, occhietti intelligenti nei grugni feroci, colli dai muscoli massicci sotto le setole dritte della schiena, capaci di sollevare un uomo sulle zanne appuntite.

«Pronti!» gridò il cameraman.

I maiali non mangiavano da tre giorni, e ora ne arrivavano altri in una fila che procedeva compatta, per niente intimiditi dagli uomini dietro la recinzione.

«Motore!» urlò Oreste.

«Motore partito!» strillò il cameraman.

I maiali si fermarono a una decina di metri dalla baracca, irrequieti, addossati gli uni agli altri in un ammasso di zoccoli e zanne, con la scrofa incinta al centro. Avanzarono come un'ondata e poi si ritrassero, e Oreste li incorniciò con le mani mimando l'inquadratura.

«Azione!» gridò ai sardi, e Carlo, arrivandogli alle spalle, lo tagliò in mezzo alle natiche, facendolo urlare, lo afferrò per i fianchi e lo scaraventò nel recinto a testa in avanti, e i maiali caricarono. Oreste tentò di mettersi in piedi, appoggiandosi a un ginocchio, ma la scrofa lo colpì alle costole e lo buttò giù lungo disteso. I suini si gettarono su di lui, grugnendo e strillando. Due cinghiali gli azzannarono la faccia staccandogli la mascella, che si divisero come fosse stata una forcella di pollo. E ancora Oreste riuscì quasi ad alzarsi, poi cadde di nuovo sulla schiena, con la pancia nuda ed esposta, le braccia e le gambe che si agitavano al di sopra delle groppe in tumulto, urlando senza mascella, ma incapace di pronunciare parola.

Carlo sentì uno sparo e si voltò. Il cameraman aveva abbandonato la cinepresa, che continuava ad andare, e aveva tentato di scappare, non abbastanza in fretta, però, da sfuggire alla pistola di Piero.

I maiali cominciavano a calmarsi, ora, e trascinavano via degli avanzi.

«Azione 'sto cazzo» disse Carlo, e sputò per terra.

PARTE TERZA

# Verso il Nuovo Mondo

## 41

Mason Verger era circondato da un silenzio riguardo-
so. I suoi dipendenti lo trattavano come se avesse perso un figlio. Quando gli chiesero come stava, rispose:
«Come uno che ha sborsato un sacco di quattrini per
un mammamia morto».

Dopo un sonno di molte ore, Mason avrebbe voluto
che gli portassero qualche bambino nella sala giochi
davanti alla sua stanza, e fare due chiacchiere con un
paio dei più disturbati, ma non c'erano bambini così
da poter ottenere sui due piedi, e neanche c'era tempo
perché i suoi fornitori dei bassifondi di Baltimora ne
sconvolgessero emotivamente qualcuno per lui.

In mancanza di questo, Mason fece mutilare delle
carpe ornamentali dal suo inserviente, che poi le lasciò
cadere a pezzi nell'acquario finché l'anguilla si stancò di
mangiarne e si ritirò sulle sue pietre, con l'acqua velata
di rosa e di grigio e piena di iridescenti resti dorati.

Mason tentò di rifarsi con sua sorella Margot, ma lei
si ritirò ad allenarsi e ignorò per ore le sue chiamate.
Margot era l'unica persona della Muskrat Farm che
osasse ignorare Mason.

Sabato sera, prima che il dottor Lecter venisse identificato come l'assassino, la televisione trasmise una
breve ripresa amatoriale della morte di Rinaldo Pazzi.
Molte parti erano state tagliate, e alcune immagini ri-

sultavano sfocate, in modo da risparmiare ai telespettatori i particolari più crudi.

Il segretario di Mason si mise immediatamente al telefono per procurarsi la videocassetta completa, che arrivò in elicottero quattro ore più tardi.

Il videotape aveva un'origine curiosa.

Dei due turisti che stavano riprendendo Palazzo Vecchio al momento della morte di Pazzi, uno era stato preso dal panico e, al momento della caduta, si era girato. L'altro, uno svizzero, aveva resistito per l'intero episodio, tornando perfino con la videocamera sulla corda che pendeva oscillando.

Questo videoamatore, un impiegato di nome Viggert, per timore che la polizia sequestrasse il filmato e la Rai ne entrasse in possesso gratuitamente, aveva subito chiamato il suo avvocato a Losanna e preso accordi per mettere il copyright sulle immagini. Dopo un'asta feroce, aveva venduto i diritti televisivi in esclusiva alla rete Abc. I diritti di pubblicazione su carta stampata erano andati, per il Nordamerica, al «New York Post» e, subito dopo, al «National Tattler».

Il nastro si conquistò all'istante un posto fra i classici dell'orrore – l'omicidio di John Kennedy, l'assassinio di Lee Harvey Oswald e il suicidio di Edgar Bolger – ma Viggert si sarebbe pentito amaramente di aver venduto troppo presto, prima che il dottor Lecter fosse accusato dell'omicidio.

La copia di quel videotape vacanziero era completa. Si vedeva anche la famiglia svizzera Viggert che, alla Galleria dell'Accademia, girava coscienziosamente intorno alle palle del *David* di Michelangelo, ore prima degli avvenimenti di Palazzo Vecchio.

Mason, guardando il video con il suo unico occhio sporgente, provò ben poco interesse per il pezzo di carne che si contorceva a un'estremità del filo elettrico. Non lo interessò neanche la piccola lezione di storia che «La Nazione» e il «Corriere della Sera» impartirono ai loro lettori sui due Pazzi impiccati alla stessa finestra a cinquecento anni di distanza. Quello che lo inchiodò, quello che guardò ancora e ancora e ancora, fu ciò che si intravedeva sopra la corda pendente dalla finestra: una figura snella, dalla silhouette sfumata contro la debole luce dell'interno, che salutava con la mano. Salutava Mason. Il dottor Lecter che faceva ciao ciao a Mason, come si usa con i bambini.

«Ciao ciao» rispose Mason dalla sua oscurità. «Ciao ciao» con la profonda voce radiofonica scossa dalla rabbia.

## 42

Grazie al cielo, l'identificazione del dottor Hannibal Lecter come l'assassino di Rinaldo Pazzi fornì a Clarice Starling qualcosa di serio da fare. Clarice diventò *de facto* il collegamento tra l'Fbi e le autorità italiane. Era bello concentrare gli sforzi su un unico compito.

Dopo la sparatoria durante l'operazione antidroga, il mondo di Starling era cambiato. Lei e gli altri superstiti del mercato del pesce Feliciana venivano tenuti in una sorta di purgatorio amministrativo in attesa che il rapporto del dipartimento della Giustizia venisse inoltrato a un poco importante sottocomitato giudiziario di stato.

Dopo aver trovato la radiografia di Lecter, Starling aveva occupato il tempo come supplente altamente qualificata, sostituendo presso l'Accademia nazionale di polizia di Quantico gli istruttori malati o in vacanza.

Durante l'autunno e l'inverno, Washington era stata ossessionata da uno scandalo alla Casa Bianca. Gli schiumanti riformatori avevano sputato più saliva di quella usata nel corso di quel piccolo, squallido peccato, e il presidente degli Stati Uniti, nel tentativo di salvarsi dall'impeachment, aveva mangiato pubblicamente più merda del dovuto.

In tutto quel bailamme, l'inessenziale questione del mercato del pesce Feliciana fu messa da parte.

Ogni giorno, dentro Starling cresceva una triste consapevolezza: per lei, il servizio presso l'agenzia federale non sarebbe stato più lo stesso. Era segnata. Quando trattavano con lei, i suoi colleghi avevano un'espressione guardinga, come se fosse affetta da qualcosa di contagioso. Starling era abbastanza giovane da lasciarsi sorprendere e deludere da comportamenti del genere.

Ora sarebbe stata molto occupata... Dall'Italia, le richieste d'informazione su Hannibal Lecter, indirizzate a Scienza del comportamento, arrivavano a fiumi, in genere in doppia copia, perché se ne inoltrasse una al dipartimento di Stato. E Starling rispondeva puntualmente, intasando le linee del fax e spedendo per e-mail la documentazione su Lecter. Rimase sorpresa nel verificare quanto si fosse disperso il materiale periferico nei sette anni successivi all'evasione del dottore.

L'ufficetto angusto che occupava nel sotterraneo di Scienza del comportamento traboccava di carte, fax dall'Italia macchiati d'inchiostro, copie di giornali italiani.

Che cosa poteva mandare agli italiani che avesse un qualche valore? L'unico punto al quale potevano aggrapparsi era la richiesta d'accesso al file Vicap di Lecter custodito a Quantico, inoltrata dal computer della Questura pochi giorni prima della morte di Pazzi. La stampa italiana la usava per rinverdire la reputazione di Pazzi, sostenendo che il poliziotto stava lavorando in segreto per catturare Lecter e riscattare il proprio onore.

D'altro canto, rifletteva Starling, quale informazione sull'omicidio Pazzi sarebbe stata utile a loro, se il dottore fosse tornato negli Stati Uniti?

Jack Crawford non stava molto in ufficio e non poteva consigliarla. Era spesso in tribunale e, dato che era vicino alla pensione, veniva destinato ai casi ancora aperti. Si dava malato sempre più spesso, e quando era in ufficio appariva sempre più distante.

L'idea di non poter avere i suoi consigli provocava in Starling momenti di panico.

Negli anni che aveva trascorso nell'Fbi, Starling aveva imparato molte cose. Sapeva che se il dottor Lecter avesse ucciso di nuovo negli Stati Uniti, nel Congresso sarebbe volata la merda, il dipartimento della Giustizia l'avrebbe raccolta e scagliata contro il cielo, e sarebbe cominciato alla grande il prendimi-fottimi. I primi a essere fottuti sarebbero stati quelli della dogana e del controllo passaporti per aver fatto entrare Lecter.

La giurisdizione locale dove fosse avvenuto il reato avrebbe richiesto l'intera documentazione relativa a Lecter e lo sforzo dell'Fbi si sarebbe concentrato sull'ufficio di zona.

Se poi fosse stato catturato, per attribuirsene il merito le varie autorità si sarebbero sbranate come orsi attorno a una foca insanguinata.

Starling, che aveva il compito di preparare il campo per l'eventuale arrivo di Lecter, dovette sforzarsi di mettere da parte la dolorosa consapevolezza di ciò che sarebbe accaduto attorno all'indagine.

Si rivolse una semplice domanda, che gli arrampicatori sociali della politica avrebbero considerato moralistica: come poteva fare esattamente ciò che si era impegnata a fare sotto giuramento? Come poteva proteggere i cittadini e acciuffare Lecter, se fosse arrivato?

Era evidente come fosse fornito di buoni documenti e di denaro. Era un genio, quando si trattava di nascondersi. Bastava pensare all'elegante semplicità del suo primo rifugio dopo l'evasione da Memphis: era sceso in un albergo a quattro stelle di St. Louis attiguo a una grande clinica di chirurgia plastica. Metà dei clienti aveva il volto bendato. Anche Lecter aveva fasciato la propria faccia e vissuto nel lusso con i soldi di un morto.

Fra le centinaia di fogli e foglietti, Starling aveva le ricevute arrivate da St. Louis del suo servizio in camera. Astronomiche. Una bottiglia di Bâtard-Montrachet, centoventicinque dollari. Come doveva averlo gustato, dopo tanti anni di cibo carcerario.

Starling chiese di avere copia di tutto il materiale a disposizione degli inquirenti fiorentini, e questi l'accontentarono. Dalla qualità della stampa, pensò che dovevano aver usato una sorta di spruzzatore di fuliggine.

Tutto era in ordine sparso. Mescolati alla rinfusa, c'erano le carte personali del dottor Lecter trovate a Palazzo Capponi, i pochi appunti su Dante nella grafia che Starling conosceva bene, un messaggio per la donna delle pulizie e uno scontrino dell'ottimo salumiere Vera dal 1928 per l'acquisto di due bottiglie di Bâtard-Montrachet. Di nuovo lo stesso vino. E che cos'altro?

Il suo *Bantam New College Italian & English Dictionary* le disse che l'altra cosa erano tartufi bianchi. Starling chiamò il cuoco di un buon ristorante italiano di Washington per chiedere maggiori informazioni sui tartufi. Dopo cinque minuti, dovette interrompere la telefonata mentre l'uomo ancora s'infervorava sul loro gusto sopraffino.

Gusto. Il vino, i tartufi. Il gusto in tutte le cose era una costante fra la vita del dottor Lecter in America e quella in Europa, fra la sua vita come medico di successo e quella come mostro in fuga. I suoi lineamenti potevano essere cambiati, ma i suoi gusti no, e Lecter non era uomo da negarsi qualcosa.

Quello era un punto sensibile, in Starling, perché era stato nel campo del gusto che lui l'aveva colpita nel vivo la prima volta, complimentandosi per la sua borsetta e poi deridendola per le brutte scarpe. Come l'aveva chiamata? Una campagnola ripulita e con un pochino di gusto.

Ed era il gusto a mancarle nella sua vita istituzionale, che scorreva fra attrezzature puramente funzionali in ambienti puramente utilitaristici.

In quel momento, la sua fede nella *tecnica* stava venendo meno per lasciare il posto a qualcos'altro.

Starling era stanca. La fede nella tecnica è il credo dei mestieri pericolosi. Per affrontare uno scontro a fuoco con un criminale armato o per combatterlo nel fango, bisogna convincersi che solo una tecnica perfetta e un duro addestramento possono garantirti l'invincibilità. Ma questo non è vero, soprattutto negli scontri a fuoco. Potete anche aumentare le probabilità a vostro favore, ma se prenderete parte a sufficienti battaglie, prima o poi resterete uccisi.

Starling l'aveva visto succedere.

Ora che era arrivata a dubitare della religione della tecnica, a che cosa poteva appellarsi?

Nella sua scontentezza, nella monotonia logorante delle sue giornate, aveva cominciato a guardare la forma delle cose, a dare credito alle sue reazioni viscerali di fronte a quelle stesse cose, senza commiserarle, senza costringerle dentro la gabbia delle parole. All'incirca nello stesso periodo, aveva notato un cambiamento nelle sue abitudini di lettura. Fino ad allora, avrebbe letto la didascalia, prima di passare all'illustrazione. Adesso non più. A volte neanche le guardava, le didascalie.

Per anni, aveva letto le riviste di moda di nascosto, come se fossero state pornografia. Ora cominciava ad ammettere con se stessa che in quelle immagini c'era qualcosa che sollecitava in lei una sorta di famelica avidità. Per la sua struttura mentale, improntata dagli insegnamenti luterani a lottare contro il tarlo della corruzione, era come cedere a una perversa delizia.

Con il tempo, sarebbe comunque arrivata a stabilire il metodo da seguire, ma fu aiutata dal profondo mutamento che si era verificato in lei, e fu questo mutamento a indirizzarla fin da subito verso l'idea che il gusto del dottor Lecter per le cose rare, riservate a pochi eletti, poteva rivelarsi la pinna dorsale del mostro, che avrebbe tagliato la superficie e l'avrebbe reso visibile.

Tramite il raffronto tra gli elenchi computerizzati della clientela dei negozi più raffinati, Starling poteva arrivare a scoprire una delle identità alternative di Lecter. Per farlo, doveva conoscere tutte le sue preferenze. Doveva arrivare a conoscerlo meglio di chiunque altro al mondo.

*Quali cose gli piacciono che io già non so? Gli piacciono la musica, il vino, i libri, il cibo. E gli piaccio io.*

Il primo passo per lo sviluppo del gusto consiste nell'essere disposti a dar credito alla propria opinione. Nel campo del cibo, del vino e della musica, Starling era costretta a seguire solo i precedenti del dottore, a cercare fra le cose che lui aveva prediletto in passato, ma se non altro su un punto sarebbero stati alla pari: le automobili. Starling era una maniaca delle automobili, come avrebbe capito chiunque guardando la sua macchina.

Prima di cadere in disgrazia, il dottor Lecter aveva posseduto una Bentley. Sovralimentata, non turbocompressa. Sovralimentata con compressore volumetrico, in modo da non avere il ritardo del turbo. Starling fece in fretta a concludere che il mercato delle Bentley era tanto ristretto da rappresentare un grosso rischio per Lecter, se vi fosse ricorso nuovamente.

Che cos'avrebbe comprato, allora? Starling capiva quale sensazione Lecter amava provare... Un motore di grossa cilindrata, un V8, con la coppia molto bassa, e non spinto. E lei, che cos'avrebbe comprato sul mercato attuale?

Non c'erano dubbi, una Jaguar berlina Xjr con compressore. Inviò fax ai concessionari Jaguar della costa occidentale e di quella orientale, chiedendo di mandarle rapporti settimanali sulle vendite.

Per quanto lei ne sapesse, a cos'altro era sensibile Lecter?

*Gli piaccio io,* pensò.

Aveva agito in fretta, quando lei si era trovata in quella brutta situazione. Tenuto conto del ritardo provocato dal ricorso a un servizio di inoltro, doveva averle scritto subito. Peccato che l'indizio del *postal meter* fosse fallito... il *meter* era in un luogo talmente pubblico che avrebbe potuto usarlo anche un ladro.

Quanto tempo ci metteva il «National Tattler» ad arrivare in Italia? Il «Tattler» era stato certo una delle fonti dalle quali Lecter aveva saputo dei suoi fastidi; infatti, ne era stata trovata una copia a Palazzo Capponi. Il giornale scandalistico aveva un sito Web? Inoltre, se in Italia il dottor Lecter aveva disposto di un computer, poteva aver letto un riassunto della sparatoria sul sito pubblico dell'Fbi. Che cosa si sarebbe potuto scoprire dal computer del dottore?

Sull'elenco degli effetti personali trovati a Palazzo Capponi non risultava nessun computer.

Eppure, lei aveva visto qualcosa. Tirò fuori le fotografie della biblioteca di Palazzo Capponi. Ecco una bella immagine della scrivania dalla quale il dottor Lecter le aveva scritto. E lì sopra c'era un computer, un portatile Philips. Negli altri scatti era scomparso.

Con l'aiuto del dizionario, Starling compose faticosamente un fax per la Questura di Firenze.

"Fra le cose personali del dottor Lecter c'era un computer portatile?"

E così, a piccoli passi, Clarice Starling cominciò a inseguire il dottor Lecter lungo i corridoi del suo gusto, procedendo con più sicurezza di quanto fosse del tutto giustificato.

## 43

Grazie al facsimile che teneva incorniciato sulla scrivania, l'assistente di Mason Verger, Cordell, riconobbe immediatamente la tipica scrittura. La carta intestata era dell'Hotel Excelsior di Firenze.

Come un sempre crescente numero di ricchi nell'epoca di Unabomber, anche Mason aveva un fluoroscopio simile a quello delle Poste degli Stati Uniti per esaminare la corrispondenza in arrivo.

Cordell si mise i guanti e controllò la lettera. Il fluoroscopio non rivelava né fili né batterie. Ubbidendo alle istruzioni, fotocopiò la lettera e la busta, reggendole con le pinzette, e si cambiò i guanti prima di prendere i duplicati per portarli a Mason.

Nella familiare grafia nitida del dottor Lecter:

Caro Mason,

grazie per aver stanziato una taglia tanto enorme su di me. Spero che l'aumenterai. Come sistema di allarme anticipato, le taglie sono meglio dei radar. Rendono le autorità inclini a dimenticare i loro doveri e ad affannarsi a darmi la caccia privatamente, con i risultati che sai.

In realtà, scrivo per rinfrescarti la memoria a proposito del tuo ex naso. L'altro giorno, nell'ispirata intervista contro la droga rilasciata al «Ladies' Home Journal», hai affermato che con il tuo naso, e con il resto della faccia, hai nutrito due cani, Skippy e Spot, che si stavano dimenando ai tuoi piedi. Non è così: l'hai mangiato tu stesso, come spuntino. Dal suono crocchiante che ha emesso mentre lo masticavi, direi che aveva una consistenza simile a quella del ventriglio di pollo. "Sa proprio di pollo!" fu il tuo commento, all'epoca. A me ricordò il suono che si sente nei bistrot quando un francese affonda la forchetta in un'insalata di *gésier*.

Non te lo ricordi, Mason?

E a proposito di ricordi, in terapia mi dicesti che al campeggio estivo, mentre abusavi dei bambini poveri, scopristi che la cioccolata ti irrita l'uretra. Non ricordi neanche questo, vero?

Esiste un inevitabile parallelo fra te e Gezabele, Mason. Da attento studioso della Bibbia come sei, non puoi non ricordare che i cani divorarono la faccia di Gezabele, insieme con il resto di lei, dopo che gli eunuchi l'avevano gettata fuori dalla finestra.

I tuoi uomini avrebbero potuto assassinarmi in mezzo alla strada. Ma tu mi volevi vivo, vero? Dall'odore dei tuoi boia, è evidente che intendevi divertirti con me. Mason, Mason. Visto che mi vuoi con tanta determinazione, lascia che ti dica qualche parola di conforto, e tu sai che non mento mai.

Prima di morire vedrai la mia faccia.

Cordialmente                                    *Hannibal Lecter*
                                            dottore in medicina

P.S. Mi preoccupa, tuttavia, che tu non debba vivere tanto a lungo. Mason, devi stare attento ai nuovi tipi di polmonite. Ne sei molto esposto, sdraiato come stai (e resterai). Ti raccomando un'immediata vaccinazione, oltre a iniezioni immunizzanti contro l'epatite A e B. Non voglio perderti prematuramente.

Quando ebbe finito di leggere, a Mason sembrò mancare il respiro. Aspettò, aspettò, e quando finalmente riuscì a fiatare, disse qualcosa a Cordell, che Cordell non riuscì a sentire.

Si chinò su di lui e fu ricompensato da uno spruzzo di saliva, quando Mason parlò di nuovo:

«Chiamami Paul Krendler. E chiamami anche il re dei porci.»

## 44

Lo stesso elicottero che portava quotidianamente i giornali esteri a Mason, portò alla Muskrat Farm anche Paul Krendler, viceassistente dell'ispettore generale.

La presenza maligna di Mason, la camera buia con i suoi sibili e i suoi sospiri, l'anguilla in continuo movimento, sarebbero già bastate a far sentire Krendler a disagio, ma dovette anche assistere, ripetutamente, al filmato della morte di Pazzi.

Per sette volte, vide Viggert girare intorno ai genitali del *David*, vide Pazzi piombare giù e le budella uscire. L'ultima, Krendler si aspettava che fuoriuscissero anche le budella del *David*.

Finalmente, in alto si accese la forte luce della zona salotto della camera, calda sopra la testa di Krendler e luccicante sul suo cranio, attraverso i capelli corti che si stavano diradando.

I Verger possedevano una comprensione dei comportamenti porcini che non aveva pari, e così Mason cominciò con quello che Krendler voleva per sé. Parlò dal buio, le frasi scandite dal ritmo della respirazione.

«Non ho bisogno di ascoltare... il tuo intero programma... quanto costerà?»

Nella stanza non erano soli, e Krendler avrebbe voluto parlare in privato con Mason. Una figura dalle spalle larghe e dai muscoli impressionanti si stagliava nell'ombra vicino all'acquario. L'idea che una guardia del corpo potesse ascoltarli innervosiva Krendler.

«Preferirei che fossimo noi due soli, ti dispiace chiedergli di uscire?»

«È mia sorella» rispose Mason. «Può restare.»

Margot emerse dal buio, con i calzoncini da ciclista che frusciavano.

«Oh, mi dispiace» si scusò Krendler, alzandosi a metà dalla sedia.

«Salve» disse lei, ma invece di stringergli la mano tesa, prese due noci dalla fruttiera sul tavolo e, serrandole nel pugno finché non emisero un forte scricchiolio, ritornò nell'ombra davanti all'acquario, dove presumibilmente le mangiò. Krendler sentì i gusci cadere sul pavimento.

«Oookay, sentiamo» esclamò Mason.

«Secondo me, se voglio togliere il seggio a Lowenstein nel ventisettesimo distretto, occorrono come minimo dieci milioni di dollari.» Krendler accavallò le gambe e guardò da qualche parte nel buio. Non sapeva se Mason potesse vederlo. «Ne servono così tanti per via dei media. Ma ti assicuro che Lowenstein è vulnerabile. Lo so per certo.»

«Che cos'ha combinato?»

«Diremo solo che la sua condotta ha...»

«Insomma, ha rubato o inculato qualcuno?»

Krendler si sentì a disagio nel sentir dire "inculato" di fronte a Margot, ma la cosa non parve preoccupare Mason. «È sposato, ma da anni ha una relazione con un giudice della corte d'appello. Il giudice ha emesso sentenze favorevoli per alcuni dei suoi finanziatori. Probabilmente, si tratta di una semplice coincidenza, ma mi basterà solo che la televisione lo inchiodi.»

«Il giudice è una donna?» chiese Margot.

Krendler fece un cenno d'assenso. Poi, non essendo sicuro che Mason potesse vederlo, aggiunse: «Sì, è una donna».

«Peccato» commentò Mason. «Sarebbe stato meglio che fosse una checca, vero, Margot? Comunque, Krendler, non puoi essere tu a sputtanarlo. Non direttamente.»

«Abbiamo messo insieme un piano che offre agli elettori...»

«Non puoi sputtanarlo tu» ripeté Mason.

«Farò in modo che il comitato giudiziario di controllo sappia dove cercare, e anche che Lowenstein non riesca a scrollarsi di dosso la faccenda. Stai dicendo che puoi aiutarmi?»

«Posso aiutarti con metà della cifra.»

«Cinque?»

«Non liquidiamola semplicemente con un "cinque". Diciamo, con il rispetto dovuto... *cinque milioni di dollari*. Il Signore mi ha concesso la benedizione di tanto denaro. E con esso farò la Sua volontà: lo avrai solo se Hannibal Lecter finirà nelle mie mani in modo pulito.» Mason trasse qualche respiro aiutato dalla macchina. «Se accadrà, tu sarai il deputato Krendler del ventisettesimo distretto, bello come il sole, e tutto quello che ti chiederò sarà di opporti alla legge per la macellazione indolore. Se l'Fbi acciuffa Lecter, o lo prende la polizia da qualche parte, e lui se la cava con l'iniezione letale, sarà come se noi due non ci fossimo mai conosciuti.»

«Non posso farci niente, se lo becca qualche polizia locale. Né posso controllare Crawford e il suo gruppo, se hanno la fortuna di mettergli le mani addosso.»

«In quanti stati con la pena di morte potrebbe essere processato il dottor Lecter?» chiese Margot. La sua voce era roca, ma profonda come quella di Mason per tutti gli ormoni che Margot aveva ingurgitato.

«In tre stati, in ognuno per pluriomicidio di primo grado.»

«Se verrà arrestato, voglio che venga processato da un tribunale statale» disse Mason. «Niente imputazioni di rapimento, violazione dei diritti civili, contrabbando. Voglio che non venga condannato a morte. E lo voglio in una prigione di stato, non in un penitenziario federale di massima sicurezza.»

«Devo chiederti perché?»

«No, a meno che desideri veramente che te lo dica. Comunque, non rientra sotto la legge per la macellazione indolore» concluse Mason, ed emise una breve risata. Parlare l'aveva sfinito. Fece un cenno a Margot.

La donna portò un bloc-notes sotto la luce e lesse dagli appunti. «Vogliamo conoscere tutto quello che verrai a sapere, e lo vogliamo prima che ne siano informati quelli di Scienza del comportamento. Vogliamo i rapporti di Scienza del comportamento non appena saranno inoltrati e vogliamo i codici d'accesso per il Vicap e per il centro nazionale informazioni sul crimine.»

«Dovrai usare un telefono pubblico, tutte le volte che chiederai l'accesso al Vicap» disse Krendler, parlando ancora nel buio e come se la donna non fosse lì. «In che modo potrai farlo?»

«Posso farlo io» intervenne Margot.

«Può farlo lei» confermò Mason dal buio. «Prepara programmi di allenamento con le macchine ginniche delle palestre. È la sua piccola risorsa, così non è costretta a farsi mantenere dal fratellino.»

«L'Fbi ha un sistema chiuso, parte del quale in codice. Dovrai accedervi da un sito ospite esattamente come ti dirò io e poi scaricare su un portatile del dipartimento della Giustizia appositamente programmato» spiegò Krendler. «Così, se nel Vicap scattasse un controllo per stabilire l'origine della richiesta d'accesso, verrebbe dirottato al dipartimento. Compra un portatile potente con un modem veloce, compralo in contanti in un negozio con grande smercio, e non spedire la garanzia. Procurati anche uno zip. Ma stai fuori dalla rete. Mi servirà per tutta la notte, e quando avrai finito, la rivoglio libera. Mi farò vivo. Okay, è tutto.» Krendler si alzò e raccolse le sue carte.

«Non è esattamente tutto, caro Krendler» precisò Mason. «Lecter non ha bisogno di uscire allo scoperto. Ha denaro sufficiente per nascondersi in eterno.»

«Come fa ad avere tanti soldi?» chiese Margot.

«Quando faceva lo psichiatra, aveva molti pazienti ricchi» rispose Krendler. «Si fece passare un sacco di quattrini e di titoli azionari, che nascose bene e che il fisco non è mai riuscito a trovare. Riesumarono i cadaveri di alcuni dei suoi benefattori per vedere se li aveva uccisi, ma non scoprirono niente. E i test sulle sostanze tossiche risultarono negativi.»

«Quindi, non potrà essere sorpreso a commettere qualche rapina, visto che ha i contanti» disse Mason. «Dovremo adescarlo perché venga fuori dalla tana. Pensiamo a qualche modo per farlo.»

«Capirà da dov'è arrivata la botta di Firenze» esclamò Krendler.

«Certo che lo capirà.»

«Quindi, vorrà te.»

«Non lo so. Gli piaccio come sono. Fatti venire qualche idea, Krendler.» Mason cominciò a canticchiare.

Mentre si avviava alla porta, Krendler, il viceassistente dell'ispettore generale, sentì solo questo; Mason canticchiava spesso inni sacri, quando macchinava qualcosa. *Hai in mano la carta giusta, Krendler, ma ne parleremo dopo che avrai fatto un deposito bancario che potrà incriminarti... e allora mi apparterrai.*

## 45

Nella stanza di Mason resta solo la famiglia: fratello e sorella.

Luce soffusa e musica. Musica nordafricana: un *oud*, il liuto arabo, e tamburi. Margot è sul divano, la testa china, i gomiti sulle ginocchia. Potrebbe essere un lanciatore di martello che si riposa, o un sollevatore di pesi che si rilassa in palestra dopo un allenamento. Respira un po' più in fretta della macchina di Mason.

La musica finisce e Margot si alza, si avvicina al letto. L'anguilla caccia fuori la testa dal suo buco nelle pietre artificiali per vedere se anche stasera dal suo mosso cielo argenteo pioveranno pezzi di carpa. La voce profonda di Margot al massimo della sua dolcezza: «Sei sveglio?».

In un attimo, Mason fu presente dietro l'occhio sempre aperto. «È il momento di parlare...» un sibilo di respiro «di ciò che vuole Margot? Vieni, siediti qui, sulle ginocchia di Babbo Natale.»

«Lo sai che cosa voglio.»

«Dimmelo tu.»

«Judy e io vogliamo avere un bambino. Un bambino Verger, il nostro bambino.»

«Perché non ne comprate uno cinese? Ti costerebbe meno che comprare un porcellino.»

«Sarebbe una buona cosa. Magari faremo anche questo.»

«Ecco quello che diceva il testamento di papà... *A un erede, confermato come mio discendente dal laboratorio Cellmark o dal test del Dna, andrà il mio intero patrimonio dopo la scomparsa del mio adorato figlio Mason*. Adorato figlio Mason. Cioè, io. *In assenza di un erede, unico beneficiario sarà la Southern Baptist Convention con clausole specifiche a favore della Baylor University di Waco, Texas*... Gli avevi proprio fatto cadere i coglioni, a papà, con i tuoi lecca lecca, Margot.»

«Potrai non crederci, Mason, ma non è per i soldi... Be', un po' sì, ma non vuoi un erede? Sarebbe anche il tuo erede, Mason.»

«Perché non ti trovi un brav'uomo e te lo scopi, Margot? In fondo, lo sai come si fa.»

La musica marocchina cresce di nuovo di intensità, con l'ossessiva ripetizione dello strumento a corda che batte nelle orecchie di Margot come un urlo di collera.

«Mi sono rovinata, Mason. Con tutta la roba che ho preso, le ovaie mi si sono atrofizzate. E poi, voglio che anche Judy vi abbia parte. Desidera essere lei la madre che concepisce. Mason, hai detto che se ti avessi aiutato... Mi hai promesso un po' di sperma.»

Le dita simili a zampe di ragno abbozzarono un gesto. «Serviti pure. Ammesso che ne esista ancora.»

«Mason, ci sono tutte le probabilità che il tuo sperma sia ancora dotato di mobilità. Potremmo fare in modo che venga estratto in modo indolore...»

«Estrarre il mio sperma? Dotato di mobilità? Sembra proprio che tu ne abbia parlato con qualcuno.»

«Solo con la clinica della fertilità, in via del tutto riservata.» L'espressione di Margot si addolcì, e il mutamento fu visibile perfino alla luce fredda dell'acquario. «Saremmo veramente brave con un bambino, Mason, abbiamo frequentato corsi su come essere dei buoni genitori. Judy proviene da una grande famiglia di larghe vedute ed esistono gruppi di supporto per donne sole con figli.»

«Quando eravamo piccoli, Margot, riuscivi a farmi venire. Mi facevi sparare come un mortaio da guerra. E anche maledettamente in fretta.»

«Tu, invece, mi facevi male. Mi facevi male e mi hai perfino lussato un gomito per costringermi a fare l'altro... Ancora non riesco a sollevare più di quaranta chili, con il braccio sinistro.»

«Be', tu non volevi mangiare la cioccolata. Ti ho detto che ne parleremo, sorellina, ma solo quando questa storia sarà finita.»

«Facciamo subito un test» disse Margot. «Il medico può prelevare un campione in modo del tutto indolore...»

«Ma quale indolore! Tanto, laggiù non sento niente comunque. Potresti succhiare fino a diventare paonazza, e non sarebbe certo come fu la prima volta. Me lo sono già fatto fare da qualcuno, e non è successo niente.»

«Il dottore potrebbe estrarre un campione, così vediamo se il tuo sperma ha una mobilità sufficiente. Judy prende già il Clomid e teniamo sotto controllo il suo ciclo. Ci sono un sacco di cose da fare.»

«In tutto questo tempo, non ho avuto il piacere di conoscere Judy. Cordell sostiene che ha le gambe storte. Da quanto, voi due, siete per così dire una coppia?»

«Cinque anni.»

«Perché non la porti qui? Potremmo... inventare qualche giochetto.»

I tamburi nordafricani tacciono dopo un gran rullo finale, ma continuano a riecheggiare nel silenzio che lasciano nei timpani di Margot.

«Perché non te lo risolvi da solo, il tuo piccolo imbroglio con il dipartimento della Giustizia?» disse Margot, molto vicino all'orecchio di Mason. «Perché non tenti di infilarti in una cabina telefonica con il tuo fottuto computer? Perché non paghi qualche altro mammamia perché abbranchi l'uomo che ha trasfor-

266

mato la tua faccia in cibo per cani? Avevi detto che mi avresti aiutata, Mason.»

«E ti aiuterò. Devo solo pensare a quando sarà il momento adatto.»

Margot schiacciò due noci e lasciò cadere i gusci sul letto di Mason. «Non pensarci troppo a lungo, Boccadirosa.» Quando uscì dalla stanza, i calzoncini da ciclista sibilarono come uno sbuffo di vapore.

## 46

Ardelia Mapp cucinava solo se ne aveva voglia, ma quando si decideva il risultato era davvero ottimo. La sua eredità culinaria, in parte giamaicana e in parte gullah, al momento la guidava nei preparativi di un pollo in umido. Teneva per il gambo un peperone piccante, togliendo i semi con grande accuratezza. Si rifiutava di pagare il sovrapprezzo per i polli già tagliati, e aveva messo al lavoro Starling con il tagliere e il trinciapollo.

«Starling, se fai i pezzi grossi, non si insaporiscono bene come quando sono piccoli» spiegò, non per la prima volta. «Ecco» esclamò, prendendo il trinciapollo e spezzando una delle carcasse con tanta forza che le schegge d'osso le schizzarono sul grembiule «così. Che cosa pensi di fare? Di buttare via i colli? Rimetti qui dentro quelle delizie.»

Un minuto dopo, aggiunse: «Sono andata all'ufficio postale, oggi. Per spedire un paio di scarpe a mia madre».

«Ci sono andata anch'io. Avrei potuto occuparmene.»

«Hai sentito qualcosa?»

«No.»

Mapp fece un cenno d'assenso, per niente sorpresa. «Voci di corridoio dicono che controllano la tua posta.»

«Chi?»

«Direttive riservate dell'ispettore delle Poste. Non lo sapevi, vero?»

«No.»

«Allora scoprilo in qualche altro modo: dobbiamo proteggere il mio amico dell'ufficio postale.»

«Okay.» Starling lasciò il trinciapollo per un attimo. «Gesù, Ardelia.»

Starling si era fermata al banco della posta per comprare i francobolli, ma non aveva letto niente sulle facce impassibili dei dipendenti indaffarati, per lo più afro, molti dei quali conosceva bene. Era evidente che qualcuno voleva aiutarla, ma correva un grosso rischio: un'incriminazione e il pensionamento forzato. Altrettanto evidente era che quel qualcuno si fidava più di Ardelia che di lei. Malgrado l'ansia che la opprimeva, Starling provò un lampo di contentezza per aver ricevuto un favore attraverso il tam-tam afroamericano. Forse esprimeva un tacito giudizio di legittima difesa riguardo alla sparatoria con Evelda Drumgo.

«Ora prendi quelle cipolle fresche, schiacciale con il manico del coltello e passamele. Schiaccia anche la parte verde» disse Ardelia.

Quando ebbe finito, Starling si lavò le mani, si trasferì nell'ordine assoluto del soggiorno di Ardelia e si sedette. L'amica la raggiunse dopo un minuto, asciugandosi le mani con uno strofinaccio.

«Che razza di puttanata è questa?» chiese.

Prima di affrontare qualcosa di veramente sinistro, era una loro abitudine sfogarsi con le parolacce... Era la versione fine secolo del vecchio fischiettare al buio.

«Che Dio mi stramaledica se lo so» rispose Starling. «Chi è il figlio di troia che spia nella mia posta? È questo il punto.»

«Lo spionaggio postale è vecchio quanto la mia gente.»

«Non è per la sparatoria, non è per Evelda» esclamò Starling. «Se frugano nella mia corrispondenza, dev'essere per via del dottor Lecter.»

«Hai consegnato fino all'ultima virgola di quello che ti ha mandato. Sei stata corretta con Crawford.»

«Più che corretta. Se è l'Opr del Bureau a controllarmi, penso di riuscire a scoprirlo. Se è l'Opr del dipartimento della Giustizia, non lo so.»

Il dipartimento della Giustizia e il suo ramo cadetto, l'Fbi, hanno uffici per la responsabilità professionale separati. In teoria dovrebbero collaborare, ma a volte collidono. All'interno, questi conflitti vengono chiamati gare a chi piscia più lontano, e gli agenti che ci capitano in mezzo restano spesso affogati. Come se non bastasse, l'ispettore generale alla Giustizia, eletto politicamente, può intromettersi in qualunque momento per avocare a sé i casi delicati.

«Se sanno qualcosa delle intenzioni di Hannibal Lecter, se pensano che sia vicino, devono dirtelo perché tu possa proteggere te stessa. Starling, lo senti mai... attorno a te?»

Starling scosse la testa. «Non mi preoccupo molto di lui. Non in questo modo, almeno. In passato, per lunghi periodi neanche ci ho pensato. Sai quella sensazione pesante, quel subdolo senso di oppressione quando si ha paura di qualcosa? Non provo neanche questo. Penso solo che se avessi un problema me ne accorgerei.»

«Che cosa faresti, Starling? Che cosa faresti, se te lo trovassi davanti all'improvviso? L'hai chiaro in mente? Gli punteresti addosso la pistola?»

«Il tempo di tirarla fuori, e gliela caccio nel culo.»

Ardelia rise. «E poi?»

Il sorriso di Starling si spense. «Dipenderebbe da lui.»

«Saresti capace di sparargli?»

«Per non perdere anch'io le budella? Stai scherzando? Mio Dio, Ardelia, spero che non accada mai. Sarei felice se finisse di nuovo in galera senza che nessuno si facesse male... lui incluso. Ma lascia che ti confessi una cosa: a volte penso che se lo mettessero veramente con le spalle al muro, io interverrei per aiutarlo.»

«Non lo dire neanche per scherzo.»

«Con me avrebbe maggiori probabilità di uscirne vivo. Non gli sparerei solo perché ho paura. Non è il lupo mannaro. Dipenderebbe esclusivamente da lui.»

«Hai o non hai paura di Lecter? Sarà bene che tu ne abbia, almeno un po'.»

«Sai che cosa fa realmente paura, Ardelia? Ascoltare qualcuno che ti dice la verità. Vorrei che Lecter si salvasse la pelle. Se ci riesce, e viene messo in carcere, c'è sufficiente interesse accademico intorno a lui da garantirgli un trattamento decente. E non avrebbe nessun problema con i compagni di cella. Se lo sbattessero in galera, lo ringrazierei per la sua lettera. È un peccato sprecare uno abbastanza pazzo da dire la verità.»

«C'è una ragione per la quale ti controllano la corrispondenza. Hanno ottenuto un permesso speciale da qualche tribunale e lo tengono sottochiave. Ancora non ci pedinano... ce ne saremmo accorte. Quei figli di puttana sarebbero capacissimi di sapere che lui sta venendo e non dirti niente. Tieni gli occhi aperti, domani.»

«Il signor Crawford ci avrebbe avvertito. Non possono dimostrare granché contro Lecter, se non tirano dentro Crawford.»

«Ormai, Jack Crawford è *storia*, Clarice. Ed è questo il tuo punto vulnerabile. E se montassero qualcosa contro di te? Perché hai la lingua lunga, o per il fatto che non hai permesso a Krendler di infilarsi dentro le tue mutande? E se qualcuno volesse distruggerti? Ehi, ora sono seria, quando dico che dobbiamo proteggere la mia fonte.»

«C'è qualcosa che possiamo fare per il tuo amico dell'ufficio postale? È necessario che facciamo qualcosa?»

«Chi pensi che venga a cena?»

«Brava, Ardelia...! Un momento, pensavo di doverci venire io, a cena.»

«Puoi portarti qualcosa a casa.»

«Troppo disturbo.»

«Nessun disturbo, ragazza. Anzi, è un piacere.»

## 47

Quando era ancora una bambina, Starling si era tra-
sferita da una casa fatta di assi di legno che scricchio-
lavano nel vento al solido edificio di mattoni rossi del-
l'orfanotrofio luterano.

La cadente abitazione della sua prima infanzia aveva una cucina accogliente dove lei poteva dividersi
un'arancia con il padre. Ma la morte sa dove sono le
case povere, le case in cui vivono quelli che fanno lavo-
ri pericolosi per pochi soldi. Suo padre si era allontanato da quella casa sul suo furgoncino per il turno di
notte che l'avrebbe ucciso.

Starling era balzata su una cavalla destinata al macello mentre gli agnelli venivano uccisi, ed era fuggita
dalla famiglia che l'aveva presa in affido per poi trovare una sorta di rifugio nell'orfanotrofio luterano. Quella struttura istituzionale, grande e solida, l'aveva fatta
sentire subito al sicuro. I luterani potevano forse essere avari in fatto di calore e di arance, e fin troppo gene-
rosi in fatto di Gesù, ma le regole erano le regole e, se
le si capivano, si era okay.

Finché si trattava di superare impersonali test com-
petitivi, o di svolgere il consueto lavoro sulle strade,
Starling era sicura che avrebbe conservato la sua posizione. Purtroppo, non aveva nessuna propensione per
gli intrighi politici.

Ora, mentre di prima mattina scendeva dalla vecchia Mustang, per lei l'alta facciata del palazzo di Quantico non rappresentava più il nido sicuro in cui trovare rifugio. Attraverso l'aria mossa dal vento, le stesse porte d'ingresso le apparivano incurvate.

Starling voleva incontrare Jack Crawford, ma non c'era tempo. Le riprese a Hogan's Alley iniziavano non appena il sole era alto.

L'indagine sul massacro del mercato del pesce Feliciana richiedeva una ricostruzione filmata da effettuarsi al poligono di tiro di Hogan's Alley, a Quantico, con la verifica di ogni sparo, di ogni traiettoria.

Starling doveva rappresentare se stessa. Il furgone di sorveglianza che usarono per le riprese era quello originale, con gli ultimi fori di proiettile tappati dallo stucco ma non verniciati. Di nuovo, e più volte, si riversarono giù dal furgone; di nuovo, l'agente che impersonava John Brigham si buttò a faccia in giù e quello che impersonava Burke si contorse sul terreno. L'azione, con l'utilizzo di rumorose pallottole a salve, lasciò Starling esausta.

Finirono a metà pomeriggio.

Starling appese l'equipaggiamento Swat e andò a trovare Jack Crawford nel suo ufficio.

Aveva ripreso a chiamarlo signor Crawford, e lui sembrava sempre più vago e distaccato da chiunque.

«Vuole un Alka-Seltzer, Starling?» le chiese, quando la vide sulla soglia. Durante la giornata, Crawford ingeriva sempre un certo numero di medicine. Prendeva anche il Ginkgo Biloba, il Saw Palmetto, il St. John's Wort e aspirina pediatrica. Se le metteva in bocca con il palmo della mano, seguendo un certo ordine, e di scatto piegava la testa all'indietro, come se stesse buttando giù una sorsata di liquore.

Nelle ultime settimane, in ufficio aveva cominciato ad appendere la giacca per infilarsi il maglione che gli aveva fatto la sua defunta moglie, Bella. Sembrava molto più vecchio di qualunque ricordo Starling avesse di suo padre.

«Signor Crawford, parte della mia posta viene aperta. Non sono molto bravi nel farlo, sembra quasi che ammorbidiscano la colla tenendo le buste sul vapore di una teiera.»

«La sua posta viene controllata da quando le ha scritto Lecter.»

«Prima si limitavano al controllo con il fluoroscopio, e questo andava bene. Per il resto, posso leggerla da sola, la mia corrispondenza. Nessuno mi ha detto niente.»

«Non è il nostro Opr a farlo.»

«Non è neanche il vice Dawg, signor Crawford... È qualcuno di abbastanza grosso da ottenere un mandato di Titolo Tre protetto dal segreto assoluto.»

«Eppure, sembra che le lettere vengano aperte da dilettanti...» Starling rimase zitta finché lui non aggiunse: «Forse volevano che lei avesse questa sensazione, vero, Starling?».

«Sì, signore.»

Crawford strinse le labbra e fece un cenno d'assenso. «Vedrò che cosa riesco a scoprire.» Mise ordine tra i flaconi di medicinali nel primo cassetto della scrivania. «Parlerò con Carl Schirmer del dipartimento della Giustizia, risolveremo la questione.»

Parlare con Schirmer era come sparare con una pistola scarica. Le voci di corridoio dicevano che sarebbe andato in pensione entro la fine dell'anno. Tutti i vecchi amici di Crawford stavano per andare in pensione.

«Grazie, signore.»

«C'è qualcuno di promettente, nei suoi corsi di addestramento? Qualcuno con cui il reclutamento dovrebbe parlare?»

«A medicina legale, ancora non posso dirlo. Si intimidiscono, con me, quando parliamo di crimini sessuali. Però, ci sono un paio di buoni tiratori.»

«Ne abbiamo fin troppi, di tiratori.» Crawford alzò in fretta lo sguardo su Starling. «Non intendevo riferirmi a lei.»

Alla fine di quella giornata in cui avevano rappresentato la sua morte, Starling andò sulla tomba di John Brigham al cimitero di Arlington.

Mise la mano sulla lapide, ancora ruvida per la scalpellatura. All'improvviso, provò sulle labbra la distinta sensazione di baciarlo sulla fronte, fredda come marmo e polverosa di cipria, come aveva fatto quando si era avvicinata alla sua bara per l'ultima volta e gli aveva messo in mano, sotto il guanto bianco, la propria medaglia di campionessa di tiro con pistola da combattimento.

Ora su Arlington cadevano le foglie, che si sparpagliavano sul cimitero affollato. La mano sulla lapide di John Brigham, lo sguardo sulla distesa di tombe, Starling si chiese quanti come lui erano stati sacrificati per la stupidità, l'egoismo e gli intrighi di vecchi uomini stanchi.

Che crediate in Dio o no, se siete un guerriero Arlington è un luogo sacro, e la tragedia non è morire, ma morire senza ragione.

Starling sentiva verso Brigham un legame che non era meno forte solo perché non erano stati amanti. In ginocchio vicino alla sua tomba, ricordò: lui le aveva chiesto delicatamente una cosa, e lei aveva risposto no, e poi le aveva chiesto se potevano essere amici, e diceva sul serio, e lei aveva risposto sì, e diceva sul serio.

In ginocchio nel cimitero, Starling pensò alla tomba di suo padre, così lontana. Non era più andata a visitarla da quando si era diplomata al college, prima della sua classe, ed era andata sulla sua fossa per dirglielo. Si chiese se non fosse arrivato il momento di tornarci.

Il tramonto attraverso i rami neri di Arlington era arancione come le arance che mangiava con suo padre. Il suono della tromba in lontananza la fece rabbrividire. La lapide era fredda sotto la sua mano.

## 48

Riusciamo a vedere attraverso la condensa del nostro fiato... nella notte tersa sopra Terranova, un brillante punto di luce che sembra appeso a Orione e poi passa lentamente sulle nostre teste. È un Boeing 747 diretto a ovest, che perde centocinquanta chilometri l'ora per via del vento contrario.

In classe turistica, dove vengono relegati i tour organizzati, i cinquantadue membri dell'Old World Fantasy, un giro di undici paesi in diciassette giorni, stanno tornando a Detroit e a Windsor, in Canada. Lo spazio per muovere le spalle è di cinquanta centimetri. Anche lo spazio per le anche, fra i braccioli, è di cinquanta centimetri. Il che significa cinque centimetri di spazio in più di quello che avevano gli schiavi sulle galere.

Ai passeggeri vengono rifilati gelidi sandwich di carne viscida e formaggio scadente, e sono continuamente esposti alle altrui scorregge ed esalazioni nell'aria malamente riciclata, in deroga alla legge sullo smaltimento dei liquami stabilita nel 1950 dagli allevatori di bovini e di suini.

Il dottor Hannibal Lecter ha un posto al centro della fila centrale in classe turistica, con bambini su entrambi i lati e una donna con un neonato in fondo alla fila. Dopo tanti anni passati nella cella di una prigione, al dottor Lecter non piace sentirsi costretto in poco spazio. Dal portatile del ragazzino vicino a lui, un video-game emette continui bip.

Come molti degli altri viaggiatori, anche il dottor Lecter porta un distintivo con una faccia sorridente giallo canarino e la scritta a grandi lettere rosse: CAN-AM TOURS. Da bravo turista, indossa una felpa da ginnastica. La felpa ha lo stemma dei Toronto Maple Leafs, una squadra di hockey. Sotto gli indumenti, ha legato al corpo un grosso quantitativo di denaro.

Il dottor Lecter è insieme al gruppo da tre giorni, da quando ha comprato il passaggio da un broker di Parigi specializzato in cancellazioni di viaggi all'ultimo minuto per ragioni di salute. L'uomo che si sarebbe dovuto trovare sul suo sedile è tornato a casa, in Canada, dentro una bara. Ha avuto un attacco cardiaco mentre saliva sulla Basilica di San Pietro.

Al suo arrivo a Detroit, il dottor Lecter dovrà affrontare il controllo passaporti e la dogana. Può star certo che in ogni importante aeroporto del mondo occidentale gli agenti dell'immigrazione e della sicurezza sono stati allertati sul suo conto. Dove la sua fotografia non è incollata al vetro del gabbiotto del controllo passaporti, è rintanata sotto il tasto emergenze di ogni computer dell'immigrazione e della dogana.

Malgrado tutto questo, il dottor Lecter pensa di poter contare su un piccolo colpo di fortuna. Le fotografie messe in circolazione dalle autorità dovrebbero essere quelle della sua vecchia faccia. Il passaporto falso che ha usato per entrare in Italia non ha un fascicolo corrispettivo nel paese dov'è stato fatto, e quindi non può fornire il suo aspetto attuale. In Italia, Rinaldo Pazzi ha tentato di semplificare la propria vita e quella di Mason Verger appropriandosi del fascicolo dei carabinieri che includeva la fotografia e i negativi usati per il permesso di soggiorno e di lavoro del "professor Fell". Il dottor Lecter, dopo averli trovati nella borsa di Pazzi, li ha distrutti.

A meno che il poliziotto non abbia scattato di nascosto qualche foto al "professor Fell", c'è una buona probabilità che al mondo non esistano immagini della sua nuova faccia. Non che sia molto diversa dalla vecchia – una piccola aggiunta di collagene al naso e alle guance, qualche ritocco ai capelli, occhiali – ma è abbastanza irriconoscibile, se l'attenzione non si concentra su di lui. Per la ferita sul dorso della mano, il dottor Lecter ha usato un cosmetico indelebile e una lozione abbronzante.

Lecter si aspetta che al Metropolitan Airport di Detroit il servizio immigrazione divida i passeggeri in arrivo su due file, passaporti Usa e Altri. Ha scelto una città di confine perché la coda degli Altri è sempre affollata. L'aereo è carico di canadesi. Il dottor Lecter ritiene di poter passare confuso nel gregge, sempre che il gregge lo accetti. Insieme a questi turisti ha visitato musei e luoghi storici, ha volato nel caldo umido dell'aereo, ma con un limite: lui non riesce a mangiare come loro le porcherie fornite dalle linee aeree.

Esausti e con i piedi indolenziti, insofferenti agli indumenti che indossano e ai compagni di viaggio, i turisti frugano nei vassoietti con il pranzo, e dai sandwich tolgono la lattuga annerita dal freddo.

Non volendo attirare l'attenzione su di sé, il dottor Lecter aspetta che gli altri passeggeri abbiano finito il loro triste pasto, aspetta che siano andati in bagno e che quasi tutti si siano addormentati. Lontano, in testa al corridoio, viene proiettato un vecchio film. Il dottor Lecter continua ad attendere, con la pazienza di un pitone. Accanto a lui, il ragazzino si è addormentato sul suo videogame. Su e giù per il grande aereo, si spengono le luci per la lettura.

Allora, e solo allora, gettando attorno uno sguardo furtivo, da sotto il sedile davanti a lui il dottor Lecter estrae il proprio pranzo, chiuso in un'elegante scatola gialla bordata di marrone, che ha fatto preparare da

Fauchon, gastronomo di Parigi. La scatola è legata da due nastri di garza di seta in colori contrastanti. Il dottor Lecter si è rifornito di un fragrante *pâté de foie gras* tartufato e di fichi dell'Anatolia che ancora stillano latte nel punto in cui sono stati staccati dal ramo. C'è anche una bottiglia del St. Estephe che predilige. I nastri di seta si sciolgono con un bisbiglio.

Il dottor Lecter è sul punto di assaporare un fico, lo tiene davanti alle labbra, le narici allargate per inalarne l'aroma, incerto se ingerire il frutto in un unico, meraviglioso boccone, o se addentarlo a metà, quando il videogame vicino a lui emette un bip. Poi un altro. Senza voltare la testa, il dottore chiude il fico nel palmo e volta gli occhi verso il bambino sul sedile accanto. Dalla scatola aperta esala odore di tartufo, *foie gras* e cognac.

Il bambino annusa l'aria. Poi gira di lato gli occhietti piccoli, lucidi come quelli di un roditore, e punta il dito sul pranzo del dottor Lecter. Parla con la voce acuta di uno abituato a competere con i fratelli.

«Ehi, signore. Ehi, signore.» Non ha intenzione di smettere.

«Che c'è?»

«Quello è uno dei pasti speciali?»

«No.»

«Che cos'ha là dentro, allora?» Il bambino si voltò per guardare in faccia il dottor Lecter, assumendo un tono piagnucoloso. «Me ne dà un po'?»

«Vorrei proprio poterlo fare» rispose il dottor Lecter, notando che sotto la grossa testa, il collo del bambino era sottile come un filetto di maiale «ma non ti piacerebbe. È fegato.»

«*Liverwurst!!* Che cannonata! La mamma non dirà niente. Maaamma!» Bambino anormale, che amava la salsiccia di fegato e che quando non piagnucolava, strillava.

In fondo alla fila, la donna con il neonato si svegliò di soprassalto.

I viaggiatori davanti, che avevano inclinato le spalliere tanto che il dottor Lecter si era sentito nel naso l'odore dei loro capelli, si girarono a guardare attraverso le fessure tra i sedili. «Stiamo tentando di dormire, qui.»

«Maaaamma, posso avere un po' del suo sandwich?»

Il neonato in braccio alla madre si svegliò e cominciò a piangere. La donna infilò un dito nel pannolino, dalla parte posteriore, lo ritirò asciutto e si mise a cullare il bambino.

«Che cosa sta tentando di dare a mio figlio, signore?»

«È fegato, signora» rispose il dottor Lecter, con la voce il più possibile pacata. «Non sto ten...»

«*Liverwurst*, il mio preferito, lo voglio, lui ha detto che me ne dà un po'...» Il bambino trasformò l'ultima parola in un acuto ululato.

«Signore, se intende dare qualcosa a mio figlio, posso vederla?»

La hostess, con la faccia enfia per il sonno interrotto, si fermò vicino al sedile della donna, mentre il neonato continuava a strillare. «Tutto a posto, qui? Posso portarle qualcosa? Le scaldo il biberon?»

La donna prese un biberon tappato e lo consegnò alla hostess. Accese la luce per la lettura e, mentre cercava un ciucciotto, gridò al dottor Lecter: «Mi passa quella roba, per piacere? Se la offre al mio bambino, voglio vederla. Senza offesa, ma il piccolo ha il pancino delicato».

Lasciamo ogni giorno i nostri bambini all'asilo, in mezzo a sconosciuti. Allo stesso tempo, il senso di colpa alimenta la nostra paranoia verso chi non conosciamo, tanto da trasmettere la paura ai nostri figli. In tempi come questi, i veri mostri devono stare molto attenti, anche i mostri indifferenti ai bambini come il dottor Lecter.

Il dottore passò la scatola di Fauchon a Mamma.

«Ehi, che bel pane» disse lei, ficcandoci dentro il dito con cui aveva tastato il pannolino.

«Signora, può tenerselo.»

«Il liquore non lo voglio, non sono un'alcolizzata.» La donna si voltò per vedere se qualcuno rideva della battuta. «Non credevo che si potessero portare liquori a bordo. Che cos'è, whiskey? Le permettono di berlo sull'aereo? Penso che terrò questo nastro, se lei non lo vuole.»

«Signore, non può aprire questa bevanda alcolica a bordo dell'aereo» dichiarò la hostess. «La tengo io. La potrà riavere all'uscita.»

«Certo. Grazie mille» disse il dottor Lecter.

Il dottor Lecter era capace di ignorare ciò che lo circondava, lasciando che le cose gli scivolassero addosso. I bip del videogame e la gente che russava o scorreggiava non erano niente in confronto alle urla agghiaccianti che aveva sentito nei reparti per violenti. E il sedile non era più stretto delle cinghie che l'avevano immobilizzato. Come aveva fatto molte volte in cella, chiuse gli occhi e si ritirò, in cerca di sollievo, nel silenzio del suo palazzo della memoria, un luogo dove in gran parte regna la bellezza.

Per un breve periodo, il cilindro metallico che sfrecciava ululando contro il vento, diretto a ovest, contenne un palazzo di mille stanze.

Come abbiamo fatto visita al dottor Lecter a Palazzo Capponi, così entreremo ora nel palazzo della sua mente...

L'atrio è la Cappella Palatina di Palermo, bella, severa e senza tempo. L'unico memento di mortalità viene dal teschio inciso nel pavimento. A meno che non sia ansioso di attingere qualche informazione dal palazzo, spesso il dottor Lecter si ferma qui, come fa adesso, ad ammirare la cappella. Oltre questo punto, distante e complessa, buia e luminosa, si estende la vasta struttura che ha ideato.

Il palazzo della memoria è un sistema mnemonico ben noto agli antichi studiosi, che per tutto il Medioevo vi riposero molte informazioni, mentre i Vandali bruciavano i libri. Come questi studiosi prima di lui, anche il dottor Lecter immagazzina un enorme quantitativo di informazioni collegate agli oggetti delle sue mille stanze ma, contrariamente agli antichi, fa un secondo uso del suo palazzo: a volte ci vive. Ha trascorso anni in mezzo alle sue squisite collezioni, mentre il suo corpo giaceva immobilizzato in qualche reparto per violenti e le urla percuotevano le sbarre d'acciaio come se fossero state le corde dell'arpa dell'inferno.

Il palazzo di Hannibal Lecter è vasto, perfino per le consuetudini medievali. Tradotto in qualcosa di tangibile, per forma e complessità rivaleggia con il Topkapi di Istanbul.

Raggiungiamo il dottor Lecter mentre i veloci passi della sua mente lasciano l'atrio per entrare nella grande sala delle Stagioni. Il palazzo è costruito nel rispetto delle regole scoperte da Simonide di Ceo e perfezionate quattrocento anni più tardi da Cicerone. È arioso, dagli alti soffitti, arredato con oggetti e dipinti lussureggianti, sorprendenti, a volte scioccanti e assurdi, spesso belli. Gli oggetti sono ben disposti e ben illuminati, come in un grande museo. A imitazione di Giotto, anche il dottor Lecter ha affrescato i muri della propria mente.

Mentre è nel palazzo, decide di prendere l'indirizzo privato di Clarice Starling, ma non ha fretta di trovarlo, e così si ferma ai piedi di una grande scalinata sulla quale s'innalzano i bronzi di Riace. Le figure dei due imponenti guerrieri attribuiti a Fidia e ripescati anni fa dal fondo del mare sono al centro di uno spazio affrescato che ci racconta tutto di Omero e di Sofocle.

Se volesse, il dottor Lecter potrebbe far parlare le loro bocche di bronzo nella lingua di Meleagro, ma oggi desidera solo guardarle.

Con il suo migliaio di stanze, i suoi chilometri di corridoi e le centinaia di visi collegati a ogni oggetto che arreda ogni stanza, il palazzo offre al dottor Lecter un piacevole sollievo, ogni volta che vi si rifugia.

Ma questo condividiamo con il dottore: anche sotto le volte dei nostri cuori e dei nostri cervelli si annida il pericolo. Non tutte le stanze sono armoniose, illuminate e vaste. Nel pavimento della mente esistono alcuni buchi, simili a quelli che si aprivano nei pavimenti delle segrete medievali, le luride *oubliettes*, il cui nome deriva da *oublier*, "dimenticare", celle di solida pietra, a forma di bottiglia, con la botola in alto. Nulla emana da loro che possa darci sollievo. Una scossa, qualche falla nel nostro sistema di autocontrollo e lampi di memoria appiccano il fuoco ai gas nocivi... grovigli intrappolati per anni prorompono liberi, pronti a esplodere dolorosamente e a spingerci a comportamenti pericolosi...

Meravigliosi e pavidi come siamo, seguiamo il dottor Lecter che procede a veloci passi leggeri lungo il corridoio di sua invenzione, attraverso un profumo di gardenia, fra le grandi sculture incombenti e la luminosità dei quadri.

La sua meta lo porta a compiere una svolta a destra, oltre un busto di Plinio e su per la scala fino alla sala degli Indirizzi, una stanza con statue e quadri disposti in un preciso ordine, distanziati e ben illuminati, come raccomanda Cicerone.

Ah... La terza nicchia sulla destra a partire dalla porta è dominata da un dipinto di san Francesco che dà da mangiare una falena a uno stornello. Sul pavimento davanti al quadro vediamo questa scena raffigurata a grandezza naturale sul marmo: una sfilata nel cimitero di Arlington, con in testa Gesù all'età di trentatré anni, al volante di un camioncino Ford modello T del '27, una "bagnarola di latta", con J. Edgar Hoover in piedi sul cassone che indossa un tutù, la mano alzata a salutare una folla invisibile. Dietro di lui, marcia Clarice Starling con un fucile Enfield .308 in posizione di spallarm.

Il dottor Lecter sembra contento di vedere Starling. Molto tempo fa si è procurato il suo indirizzo di casa dall'associazione studenti dell'università della Virginia e lo memorizza in questa scena. Ora, per puro piacere personale, rievoca i numeri e il nome della strada dove abita Starling:

3327 Tindal
Arlington, VA 22308

Il dottor Lecter può muoversi a velocità innaturale per le vaste sale del palazzo della memoria. Grazie ai suoi riflessi e alla sua forza, al continuo stato di allerta e alla sveltezza della mente, è ben equipaggiato contro il mondo fisico. Ma dentro di lui esistono luoghi in cui potrebbe non riuscire ad addentrarsi, dove le regole della logica di Cicerone, dello spazio ordinato e della luce, non valgono.

Ha deciso di visitare la sua collezione di tessuti. Per una lettera che sta scrivendo a Mason Verger, vuole rileggere il testo di Ovidio sugli oli facciali aromatizzati che si trova in quella sala.

Nell'universo del 747, il dottor Lecter tiene la testa appoggiata contro lo schienale, gli occhi chiusi. La testa ballonzola lievemente, mentre una turbolenza scuote l'aereo.

In fondo alla fila, il neonato ha finito il biberon ma non si addormenta. La sua faccia si arrossa. La madre sente il piccolo corpo tendersi dentro la copertina, poi rilassarsi. Non ci sono dubbi su ciò che è accaduto. La donna non ha bisogno di cacciare il dito sotto il pannolino. Nella fila davanti qualcuno mormora: «Gesùùùù!».

Ai fetori da palestra che ristagnano nell'aereo, se ne aggiunge un altro. Il ragazzino vicino al dottor Lecter, avvezzo alle abitudini del neonato, continua a mangiare il cibo di Fauchon.

*Sotto il palazzo della memoria, le botole si aprono, le oubliettes sbadigliano fuori il loro orribile tanfo...*

Solo pochi animali erano sopravvissuti al fuoco dell'artiglieria e delle mitragliatrici nella battaglia che aveva lasciato cadaveri i genitori del dottor Lecter e il bosco sulla loro proprietà bruciato e deturpato.

Il branco misto di disertori accampati nell'isolato casino di caccia mangiavano quello che riuscivano a trovare. E una volta trovarono un povero, piccolo daino tutto pelle e ossa, ferito da una freccia, che era riuscito a nutrirsi e a sopravvivere malgrado la neve. Per non doverlo portare in braccio, lo trascinarono fino al campo.

Hannibal Lecter, che aveva sei anni, spiava attraverso una fessura della baracca, mentre lo trascinavano, tirandogli e strattonandogli la testa con la corda che gli avevano stretto al collo. Non volevano sparare, e così lo fecero piegare sulle zampe rinsecchite e gli calarono un colpo d'ascia alla gola, imprecando gli uni contro gli altri in diverse lingue perché venisse portato un recipiente prima che il sangue andasse perso.

Non c'era molta carne sul gracile corpo del daino, e in due giorni, forse tre, nei loro lunghi pastrani, i fiati che puzzavano e si condensavano nell'aria, i disertori uscirono dal casino di caccia e, camminando sulla neve, raggiunsero la baracca e scelsero ancora una volta fra i bambini accucciati sulla paglia. Non ne era morto nessuno per assideramento, e così ne presero uno vivo.

Palparono la coscia, il bicipite e il petto di Hannibal Lecter ma, invece di lui, scelsero sua sorella Mischa, e la trascinarono fuori. A giocare, dissero. Nessuno di quelli che venivano portati fuori a giocare tornava mai.

Hannibal si aggrappò disperatamente a Mischa, si aggrappò con tutta l'energia delle mani ossute, finché gli sbatterono sulla faccia la porta della baracca, dopo averlo colpito alla testa e avergli rotto l'osso del braccio.

*La portarono via sulla neve ancora rossa del sangue del daino.*

*Hannibal pregò con tanta forza di poter rivedere Mischa che la preghiera consumò la sua mente di bambino di sei anni, ma non cancellò il rumore dell'ascia. La sua preghiera di rivederla non andò completamente inascoltata... gli fu concesso di scorgere alcuni denti di latte della sorella nella fetida latrina dei suoi sequestratori, che si trovava fra il casino di caccia dove dormivano e la baracca in cui tenevano prigionieri i bambini con i quali si alimentavano dopo il crollo del fronte orientale nel 1944.*

*Dopo questa parziale risposta alla sua preghiera, Hannibal Lecter non si era più preoccupato di fare considerazioni sulla divinità. Si limitò a stabilire che la propria modesta rapacità impallidiva a confronto di quella di Dio, che in quanto a ironia è ineguagliabile, e in quanto a efferatezza è malignità allo stato puro.*

Nell'aereo scosso dalla turbolenza, con la testa che ballonzola lievemente contro lo schienale, il dottor Lecter è sospeso fra l'ultima visione di Mischa che attraversa la neve insanguinata e il rumore dell'ascia. Vi è incatenato e non lo sopporta. Nell'universo racchiuso dell'aereo, dalla sua faccia sudata si alza un breve grido acuto, penetrante.

I passeggeri della fila davanti a lui si voltano, alcuni svegliandosi dal sonno. Qualcuno in quella fila sbraita: «Cristo santo, che cosa le succede? Mio Dio!».

Il dottor Lecter apre gli occhi, che sono fissi nel vuoto. Una mano lo tocca. È la mano del ragazzino.

«Ha fatto un brutto sogno, eh?» Il bambino non ha paura, né si preoccupa delle lamentele che arrivano dalla fila davanti.

«Sì.»

«Anch'io faccio sempre brutti sogni. Io non rido di lei.»

Il dottor Lecter tirò qualche respiro profondo, la testa premuta contro lo schienale. Poi la sua compostezza tornò, come se la calma fosse calata dall'attaccatura dei capelli fino a coprire la faccia. Chinò la testa sul bambino e disse in tono confidenziale: «Sai, fai bene a non mangiare quelle porcherie. Non mangiarle mai».

Le linee aeree non fornivano più carta da lettere. Il dottor Lecter, ormai completamente padrone di sé, estrasse dalla tasca alcuni fogli con l'intestazione di un albergo e cominciò una lettera per Clarice Starling. Prima, disegnò la faccia della ragazza. Oggi il disegno è proprietà dell'università di Chicago, a disposizione degli studiosi. Ritrae Starling da bambina, e i capelli, come quelli di Mischa, sono incollati alle guance dalle lacrime...

Vediamo l'aereo attraverso la condensa del nostro fiato, un brillante, piccolo occhio di luce nel terso cielo notturno. Lo vediamo passare davanti alla stella polare, ben oltre il punto di non ritorno, impegnato a descrivere un grande arco verso il domani nel Nuovo Mondo.

## 49

La quantità di carte, fascicoli e floppy disc nel piccolo ufficio di Starling aveva raggiunto la massa critica. La sua richiesta di avere più spazio era caduta nel vuoto. *Basta così*. Con la temerarietà dei dannati, Starling occupò senza autorizzazione un locale spazioso nel sotterraneo di Quantico, che sarebbe dovuto diventare la camera oscura privata di Scienza del comportamento, non appena il Congresso avesse stanziato i fondi. La stanza non aveva finestre, ma era fornita di numerosi scaffali e, data la sua destinazione d'uso, aveva doppie tende nere al posto della porta.

Qualche anonimo vicino d'ufficio tracciò una scritta in caratteri gotici, CASA DI HANNIBAL, e l'appuntò sui drappi che chiudevano l'ingresso. Per paura di perdere il locale, Starling trasferì il cartello all'interno.

In poco tempo, individuò nella biblioteca di criminologia del Columbia College una quantità di preziose informazioni personali sul dottor Lecter. All'università, dove ancora esisteva una stanza riservata a Hannibal Lecter, conservavano i documenti originali di quando praticava la medicina e la psichiatria, gli atti dei processi penali e delle azioni civili che erano state intentate contro di lui. Alla sua prima visita alla biblioteca, Starling dovette aspettare tre quarti d'ora, mentre i custodi andavano inutilmente alla ricerca delle chiavi dello studio di Lecter. La seconda volta, trovò in carica un laureando del tutto inefficiente e scoprì che il materiale non era catalogato.

Nel quarto decennio della sua vita, la pazienza di Starling non era migliorata. Con l'appoggio del caposezione Jack Crawford presso l'ufficio del procuratore degli Stati Uniti, ottenne dal tribunale un mandato che l'autorizzava a trasferire l'intera collezione Hannibal Lecter dall'università al suo ufficio sotterraneo di Quantico. Un paio di sceriffi federali effettuarono il trasferimento su un unico furgone.

Il mandato del tribunale creò un'onda d'urto, come Starling aveva temuto. Alla fine, l'onda portò Krendler.

Al termine di due lunghe settimane, Starling aveva riordinato la maggior parte del materiale della biblioteca nel suo improvvisato "Centro Lecter". In un tardo pomeriggio di venerdì, dopo essersi lavata dalle mani e dalla faccia la polvere e la sporcizia depositate sui fascicoli, abbassò la luce e si sedette in un angolo sul pavimento, a guardare le molte scansie cariche di libri e di carte. Forse per un momento si addormentò...

Fu svegliata da un odore, e capì di non essere sola. Era odore di lucido da scarpe.

La stanza era immersa nella semioscurità, e il viceassistente dell'ispettore generale, Paul Krendler, avanzava lentamente lungo le mensole, sbirciando i libri e le fotografie. Non si era dato pena di bussare... non era possibile bussare contro le tende, e comunque Krendler non era mai incline a farlo, soprattutto nelle agenzie subordinate. Qui, nel sotterraneo di Quantico, si sentiva in visita a un quartiere di diseredati.

Una parete della stanza era dedicata al periodo trascorso dal dottor Lecter in Italia. Vi era appuntata anche una grande fotografia di Rinaldo Pazzi che, con le budella fuori, pendeva da una finestra di Palazzo Vecchio. La parete opposta era dedicata ai reati commessi negli Stati Uniti, e su di essa risaltava una foto scattata dalla polizia al cacciatore con l'arco ucciso da Lecter anni prima. Il corpo era appeso a un cavicchio e mostrava tutte le ferite presenti nelle illustrazioni medievali dell'"Uomo ferito". Sulle mensole erano riposti numerosi fascicoli con gli atti processuali insieme alle richieste di danni per morte ingiustificata presentate in sede civile dai parenti delle vittime.

I libri personali del dottor Lecter erano disposti in un ordine identico a quello che avevano avuto nel vecchio studio dello psichiatra, da dove erano stati presi. Starling li aveva sistemati esaminando con una lente d'ingrandimento le fotografie scattate sul luogo dalla polizia.

Nella stanza semibuia, la poca luce proveniva da una radiografia della testa e del collo del dottor Lecter, che rimandava il bagliore dal pannello luminoso appeso al muro sul quale era fissata. L'altra fonte di luce era la postazione di un computer su una scrivania d'angolo. Sullo schermo c'era la scritta "Soggetti pericolosi". Di tanto in tanto, il computer emetteva un ronzio.

Accanto alla postazione erano ammucchiati i risultati delle ricerche di Starling: ricevute, conti particolareggiati raccolti con grande fatica che rivelavano come il dottor Lecter aveva condotto la sua vita privata in Italia, e anche in America, prima di essere mandato in Manicomio. Era una sorta di compendio dei suoi gusti.

Usando uno scanner a fondo piatto come tavolo, Starling aveva apparecchiato per una persona usando gli oggetti sopravvissuti dalla casa di Lecter a Baltimora: porcellane, argenteria, cristalli, tovaglia di un bianco accecante, un candeliere... poco più di un metro quadrato in grottesco contrasto con il resto dell'arredamento.

Krendler alzò la grossa caraffa da vino e ci batté sopra un'unghia.

Non aveva mai toccato la carne di un criminale, non aveva mai lottato a terra con uno di loro, e pensava al dottor Lecter come a una sorta di spauracchio inventato dai media, ma anche come a un'opportunità. Vedeva la propria fotografia accostata a un'esposizione come questa nel museo dell'Fbi, quando Lecter fosse morto. Ne immaginava l'enorme valore pubblicitario. Krendler si avvicinò alla radiografia del cranio del dottor Lecter fino a sfiorarla con la punta del naso, e quando Starling gli rivolse la parola, trasalì tanto da lasciare sulla lastra una traccia d'unto.

«Posso fare qualcosa per lei, signor Krendler?»

«Perché se ne sta seduta sul pavimento al buio?»

«Sto pensando, signor Krendler.»

«Su al Campidoglio vogliono sapere che cosa stiamo facendo con Lecter.»

«Ecco qui che cosa stiamo facendo.»

«Mi metta al corrente, Starling. E alla svelta.»

«Non preferisce che sia il signor Crawford...»

«E dove diavolo è, Crawford?»

«Il signor Crawford è in tribunale.»

«Ho la sensazione che stia perdendo colpi, non lo pensa anche lei?»

«No, signore.»

«Che sta combinando, qui? Abbiamo ricevuto un reclamo dall'università, quando lei ha portato via tutta questa roba dalla biblioteca. La faccenda poteva essere condotta in modo migliore.»

«Abbiamo riunito in questo locale tutto quello che siamo riusciti a trovare sul dottor Lecter, oggetti e documenti. Le sue armi sono custodite presso la sezione armi da fuoco e strumenti di morte, ma ne abbiamo delle copie, e anche ciò che rimane delle sue carte personali.»

«A che scopo? Vuole acciuffare un criminale o scrivere un manuale?» Krendler fece una pausa per immagazzinare nel proprio frasario la rima che gli era uscita. «Se, poniamo, un repubblicano di alto rango della commissione Giustizia mi chiedesse che cosa lei, agente speciale Clarice Starling, sta facendo per acciuffare Hannibal Lecter, che cosa dovrei rispondere?»

Starling accese tutte le luci. Notò che Krendler comprava ancora abiti costosi, ma continuava a risparmiare su camicie e cravatte. I polsi pelosi spuntavano dalle maniche.

«Sappiamo che il dottor Lecter dispone di ottimi documenti» cominciò. «Deve avere almeno un'identità supplementare, forse di più. Ed è molto attento, non commetterà stupidi errori.»

«Vada avanti.»

«In fatto di cibo, vini, musica, è un uomo dai gusti molto raffinati, in alcuni casi esotici. Se verrà qui, desidererà tutte queste cose, dovrà averle. E non se le negherà.

«Il signor Crawford e io abbiamo studiato le ricevute e la documentazione della sua vita recuperate a Baltimora, precedenti il suo primo arresto, le denunce dei suoi creditori dopo la cattura e tutte le ricevute che la polizia italiana è riuscita a fornirci. Abbiamo fatto un elenco di alcune cose che gli piacciono. Guardi qui: nel mese in cui il dottor Lecter servì le interiora del flautista Benjamin Raspail agli altri membri del consiglio direttivo dell'Orchestra filarmonica di Baltimora, comprò due casse di Château Pétrus a trecentosessanta dollari la cassa. Comprò anche cinque casse di Bâtard-Montrachet a millecento dollari l'una, oltre a una varietà di vini di minor pregio.

«Tramite il servizio in camera, ordinò lo stesso vino a St. Louis dopo la sua fuga, e ancora a Firenze da Vera dal 1928. Si tratta di un prodotto piuttosto raro, stiamo verificando gli acquisti fatti presso importatori e venditori al dettaglio.

«Dall'Iron Gate di New York si fece mandare del *foie gras* di prima qualità a duecento dollari al chilo, e ordinò al Grand Central Oyster Bar le ostriche della Gironda. Il pranzo per il consiglio direttivo della filarmonica iniziò con le ostriche in questione, seguite da interiora e sorbetto. Quello che fu servito dopo lo si può trovare qui, su "Town & Country".» Lesse in fretta: «"Un ragù particolarmente scuro e denso, i cui ingredienti non furono mai scoperti, deposto su un letto di riso allo zafferano. Il gusto era ricco, eccitante, con quelle grandi note da basso che solo un'accurata e lenta riduzione del *fond* può raggiungere". Non è stata identificata nessuna vittima che possa essere stata trasformata nel ragù di cui si parla... Bla bla bla, e poi va avanti... Qui descrive in modo particolareggiato le stoviglie e il resto. Stiamo facendo controlli incrociati sugli acquisti effettuati con carte di credito nei negozi di porcellane e cristalli».

Krendler sbuffò attraverso il naso, mentre Starling proseguiva.

«Guardi, da questa denuncia al tribunale civile risulta che deve ancora pagare un lampadario Steuben, e la Galeazzo Motor Company di Baltimora ha presentato richiesta per riavere la sua Bentley. Controlliamo da vicino le vendite delle Bentley, nuove e usate. Non che siano molte. E anche le vendite delle Jaguar con compressore. Abbiamo mandato fax ai fornitori di selvaggina dei ristoranti per chiedere notizie sugli acquisti di carne di cinghiale ed emaneremo un comunicato la settimana prima che arrivino le pernici dalla Scozia.» Starling picchiettò sulla tastiera del computer per consultare un elenco, ma quando sentì il fiato di Krendler troppo vicino, si allontanò.

«Ho fatto richiesta di fondi per assicurarci a New York e a San Francisco la collaborazione di quelli che chiamiamo gli avvoltoi della cultura, i bagarini di biglietti per le prime di importanti avvenimenti artistici. Ci sono un paio d'orchestre e di quartetti d'archi che il dottor Lecter ama particolarmente, e ai concerti preferisce la sesta o la settima fila, sempre vicino al corridoio. Ho distribuito i suoi ritratti più rassomiglianti sia al Lincoln Center sia al Kennedy Center, e alla maggior parte delle sale per filarmoniche. Forse, signor Krendler, potrebbe aiutarci attingendo fondi dal budget del dipartimento della Giustizia.» Al suo silenzio, Starling continuò: «Stiamo effettuando controlli incrociati sulle nuove sottoscrizioni ad alcune riviste culturali alle quali il dottor Lecter è stato abbonato negli anni passati... antropologia, filologia, "Physical Review", matematica, musica».

«Lecter frequenta puttane sadomaso o roba del genere? Prostituti uomini?»

Starling sentì che Krendler ci provava gusto a fare quella domanda. «Non che ci risulti, signor Krendler. Anni fa fu visto a vari concerti, a Baltimora, in compagnia di diverse donne attraenti, un paio delle quali molto note per il loro lavoro nelle associazioni di carità e roba del genere. Teniamo d'occhio le date dei loro compleanni, in caso vengano comprati dei regali. A quanto ne sappiamo, a nessuna di loro è mai stato fatto del male, e nessuna ha mai accettato di parlare di lui. Non sappiamo niente delle sue preferenze sessuali.»

«Ho sempre pensato che fosse gay.»

«Come mai, signor Krendler?»

«Tutto quel gusto eccessivo per l'arte. Musica da camera e tè con i pasticcini. Non c'è niente di personale, nessun problema se prova simpatia per quella gente, o ha amici così. La cosa importante, quello che esigo da lei, Starling, è la collaborazione. Ci sono parecchie persone a cui devo rendere conto. Voglio copia di ogni 302, voglio ogni piano d'azione, ogni indizio. Mi capisce, Starling?»

«Sì, signore.»

Sulla soglia, Krendler disse: «Farà bene a eseguire, Starling. Potrebbe avere la possibilità di migliorare la sua situazione qui dentro. La sua cosiddetta carriera ha bisogno di tutto l'aiuto che riesce a trovare».

La futura camera oscura era fornita di aspiratori.

Guardandolo negli occhi, Starling li mise in moto, succhiando tutto l'odore del suo dopobarba e del lucido da scarpe. Krendler s'infilò tra le tende e uscì senza salutare.

L'aria danzava davanti agli occhi di Starling come le onde di calore al poligono di tiro.

Nel corridoio, Krendler sentì la voce della ragazza dietro di sé.

«Vengo fuori con lei, signor Krendler.»

Krendler aveva una macchina con autista ad aspettarlo. Era ancora un dirigente di medio livello e doveva accontentarsi di una berlina Mercury Grand Marquis.

Prima che potesse salire in auto, là fuori, Starling disse: «Un attimo, signor Krendler».

Lui si voltò a guardarla, sorpreso. Poteva essersi accesa una scintilla. Una resa provocata dalla rabbia? Rizzò le antenne.

«Siamo all'aperto» continuò Starling. «Niente microfoni, a meno che non ne abbia uno lei.» Fu assalita da un istinto al quale non riuscì a resistere. Per lavorare su quei fascicoli polverosi, si era infilata una larga camicia di tela sulla maglietta attillata.

*Non dovrei farlo. 'Fanculo.*

Si sbottonò la camicia e l'aprì. «Vede? Io non ho microfoni.» Non aveva neanche reggiseno. «Forse questa è l'unica volta in cui riusciamo a parlare fra noi, e voglio chiederle una cosa. Da anni, io svolgo il mio lavoro e lei, ogni volta che può, mi ficca un coltello nella schiena. Perché lo fa, signor Krendler?»

«Sarò lieto se verrà a parlarne con me... Per lei, troverò il tempo. Se vuole rivedere...»

«Ne parliamo adesso.»

«Faccia uno sforzo di immaginazione, Starling.»

«È perché non la voglio incontrare da solo? È cominciato quando le ho detto di andare a casa da sua moglie?»

Krendler la guardò ancora bene. Era vero che non aveva un microfono.

«Non s'illuda, Starling... questa città è piena di passere piovute dalla campagna che sanno ancora di mais.»

Salì accanto all'autista e batté la mano sul cruscotto; la grossa macchina si mise in moto. Krendler mosse le labbra, come se volesse stampare le parole sul vetro. «Passere piovute dalla campagna come te.» Convinto che il suo futuro sarebbe stato pieno di discorsi politici, voleva affinare il suo karate verbale e allo stesso tempo trarre piacere dal morso delle parole.

## 50

«Ti dico che può funzionare» esclamò Krendler, rivolto all'oscurità sibilante nella quale giaceva Mason. «Dieci anni fa non sarebbe stato possibile, ma adesso quella può maneggiare sul suo computer gli elenchi di tutti i clienti con la stessa facilità con cui un'oca caga.» Si mosse sul divano sotto la vivida luce della zona salotto.

Krendler distingueva la silhouette di Margot contro l'acquario. Ormai era abituato a dire parolacce davanti a lei, e la cosa gli piaceva. Era pronto a scommettere che Margot avrebbe desiderato un cazzo. Gli venne voglia di dire "cazzo" di fronte a lei e cercò il modo per farlo. «Dipende tutto da come la ragazza ha ordinato il materiale per verificare le preferenze di Lecter. Probabilmente, saprebbe dirci perfino da che parte quello porta il cazzo.»

«Su questa nota, Margot, fa' entrare il dottor Doemling» esclamò Mason.

Il dottor Doemling aspettava nella sala giochi, fra i giganteschi animali di pezza. Sullo schermo, Mason lo guardava esaminare lo scroto di felpa della grande giraffa, un po' come avevano fatto i Vigger con il *David* di Michelangelo. Visto così, sembrava molto più piccolo dei giocattoli. Dava la sensazione che si fosse autocompresso per ridursi a proporzioni più adatte a infilarsi dentro un'infanzia diversa dalla sua.

Sotto la luce della zona salotto di Mason, lo psichiatra era una persona asciutta, estremamente curata ma disfatta, con i pochi capelli allisciati sulla cute chiazzata e una chiave con il logo del Phi Beta Kappa appesa alla catena dell'orologio. Si sedette dall'altro lato del tavolino rispetto a Krendler, e sembrava abituato alla stanza.

Dalla sua parte della fruttiera, poteva scorgere il buco lasciato da un verme in una mela. Il dottor Doemling la voltò, in modo da non vederlo. Da dietro gli occhiali, il suo sguardo seguì Margot con un grado di sbalordimento che rasentava la stupidità, mentre lei prendeva un paio di noci e tornava al suo posto vicino all'acquario.

«Il dottor Doemling è il preside della facoltà di psicologia della Baylor University e rappresenta la famiglia Verger nel consiglio direttivo» disse Mason a Krendler. «Gli ho chiesto che tipo di legame può esistere fra il dottor Lecter e l'agente dell'Fbi Clarice Starling. Dottore...»

Doemling si spostò in avanti sulla poltrona, come se fosse stato sul banco dei testimoni, e voltò la testa verso Mason come se fosse stato la giuria. Krendler vide in lui i modi esperti, l'accurata partigianeria del perito chiamato a testimoniare a duemila dollari al giorno.

«Naturalmente, il signor Verger conosce tutte le mie qualifiche professionali, vuole che le elenchi anche a lei?» chiese Doemling.

«No» rispose Krendler.

«Ho esaminato gli appunti presi dalla Starling durante i suoi incontri con Hannibal Lecter, le lettere che lui le ha mandato e la documentazione relativa al loro passato che lei mi ha fatto avere» cominciò Doemling.

A queste parole, Krendler fece una smorfia, e Mason disse: «Il dottor Doemling ha firmato un impegno alla segretezza».

«Dottore, quando lei vuole, Cordell proietterà le diapositive» intervenne Margot.

«Prima, un po' di storia passata.» Doemling consultò i suoi appunti. «Sappiamo che Hannibal Lecter è nato in Lituania. Suo padre era conte, titolo risalente al decimo secolo, sua madre un'aristocratica italiana, una Visconti. Durante la ritirata tedesca dalla Russia, alcuni carri armati nazisti di passaggio bombardarono la loro proprietà vicino a Vilnius, uccidendo i genitori e la maggior parte della servitù. Dopo di questo, i figli della coppia scomparvero. Erano due, Hannibal e la sorella. Non sappiamo che cosa ne fu della bambina. Il punto è che Lecter rimase orfano, come Clarice Starling.»

«Cose che le ho detto io» disse Mason, impaziente.

«Ma lei che conclusione ne ha tratto?» chiese il dottor Doemling. «Non sto parlando di una sorta di solidarietà fra due orfani, signor Verger. Non si tratta di questo. La solidarietà non c'entra niente. E la pietà è stata lasciata a sanguinare nella polvere. Mi stia a sentire. Ciò che la comune esperienza dell'essere orfani dà al dottor Lecter è semplicemente una migliore capacità di capire la ragazza, e alla fine di controllarla. Ha tutto a che fare con il *controllo*.

«La Starling ha passato l'infanzia in un istituto, e a quanto lei mi racconta non risulta che abbia alcuna relazione stabile con un uomo. Abita con un'ex compagna di corso, una giovane afroamericana.»

«È molto probabile che ci sia sotto qualcosa di sessuale» esclamò Krendler.

Lo psichiatra non lo degnò di un'occhiata, e Krendler venne automaticamente cassato. «Non si può mai stabilire con sicurezza perché una persona vive con un'altra.»

«È una delle cose che restano nascoste, come dice la Bibbia» commentò Mason.

«Starling è alquanto appetitosa, per chi ama il cibo casereccio» commentò Margot.

«Credo che l'attrazione nasca dal dottor Lecter, non da Starling» disse Krendler. «L'avete vista, è un bel pezzo di ghiaccio.»

«È proprio sicuro che sia un pezzo di ghiaccio, signor Krendler?» Margot era divertita.

«Pensi che sia una lesbica, Margot?» chiese Mason.

«Come diavolo faccio a saperlo? Qualunque cosa sia, si comporta come se fossero esclusivamente affari suoi, ecco la mia impressione. Credo che sia una dura, e che porti una maschera, ma non direi che è un pezzo di ghiaccio. Non abbiamo parlato molto, ma è quello che ho dedotto. Questo accadeva prima che tu avessi bisogno del mio aiuto, Mason... Mi mandasti fuori dalla stanza, ricordi? Comunque, lo ripeto, non è un pezzo di ghiaccio. Le ragazze con l'aspetto della Starling sono costrette a mettersi la corazza, perché ci sono in giro un sacco di teste di cazzo pronte a saltarti addosso.»

Anche se la vedeva solo in controluce, Krendler ebbe l'impressione che Margot lo fissasse un po' troppo a lungo.

Che strane, le voci nella stanza. L'attento burocratese di Krendler, il raglio pedante di Doemling, i toni profondi di Mason con le sibilanti mal pronunciate e le labiali assenti, e Margot, dalla voce bassa e roca, e dalla bocca dura come quella di un pony con il morso, risentito dalla costrizione. E sotto tutto questo, la macchina ansante che fornisce il respiro a Mason.

«Ho formulato un'ipotesi sulla vita privata della Starling, a proposito della sua ossessione per il padre» continuò Doemling. «Cercherò di essere breve. Abbiamo tre documenti del dottor Lecter riguardanti Clarice Starling: due lettere e un disegno. Il disegno è l'orologio della crocifissione che Lecter realizzò quando era al Manicomio criminale.» Il dottor Doemling guardò lo schermo. «La diapositiva, per favore.»

Da qualche parte fuori dalla stanza, Cordell proiettò lo straordinario schizzo sul monitor. L'originale era tracciato a carboncino su carta da macellaio. La copia di Mason era stata fatta con una fotocopiatrice a inchiostro blu e le linee avevano lo stesso colore di un livido.

«Lecter tentò di brevettare l'idea» disse Doemling. «Come potete vedere, c'è un Cristo crocifisso sul quadrante di un orologio. Sono le sue braccia a girare per segnare l'ora, proprio come gli orologi di Topolino. È interessante perché la faccia, la testa china in avanti, è quella di Clarice Starling. Lecter la ritrasse durante i loro colloqui. Ecco, ora vi mostrerò una fotografia della donna. Cordell, vero? Cordell, metta su la foto, per piacere.»

Non c'erano dubbi, la testa di Gesù era la testa di Starling.

«Un'altra anomalia è che la figura è infissa alla croce con chiodi che passano attraverso i polsi, invece che attraverso le palme delle mani.»

«È così che bisogna fare» intervenne Mason. «Bisogna inchiodarli ai polsi e usare grossi dadi di legno per fissare i chiodi, altrimenti i tessuti si smollano e il corpo comincia a ondeggiare. Io e Idi Amin l'abbiamo scoperto per via diretta, quando una Pasqua, in Uganda, abbiamo rimesso in scena l'intera faccenda. Il nostro Salvatore, in realtà, era inchiodato ai polsi. Tutti i dipinti con la Crocifissione sono sbagliati. È a causa di un errore di traduzione fra la Bibbia in ebraico e quella in latino.»

«Grazie» disse il dottor Doemling, senza sincerità. «È evidente che questa crocifissione rappresenta un oggetto di venerazione distrutto. Vi prego di notare un particolare. Il braccio che funge da lancetta dei minuti è sulle sei e nasconde pudicamente gli organi sessuali. La lancetta delle ore è sulle nove, o appena dopo. Il nove è un inequivocabile riferimento all'ora in cui la tradizione vuole che Gesù venne crocifisso.»

«E se si mettono vicini il sei e il nove, come noterete si ottiene sessantanove, un numero molto popolare in quanto a rapporti sociali» non poté astenersi dall'aggiungere Margot. Poi, in risposta all'occhiataccia di Doemling, schiacciò le noci, lasciando cadere a terra i gusci.

«Ora, prendiamo le lettere del dottor Lecter a Clarice

Starling. Cordell, se è così gentile da proiettarle...»
Doemling tirò fuori di tasca una penna laser. «Come potete vedere, la scrittura, nitida e fluente, ed eseguita con una stilografica dal pennino quadrato, è meccanica nella sua regolarità. Si incontra un tipo di scrittura così nelle bolle papali del Medioevo. È molto bella, ma morbosamente ordinata. Non ha niente di spontaneo. Il dottor Lecter stava progettando qualcosa. Scrisse questa prima lettera subito dopo l'evasione, durante la quale uccise cinque persone. Leggiamo cosa dice:

> Allora, Clarice, gli agnelli hanno smesso di gridare?
> Mi deve un'informazione, lo sa, e ci terrei molto ad averla.
> Andrà bene un annuncio sull'edizione nazionale del «Times» e sull'«International Herald-Tribune» il primo giorno di qualunque mese. Sarà meglio che lo metta anche sul «China Mail».
> Non mi sorprenderei se la risposta fosse sì e no. Gli agnelli taceranno, per ora. Ma, Clarice, lei si giudica con tutta la misericordia della bilancia della segreta di Threave; e quel silenzio benedetto dovrà riguadagnarlo molte volte. Perché è la situazione angosciosa che l'ossessiona, è vederla, e quella situazione non finirà mai e poi mai.
> Non ho nessuna intenzione di farle visita, Clarice, perché la sua presenza rende il mondo più interessante. Le raccomando di voler ricambiare questa cortesia.»

Il dottor Doemling spinse in alto sul naso gli occhiali senza montatura e si schiarì la voce. «La lettera è un esempio classico di ciò che nelle mie pubblicazioni definisco "avunculismo", e che sulle riviste scientifiche comincia a essere largamente citato come "avunculismo di Doemling". Probabilmente verrà incluso anche nel prossimo *Diagnostic and Statistical Manual*. Per i profani può essere definito l'atto di atteggiarsi a protettore saggio e affettuoso allo scopo di realizzare mire personali.

«Dagli appunti che ho studiato, deduco che la questione degli agnelli che gridano si riferisca a un'esperienza infantile di Clarice Starling, la macellazione degli agnelli nella fattoria del Montana dov'era in affido» concluse il dottor Doemling con la sua voce asciutta.

«Quella donna stabilì uno scambio di informazioni con Lecter» disse Krendler. «Lui sapeva qualcosa del serial killer Buffalo Bill.»

«La seconda lettera, scritta sette anni più tardi, è apparentemente un messaggio di sostegno e solidarietà» riprese Doemling. «Lecter stuzzica la ragazza con continui riferimenti ai suoi genitori, che a quanto pare lei venerava. Definisce il padre "un guardiano notturno" e la madre "una cameriera". E poi li investe delle eccellenti qualità che lei immagina avessero, e va avanti a elencare queste qualità allo scopo di giustificare il fallimento della carriera della Starling. Questo ha a che fare con l'acquisizione di consenso, ha a che fare con il controllo.

«Ritengo che la Starling possa avere un attaccamento perenne per il padre, un'*imago*, che le impedisce di avere facilità di relazioni sessuali e potrebbe spingerla verso il dottor Lecter in una specie di transfert, che nella sua perversa intelligenza lui coglierebbe immediatamente. Anche in questa seconda comunicazione, Lecter la incoraggia a mettersi in contatto attraverso un annuncio personale, e le fornisce un nome in codice.»

Cristo, quanto andava avanti, quell'uomo! La noia e l'irrequietezza erano una tortura per Mason perché non poteva muoversi. «Bravo, bene, d'accordo, dottore» lo interruppe. «Margot, apri un po' la finestra. Ho una nuova fonte su Lecter, dottor Doemling, qualcuno che conosce sia Starling sia lui, e li ha visti insieme. Una persona che è stata vicino a Lecter più a lungo di chiunque altro. Voglio che lei gli parli.»

Krendler si agitò, sul divano, con gli intestini che cominciavano ad attorcigliarsi, mentre si rendeva conto di dove avrebbe portato tutto questo.

## 51

Mason parlò nell'interfono, e nella stanza entrò una figura molto alta, muscolosa quanto Margot, vestita di
bianco.

«Questo è Barney» disse Mason. «Per sei anni, nel
periodo in cui Lecter vi era ricoverato, è stato il responsabile del reparto violenti del Manicomio criminale di stato di Baltimora. Ora lavora per me.»

Barney preferì mettersi davanti all'acquario con
Margot, ma il dottor Doemling lo volle alla luce, e così
si sedette vicino a Krendler.

«Si chiama Barney, vero? Ora, Barney, quali sono le
sue qualifiche professionali?»

«Ho un diploma di infermiere non specializzato.»

«Buon per lei. È tutto?»

«Ho anche un diploma in materie umanistiche del-
l'American College, preso per corrispondenza» rispose
Barney, impassibile. «E un certificato di frequenza della Scuola Cummins di scienze mortuarie. Sono un aiutante qualificato di laboratorio. Ho fatto tutto questo
mentre frequentavo la scuola infermieri.»

«Ha lavorato come inserviente all'obitorio finché
non ha ottenuto il diploma di infermiere?»

«Sì, portando via i cadaveri dalle scene degli omicidi
e assistendo alle autopsie.»

«E prima?»

«Corpo dei marines.»

«Capisco. E mentre lavorava al Manicomio criminale ha visto Clarice Starling e Hannibal Lecter interagire... cioè, li ha visti parlare insieme?»

«Mi sembrava che fossero...»

«Cominciamo esattamente da ciò che ha visto, e non da ciò che pensa su ciò che ha visto. Crede che sia possibile?»

Mason lo interruppe. «È abbastanza sveglio da darci un'opinione. Barney, tu hai conosciuto Clarice Starling.»

«Sì.»

«E sei stato con Hannibal Lecter per sei anni.»

«Sì.»

«Che cosa c'era fra loro?»

All'inizio, Krendler fece fatica a capire quello che diceva la voce roca di Barney, ma fu lui a formulare la domanda più pertinente. «Lecter si comportava in modo diverso durante i colloqui con la Starling?»

«Sì. La maggior parte delle volte, era come se neanche si accorgesse dei visitatori» rispose Barney. «Di tanto in tanto, socchiudeva appena gli occhi per insultare qualche accademico che tentava di spremergli il cervello. Un giorno fece piangere un professore che era andato a trovarlo. Con Starling era duro, ma a lei rispondeva più che agli altri. Era interessato. La ragazza lo incuriosiva.»

«In che modo?»

Barney si strinse nelle spalle. «Non vedeva mai donne, e lei è una gran bella ragazza...»

«Non mi serve la sua opinione su questo» lo interruppe Krendler. «Non sa altro?»

Barney non rispose. Fissò Krendler con l'espressione che avrebbe avuto se avesse assistito all'accoppiamento di due cani.

Margot schiacciò un'altra noce.

«Continua, Barney» disse Mason.

«Erano sinceri, fra loro. Il dottor Lecter è disarmante, in questo senso. Dà l'impressione che non si benignerebbe mai di mentire.»

«Che cosa non farebbe?» chiese Krendler.

«Benignerebbe» disse Barney.

«BE-NI-GNAR-SI» spiegò Margot dal buio. «Degnarsi. Accondiscendere. Abbassarsi, signor Krendler.»

Barney continuò. «Il dottor Lecter le disse alcune cose spiacevoli su lei stessa, e poi altre piacevoli. Lei seppe affrontare quelle spiacevoli, e poi si sentì lusingata dalle piacevoli, sapendo che non erano cazzate. Lui la considerava stimolante e divertente.»

«Pensa di essere in grado di giudicare ciò che il dottor Lecter trovava "divertente"?» chiese il dottor Doemling. «E come ha fatto ad arrivarci, infermiere Barney?»

«Ascoltandolo ridere, dottor *Drumling*. Ce l'hanno insegnato al corso infermieri, durante una lezione intitolata "Guarire con l'allegria".»

Margot emise una risatina, o forse il rumore provenne dall'acquario dietro di lei.

«Calmati, Barney» disse Mason. «Raccontaci il resto.»

«Sì, signore. A volte, quando c'era sufficiente silenzio, la sera io e il dottor Lecter facevamo due chiacchiere. Parlavamo delle lezioni che seguivo e di altre cose. Lui...»

«Per caso, in quel periodo lei seguiva qualche corso di psicologia per corrispondenza?» non poté trattenersi dal chiedere Doemling.

«No, signore. Io non ritengo che la psicologia sia una scienza. E non lo riteneva neanche il dottor Lecter.» Barney continuò in fretta, prima che il respiratore permettesse a Mason di rimproverarlo: «Posso solo ripetere quello che mi disse... Il dottor Lecter riusciva a vedere quello che la ragazza era sul punto di diventare. Era deliziosa come un cucciolo, un cucciolo che stava crescendo per trasformarsi in... un grosso felino. Un felino con il quale, dopo, non si può più giocare. Il dottor Lecter diceva che la Starling possedeva appunto una vivacità da cucciolo, così come ne possedeva tutte le armi, in miniatura anche se in continua crescita, ma per ora sapeva lottare solo contro altri cuccioli. Questo lo divertiva.

«Il modo in cui cominciò fra loro vi rivelerà qualcosa. All'inizio, il dottor Lecter fu cortese, ma la congedò in fretta; poi, mentre lei se ne stava andando, un altro recluso le gettò in faccia il suo sperma. Questo disturbò il dottor Lecter, lo mise in imbarazzo. Fu l'unica volta in cui lo vidi sconvolto. Anche Starling se ne accorse, e tentò di sfruttare la cosa con lui. Il dottor Lecter ne ammirò il sangue freddo, credo.»

«E quale fu l'atteggiamento di Lecter nei confronti dell'altro recluso, quello che gettò lo sperma? Aveva qualche tipo di rapporto con lui?»

«Non proprio» rispose Barney. «Il dottor Lecter si limitò a ucciderlo quella notte stessa.»

«Ma non erano in celle separate?» chiese Doemling. «Come fece?»

«A tre celle di distanza, sui lati opposti del corridoio» rispose Barney. «Durante la notte, il dottor Lecter gli parlò per alcuni minuti, poi gli disse di inghiottirsi la lingua.»

«E così, Clarice Starling e Hannibal Lecter diventarono... amici?» domandò Mason.

«All'interno di una specie di struttura formale» disse Barney. «Si scambiavano informazioni. Il dottor Lecter le insegnava a capire il serial killer al quale lei stava dando la caccia, e Clarice Starling ricambiava fornendogli informazioni personali. Il dottor Lecter mi disse che secondo lui la ragazza aveva troppo coraggio, troppo per il suo stesso bene, un "eccesso di zelo" lo chiamava. Era convinto che lei potesse spingersi troppo oltre, se lo avesse ritenuto necessario per la sua missione. E una volta commentò che aveva un "gusto esecrabile". Non so che cosa significhi esecrabile.»

«Insomma, dottor Doemling, quello la vuole scopare,

uccidere, divorare o che altro?» esclamò Mason, esaurendo tutte le possibilità che gli venivano in mente.

«Probabilmente tutte e tre le cose. Ma non vorrei essere costretto a predire in quale ordine intenda attuarle. Comunque, ecco in sintesi quello che penso. Non importa quanto i giornali scandalistici, e la mentalità che vi è dietro, possano rivestire di romanticismo questa storia, tentando di trasformarla in qualcosa di simile alla *Bella e la Bestia*. L'obiettivo di Lecter è la degradazione della ragazza, la sua sofferenza e la sua morte. Ha reagito a lei due volte: quando le fu gettato in faccia lo sperma e quando è stata massacrata dai giornali per aver sparato a quella gente. Si presenta nelle vesti del mentore, ma è la disperazione di lei a eccitarlo. Quando la storia di Hannibal Lecter sarà stata scritta, e lo sarà, il suo verrà definito un caso di "avunculismo di Doemling". Per attrarlo, la ragazza dev'essere disperata.»

Nel largo spazio gommoso fra gli occhi di Barney era apparsa una ruga. «Posso intervenire, signor Verger, visto che ha chiesto il mio parere?» Non aspettò il permesso. «Al Manicomio, il dottor Lecter reagiva a Clarice Starling anche quando lei era padrona di se stessa e se ne stava lì con espressione impassibile a fare il suo lavoro. Nella lettera la chiama guerriera, e sottolinea il fatto che nella sparatoria ha salvato quel bambino. Ammira e rispetta il suo coraggio e la sua disciplina. E sostiene che non andrà a cercarla. E se c'è una cosa che il dottor Lecter non fa, è mentire.»

«Ecco l'esatta mentalità da giornale scandalistico di cui parlavo» esclamò Doemling. «Hannibal Lecter non conosce emozioni come l'ammirazione o il rispetto. Non prova né affetto né calore umano. Questa è un'illusione romantica e dimostra i pericoli della scarsa cultura.»

«Dottor Doemling, lei non si ricorda di me, vero?» chiese Barney. «Ero responsabile della sorveglianza quando lei venne a tentare di parlare con il dottor Lecter. Avevano già tentato molti altri, ma a quanto ricordo lei fu l'unico ad andarsene in lacrime. Il dottor Lecter aveva recensito il suo libro sull'"American Journal of Psychiatry". Non la biasimo, se fu quella recensione a farla piangere.»

«Basta così, Barney» esclamò Mason. «Va' a vedere a che punto è il mio pranzo.»

«Niente di peggio di un autodidatta con un'infarinatura del tutto superficiale» commentò Doemling, quando Barney fu uscito dalla stanza.

«Non mi aveva detto che era andato a parlare con Lecter, dottore» disse Mason.

«All'epoca era catatonico, non ottenni un bel niente.»

«E questo la fece piangere?»

«Non è vero che piansi.»

«E scarta tutto quello che dice Barney?»

«Si è lasciato ingannare, come la ragazza.»

«Probabilmente, anche Barney ha un debole per lei» commentò Krendler.

Margot rise come fra sé, ma abbastanza forte da farsi sentire da Krendler.

«Se volete che Lecter trovi Clarice Starling attraente, fategliela vedere disperata» disse Doemling. «La disperazione che osserva dovrebbe suggerirgli la disperazione che lui stesso può provocare. Vedere la Starling ferita, sia pure in modo simbolico, lo ecciterà come se la vedesse sollazzarsi da sola. Quando sente strillare un coniglio, la volpe arriva di corsa, ma non per aiutarlo.»

## 52

«Non posso consegnare Clarice Starling» disse Krendler, quando Doemling se ne fu andato. «Posso dirvi tranquillamente dov'è e che cosa sta facendo, ma non posso controllare le missioni assegnate dal Bureau. E se il Bureau la spedirà a fare da esca, la proteggerà, credete a me.»

Krendler puntò il dito verso l'oscurità che ammantava Mason per sottolineare quello che diceva. «Non potete intromettervi in un'azione del genere. Non riuscireste mai a superare il cordone di sicurezza e ad avvicinarvi a Lecter. Gli agenti messi di guardia riconoscerebbero immediatamente i tuoi uomini. E comunque, il Bureau non inizierà nessuna operazione se Lecter non contatta di nuovo la Starling o se non è dimostrabile che è vicino... Le ha già scritto prima e non si è mai mosso da dov'era. Ci vogliono almeno dodici persone per organizzare una cintura protettiva attorno alla ragazza, ed è costoso. Ti troveresti in una posizione migliore, se non avessi voluto tirarla fuori dai guai creati dalla sparatoria. E sarebbe un gran pasticcio cambiare le carte in tavola per inchiodarla di nuovo con quella storia.»

«Se, se, se» esclamò Mason, e tutto considerato fece un ottimo lavoro con le *s*. «Margot, cerca sul giornale di Milano, il "Corriere della Sera" di sabato, il giorno in cui è stato ucciso Pazzi, e controlla il primo degli annunci mortuari. Leggicelo.»

Margot alzò la pagina verso la luce. «È in inglese, indirizzato a A.A. Aaron. Dice: "Si consegni alle autorità più vicine. I nemici le stanno addosso. Hannah". Chi è Hannah?»

«Il cavallo che Starling aveva da bambina» rispose Mason. «È un avvertimento per Lecter da parte della ragazza. Gliel'ha detto lui, nella lettera, come mettersi in contatto.»

Krendler si alzò. «Maledizione. La Starling non poteva sapere di Firenze. E se lo sa, deve aver capito che sono stato io a fornirvi la documentazione.»

Mason sospirò, chiedendosi se Krendler fosse abbastanza intelligente da diventare un uomo politico utile. «Non sa un bel niente. Sono stato io a far pubblicare l'annuncio, sulla "Nazione", sul "Corriere della Sera" e sull'"International Herald-Tribune", il giorno dopo che ci saremmo mossi su Lecter. In questo modo, se avessimo fallito, lui avrebbe pensato che la Starling aveva cercato di aiutarlo. E avremmo mantenuto un legame con lui attraverso la ragazza.»

«L'inserzione non è stata notata da nessuno.»

«No, tranne forse che da Hannibal Lecter, il quale potrebbe ringraziare la Starling per questo... per posta, di persona, chi lo sa? Ora stammi a sentire. Continui a far controllare la corrispondenza della Starling?»

Krendler annuì. «Certo. Se arriva qualcosa, la vedrai prima di lei.»

«Ascolta bene, Krendler. L'inserzione è stata ordinata e pagata in modo che Clarice Starling non possa dimostrare di non averla fatta lei, ed è un reato grave. Sta a indicare che ha saltato il fosso. Con un'accusa del genere puoi distruggerla, Krendler. Lo sai quanto l'Fbi se ne sbatta i coglioni di quelli che cadono in disgrazia. Diventano cibo per cani. La Starling non riuscirà più a ottenere neanche un porto d'armi per la difesa personale. E nessuno seguirà più le sue mosse, tranne me. Lecter lo capirà, che là fuori è sola. Prima tenteremo con un altro paio di cosette.» Mason si interruppe per respirare, e poi continuò. «Se non dovessero funzionare, faremo come dice Doemling, useremo questo annuncio per ridurla alla disperazione... ridurla alla disperazione un accidenti: puoi spezzarla in due con una cosa del genere. Se vuoi un consiglio, salva la metà con la fica. L'altra metà è troppo maledettamente onesta. Uuu... non volevo essere volgare.»

## 53

Clarice Starling correva tra le foglie secche in un parco pubblico della Virginia, uno dei suoi luoghi preferiti, a un'ora da casa. Niente indicava la presenza di altre persone nel parco in quel giorno feriale d'autunno, che aveva preso di permesso. Stava percorrendo un viottolo che conosceva bene, sulle colline boscose vicine allo Shenandoah River. L'aria era intiepidita dal primo sole apparso sulle cime, ma negli avvallamenti si sentiva un gelo improvviso, e a tratti Starling sentiva allo stesso tempo caldo sulla faccia e freddo sulle gambe.

In quei giorni, quando camminava, aveva la sensazione che la terra non fosse perfettamente immobile sotto i suoi piedi; le sembrava più ferma quando correva.

Starling correva veloce nella giornata tersa, con bagliori di luce che danzavano attraverso le foglie, il viottolo in alcuni punti chiazzato e in altri rigato dall'ombra proiettata dai tronchi nel pallido sole mattutino. Davanti a lei comparvero tre daini, due femmine e un maschio, che attraversarono il viottolo in un unico, agile salto, le code alzate come bandiere, mentre si allontanavano a piccoli balzi nel fitto della foresta. Colta da allegria, anche Starling fece un salto.

Immobile come la figura di un arazzo medievale, Hannibal Lecter era seduto tra le foglie secche sulla collina sopra il fiume. Poteva vedere il viottolo fino a centocinquanta metri, con il binocolo da campo che una tesa ricavata da un pezzo di cartone proteggeva dai riflessi. All'inizio, vide muoversi i daini, che con un balzo scomparvero oltre il pendio, e poi, per la prima volta dopo sette anni, vide Clarice Starling in carne e ossa.

Dietro il binocolo, la sua faccia non cambiò espressione, ma le narici si allargarono per inspirare a fondo l'aria, come se da quella distanza potessero cogliere il profumo di lei.

Il respiro gli portò odore di foglie secche con una punta di cannella e un fondo di foglie marce e di ghiande in via di essiccazione, una zaffata di sterco di coniglio, l'intenso sentore di muschio selvatico, della pelle di uno scoiattolo morto sotto il fogliame; ma non il profumo di Starling, che avrebbe saputo identificare ovunque. Osservò i daini precederla e proseguire a balzi ancora per molti minuti, dopo essere scomparsi alla vista di lei.

Riuscì a vederla per meno di un minuto, mentre correva sciolta, senza percuotere il terreno. Uno zainetto minuscolo in alto sulle spalle, con dentro una bottiglia d'acqua. Illuminata da dietro, con il sole alle spalle che sfocava la sua silhouette come se sulla pelle le fosse stato spolverato del polline. Seguendola, il binocolo colse un baluginio di sole proveniente dal fiume che per qualche minuto lasciò abbagliato il dottor Lecter. Starling scomparve sul viottolo che scendeva, e la sua nuca fu l'ultima cosa che il dottor Lecter vide, con la coda di cavallo che saltellava come la coda di un daino.

Il dottor Lecter rimase immobile, non fece nessun tentativo di seguirla. Aveva la sua immagine vivida nella mente. E vivida vi sarebbe rimasta finché lui avesse voluto. La sua prima vera immagine dopo anni, senza contare le fotografie dei giornali, senza contare le occhiate a distanza che aveva dato a una testa dentro una macchina. Con le mani dietro la nuca, si sdraiò sul tappeto di foglie a guardare le poche rimaste sull'acero sopra di lui tremare contro il cielo, un cielo tanto scuro da sembrare viola. Viola, viola. Anche le bacche selvatiche che aveva colto salendo lassù erano viola, e cominciavano a raggrinzirsi sul grappolo polveroso. Ne mise in bocca una manciata, ne schiacciò alcune nel palmo e leccò il succo come un bambino si lecca la mano aperta. Viola, viola.

*Viola le melanzane nell'orto.*

*A metà giornata, lassù nel casino di caccia non c'era acqua calda e la balia di Mischa portò la vecchia tinozza di rame nel giardino davanti alla cucina perché fosse il sole a intiepidire il bagno per la bambina di due anni. Mischa seduta nella tinozza lucente fra le verdure, sotto il sole caldo, con le cavolaie che le svolazzavano attorno. L'acqua arrivava appena a coprirle le gambotte rotonde, ma il suo solenne fratello Hannibal e il grosso cane dovevano ugualmente sorvegliarla con cura mentre la balia andava a prendere un telo nel quale avvolgerla.*

*Per alcuni dei domestici, Hannibal Lecter era un bambino spaventoso, terribilmente intenso e incredibilmente consapevole, ma non faceva paura alla vecchia balia, che sapeva il fatto suo, e non faceva paura a Mischa, che gli appoggiò sulle guance la mani aperte a forma di stella e gli rise in faccia, per poi allungare le braccia verso le melanzane, che amava guardare sotto il sole. I suoi occhi non erano marrone rossiccio come quelli di suo fratello Hannibal, ma azzurri, e mentre fissavano le melanzane parvero assorbire il loro colore, scurirsi con esso. Hannibal Lecter sapeva che quel colore era la passione di Mischa. Dopo che la bambina fu portata in casa e l'aiutocuoca fu uscita borbottando per vuotare la tinozza nell'orto, Hannibal si inginocchiò davanti alla fila di melanzane a fissare le bolle di sapone iridate di riflessi viola e verdi, finché non scoppiarono sul terreno coltivato. Tirò fuori di tasca il temperino e recise il gambo di una melanzana, la lucidò con il fazzoletto, la prese fra le braccia, calda di sole, calda come un animale, la portò nella stanza di Mischa e la mise dove lei potesse vederla. Mischa amava il viola scuro, amava il colore delle melanzane, e l'avrebbe amato finché fosse vissuta.*

Hannibal Lecter chiuse gli occhi per rivedere il daino saltellare davanti a Starling, per rivedere lei correre veloce sul viottolo, con il sole alle spalle che la incorniciava d'oro, ma quello era il daino sbagliato, era il piccolo daino con la freccia nel corpo che tirava, tirava per fare resistenza alla corda che gli serrava il collo, mentre lo trascinavano verso l'ascia; il piccolo daino che avevano mangiato prima di mangiare Mischa, e Hannibal Lecter non riuscì più a stare fermo e si alzò, le mani e la bocca macchiate dalle bacche viola, le labbra piegate verso il basso come quelle di una maschera greca. Guardò là dove Starling era scomparsa. Inspirò profondamente dal naso, e colse i profumi purificatori del bosco. Continuò a fissare il punto in cui era sparita la ragazza. Ora il viottolo sembrava più chiaro, fra gli alberi, come se lei avesse lasciato una scia luminosa dietro di sé.

Il dottor Lecter raggiunse in fretta la cima della piccola collina e scese dall'altra parte, diretto verso lo spiazzo vicino a un campeggio, dove aveva lasciato il camioncino. Voleva muoversi di là prima che Starling tornasse alla sua automobile, ferma a tre chilometri di distanza, nel grande posteggio vicino alla baracca della guardia forestale, ora chiusa per la stagione.

Ci volevano almeno quindici minuti, prima che la ragazza potesse raggiungere la macchina.

Il dottor Lecter si fermò vicino alla Mustang, lasciando acceso il motore del camioncino. Aveva avuto diverse occasioni per esaminare la macchina di Starling nel posteggio di un drugstore vicino alla casa della ragazza. Era stato l'adesivo dell'abbonamento annuale scontato per l'ingresso ai parchi pubblici a portare Lecter in quel posto per la prima volta. Aveva comprato subito la cartina del parco, che aveva esplorato con calma.

La macchina era chiusa, accucciata sulle larghe ruote come se dormisse. L'auto di Starling lo divertiva. Era allo stesso tempo eccentrica e di estrema resa. Sulla maniglia cromata della portiera, anche chinandosi fino quasi a sfiorarla, non riuscì a captare nessun odore. Tirò fuori il sottile temperino, estrasse la lama d'acciaio ultrapiatta e la infilò nella fessura tra il finestrino e la portiera, sopra la serratura. Allarme? Sì? No? *Clic*. No.

Salì in macchina, in un'atmosfera che sapeva intensamente di Clarice Starling. Il volante era grosso e rivestito di pelle. Al centro aveva la scritta MOMO. Lecter osservò quella scritta con la testa piegata di lato come un pappagallo e formò con le labbra la parola "Momo". Si adagiò contro lo schienale, chiuse gli occhi e respirò a fondo, inarcando le sopracciglia. Pareva che stesse ascoltando un concerto.

Poi, e sembrò mossa da una sua propria intelligenza, comparve la punta rosa della lingua, simile a un serpentello che cercasse la strada per uscire dalla faccia di Lecter. Senza mai mutare espressione, come se non fosse consapevole di ciò che faceva, Hannibal Lecter si chinò in avanti e, guidato dall'olfatto, trovò il volante. Ci avvolse attorno la lingua arrotolata, stringendola sui solchi per le dita incisi sulla parte interna del rivestimento. Assaporò con la bocca il punto levigato su cui lei posava il palmo della mano. Poi si adagiò di nuovo contro lo schienale, la lingua ritratta nella sua sede naturale, e mosse le labbra serrate come se stesse assaporando del vino. Tirò un profondo sospiro e lo trattenne mentre scendeva e chiudeva la Mustang di Clarice Starling. Non espirò, ma continuò a serrare Starling nella bocca e nei polmoni finché il suo vecchio camioncino non fu uscito dal posteggio.

## 54

A Scienza del comportamento è considerato un assioma che i vampiri si muovono all'interno di un loro territorio, mentre i cannibali scorrazzano per tutto il paese.

La vita nomade non attraeva affatto il dottor Lecter. Il suo successo nell'evitare di essere catturato dipendeva molto dal livello qualitativo delle false identità da utilizzare a lungo termine e dall'attenzione con cui le amministrava, oltre che dalla facilità d'accesso al denaro che possedeva. I frequenti spostamenti casuali non mettevano mai a rischio la sua incolumità.

Con due identità alternative stabilite da tempo, ognuna con eccellenti credenziali, più una terza apposita per l'acquisto delle macchine, non ebbe nessuna difficoltà a trovare un nido accogliente entro una settimana dal suo arrivo negli Stati Uniti.

Aveva scelto il Maryland perché era a un'ora di macchina dalla Muskrat Farm di Mason Verger e ragionevolmente vicino ai concerti e ai teatri di Washington e New York.

Niente attirava l'attenzione, nei suoi movimenti visibili, e ognuna delle sue identità principali aveva buone probabilità di sopravvivere a un controllo di routine. Dopo aver fatto visita a una delle sue cassette di sicurezza di Miami, il dottor Lecter prese in affitto per un anno da un uomo d'affari tedesco una gradevole casa isolata sulle sponde del Chesapeake.

Dopo che si fu assicurato un servizio di inoltro chiamate da due telefoni installati in un modesto appartamento di Filadelfia, fu in grado di procurarsi impeccabili referenze tutte le volte che ne aveva bisogno, e senza lasciare il comfort della sua nuova casa.

Dato che pagava sempre in contanti, fece in fretta a ottenere dai bagarini i biglietti per i concerti sinfonici, i balletti e tutte le manifestazioni musicali che lo interessavano.

Fra i tanti pregi, la casa era dotata di un vasto garage doppio con un angolo laboratorio, e porte solide. Era là che il dottor Lecter lasciava i suoi due veicoli, un furgoncino Chevrolet vecchio di sei anni con sul cassone una struttura in tubi collegata a un morsetto che aveva comprato da due tizi, un idraulico e un imbianchino, e una berlina Jaguar con compressore presa in leasing attraverso un'agenzia del Delaware. Il camioncino assumeva di giorno in giorno un aspetto diverso. Le attrezzature che il dottor Lecter poteva mettere nel retro o assicurare alla struttura in tubi, includevano una scala da imbianchino, condutture, latte di vernice, un barbecue, una bombola di gas butano.

Quando ebbe saldamente in mano la sua organizzazione domestica, Lecter si concesse una settimana di musica e di musei a New York, e mandò i cataloghi delle mostre più interessanti a suo cugino, il grande pittore Balthus, che viveva in Francia.

Da Sotheby's comprò due eccellenti strumenti musicali, assai rari. Il primo era un clavicembalo fiammingo del tardo diciottesimo secolo quasi identico al Dulkin dello Smithsonian del 1745, con una tastiera doppia che consentiva di eseguire Bach: lo strumento era un valido successore del gravicembalo che aveva suonato a Firenze. L'altro acquisto era uno dei primi strumenti elettronici, un teremin, costruito nel 1930 dallo stesso professor Theremin. Il teremin affascinava da tempo il dottor Lecter. Da bambino ne aveva costruito uno. Si suona in un campo elettronico usando solo il movimento delle mani. È con questo movimento che se ne evoca la voce.

Ora che tutto era sistemato, poteva cominciare a divertirsi...

Dopo la mattinata nel bosco, il dottor Lecter tornò al suo gradevole rifugio sulle sponde del Maryland. Ormai, l'immagine di Clarice Starling che correva fra le foglie secche sul viottolo era ben installata nel suo palazzo della memoria. Era una fonte di piacere che poteva raggiungere in meno di un secondo partendo dall'atrio. Vide Starling correre e, tale era la qualità della sua memoria visiva, poté scrutare la scena in cerca di altri particolari, poté sentire i grossi daini che battevano il terreno su per la salita, poté vedere le callosità sulle loro zampe e un ciuffo d'erba sul ventre peloso di quello più vicino. Aveva riposto questo ricordo in una stanza assolata del palazzo, il più lontano possibile dal piccolo daino ferito...

Di nuovo a casa, di nuovo a casa, con la serranda del garage che calava con un fruscio dietro il camioncino.

Quando a mezzogiorno la serranda si alzò di nuovo, uscì la Jaguar nera, con a bordo il dottore vestito da città.

Al dottor Lecter piaceva molto fare acquisti. Andò diritto da Hammacher Schlemmer, il negozio di eleganti accessori per la casa e per lo sport e di utensili da cucina, e una volta là se la prese comoda. Ancora immerso nel suo umore boschivo, con un metro da tasca controllò le dimensioni delle tre migliori ceste da picnic, tutt'e tre di vimini laccato, con cinghie di cuoio cucite a mano e solide cerniere d'ottone. Alla fine, dato che doveva servire per una sola persona, scelse quella di misura media.

All'interno, la cesta aveva un thermos, alcuni capaci bicchieri, solidi piatti di porcellana e posate d'acciaio inossidabile. Veniva venduta esclusivamente insieme agli accessori.

Nelle successive tappe da Tiffany e da Christofle, il dottore riuscì a sostituire le pesanti stoviglie da picnic con piatti di porcellana Gien French della serie "chasse", decorata con foglie e cacciagione. Da Christofle si procurò posate d'argento per un coperto del modello del diciannovesimo secolo che preferiva, la serie "Cardinale", con il nome dell'argentiere inciso nell'incavo del cucchiaio e la coda di topo di Parigi sotto il manico. Le forchette erano particolarmente arcuate, con i rebbi molto spaziati, e i coltelli avevano il peso bilanciato in modo da poter essere comodamente impugnati. Ogni posata si adattava alla mano come una buona pistola da duello. Riguardo ai cristalli, il dottore rimase incerto sulla forma dei bicchieri da liquore, e alla fine scelse i *ballon* da cognac, ma per quelli da vino non ebbe dubbi: prese i Riedel perché avevano molto spazio per il naso all'interno del bordo, e ne comprò di due misure.

Sempre da Christofle, trovò alcune tovagliette di lino bianco panna, e bei tovaglioli di damasco con una minuscola rosa, simile a una goccia di sangue, ricamata in un angolo. Ne comprò sei, in modo da averne sempre di puliti, tenuto conto del tempo per lavarli e stirarli.

Acquistò due buoni fornelletti a gas portatili da 35.000 Btu, di quelli che vengono usati nei ristoranti per cuocere vicino ai tavoli, una squisita padella *sauté* di rame e un *fait-tout*, sempre di rame, per fare le salse, entrambi di Dehillerin di Parigi. Non riuscì a trovare coltelli da cucina di acciaio puro, che preferiva di gran lunga a quelli di acciaio inossidabile, né riuscì a trovare alcuni dei coltelli per usi specifici che era stato costretto a lasciare in Italia.

La sua ultima tappa fu in un deposito di forniture mediche poco distante dal Mercy General Hospital, dove trovò in offerta speciale una sega per autopsie Stryker seminuova, che poté essere comodamente assicurata all'interno della cesta da picnic, al posto del thermos. Era ancora in garanzia e veniva fornita con accessori vari, oltre che con lame e leva da cranio, e con questa la sua *batterie de cuisine* era quasi al completo.

La vetrata della casa del dottor Lecter è spalancata sulla pungente aria della sera. La baia si stende nera e argentea sotto la luna ed è solcata dalle ombre in movimento delle nuvole. Il dottor Lecter ha versato il vino in uno dei nuovi bicchieri di cristallo, che ha posato vicino al portacandele accanto al clavicembalo. Il bouquet del vino si mescola all'aria salmastra e il dottor Lecter lo assapora senza staccare le mani dalla tastiera.

In passato ha posseduto clavicordi, spinette e altri antichi strumenti a tastiera, ma preferisce il clavicembalo perché non è possibile controllare il volume delle corde pizzicate dal plettro e la musica arriva come una nuova esperienza, improvvisa e completa.

Il dottor Lecter guarda lo strumento, aprendo e chiudendo le mani. Si accosta al nuovo clavicembalo come ci si accosta a uno sconosciuto, attratti da un suo arguto commento... suona un'aria composta da Enrico VIII, *Green Grows the Holly*.

Incoraggiato, prova con la *Sonata in Si Bemolle Maggiore* di Mozart. Lui e il clavicembalo non sono ancora intimi, ma la reazione dello strumento alle sue mani gli dice che diventeranno presto amici. Il vento si alza e le fiammelle delle candele ondeggiano, ma il dottor Lecter tiene gli occhi chiusi alla luce e la faccia rivolta in alto, intanto che suona. Bolle di sapone volano via dalle mani aperte a stella di Mischa quando lei le agita al vento sopra la tinozza; e mentre Lecter attacca il terzo movimento, nel bosco vola leggera Clarice Starling, e corre, corre, con le foglie che frusciano sotto i suoi piedi, e il vento che fruscia in alto sugli alberi, e i daini che la precedono, due femmine e un maschio, balzando sul viottolo come balza il cuore. All'improvviso, il terreno è più freddo e gli uomini coperti di stracci trascinano fuori dal bosco il piccolo daino con la freccia nel corpo, il daino tira resistendo alla corda che gli serra il collo, e gli uomini tirano lui, ferito com'è, così non dovranno portarlo in braccio fino all'ascia. La musica s'interrompe all'improvviso sopra la neve insanguinata e il dottor Lecter si afferra ai bordi dello sgabello del pianoforte. Respira a fondo, a fondo, rimette le mani sulla tastiera, si costringe a un accordo, poi a due, che si spezzano nel silenzio.

Lo sentiamo emettere un piccolo grido acuto che s'interrompe bruscamente come la musica. Rimane seduto a lungo, con la testa china sulla tastiera. Poi si alza senza il minimo rumore e lascia la stanza. Non è possibile sapere dov'è andato nella casa immersa nel buio. Il vento proveniente dal Chesapeake aumenta di intensità, frusta la fiamma delle candele fino a spegnerle, canta nell'oscurità attraverso le corde del clavicembalo... Ora un motivo casuale, ora un grido acuto dal passato.

## 55

La Mostra regionale armi da fuoco e pugnali del Medio Atlantico nel War Memorial Auditorium. Chilometri di tavoli, una distesa di armi da fuoco, per lo più pistole e fucili d'assalto. I raggi rossi dei mirini laser danzano sul soffitto.

Pochi veri sportivi visitano le mostre d'armi, per una questione di gusto. Le armi sono tutte nere, e le mostre squallide, senza colore, prive di gioia come il paesaggio interiore di quelli che le frequentano.

Guardate questa gente: torva, maligna, arrabbiata, attaccabrighe, con il cuore di pietra. Rappresenta il maggior pericolo per il diritto del privato cittadino a possedere una rivoltella.

Le armi che questi uomini preferiscono sono quelle d'assalto ideate per la produzione di massa, prodotte in serie e a basso costo per fornire un'alta potenza di fuoco a truppe ignoranti e prive d'addestramento.

Fra le grosse pance gonfie di birra e i flaccidi incarnati grigiastri dei pistoleri abituati a stare al chiuso, avanzava il dottor Lecter, dalla snellezza imperiale. Le pistole non lo interessavano. Andò diritto allo stand del più importante espositore di armi da taglio della mostra.

L'uomo si chiamava Buck e pesava centosessanta chili. Esponeva molte spade di fantasia e copie fedeli di oggetti medievali e barbari, ma anche i migliori pugnali e sfollagente. Il dottor Lecter individuò in fretta la maggior parte degli articoli che aveva sul suo elenco, cose che aveva dovuto lasciare in Italia.

«Posso fare qualcosa per lei?» Buck aveva guance bonarie, bocca bonaria e occhi minacciosi.

«Sì. Vorrei quell'Harpy, per favore, e uno Spyderco diritto, con la lama dentellata di otto centimetri, e poi quel coltello da scuoiatore con la punta rinforzata che è là dietro.»

Buck raccolse gli oggetti.

«Voglio anche un buon seghetto. Non questo, uno veramente buono. Mi faccia toccare lo sfollagente piatto di cuoio, quello nero...» Il dottor Lecter esaminò l'elasticità dell'impugnatura. «Lo prendo.»

«Altro?»

«Sì, vorrei uno Spyderco Civilian, ma non lo vedo.»

«Non sono in molti a conoscerlo. Ne tengo sempre un solo esemplare.»

«E a me ne serve uno.»

«Il suo prezzo sarebbe duecentoventi dollari, ma glielo lascio per centonovanta con la custodia.»

«Bene. Ha coltelli da cucina d'acciaio puro?»

Buck scosse la grossa testa. «Dovrà cercarne di usati in qualche mercato delle pulci. È là che li trovo, di solito.»

«Faccia il pacco. Torno fra pochi minuti.»

A Buck non capitava spesso che gli chiedessero di fare un pacco, e si mise al lavoro con le sopracciglia inarcate.

In pratica, quella mostra d'armi non era affatto una mostra, ma un bazar. C'erano alcuni tavoli carichi di polverosi reperti della seconda guerra mondiale, che cominciavano a sembrare antichi. Si potevano comprare fucili M-1, maschere antigas con il vetro dei paraocchi incrinato, borracce. C'erano anche i soliti stivaloni nazisti e, volendo, un bidoncino di vero gas Zyklon B.

Quasi niente che riguardasse le guerre di Corea e del Vietnam, e niente del tutto di Desert Storm.

Molti degli acquirenti indossavano giubbe militari, come se fossero tornati dal fronte giusto in tempo per andare alla mostra. Erano in vendita vari articoli, incluse le mimetiche complete da cecchino o da arciere, visto che un grosso spazio era riservato all'attrezzatura per la caccia con arco e frecce.

Il dottor Lecter stava esaminando una mimetica, quando si accorse dei due uomini in divisa vicino a lui. Prese un guanto da tiro con l'arco. Rivoltandolo come per mettere alla luce il marchio del fabbricante, con la coda dell'occhio vide che i due agenti al suo fianco erano del dipartimento di Caccia e pesca della Virginia, presente alla mostra con un suo stand.

«Donnie Barber» stava dicendo il più anziano dei due, mentre indicava qualcuno con un cenno del mento. «Se riesci a trascinarlo in tribunale, fammelo sapere. Mi piacerebbe stanare definitivamente dai boschi quel figlio di puttana.» Fissavano un uomo sulla trentina che era dall'altra parte dell'esposizione di archi e frecce. L'uomo era voltato verso di loro e guardava un videotape. Donnie Barber indossava indumenti mimetici e teneva la casacca legata alla vita per le maniche. Aveva una maglietta cachi senza maniche che metteva in mostra i tatuaggi e un berretto da baseball girato all'indietro.

Il dottor Lecter si allontanò lentamente dagli agenti, continuando a guardare gli oggetti esposti. Si fermò una fila più avanti a un banco di pistole laser e, attraverso le fondine appese a una rastrelliera, guardò il video che tanto impegnava l'attenzione di Donnie Barber.

Era una caccia al daino con arco e frecce.

A quanto pareva, qualcuno fuori campo lo stava immobilizzando contro una staccionata, mentre il cacciatore incoccava l'arco. Il cacciatore era collegato al sonoro. Il respiro si fece più veloce, mentre l'uomo bisbigliava nel microfono: «Meglio di così si muore».

Colpito dalla freccia, il daino s'inarcò e sbatté due volte contro il recinto, tentando di saltarlo e correre via.

Assistendo allo spettacolo, Donnie Barber saltellò e, quando la freccia arrivò a segno, emise un urlo.

Ora il cacciatore del videotape si apprestava a scuoiare il daino, che evidentemente era morto. Cominciò con quello che definì il taglio verticale.

Donnie Barber fermò il video e lo riavvolse per farlo ripartire dal momento in cui la freccia colpiva il bersaglio. Ripeté più volte l'operazione, finché il proprietario dello stand non gli disse di smetterla.

«Va' a cagare, faccia di culo» strillò Donnie Barber. «Tanto, da te non compro un cazzo.»

Allo stand successivo, comprò alcune frecce gialle con una lametta infilzata di traverso nella grossa punta. Vide la scatola dei biglietti per un'estrazione a premi e, con il suo acquisto, ricevette un tagliando per parteciparvi. Il premio consisteva in due giorni di caccia al daino.

Donnie Barber compilò il tagliando e lo infilò nella fessura della scatola, poi intascò la penna del venditore e con il suo lungo pacchetto scomparve fra la folla di giovani uomini in abiti mimetici.

Così come gli occhi delle rane colgono qualunque movimento, gli occhi del venditore notano qualunque pausa nel passaggio della gente. Ora, l'uomo davanti a lui era completamente immobile.

«Quella è la sua balestra migliore?» chiese il dottor Lecter all'espositore.

«No.» L'uomo prese una scatola da sotto il banco. «Eccola, la migliore. Per facilitare il trasporto, è meglio il tipo compound del ricurvo. E per caricarla c'è un verricello che può essere sia elettrico sia manuale. Lo sa, vero, che in Virginia è proibito usare la balestra nella caccia al daino, se non si è handicappati?»

«Mio fratello ha perso un braccio e muore dalla voglia di uccidere qualcosa con l'altro.»

«Oh, capisco.»

Nel giro di cinque minuti, il dottore comprò un'eccellente balestra e due dozzine di dardi, le corte frecce usate con quel tipo d'arma.

«Mi prepari un pacco» disse poi.

«Riempia questo tagliando. Potrebbe vincere una caccia al daino. Due giorni in un buon posto» disse il venditore.

Il dottor Lecter compilò il tagliando per l'estrazione e lo lasciò cadere nella fessura della scatola.

Non appena il venditore fu impegnato con un altro cliente, tornò da lui.

«Pensi un po'!» disse. «Ho dimenticato di mettere il mio numero di telefono sul tagliando. Posso?»

«Certo, faccia pure.»

Il dottor Lecter alzò il coperchio della scatola e prese i due tagliandi che erano in cima agli altri. Aggiunse un numero alle informazioni false che aveva dato di sé e diede una lunga occhiata al tagliando sotto il suo. Le sue palpebre batterono una volta sola, come lo scatto di una macchina fotografica.

## 56

Quella di Muskrat Farm è una palestra high-tech, tutta nera e cromature, dotata dell'attrezzatura completa Nautilus, con macchinari per il sollevamento pesi e per l'aerobica, e ha un bar rifornito di bibite rigeneranti.

Barney aveva quasi finito con l'allenamento e si rilassava su una cyclette, quando si accorse di non essere solo. Margot Verger si stava togliendo la tuta in un angolo. Indossava calzoncini elasticizzati e, sotto la canottiera, un reggiseno a fascia larga. Aggiunse una cintura protettiva per il sollevamento pesi. Barney sentì dei rumori in un angolo. E sentì Margot respirare a fondo, mentre faceva un po' di riscaldamento.

Barney pedalava a vuoto, detergendosi la testa con un asciugamano, quando lei gli si avvicinò fra un esercizio e l'altro.

Margot guardò le sue braccia, poi le proprie. Erano praticamente uguali. «Quanto riesci a sollevare sulla panca orizzontale?» chiese.

«Non lo so.»

«Scommetto che lo sai, eccome.»

«Forse centottanta, roba così.»

«Centottanta? Non ci credo, bel ragazzone. Non ci credo che riesci a sollevare centottanta chili.»

«Forse ha ragione.»

«Ho cento dollari che dicono che non ce la fai.»

«Contro?»

«Contro cento dollari, che diavolo credi? E controllerò di persona.»

Barney la guardò, aggrottando la fronte gommosa. «Okay.»

Caricarono i pesi sul bilanciere. Margot contò quelli che aveva messo su Barney, come se lui potesse imbrogliarla. Lui reagì contando con cura esagerata i pesi dalla parte di lei.

Barney si sdraiò sulla panca, con Margot in piedi alla sua testa, nei calzoncini attillati. La giuntura delle cosce con l'addome era tutta rigonfi, come una cornice barocca, e il torace massiccio sembrava arrivare fino al soffitto.

Barney si sistemò, appoggiando bene la schiena sulla panca. Le gambe di Margot odoravano di crema per massaggi. Le mani erano leggermente appoggiate intorno alla sbarra, le unghie smaltate color corallo, mani troppo aggraziate per essere tanto forti.

«Pronto?»

«Sì.» Spinse i pesi verso la faccia di Margot, china su di lui. Non fu una grande fatica, per Barney, che appoggiò il bilanciere sulla guida proprio sotto gli occhi di Margot. Lei tirò fuori i soldi dalla sacca sportiva.

«Grazie» disse Barney.

«Io faccio più piegamenti di te sulle gambe» fu tutto quello che riuscì a replicare lei.

«Lo so» rispose Barney.

«E come fai a saperlo?»

«Io, la pipì la faccio stando in piedi.»

Il grosso collo di Margot diventò tutto rosso. «Anch'io.»

«Cento dollari?» chiese Barney.

«Preparami un frullato» disse lei.

Sul banco del bar c'era una coppa piena di frutta e noci. Mentre Barney metteva la frutta nel frullatore, Margot strinse due noci nel pugno e le schiacciò.

«Riesce a farlo con una sola noce, senza l'altra contro la quale premerla?» domandò Barney. Ruppe due uova contro il bordo del frullatore e le lasciò cadere dentro.

«E tu?» esclamò Margot, porgendogli una noce.

La noce rimase nel palmo aperto di Barney. «Non lo so.» Sgomberò il tratto di banco che aveva davanti, e un'arancia rotolò a terra dalla parte di Margot. «Mi scusi.»

Margot raccolse l'arancia e la rimise nella fruttiera.

Il grosso pugno di Barney si strinse. Lo sguardo di Margot si spostò da quel pugno al viso, poi avanti e indietro, mentre le vene del collo di Barney si ingrossavano per lo sforzo e le guance si arrossavano. Cominciò a tremare, e dal suo pugno uscì un lieve scricchiolio. Margot fece la faccia lunga, e mentre il pugno di lui sbatteva contro il frullatore, lo scricchiolio si fece più forte. Nel frullatore, la chiara e il tuorlo di un uovo tremolarono. Barney mise in moto l'elettrodomestico e si leccò la punta delle dita. Margot rise, malgrado tutto.

Barney versò il frullato nei bicchieri. Visti dall'altra parte della palestra, sembravano due lottatori o due pesisti di categorie diverse.

«È convinta di dover fare tutto quello che fanno gli uomini, vero?» esclamò Barney.

«Non la parte più idiota» rispose lei.

«Vuole provare a usare anche il sospensorio?»

Il sorriso di Margot scomparve. «Adesso non permetterti di fare battute sull'uccello.»

Lui scosse la testa massiccia. «Neanche ci penso.»

## 57

Nella "Casa di Hannibal" i dati sugli acquisti aumenta-
vano giorno dopo giorno, mentre Clarice Starling si
addentrava nei corridoi dei gusti del dottor Lecter.

Rachel DuBerry aveva qualche anno più del dottor
Lecter ed era stata una finanziatrice attiva dell'Orchestra filarmonica di Baltimora. Era anche molto bella,
come poté vedere Starling dalle fotografie pubblicate
all'epoca da «Vogue». Ma tutto questo risaliva a due
ricchi mariti prima. Ora Rachel era la moglie di Franz
Rosencranz, delle industrie tessili Rosencranz. La sua
segretaria per le questioni sociali le passò la linea.

«Ormai, cara, mi limito a inviare all'orchestra con-
tributi economici. Siamo talmente presi che mi è impossibile occuparmene attivamente» disse a Starling la
signora Rosencranz, nata DuBerry. «Se invece si tratta
di qualche problema fiscale, posso darle il numero dei
nostri amministratori.»

«Signora Rosencranz, quando era membro dei consigli direttivi della filarmonica e della Westover School
conobbe il dottor Hannibal Lecter?»

Un silenzio considerevole.

«Signora Rosencranz?»

«Sarà meglio che mi lasci il suo numero. La richia-
merò attraverso il centralino dell'Fbi.»

«Certo.»

Quando la conversazione riprese:

«Sì, conobbi Hannibal Lecter in occasione di qualche incontro sociale, anni fa, e da allora i giornalisti si accamparono sui gradini di casa mia per saperne di più. Il dottor Lecter era un uomo dal fascino straordinario, del tutto particolare. Di quelli che elettrizzano le donne, se capisce quello che voglio dire. Ci ho messo anni a credere all'altra parte di lui.»

«Le fece mai dei regali, signora Rosencranz?»

«In genere, mi mandava un biglietto d'auguri per il mio compleanno, e continuò anche dopo che venne arrestato. E qualche regalo, prima di finire in carcere. Ha un gusto che non esiterei a definire squisito.»

«Il dottor Lecter organizzò anche la famosa cena di compleanno per lei. Con l'annata dei vini uguale alla sua data di nascita.»

«Sì» rispose la signora. «Suzy lo definì il ricevimento più straordinario dopo il Ballo in Nero e Bianco di Capote.»

«Signora Rosencranz, se dovesse farsi vivo con lei, le dispiacerebbe chiamare l'Fbi al numero che le ho dato? Avrei un'altra cosa da chiederle, se posso. Ha qualche anniversario speciale con il dottor Lecter? E, signora Rosencranz, devo chiederle la sua data di nascita.»

Un gelo inequivocabile al telefono. «Pensavo che per voi fosse facile procurarvi questa informazione.»

«Infatti, signora, ma ci sono alcune discrepanze fra la data riportata nella sua tessera della previdenza sociale, quella del certificato di nascita e quella della patente. Anzi, sono tutte diverse. Mi scuso, ma stiamo collegando gli ordini d'acquisto per regali di pregio alle date di nascita delle conoscenze note del dottor Lecter.»

«"Conoscenze note." Sono diventata una conoscenza nota, ora! Che termine orribile.» La signora Rosencranz emise una risatina. Apparteneva alla generazione dei cocktail e delle sigarette, e aveva la voce profonda. «Agente Starling, quanti anni ha?»

«Trentadue, signora Rosencranz. Ne compio trentatré due giorni prima di Natale.»

«Le dirò solo una cosa, con estrema benevolenza. Spero che nel corso della vita le capiti di avere almeno un paio di "conoscenze note". Aiutano a far passare il tempo.»

«Sì, signora, e la sua data di nascita?»

Finalmente, la signora Rosencranz fornì l'informazione esatta, definendola come "la data che il dottor Lecter conosce bene".

«Se mi posso permettere, signora, capisco cambiare l'anno di nascita, ma perché il mese e il giorno?»

«Volevo essere una Vergine, è un segno che va più d'accordo con quello del signor Rosencranz. All'epoca, cominciavamo a frequentarci.»

Le persone che avevano conosciuto il dottor Lecter quando viveva in una gabbia lo vedevano in modo assai diverso.

Starling aveva salvato la figlia dell'ex senatrice Ruth Martin, Catherine, dall'orrenda cantina del serial killer Jame Gumb e, se la senatrice non fosse stata sconfitta alle elezioni successive, avrebbe potuto essere molto utile a Starling. Al telefono fu affettuosa con lei, le diede notizie di Catherine e le domandò come andavano le cose.

«Non mi ha mai chiesto niente, Starling. Se mai volesse cambiare lavoro…»

«Grazie, senatrice Martin.»

«In quanto allo stramaledetto Lecter, no, naturalmente avrei avvertito subito il Bureau, se si fosse fatto vivo. Comunque, terrò il suo numero qui vicino al telefono. Charlsie sa come maneggiare la posta in arrivo, ma non credo che Lecter scriverà. Sa quale fu l'ultima cosa che mi disse quel figlio di puttana a Memphis? "Mi piace molto il suo tailleur." E fece la cosa più crudele che nessuno mi abbia mai fatto. Sa che cosa?»

«So che la provocò.»

«Quando Catherine non era stata ancora ritrovata, quando eravamo disperati e lui ci disse di avere informazioni su Jame Gumb e io lo supplicai, mi chiese, guardandomi in faccia con quegli occhi da rettile, mi chiese se avevo allattato Catherine. Volle sapere se l'avevo allattata al seno. Gli risposi di sì. Allora lui disse: "Fa venire sete, no?". All'improvviso, questo mi riportò indietro, a quando stringevo la mia bambina fra le braccia e avevo sete, e non vedevo l'ora che fosse sazia. Mi trafisse con una sofferenza che non avevo mai provato, e fu come se lui si abbeverasse al mio dolore.»

«Di che tipo era, senatrice Martin?»

«Di che tipo... scusi?»

«Il tailleur che piacque al dottor Lecter, com'era?»

«Mi faccia pensare... Un Givenchy blu, di taglio molto severo» rispose la senatrice Martin, leggermente piccata per le priorità di Starling. «Quando lo avrà risbattuto in galera, agente, venga a trovarmi. Faremo festa.»

«Grazie, senatrice. Me ne ricorderò.»

Due telefonate, una per ogni aspetto del dottor Lecter: la prima era stata la riprova del suo charme, la seconda della sua scala di valori. Starling scrisse: "Annate dei vini corrispondenti a date di nascita", pista già battuta nel suo piccolo programma. Fece una nota per aggiungere "Givenchy" all'elenco degli articoli pregiati e poi, come per un ripensamento, ci mise anche "allattamento al seno", per nessuna ragione che fosse in grado di definire. Non ebbe tempo di ragionarci sopra perché stava suonando il telefono "rosso".

«Parlo con Scienza del comportamento? Sto tentando di mettermi in contatto con Jack Crawford. Sono lo sceriffo Dumas di Clarendon County, Virginia.»

«Sceriffo, sono la sua assistente. Oggi Crawford è in tribunale. Lo sostituisco io. Sono l'agente speciale Clarice Starling.»

«Ho bisogno di parlare con Jack Crawford. Abbiamo un tizio, all'obitorio, che è stato letteralmente macellato. Parlo con la sezione giusta?»

«Sì, sceriffo, questa è proprio la sezione macel... sì, certo. Se mi dice con esattezza dove posso trovarla, vengo subito, e intanto avverto il signor Crawford perché ci raggiunga appena avrà finito di testimoniare.»

Uscendo da Quantico in seconda, la Mustang di Starling fece stridere le gomme al punto che il marine di guardia si accigliò, agitando l'indice e sforzandosi di non sorridere.

## 58

L'obitorio di Clarendon County, nella Virginia setten-
trionale, è collegato all'ospedale da un breve corridoio
con un aspiratore nel soffitto e grandi porte a doppi
battenti alle due estremità, per facilitare il trasporto
dei defunti. Davanti a una delle porte era di guardia un
vicesceriffo che doveva tenere fuori i cinque giornalisti
e i cameramen raggruppati intorno a lui.

Da dietro i giornalisti, Starling si alzò sulla punta
dei piedi, tenendo alto il distintivo. Quando il vicesceriffo lo vide e fece un cenno d'assenso, lei schizzò in
avanti. Scattarono i flash e alle sue spalle si accese un
riflettore.

Nella sala delle autopsie, silenzio, rotto solo dal tin-
tinnio degli strumenti che venivano posati su una va-
schetta d'acciaio.

L'obitorio della contea ha quattro tavoli per autopsie
di acciaio inossidabile, ognuno dotato di una bilancia
e di un lavandino. Due dei tavoli erano coperti da lenzuoli, uno dei quali stranamente rialzato da ciò che nascondeva al di sotto. Al tavolo vicino alla finestra era in
atto una normale autopsia ospedaliera. L'anatomopatologo e la sua assistente erano alle prese con qualcosa
di delicato, e quando Starling entrò, non alzarono lo
sguardo.

Il sottile stridio di una sega elettrica riempiva la stanza e, dopo un momento, il patologo mise delicatamente da parte una calotta cranica e sollevò nelle mani a coppa un cervello che depose sulla bilancia. Bisbigliò il peso nel microfono che aveva appuntato sul bavero, esaminò l'organo senza toglierlo dal piatto della bilancia, lo punzecchiò con un dito guantato. Quando vide Starling da sopra le spalle della sua assistente, lasciò cadere il cervello nella cavità toracica aperta del cadavere, schioccò i guanti in un secchio, come un bambino schiocca un elastico, e fece il giro del tavolo per avvicinarsi a lei.

Starling trovò leggermente macabro stringergli la mano.

«Clarice Starling, agente speciale dell'Fbi.»

«Sono il dottor Hollingsworth... medico legale, anatomopatologo dell'ospedale, capocuoco e lavapiatti.» Hollingsworth aveva vivaci occhi azzurri, lucidi come uova sode ben sbucciate. Parlò con la sua assistente senza distogliere lo sguardo da Starling. «Marlene, avverti lo sceriffo. È di sopra, nel reparto terapia intensiva dell'unità coronarica, e tira via i teli da quei resti, per piacere.»

Secondo l'esperienza di Starling, in genere i medici legali erano intelligenti, ma spesso vanesi e imprudenti nelle conversazioni informali. E amavano esibirsi. Hollingsworth seguì lo sguardo di Starling. «Si sta chiedendo del cervello?»

Lei annuì, mostrando le mani a palme aperte.

«Non si tratta di negligenza, agente speciale Starling. Non rimettendo il cervello nel cranio, faccio un favore al tizio delle pompe funebri. Per questo defunto è prevista una bara aperta e una lunga veglia, e sarebbe impossibile impedire alla materia cerebrale di gocciolare sul cuscino; allora cacciamo dentro il cervello con i polmoni o con che altro c'è, e richiudiamo. In più, gli applico due ganci sui lati della calotta cranica, in modo che non scivoli. Così, la famiglia ha il corpo al completo, e sono tutti contenti.»

«Capisco.»

«Mi dica se capisce anche questo» disse il medico. Dietro Starling, l'assistente del dottor Hollingsworth aveva tolto i lenzuoli che coprivano i due tavoli per le autopsie.

Starling si voltò e colse tutto in un'unica immagine che le sarebbe rimasta nella mente sino alla fine dei suoi giorni. Fianco a fianco, sui tavoli d'acciaio inossidabile giacevano un daino e un uomo. Dal daino spuntava una freccia gialla. Erano state la freccia e le corna a tenere su il lenzuolo come fosse stato una tenda.

L'uomo aveva una freccia gialla più corta e più spessa che gli attraversava trasversalmente il cranio sopra le orecchie. Indossava ancora un berretto da baseball, inchiodato alla testa dal dardo.

Guardandolo, Starling sbottò in un assurdo sbuffo di ilarità, soffocato tanto in fretta da sembrare dettato dallo sgomento. La postura simile dei due corpi, stesi di lato invece che nella solita posizione anatomica, rivelava che erano stati macellati in modo quasi identico: il filetto e il controfiletto erano stati asportati con perizia e senza sprechi, insieme alle strisce di tessuto muscolare che si trovano dietro la spina dorsale.

Il manto di un daino sull'acciaio inossidabile. La testa tenuta su dalle corna puntate sul blocco di metallo che fungeva da cuscino, voltata di lato e con gli occhi bianchi, come se si sforzasse di guardare indietro, verso la freccia lucente che l'aveva colpito... Quella creatura, adagiata su un fianco sopra il proprio riflesso in quel posto dall'ordine ossessivo, sembrava più selvatica, più aliena all'uomo di quanto mai sia sembrato un daino in un bosco.

Gli occhi dell'uomo erano sbarrati, e dai condotti lacrimali erano scese gocce di sangue simili a lacrime.

«Strano, vederli insieme» commentò Hollingsworth. «I loro cuori hanno esattamente lo stesso peso.» Osservò Starling e vide che stava bene. «Ma c'è qualcosa di diverso, nell'uomo. Ecco, guardi qui, dove le costole corte sono state staccate dalla colonna vertebrale e i polmoni asportati da dietro. Sembrano quasi ali, non è vero?»

«L'aquila di sangue» mormorò Starling, dopo aver pensato per un attimo.

«Non l'ho mai visto prima.»

«Neanch'io.»

«Ha un termine? Come l'ha chiamato?»

«L'aquila di sangue. A Quantico abbiamo un'intera letteratura su questo. È un costume sacrificale degli antichi scandinavi. Si tagliano le costole corte, si asportano i polmoni da dietro e si appiattiscono le costole a quel modo verso l'esterno, per farne come delle ali. Ci fu un omicidio così nel Minnesota, negli anni Trenta, commesso da un cosiddetto neovichingo.»

«Lei ne deve vedere un sacco di questa roba. Non voglio dire proprio "questa", ma situazioni del genere.»

«Mi capita, sì.»

«È fuori dalla mia solita esperienza. Noi ci occupiamo per lo più di omicidi normali... gente ammazzata a rivoltellate o a pugnalate. Ma vuole sapere che cosa penso?»

«Mi interessa molto, dottore.»

«Penso che quest'uomo, che i documenti d'identità chiamano Donnie Barber, ha ucciso il daino di frodo, ieri, e cioè il giorno prima che si aprisse la caccia... so che è ieri che è morto. La freccia è compatibile con il resto della sua attrezzatura da arciere. Poi, si è messo a macellare in fretta l'animale. Non ho controllato gli antigeni nel sangue che ha sulle mani, ma è sangue di daino. Intendeva asportare quello che i cacciatori chiamano retrospalla, e ha cominciato con un'incisione molto mal praticata, questo breve taglio slabbrato, qui. Poi gli è capitata una grande sorpresa, tipo questa freccia che gli ha trapassato la testa. Stesso colore, ma diverso tipo. Niente cocca. La riconosce?»

«Sembra un dardo da balestra» rispose Starling.

«Una seconda persona, magari quella con la balestra, ha finito di macellare il daino, facendo un lavoro di gran lunga migliore, e poi, perdio, ha macellato anche l'uomo. Guardi con che precisione è stata asportata la pelle qui, come sono nette le incisioni. Niente di rovinato o di sprecato. Michael DeBakey non avrebbe fatto di meglio. Nessun segno di rapporti sessuali, su nessuno dei due. Sono stati macellati semplicemente per la carne.»

Starling si toccò le labbra con le nocche delle dita. Per un attimo, il patologo pensò che stesse baciando un amuleto.

«Dottor Hollingsworth, ci sono i fegati?»

Passò un secondo, prima che lui rispondesse, sbirciandola da sopra gli occhiali. «Manca solo il fegato del daino. A quanto pare, quello del signor Barber non era all'altezza. È stato parzialmente esciso ed esaminato, ha un'incisione lungo la vena porta. Il fegato è cirrotico e scolorito, ed è stato lasciato nel corpo. Vuole vederlo?»

«No, grazie. E il timo?»

«Le interiora, sì, mancano a tutti e due. Agente Starling, nessuno ha ancora pronunciato il termine, vero?»

«No» rispose Starling. «Non ancora.»

Dalla porta arrivò uno sbuffo d'aria, e sulla soglia comparve un uomo magro, dalla faccia segnata, in giacca di tweed e calzoni cachi.

«Sceriffo, come sta Carleton?» chiese Hollingsworth. «Agente Starling, questo è lo sceriffo Dumas. Il fratello dello sceriffo è ricoverato di sopra, nel reparto terapia intensiva dell'unità coronarica.»

«Resiste. Dicono che le condizioni sono stabili e che lo tengono "sotto controllo", qualunque cosa significhi» rispose lo sceriffo. Poi, chiamando verso l'esterno: «Entra, Wilburn».

Lo sceriffo strinse la mano a Starling e presentò l'altro uomo. «Questo è Wilburn Moody, un guardiacaccia.»

«Sceriffo, se vuole stare vicino a suo fratello, possiamo salire di sopra» propose Starling.

Lo sceriffo Dumas scosse la testa. «Non mi lasciano entrare a vederlo almeno per un'altra ora e mezzo. Senza offesa, signorina, ma avevo chiesto di Jack Crawford. Arriva?»

«È bloccato in tribunale. Quando lei ha telefonato, era al banco dei testimoni. Penso che si farà vivo molto presto. Le siamo veramente grati per averci avvertiti così in fretta.»

«Il vecchio Crawford insegnava al mio corso, all'Accademia nazionale di polizia di Quantico, un secolo fa. Uomo con i controfiocchi. Se l'ha mandata qui, lei deve sapere il fatto suo... Vuole che proceda?»

«La prego, sceriffo.»

L'uomo estrasse un taccuino dalla tasca della giacca. «Il tizio con la freccia nella testa si chiama Donnie Leo Barber, maschio, razza bianca, trentadue anni. Abitava in un camper nel Trail's End Park di Cameron. Non risulta che avesse un lavoro. Quattro anni fa è stato messo in congedo definitivo dall'aeronautica militare per comportamento disonorevole. Ha fatto saltuariamente il meccanico di aerei. Ha pagato una multa per aver scaricato un'arma dentro i confini della città, e un'altra per essere andato a caccia quando la stagione scorsa era già chiusa. Si è dichiarato colpevole di caccia di frodo ai daini nella Summit County. Questo quando succedeva, Wilburn?»

«Due stagioni fa, aveva appena riavuto la licenza. Era noto al dipartimento della Caccia perché non si prendeva la briga di abbattere gli animali, dopo che li aveva feriti. Se non cadevano, toccava a un altro...»

«Racconta che cos'hai trovato oggi, Wilburn.»

«Be', stamattina, verso le sette, stavo venendo giù dalla provinciale 47, circa un chilometro e mezzo a ovest del ponte, quando il vecchio Peckman mi ha fatto segno di fermarmi. Respirava a fatica e si stringeva il petto. Riusciva solo ad aprire e chiudere la bocca e a indicare il bosco. Mi sono addentrato fra gli alberi per... be', non più di centocinquanta metri, ed eccoli lì, quel Barber, accasciato contro un tronco con una freccia nella testa, e quel daino, anche lui con una freccia in corpo. Erano rigidi, morti almeno da ieri.»

«Direi da ieri all'alba, freddi com'erano» disse il dottor Hollingsworth.

«Ora, la stagione si è aperta stamattina» continuò il guardiacaccia. «Donnie aveva con sé una di quelle impalcature per salire sugli alberi, ma non l'aveva ancora montata. Sembrava quasi che fosse andato nel bosco a fare i preparativi per oggi, ma secondo me cacciava di frodo. Altrimenti, se era andato solo per montare l'impalcatura, perché avrebbe portato l'arco? A un certo punto, vede arrivare quel bel daino e non resiste... Ne ho conosciuta, di gente così! Capita praticamente tutti i giorni. E poi, mentre lui sta macellando l'animale, arriva quell'altro. Non ho trovato tracce, perché era piovuto tanto che la terra mi si smottava sotto i piedi.»

«È per questo che, dopo aver scattato qualche fotografia, abbiamo portato via i corpi» intervenne lo sceriffo Dumas. «Il bosco è di proprietà del vecchio Peckman. Quel Donnie aveva addosso un'autorizzazione a cacciare gratuitamente per due giorni, a cominciare da oggi, con sopra la firma di Peckman. Ha sempre venduto una volta l'anno il permesso di cacciare sulla sua terra. Pubblicizza la cosa e la fa gestire da alcuni mediatori. Nel taschino posteriore dei calzoni, Donnie aveva anche un biglietto che diceva "Congratulazioni, ha vinto una caccia al daino". Le carte sono bagnate, signorina Starling. Non ho niente contro i nostri ragazzi, ma forse sarà meglio che analizziate le impronte nel vostro laboratorio. Quando siamo arrivati, era tutto bagnato, anche le frecce. Abbiamo cercato di non toccarle.»

«Vuole portarle via con lei, agente Starling? Come

preferisce che le estragga?» chiese il dottor Hollingsworth.

«Se le tiene ferme con la pinza chirurgica, le sega in due nel punto in cui toccano la pelle, dalla parte dell'impennaggio, e fa uscire l'altra metà spingendola in avanti, le assicuro alla mia tavola delle prove con i morsetti» disse Starling, aprendo la borsa.

«Non credo che Donnie si sia difeso, ma vuole che verifichi se aveva lembi di pelle sotto le unghie?»

«Preferisco che le tagli per l'esame del Dna. Non ho bisogno che le identifichi una per una, dottore, ma separi quelle della sinistra da quelle della destra.»

«Siete in grado di fare la Pcr-Str?»

«Nel laboratorio principale, sì. Sceriffo, avremo qualcosa per lei nel giro di tre o quattro giorni.»

«Potete anche esaminare quel sangue di daino?» domandò il guardiacaccia Moody.

«No, possiamo solo dire se è sangue d'animale o no» rispose Starling.

«E se vi capitasse di trovare carne di daino nel frigorifero di qualcuno?» insistette il guardiacaccia Moody. «Vi interesserebbe sapere se è di questo stesso animale, no? A volte, per tenere in piedi un'accusa di caccia di frodo, noi abbiamo bisogno di poter distinguere un daino attraverso il sangue. Ogni daino è diverso dall'altro. Da non crederci, vero? Dobbiamo mandare i campioni ematici a Portland, nell'Oregon, al dipartimento di Caccia e pesca di quello stato e, se abbiamo pazienza, prima o poi ci fanno sapere. Ci torna una comunicazione con: "Questo è il Daino Numero Uno", oppure semplicemente: "Daino A", con di seguito un lungo elenco di numeri per contraddistinguere il caso, perché sa, i daini non hanno un nome. Che ci risulti, almeno.»

A Starling piaceva la faccia simile a cuoio vecchio di Moody. «Questo lo chiameremo "John Doe", guardiacaccia Moody. Mi è utile sapere dell'Oregon, potremmo avere dei problemi da sottoporre a quel dipartimento, grazie» disse Starling, e gli sorrise finché lui arrossì e cominciò a giocherellare con il berretto.

Mentre Starling era china a frugare nella borsa, il dottor Hollingsworth la osservò per il piacere che gli dava guardarla. La faccia le si era illuminata per un momento, mentre parlava con il vecchio Moody. Il neo che aveva sulla guancia sembrava proprio un granello di polvere da sparo. Il dottore avrebbe voluto chiederglielo, ma si convinse che era meglio di no.

«In che cosa avete riposto le carte? Non nella plastica, spero» disse Starling, rivolta allo sceriffo.

«In sacchetti di carta marrone. I sacchetti di carta non rovinano niente.» Lo sceriffo si massaggiò la nuca, guardando Starling. «Sa perché ho chiamato voi, perché volevo qui Jack Crawford. Ma sono contento che sia venuta lei, ora che ricordo chi è. Fuori da questa stanza, nessuno ha pronunciato la parola "cannibale", perché non appena saltasse fuori, i giornalisti invaderebbero il bosco, distruggendolo. Sanno solo che potrebbe essersi trattato di un incidente di caccia. Forse hanno sentito dire che un cadavere è stato mutilato, ma non sono al corrente del fatto che Donnie Barber è stato macellato. Non esistono molti cannibali, agente Starling.»

«No, sceriffo. Non molti.»

«È stato un lavoro orribilmente preciso.»

«Sissignore, è così.»

«Forse penso a lui perché ha riempito i giornali per tanto tempo... ma non sembra anche a lei opera di Hannibal Lecter?»

Starling guardò un calabrone infilarsi dentro lo scarico del lavandino vicino al tavolo per autopsie vuoto. «Una vittima del dottor Lecter andava a caccia con l'arco» rispose alla fine.

«E Lecter lo mangiò?»

«Quello, no. Lo lasciò appeso a un gancio con il corpo martoriato da tutti i tipi di ferite possibili. Lo sistemò in modo che sembrasse uscito da un'illustrazione medica medievale chiamata "L'Uomo ferito". Il dottor Lecter è appassionato di Medioevo.»

L'anatomopatologo indicò i polmoni posati sulla schiena di Donnie Barber. «Lei diceva che questo è un vecchio rituale.»

«Penso di sì» rispose Starling. «Non so se è stato Lecter, ma se è stato lui, la mutilazione non ha significato di feticcio... Questa non è una disposizione degli organi compulsiva, in lui.»

«Che cos'è, allora?»

«Capriccio» disse Starling, sforzandosi di esprimersi con le parole esatte. «È un *capriccio*, ed è quello che l'ha fatto acciuffare l'ultima volta.»

## 59

Il laboratorio del Dna era nuovo, sapeva di nuovo, e il personale era più giovane di Starling. Era una cosa alla quale doveva abituarsi, pensò con una fitta al cuore... presto avrebbe avuto un anno di più.

Una ragazza con il nome "A. Benning" scritto sul cartellino di riconoscimento firmò per le due frecce consegnate da Starling.

A. Benning doveva aver avuto qualche brutta esperienza nel prendere in consegna le prove, a giudicare dall'evidente sollievo che espresse quando vide le due frecce ben assicurate dai morsetti alla tavoletta per le prove di Starling.

«Non immagina che cosa mi capita di vedere, quando apro questi affari» esclamò A. Benning. «Deve capire che non posso farle promesse, del genere: in cinque minuti...»

«Certo» rispose Starling. «Non esistono riferimenti Rflp sul dottor Lecter. È fuggito da troppo tempo, e i suoi oggetti sono stati inquinati, maneggiati da centinaia di persone.»

«Il tempo del laboratorio è troppo prezioso perché si possa esaminare ogni singolo campione, tipo quattordici capelli rilevati in una stanza di motel. Se mi porta...»

«Prima mi ascolti» la interruppe Starling «poi mi dirà. Ho chiesto alla polizia italiana di mandarmi lo spazzolino da denti che secondo loro è appartenuto al dottor Lecter. Potrebbe trovarci delle cellule epiteliali della mucosa delle guance. Le sottoponga alla Rflp e alle sequenze a simmetria binaria. Il dardo della balestra è rimasto sotto la pioggia, quindi dubito che potrà cavarne molto, ma guardi qui...»

«Mi dispiace, ma ho la sensazione che lei non capisca...»

Starling si sforzò di sorridere. «Non si preoccupi, A. Benning, troveremo un accordo. Vede, le due frecce sono tutte e due gialle. Il dardo della balestra lo è perché è stato dipinto a mano, un lavoretto abbastanza ben fatto, a parte qualche scolatura della vernice. Guardi qui: che cosa sembra questa cosa sotto la pittura?»

«Forse un pelo del pennello?»

«Forse. Ma osservi com'è curvo a un'estremità e il piccolo bulbo che ha all'altra. E se fosse un ciglio?»

«Se ha il follicolo...»

«Appunto.»

«Senta, posso fare la Pcr-Str... tre colori contemporaneamente... nella stessa traccia sul gel e fornirle tre sequenze di Dna alla volta. Il tribunale ne richiede tredici, di sequenze, ma un paio di giorni saranno sufficienti per stabilire con sufficiente attendibilità se è lui.»

«A. Benning, lo sapevo che poteva essermi d'aiuto.»

«Lei è Starling... voglio dire, l'agente speciale Starling. Non intendevo cominciare con il piede sbagliato, ma vedo arrivare così tante prove inconcludenti mandate dalla polizia... Non aveva niente a che fare con lei.»

«Lo so.»

«Pensavo che fosse più vecchia. Tutte le ragazze... le donne sanno di lei. Voglio dire, lo sanno tutti, ma per noi lei è...» distolse lo sguardo «per noi è speciale.» Alzò il piccolo pollice tozzo. «Buona fortuna con l'Altro. Se non le dispiace che dica così.»

## 60

Il "maggiordomo" di Mason Verger, Cordell, era un omone dai lineamenti scolpiti. Se avesse avuto un viso più espressivo, si sarebbe potuto definire bello. Aveva trentasette anni, e in Svizzera non avrebbe mai più potuto lavorare nel campo della salute, né svolgere nessun altro impiego che lo mettesse a stretto contatto con i bambini.

Mason gli pagava uno stipendio molto elevato perché si occupasse dell'ala della casa dove viveva, lo curasse e lo nutrisse. Aveva appurato che il suo assistente era assolutamente affidabile e capace di tutto. Attraverso lo schermo che li collegava, Cordell aveva assistito ad atti di crudeltà tali, quando Mason incontrava i bambini, che chiunque altro si sarebbe abbandonato all'ira o al pianto.

Quel giorno, Cordell era leggermente preoccupato per l'unica cosa che considerava sacra, il denaro.

Diede i soliti due colpetti alla porta ed entrò nella stanza di Mason. Era completamente buio, tranne che per la luminosità che proveniva dall'acquario. L'anguilla capì che era arrivato Cordell e uscì dal suo buco, speranzosa.

«Signor Verger?»

Qualche istante, mentre Mason si svegliava.

«Devo ricordarle una cosa. Questa settimana bisogna effettuare un pagamento extra alla stessa persona di Baltimora della quale abbiamo già parlato. La questione non è urgentissima, ma sarebbe prudente pagare. Quel bambino negro, quel Franklin, all'inizio della settimana ha ingerito del veleno per topi ed è in condizioni critiche. Ha detto alla madre adottiva che è stato lei a suggerirgli di avvelenare il gatto per impedire alla polizia di torturarlo. E così, ha consegnato il gatto a un vicino e l'ha mangiato lui, il veleno per topi.»

«È assurdo» esclamò Mason. «Io non ho niente a che vedere con questa storia.»

«Naturale che è assurdo, signor Verger.»

«Chi è che si lamenta? La donna dalla quale prendi i bambini?»

«È lei che dobbiamo pagare subito.»

«Cordell, non hai fatto qualcosa a quel piccolo bastardo, vero? Non gli hanno trovato niente, all'ospedale, giusto? Lo scoprirei, e tu lo sai.»

«No, signore. In casa sua? Mai, lo giuro. Sa che non sono uno stupido. E amo il mio lavoro.»

«Dov'è ora, quel Franklin?»

«Al Maryland-Misericordia Hospital. Quando uscirà, lo manderanno in una casa-famiglia. Sa, la donna con la quale viveva è stata esclusa dalle liste di affidamento perché l'hanno scoperta a fumare marijuana. È lei ad accusarla. Forse saremo costretti a trattare.»

«Negraccia tossica, non dovrebbe essere un problema.»

«Non sa a chi rivolgersi per questa storia. Bisogna essere molto prudenti, con lei. Guanto di velluto. L'assistente sociale vuole chiuderle la bocca.»

«Ci penserò. Va bene, pagala, quell'assistente.»

«Mille dollari?»

«Sì, ma ficcale in testa che non avrà altro.»


Sdraiata al buio sul divano di Mason, le guance indurite dalle lacrime che si erano asciugate, Margot

Verger ascoltava parlare Cordell e Mason. Evidentemente, Mason pensava che fosse uscita. Aprì la bocca per tirare il fiato, sforzandosi di regolare il respiro sui sibili della macchina di Mason. Uno sbuffo di luce grigiastra, quando Cordell aprì la porta per andarsene. Margot restò supina sul divano. Aspettò quasi venti minuti, finché la pompa si adeguò al ritmo della respirazione di Mason quando dormiva. Poi lasciò la stanza. L'anguilla la vide uscire. Mason no.

## 61

Margot Verger e Barney avevano preso a farsi compagnia. Non parlavano molto, ma guardavano il football nella sala ricreazione, e i *Simpson*, e a volte ascoltavano i concerti sul canale culturale, e seguivano insieme *Io, Claudio*. Quando i turni di lavoro fecero perdere a Barney alcuni episodi, ordinarono la cassetta.

A Margot, Barney piaceva, le piaceva il suo modo cameratesco di trattarla, da uomo a uomo. Ed era l'unica persona di sua conoscenza capace di tanto autocontrollo. Barney era molto intelligente e c'era qualcosa di spirituale in lui. A Margot piaceva anche questo.

Margot possedeva una solida cultura umanistica e una buona conoscenza dell'informatica. Barney, autodidatta com'era, aveva opinioni a volte infantili e altre assai acute. Lei poteva essergli di stimolo in vari campi, con la sua cultura simile a una vasta pianura chiusa entro i confini della ragione. Ma la pianura stava in bilico sulla vetta della sua mentalità come il mondo di Flatlandia stava in bilico su una tartaruga.

Margot Verger la fece pagare a Barney per la sua battuta sul fare la pipì accoccolati. Era convinta di avere gambe più forti delle sue, e il tempo dimostrò che aveva ragione. Fingendo di avere qualche difficoltà con pesi piuttosto bassi, lo trascinò in una scommessa su un esercizio per il potenziamento delle cosce, e riguadagnò i suoi cento dollari. Inoltre, usando il vantaggio d'essere più leggera, lo batté alle flessioni su un braccio, anche se poté farlo solo con il destro, dato che il sinistro era rimasto indebolito dopo una frattura provocata da una lite con Mason.

A volte, di sera, quando Barney aveva finito il turno con Mason, si allenavano insieme, assistendosi a vicenda negli esercizi alla panca. Erano allenamenti seri, con il silenzio rotto solo dai respiri. Spesso si auguravano semplicemente la buonanotte, mentre Margot riponeva la roba nella borsa di tela e scompariva verso i quartieri di famiglia, severamente proibiti ai dipendenti.

Quella sera, lei arrivò nella palestra nera e cromata direttamente dalla camera di Mason, con gli occhi pieni di lacrime.

«Ehi, ehi» esclamò Barney. «Sta bene?»

«Che vuoi che ti dica, le solite puttanate di famiglia. Sì, sto bene.»

Ci diede dentro come un'indemoniata, con carichi troppo alti, troppe ripetizioni.

A un certo punto Barney si avvicinò e le tolse le mani da un bilanciere, scuotendo la testa. «Si prenderà uno strappo» disse.

Margot stava ancora pedalando come una forsennata, quando lui sospese l'allenamento per cacciarsi sotto la doccia fumante della palestra, lasciando che l'acqua calda gli lavasse via la stanchezza della lunga giornata. Era una doccia da palestra, di quelle che si usano in comune, con quattro getti in alto e altri all'altezza della vita e delle cosce. A Barney piaceva aprire due docce e farne convergere il flusso sul suo grosso corpo.

Presto, fu avvolto da una spessa nebbia che escludeva tutto tranne il battere dell'acqua sulla sua testa. Gli piaceva riflettere sotto la doccia: nuvole di vapore. *Le nuvole*. Aristofane. Le spiegazioni del dottor Lecter sulla lucertola che pisciava su Socrate. Gli venne in mente che, prima di essere modellato dall'implacabile martello del dottor Lecter, uno come Doemling l'avrebbe di sicuro messo sotto.

Quando sentì un'altra doccia aprirsi, non vi diede peso e continuò a strofinarsi. Anche altri dipendenti frequentavano la palestra, ma più che altro la mattina presto e il pomeriggio inoltrato. È questione di etichetta maschile prestare poca attenzione a chi è presente nella doccia comune di un circolo sportivo, ma Barney si chiese chi poteva essere. Sperava che non fosse Cordell, perché quell'uomo gli dava i brividi. Era molto raro che qualcuno venisse in palestra la sera tardi. Chi diavolo era? Barney si voltò per farsi scrosciare l'acqua sulla nuca. Nubi di vapore, mentre frammenti della persona accanto a lui comparivano fra gli spruzzi come pezzi di affresco su un muro intonacato. Qui una spalla massiccia, lì una gamba. Una mano affusolata che sfregava il collo e le spalle muscolose. Unghie color corallo. Quella era la mano di Margot. Unghie dei piedi smaltate. Quella era la gamba di Margot.

Barney ricacciò la testa sotto il getto pulsante della doccia e tirò un profondo respiro. Accanto a lui, la figura si voltava, si sfregava la pelle in modo sistematico. Ora stava lavandosi i capelli. Quello era il ventre piatto di Margot, e i piccoli seni sporgenti sui grandi pettorali, i capezzoli ritti verso il getto d'acqua, e quello era l'inguine di Margot, con i grossi nodi dei muscoli alla giuntura fra le cosce e il tronco, e quella doveva essere la passera di Margot, coronata da ciuffi biondi.

Barney tirò il sospiro più profondo che poté e lo trattenne... sentì che in lui si stava sviluppando un problema. Margot era lucida come un cavallo, pompata al limite estremo dal duro allenamento. Sentendo il proprio interesse crescere visibilmente, Barney le voltò le spalle. Forse poteva semplicemente ignorarla finché non se ne fosse andata.

Accanto a lui, l'acqua smise di scorrere. Ma poi arrivò la voce di Margot: «Ehi, Barney, a quanto li danno i Patriot?».

«Con... con il mio tizio, si riesce ad averli a cinque e mezzo, giù a Miami.» Barney guardò da sopra una spalla.

Margot si stava asciugando appena fuori dal getto d'acqua di Barney. Aveva i capelli appiccicati alla testa. Ora la faccia era fresca, e le lacrime erano sparite. Margot aveva una pelle fantastica.

«E così, punterai? Quelli che li danno alla pari, nell'ufficio di Judy, hanno...»

Barney non riuscì a seguire il resto. Il ciuffo dorato di Margot, picchiettato di gocce simili a brillanti, tra la carne rosea. Si sentì avvampare in viso, ed ebbe un'enorme erezione. Rimase sorpreso e disturbato, e venne colto da una sensazione di sgomento. Non aveva mai provato attrazione per gli uomini. Ma poi si disse che Margot, malgrado tutti quei muscoli, non era certo un uomo, e gli piaceva.

E comunque, che cazzo le era venuto in mente di cacciarsi sotto la doccia con lui?

Chiuse l'acqua e si voltò verso la ragazza, gocciolante com'era. Senza pensarci sopra, mise la sua grande mano sulla guancia di lei. «Per l'amor del cielo, Margot» disse, con il fiato che gli si strozzava in gola.

Margot abbassò gli occhi su di lui. «Accidenti a te, Barney. Non...»

Barney tese il collo e si protese in avanti, tentando di baciarla delicatamente su un qualunque punto del viso, senza toccarla con il membro, ma la toccò comunque, e lei si tirò indietro, abbassò lo sguardo sul filo di fluido cristallino che si stendeva fra lui e il proprio ventre piatto, unendoli, e gli abbatté l'avambraccio sull'ampio torace, con un colpo degno di un peso medio. A Barney mancarono le gambe e piombò a sedere sul pavimento della doccia.

«Lurido bastardo» sibilò lei. «Avrei dovuto capirlo. Frocio! Prendi quell'affare e cacciatelo...»

Barney si rialzò in fretta, uscendo dalla doccia. Si infilò gli indumenti sul corpo bagnato e se ne andò senza una parola.

Barney viveva in un edificio separato dalla casa, una costruzione dal tetto di ardesia che un tempo aveva ospitato le stalle e ora era organizzata in garage, sopra i quali erano stati ricavati alcuni appartamenti. La sera tardi, Barney lavorava al computer portatile, seguendo un corso per corrispondenza su Internet. Sentì vibrare il pavimento, mentre qualcuno pesante saliva su per la scala.

Un leggero colpo alla porta. Quando aprì, si trovò davanti Margot, infagottata in una pesante tuta e con un berretto in testa.

«Posso entrare un minuto?»

Barney si guardò i piedi per qualche secondo, prima di scostarsi dalla porta.

«Barney... Ehi, mi dispiace per quello che è successo» disse Margot. «Sono stata colta da una specie di panico. Voglio dire, prima mi sono cacciata in quella situazione, e poi sono entrata in agitazione. Mi piaceva essere tua amica.»

«Anche a me.»

«Pensavo che potevamo essere... sai, amici veri.»

«E dài, Margot! Ho detto che saremmo stati amici, ma non sono un maledetto eunuco. Che cazzo, ti sei cacciata sotto la doccia con me. Mi sei sembrata bella, non ho potuto farne a meno. Sei venuta sotto la doccia e io ho visto contemporaneamente due cose che mi piacciono molto.»

«Io e la passera.»

Scoppiarono a ridere insieme, e ne furono sorpresi.

Margot gli si avvicinò e lo strinse in un abbraccio che avrebbe potuto stritolare un uomo meno possente. «Sta' a sentire, se dovessi andare con un uomo, quest'uomo non potresti essere che tu. Ma non fa per me. Davvero. Né ora né mai.»

Barney annuì. «Lo so. La situazione mi è scappata di mano.»

Rimasero in silenzio per qualche minuto, abbracciati.

«Vuoi che tentiamo di essere amici?» chiese Margot.

Barney ci pensò per un attimo. «Sì. Ma tu devi darmi una mano. Ecco le condizioni: io farò lo sforzo enorme di dimenticare quello che ho visto nella doccia, e tu non me lo mostrerai più. E già che ci sei, non mostrarmi neanche le tette. Che ne dici?»

«Posso essere una buona amica, Barney. Vieni a pranzo, domani. Cucinerà Judy, e cucinerò anch'io.»

«Sì, ma forse non cucini meglio di me.»

«Mettimi alla prova» disse Margot.

## 62

Il dottor Lecter reggeva controluce una bottiglia di Château Pétrus. Il giorno prima, l'aveva tolta dalla posizione orizzontale e appoggiata sul fondo, nel caso avesse avuto un po' di sedimento. Guardò l'orologio e decise che era l'ora di aprire il vino.

Quello era ciò che il dottor Lecter considerava un serio rischio, un margine d'errore che non gli piaceva di dover affrontare. Non voleva fare le cose in fretta. Gli piaceva godere del colore del vino in una caraffa di cristallo da decantazione. E se il tappo fosse uscito troppo velocemente e con il travasamento il vino avesse perso un soffio del suo sacro bouquet? La luce rivelò qualche sedimento.

Il dottor Lecter rimosse il tappo con la stessa cura con cui avrebbe trapanato un cranio, e posò la bottiglia su un *verseur* che la inclinava di un minuscolo grado per volta. Avrebbe lasciato che l'aria salmastra svolgesse il suo lavoro e poi avrebbe deciso.

Accese un fuoco con grossi pezzi irregolari di carbone di legna e si preparò da bere, Lillet e una fetta d'arancia sopra il ghiaccio, mentre pensava al *fond* al quale lavorava da giorni. Nel preparare il sugo di cottura, il dottor Lecter seguiva l'ispirata guida di Alexandre Dumas. Solo tre giorni prima, al ritorno dal bosco della caccia al daino, aveva aggiunto agli ingredienti un grasso corvo che si era rimpinzato di bacche di ginepro. Piccole piume nere galleggiavano sull'acqua calma della baia. Aveva conservato le penne maestre per ricavarne plettri per il clavicembalo.

Ora il dottor Lecter schiacciò altre bacche di ginepro e cominciò a far appassire lo scalogno in una padella di rame. Con un perfetto nodo chirurgico, legò un pezzo di filo di cotone attorno a un mazzetto di erbe aromatiche, lo mise nella padella e ci versò sopra il sugo con il ramaiolo.

Il filetto che il dottor Lecter tirò fuori dalla zuppiera di ceramica era scurito dalla marinatura, e gocciolava. Lo asciugò e ne ripiegò la punta, legando il tutto in modo da formare un diametro costante per tutta la lunghezza della carne.

Dopo un po', il fuoco aveva raggiunto la giusta intensità, con le braci roventi al centro del carbone. Il filetto sfrigolò sul ferro e il fumo azzurrognolo danzò nel giardino, come se si muovesse sulla musica del dottor Lecter che usciva dalle casse dello stereo. Il dottore stava ascoltando la commovente composizione di Enrico VIII, *If True Love Reigned*.

A notte fonda, con le labbra macchiate dal rosso dello Château Pétrus, un piccolo bicchiere di cristallo con un dorato Château d'Yquem posato sul ripiano con le candele, il dottor Lecter suona Bach. Nella sua mente, Starling corre tra le foglie. Il daino la precede, e corre su per il pendio oltre il dottor Lecter, che è seduto immobile sulla collina. Correre, correre, sta eseguendo il secondo movimento delle *Variazioni Goldberg*, con la luce delle candele che gioca sulle sue mani in movimento... uno strappo nella musica, un balenio di neve insanguinata e di denti imbrattati, questa volta non più di un lampo che scompare con un suono distinto, un forte "toc", il dardo di una balestra che s'infigge in un cranio... E poi abbiamo di nuovo il gradevole bosco, la musica che fluisce e Starling, avvolta in un alone dorato, che scompare correndo alla nostra vista, con la coda di cavallo che ondeggia come la coda di un daino. Senza ulteriori interruzioni, il dottor Lecter esegue il movimento fino alla fine, e il dolce silenzio che segue è ricco quanto lo Château d'Yquem.

Alzò il bicchiere contro la fiamma della candela, e la luce si accese dietro il cristallo come il sole si accende sull'acqua, e così il vino prese il colore del sole invernale sulla pelle di Starling. Presto sarà il suo compleanno, rifletté il dottore. Si chiese se fosse ancora disponibile una bottiglia di Château d'Yquem dello stesso anno di nascita della ragazza. Forse doveva un regalo a Clarice Starling, che da lì a tre settimane avrebbe vissuto lo stesso numero di anni di Cristo.

## 63

Nel momento in cui il dottor Lecter alzava il bicchiere verso la candela, A. Benning, che si era trattenuta oltre l'orario nel laboratorio del Dna, mise controluce l'ultimo gel e guardò le linee dell'elettroforesi picchiettate di rosso, di azzurro e di giallo. Il campione era stato rilevato dallo spazzolino da denti trovato a Palazzo Capponi e spedito attraverso il corriere diplomatico italiano.

«Mmmm» fece la ragazza, e chiamò il numero di Starling a Quantico.

Rispose Eric Pickford.

«Salve, posso parlare con Clarice Starling, per piacere?»

«È già uscita. La sostituisco io. Posso esserle utile?»

«Ha il numero del suo cercapersone?»

«È sull'altra linea. Che novità ci sono?»

«Vuole dirle, per favore, che ha chiamato Benning del laboratorio del Dna? Le dica anche che le cellule sullo spazzolino da denti e il ciglio che era sulla freccia corrispondono. È proprio il dottor Lecter. La preghi di telefonarmi.»

«Mi dia il suo numero diretto. Certo, vado subito a dirglielo. Grazie.»

Starling non era sull'altra linea. Pickford chiamò Paul Krendler a casa.

Quando Starling non si fece viva con il laboratorio,

A. Benning rimase delusa. Era andata molto oltre l'orario, per dedicarsi a quella ricerca. Se ne andò prima ancora che Pickford telefonasse a casa di Starling.

Mason venne a saperlo un'ora prima di lei.

Parlò brevemente con Paul Krendler, prendendosela comoda e aspettando che il respiro arrivasse. La sua mente era lucida.

«È arrivato il momento di liberarsi di Starling, prima che quelli vengano colti dalla smania di agire e decidano di usarla come esca. Oggi è venerdì, hai tutto il fine settimana. Metti in moto le cose, informa gli italiani dell'annuncio e sbatti quella ragazza fuori di lì, è ora che se ne vada. Mi hai capito, Krendler?»

«Vorrei poter...»

«Tu fallo e basta, e quando riceverai la prossima cartolina illustrata dalle isole Cayman, sotto il francobollo troverai un bel numero nuovo.»

«D'accordo, tenterò...» disse Krendler, e sentì riattaccare.

Il breve dialogo aveva insolitamente stancato Mason.

Come ultima cosa, prima di cadere in un sonno irrequieto, convocò Cordell. «Fa' arrivare i maiali» gli disse.

## 64

Fisicamente, muovere un maiale semiselvaggio contro la sua volontà è più arduo che rapire un uomo. I maiali sono più difficili da afferrare e quelli di grosse dimensioni sono più forti degli esseri umani, e non si spaventano se li si minaccia con una pistola. E se vogliamo mantenere integri il nostro addome e le nostre cosce, bisogna stare attenti alle loro zanne.

I maiali dotati di zanne, quando si scontrano con una creatura che sta in posizione eretta, come gli uomini o gli orsi, istintivamente la sbudellano. Non mirano ad azzannare le caviglie, ma possono imparare in fretta a farlo.

E se si vuole mantenere in vita l'animale, non lo si può tramortire con uno choc elettrico, perché i suini sono predisposti alla fibrillazione coronarica fatale.

Carlo Deogracias, esperto in maiali, aveva la pazienza di un coccodrillo. Dopo aver svolto diversi esperimenti con i sedativi per animali, usando la stessa acepromazina che aveva pensato di somministrare al dottor Lecter, ormai conosceva con esattezza la dose necessaria ad acquietare un maiale selvatico di cento chili e gli intervalli da tenere fra una dose e l'altra per mantenerlo tranquillo quattordici ore senza effetti collaterali duraturi.

Dato che l'azienda dei Verger si occupava di importazione internazionale su larga scala di animali, e per giunta era partner fisso del dipartimento dell'Agricoltura per i programmi sperimentali d'allevamento, la strada per i maiali di Mason fu tutta in discesa. Come richiesto, il modulo 17-129 del servizio veterinario venne inviato per fax all'ispettorato zoo-botanico di Riverdale, nel Maryland, insieme ai certificati veterinari arrivati dalla Sardegna e ai trentanove dollari e cinquanta di tassa d'importazione per i cinquanta flaconi di sperma congelato che Carlo voleva portare con sé.

I permessi per l'importazione dei maiali e dello sperma arrivarono a giro di fax, con l'esenzione dall'usuale quarantena a Key West per gli animali e la conferma che un ispettore li avrebbe sdoganati a bordo dell'aereo, al Baltimore-Washington International Airport.

Carlo e i suoi aiutanti, i fratelli Piero e Tommaso Falcione, riunirono le gabbie. Erano ottime gabbie imbottite all'interno, con porte scorrevoli alle due estremità e sabbia posata sul fondo. Solo all'ultimo minuto si ricordarono di caricare anche lo specchio del bordello. Qualcosa nella sua cornice rococò attorno al riflesso dei maiali aveva estasiato Mason, quando l'aveva visto in fotografia.

Con estrema attenzione, Carlo drogò sedici suini... cinque cinghiali cresciuti nello stesso recinto e undici scrofe, una delle quali incinta, nessuna in calore. Quando furono addormentati, Carlo li sottopose a un attento esame. Controllò con la punta delle dita i denti aguzzi e la punta delle terribili zanne. Strinse fra le mani i loro grugni, li guardò nei piccoli occhi vitrei, auscultò per assicurarsi che le vie respiratorie fossero pervie e saggiò le loro piccole caviglie eleganti. Poi li trascinò su un telone fin dentro le gabbie e chiuse gli sportelli.

I camion scesero cigolando dai monti del Gennargentu fino a Cagliari. All'aeroporto aspettava un jet da carico gestito dalle Count Fleet Airlines, specializzate nel trasporto di cavalli da corsa. In genere, quel velivolo portava cavalli americani avanti e indietro dall'ippodromo di Dubai. Ora ne aveva a bordo uno solo, caricato a Roma. L'animale s'innervosì, sentendo il tanfo di selvatico dei suini, nitrì e scalciò nell'angusto box imbottito finché l'equipaggio fu costretto a scaricarlo e a lasciarlo a terra, con grande dispendio da parte di Mason, il quale dovette rispedire a sue spese l'animale al proprietario e pagare un risarcimento per evitare una denuncia.

Carlo e i suoi aiutanti viaggiarono con i maiali nella stiva pressurizzata dell'aereo. Ogni mezz'ora, in alto sopra il mare ondoso, Carlo faceva visita a ogni singolo animale, metteva la mano sul fianco irto di setole e controllava il battito del cuore selvaggio.

Anche se affamati, non ci si poteva aspettare che i sedici maiali divorassero completamente il dottor Lecter in una sola volta. Ci avevano messo ventiquattr'ore a consumare del tutto il regista.

Il primo giorno, Mason voleva che il dottor Lecter li guardasse mangiargli i piedi. Poi, durante la notte, Lecter sarebbe stato sostenuto da una flebo di sali minerali, in attesa della portata successiva.

Mason aveva promesso a Carlo di lasciarlo mezz'ora solo con lui, durante l'intervallo.

Come secondo piatto, i maiali potevano svuotargli il corpo di tutto quello che aveva dentro e nel giro di un'ora mangiargli la carne del ventre e la faccia; poi, mentre la prima ondata degli animali più grossi e della scrofa incinta si ritirava, sazia, sarebbe arrivata la seconda. Ma, a questo punto, il divertimento sarebbe ormai finito.

## 65

Prima d'allora, Barney non era mai stato nei locali che avevano ospitato il fienile e le scuderie. Entrò da una porta laterale, sotto le file di sedili che circondavano su tre lati la vecchia pista sulla quale erano sfilati i cavalli in vendita. Deserta e silenziosa tranne che per il borbottio dei piccioni appollaiati sulle travi, la pista conservava ancora un'atmosfera di attesa. Dietro il gabbiotto del battitore d'asta si stendeva la parte aperta del fienile. Grosse porte a due battenti si aprivano sulle scuderie e sul locale dei finimenti.

Barney sentì delle voci e gridò: «Salve».

«Nel retro, Barney, vieni.» La voce profonda di Margot. La stanza dei finimenti era allegra, con le sue briglie appese al soffitto e la forma aggraziata delle selle. Odore di cuoio. La luce calda del sole che pioveva dentro attraverso le finestre polverose poste subito sotto le grondaie rendeva più intenso il profumo del cuoio e del fieno. Un loft aperto lungo tutto un lato dava sul fienile vero e proprio.

Margot stava rimettendo a posto le striglie e alcune cavezze. I suoi capelli erano più chiari del fieno, gli occhi richiamavano l'azzurro scuro del timbro di un ispettore sulla carne macellata.

«Salve» disse Barney dalla porta. Il locale gli parve un po' fasullo, messo su per i bambini che venivano a visitare la tenuta. Con la sua altezza e la luce che pioveva dentro in diagonale dalle finestre, sembrava una chiesa.

«Ciao, Barney, mettiti comodo. Mangeremo fra una ventina di minuti.»

La voce di Judy Ingram arrivò dal loft in alto: «Barneeeey. Buongiorno. Vedrai che cos'ho preparato per pranzo! Margot, vuoi che proviamo a mangiare fuori?».

Tutti i sabati, Margot e Judy avevano l'abitudine di strigliare il vario assortimento di grasse pecore Shetland che venivano tenute per essere cavalcate dai bambini in visita. E si portavano sempre dietro un pranzo da consumare sull'erba.

«Proviamo sul lato sud del fienile, al sole» disse Margot.

Sembravano tutt'e due un po' troppo giulive. Un uomo con l'esperienza ospedaliera di Barney sapeva che un eccesso di allegria non promette mai bene riguardo a chi l'esprime.

La stanza dei finimenti era dominata da un teschio di cavallo attaccato al muro quasi ad altezza d'uomo, completo di briglie e paraocchi, e con attorno un drappo con i colori delle scuderie Verger.

«Quello è Fleet Shadow, vinse la Lodgepole Stakes del '52, l'unico numero uno che mio padre abbia mai avuto» spiegò Margot. «Mio padre era troppo avaro per farlo imbalsamare.» Alzò lo sguardo sul teschio. «Assomiglia parecchio a Mason, vero?»

Nell'angolo c'erano una fornace e un mantice. Margot aveva acceso un piccolo fuoco di carbone per difendersi dal freddo gelido. Sul fuoco c'era una pentola con qualcosa che odorava di minestra.

Su un banco da lavoro era disposta una serie completa di arnesi da maniscalco. Margot afferrò un martello dal manico corto e dalla testa pesante. Con quelle braccia robuste e il torace massiccio sarebbe veramente potuta essere un maniscalco, o un fabbro, dai pettorali particolarmente appuntiti.

«Mi butteresti le coperte?» gridò Judy dall'alto.

Margot prese un mucchio di coperte da sella lavate di fresco e con un unico movimento del grosso braccio le fece volare ad arco su fino al loft.

«Okay, vado a lavarmi e a scaricare la roba dalla jeep. Mangiamo fra un quarto d'ora, okay?» disse Judy, scendendo dalla scala.

Sentendosi osservato da Margot, Barney non le guardò il sedere. Su alcune balle di fieno da usare come sedili erano state disposte delle coperte da sella piegate. Margot e Barney si sedettero.

«Peccato che non hai visto i pony» disse Margot.

«Ho sentito i camion, ieri sera. Che ci facevano, qui?»

«Affari di Mason.» Un breve silenzio. Erano sempre stati a loro agio nel silenzio, ma non questa volta. «Be', Barney, arriva il punto in cui non si può più parlare, a meno che non si decida di fare qualcosa. È a questo che siamo arrivati?»

«Come in un *affaire* o roba del genere» rispose Barney. L'infelice analogia rimase nell'aria fra loro.

«*Affaire!*» esclamò Margot. «Ho qualcosa per te che è mille volte meglio. Sai di che cosa stiamo parlando.»

«Più o meno.»

«Ma se decidi che non vuoi fare niente e poi succede lo stesso, lo capisci, vero, che in seguito non puoi più tornare a parlarne con me?» Si batté sul palmo della mano il martello da maniscalco, con l'aria forse un po' assente, fissandolo con gli azzurri occhi da macellaio.

In vita sua, Barney aveva visto molte espressioni diverse ed era sopravvissuto perché era stato capace di leggerle. Capì che Margot diceva la verità.

«Questo lo so.»

«Lo stesso se facciamo qualcosa. Sarò estremamente generosa una volta, e una volta sola. Vuoi sapere quanto?»

«Margot, durante i miei turni, non succederà niente. Non finché intasco i suoi soldi per prendermi cura di lui.»

«Perché, Barney?»

Seduto sulla balla di fieno, Barney si strinse nelle spalle. «Un patto è un patto.»

«E lo chiami patto? Eccolo, il patto che ti propongo io» disse Margot. «Cinque milioni di dollari, Barney. Gli stessi cinque che dovrebbe beccarsi Krendler per fregare l'Fbi, se proprio vuoi saperlo.»

«Stiamo parlando di togliere a Mason abbastanza sperma da mettere incinta Judy.»

«Stiamo parlando anche di qualcos'altro. Lo sai che se spremi il seme da Mason e lo lasci vivo lui ti beccherà, Barney. Non potrai mai scappare abbastanza in fretta. Finiresti in bocca a quei luridi maiali.»

«Dov'è che finirei?»

«Che c'è, Barney, *Semper Fi*, come dice il tatuaggio che hai sul braccio?»

«Quando ho accettato il suo denaro, ho detto che mi sarei preso cura di lui. Finché lavoro alle sue dipendenze, non gli farò del male.»

«Non dovrai… fargli niente, tranne che comporlo dopo che sarà morto. Io non potrei mai toccarlo. Neanche se è l'ultima volta. E forse dovrai aiutarmi con Cordell.»

«Se ammazzi Mason, lo sperma lo raccogli solo una volta.»

«Gli spremiamo cinque centimetri cubi, e anche con una conta degli spermatozoi bassa, noi l'arricchiamo, così possiamo tentare l'inseminazione cinque volte, possiamo anche tentare la fecondazione in vitro… la famiglia di Judy è molto fertile.»

«Hai preso in considerazione la possibilità di comprare Cordell?»

«No. Non rispetterebbe mai i patti. La sua parola è peggio che merda. Prima o poi, tornerebbe a rompermi le scatole. Deve andarsene.»

«Ci hai pensato molto a tutta la storia.»

«Sì, Barney, tu devi controllare la postazione dell'infermeria. Il monitor ha il backup, registra ogni secon-

do. È televisione in diretta, ma niente videotape. Noi...
io metto la mano sotto la conchiglia del respiratore e
immobilizzo il torace di Mason; il monitor dimostra
che il respiratore funziona ancora. Quando il battito
cardiaco e la pressione sanguigna denunciano qualche
cambiamento, tu corri nella stanza, trovi Mason privo
di sensi e tenti in tutti i modi di rianimarlo. L'unica cosa è che non ti accorgi della mia presenza, mentre gli
premo il petto finché è morto. Hai lavorato ad abbastanza autopsie, Barney. Che cosa cercano, quando so-
spettano un soffocamento?»

«Un'emorragia dietro le palpebre.»

«Mason non le ha, le palpebre.»

Margot ci aveva studiato sopra, ed era abituata a
comprare chiunque e qualunque cosa.

Barney la guardò in faccia, ma in realtà con la coda
dell'occhio fissava il martello, mentre dava la sua risposta: «No, Margot».

«Se mi fossi fatta scopare da te, lo faresti?»

«No.»

«E se ti avessi scopato io, lo faresti?»

«No.»

«Se non lavorassi qui, se non avessi responsabilità
mediche nei suoi confronti, lo faresti?»

«Probabilmente, no.»

«È questione di etica o di mancanza di coglioni?»

«Non lo so.»

«Scopriamolo, allora. Sei licenziato, Barney.»

Lui annuì, non particolarmente sorpreso.

«E... Barney» Margot si portò l'indice alle labbra.
«Shhh. Mi dai la tua parola? Devo proprio dirti che po-
trei distruggerti con quel precedente in California?
Non ho bisogno di ricordartelo, vero?»

«Non pensarci» rispose Barney. «Sono io quello che
deve preoccuparsi. Non so come si comporta, Mason,
quando uno se ne va. Forse i suoi dipendenti scompaiono e basta.»

«Neanche tu devi preoccuparti. Dirò a Mason che ti è venuta l'epatite. Tu dei suoi affari non sai niente, tranne che tenta di aiutare la legge... In quanto a lui, visto che conosciamo quel precedente, ti lascerà andare.»

Barney si chiese quale dei due il dottor Lecter avesse trovato più interessante durante la terapia, se Mason Verger o la sorella.

## 66

Era sera, quando il lungo furgone argentato si fermò davanti al fienile della Muskrat Farm. Erano in ritardo e avevano i nervi a fior di pelle. All'inizio, gli accordi presi per l'arrivo al Baltimore-Washington International Airport avevano funzionato. L'ispettore del dipartimento dell'Agricoltura era salito a bordo autorizzando senza problemi l'ingresso dei sedici suini. L'ispettore era un esperto, in fatto di maiali, ma non ne aveva mai visti come quelli.

Poi, Carlo Deogracias aveva guardato dentro il furgone per il trasporto del bestiame. Puzzava, e nelle fessure conservava tracce dei molti occupanti precedenti. Carlo non aveva permesso che i suoi maiali venissero scaricati. L'aereo era rimasto in attesa finché il furibondo autista del veicolo e i due fratelli Falcione avevano trovato un altro furgone più adatto a ospitare le gabbie, localizzato un autolavaggio fornito di pompa a vapore e pulito a dovere il vano di carico.

Una volta arrivati all'ingresso principale della Muskrat Farm, l'ultima seccatura. La guardia aveva controllato il tonnellaggio del furgone e si era rifiutata di lasciarlo entrare, adducendo il limite di peso segnato su un ponte ornamentale dal quale sarebbe dovuto passare. Poi li aveva indirizzati verso la strada di servizio che attraversava il parco nazionale. Tre rami graffiarono l'alto furgone mentre arrancava per l'ultimo paio di chilometri.

A Carlo, il grande fienile pulito della Muskrat Farm piacque subito, così come gli piacquero i piccoli carrelli elevatori che agganciarono delicatamente le gabbie.

Quando l'autista del furgone si avvicinò con un pungolo elettrico e si offrì di dare una scarica ai maiali per vedere fino a che punto erano drogati, Carlo gli strappò di mano lo strumento, spaventandolo al punto che l'uomo non osò chiedergli di restituirlo.

Carlo avrebbe lasciato che i grossi suini si riprendessero dal sedativo nella semioscurità, e non appena li avesse visti in piedi e vigili, li avrebbe fatti uscire dalle gabbie. Temeva che i primi a svegliarsi avrebbero azzannato quelli ancora addormentati. Se non dormivano tutti in branco, qualunque figura prona li attirava irresistibilmente.

Da quando i maiali avevano divorato il regista Oreste e, subito dopo, il suo terrorizzato aiutante, Piero e Tommaso avevano dovuto essere doppiamente prudenti. Non avevano più potuto entrare nel recinto o stare sui prati con gli animali. I maiali non minacciano, non scoprono i denti come i cinghiali, si limitano a osservare gli uomini con la terribile, monomane concentrazione che li distingue, e avanzano lentamente finché sono abbastanza vicini per caricare.

Carlo, altrettanto capace di monomania, non si diede pace finché non ebbe esaminato con la torcia elettrica la recinzione che chiudeva il pascolo alberato confinante con il parco.

Smosse il terreno con il temperino, frugò tra le foglie cadute dagli alberi del pascolo e trovò le ghiande. Arrivando nell'ultima luce del giorno, aveva sentito le ghiandaie e pensato che dove c'erano le ghiandaie, c'erano le ghiande. E infatti, c'erano delle querce, anche se non molte. Carlo non voleva che i maiali trovassero il cibo a terra, come avrebbero potuto fare facilmente sconfinando nel grande bosco.

Dalla parte aperta del fienile, Mason aveva costruito un solido steccato, con un basso cancelletto simile a quello che Carlo aveva in Sardegna.

Così protetto, Carlo poteva nutrirli buttando in mezzo a loro, da sopra il cancelletto, indumenti imbottiti di polli morti, zampe d'agnello e verdure.

Non erano certo animali mansueti, e non avevano paura dell'uomo o dei rumori. Nemmeno Carlo poteva entrare nel recinto con loro. I maiali non sono come le altre bestie, posseggono una scintilla d'intelligenza e un terribile senso pratico. Quelli non erano per niente ostili. Semplicemente, amavano mangiare gli uomini. Camminavano leggeri come i tori Miura e stavano sempre all'erta come cani da pastore, e i loro movimenti attorno a chi li nutriva avevano la sinistra qualità della premeditazione. Piero se l'era vista brutta, quando aveva recuperato dal recinto una camicia che pensava di poter ancora utilizzare.

Non erano mai esistiti maiali così, più grossi del cinghiale europeo e altrettanto selvaggi. Carlo sentiva di averli creati lui. E sapeva che la cosa che avrebbero fatto, il male che avrebbero distrutto, sarebbe stato l'unico riconoscimento di cui lui avrebbe mai sentito il bisogno.

A mezzanotte, nel fienile dormivano tutti: nel locale dei finimenti, Carlo, Piero e Tommaso erano immersi in un sonno senza sogni, e i maiali russavano nelle loro gabbie, mentre i loro piccoli piedi eleganti cominciavano a correre nel sogno e un paio di loro si stirava sui teloni puliti. Il teschio del cavallo da trotto, Fleet Shadow, debolmente illuminato dal fuoco di carbone acceso nella fornace da maniscalco, vigilava su tutto.

## 67

Accusare un agente del Federal Bureau of Investigation usando la prova falsa di Mason rappresentava un gran salto, per Krendler. Lo lasciava quasi senza fiato. Se il ministro della Giustizia l'avesse scoperto, l'avrebbe schiacciato come uno scarafaggio.

A parte il rischio personale, causare la rovina di Clarice Starling non gli sembrava grave quanto lo sarebbe stato distruggere un uomo. Gli uomini avevano una famiglia da mantenere... E Krendler manteneva la sua, avida e ingrata com'era.

Clarice Starling doveva assolutamente andarsene. Se l'avesse lasciata fare, impegnando tutte le piccole, misere, casalinghe capacità delle donne, lei avrebbe finito con il trovare Hannibal Lecter. Se ciò fosse accaduto, Mason Verger non avrebbe dato il becco d'un quattrino a Krendler.

Prima spogliavano la Starling di tutte le risorse e la spedivano là fuori a fare da esca, meglio era.

Nella sua ascesa al potere, Krendler aveva già spezzato molte carriere, prima come pubblico ministero attivo in politica, e poi come funzionario del dipartimento della Giustizia. Sapeva per esperienza che intralciare la carriera di una donna era più facile che danneggiare quella di un uomo. Se una donna otteneva una promozione insolitamente importante, il modo più efficace per sminuirla era dire che c'era riuscita solo perché aveva dato il culo a qualcuno.

Krendler era convinto che sarebbe stato pressoché impossibile lanciare un'accusa come quella nei confronti di Clarice Starling. Anzi, non riusciva a trovare nessun'altra altrettanto bisognosa di una bella scopata violenta su per il canale posteriore. A volte, Krendler immaginava quell'atto abrasivo mentre si cacciava il dito nel naso.

Non sarebbe riuscito a spiegare la propria animosità nei confronti di Starling. Era qualcosa di viscerale, apparteneva a un luogo dentro di lui al quale non riusciva ad accedere. Un luogo con poltroncine e luce diffusa, pomoli di porte e maniglie di finestre, e una ragazza con i colori di Starling ma non con il suo equilibrio, una ragazza con le mutandine attorno a una caviglia che gli chiedeva se aveva qualcosa di sbagliato e perché non si muoveva, perché non si decideva a farlo. Era forse *una specie di checca? una specie di checca? una specie di checca?*

A non sapere che razza di stronza era Starling, rifletté Krendler, il suo stato di servizio era molto migliore di quanto indicassero le sue poche promozioni... doveva ammetterlo. Aveva ricevuto ben scarsi riconoscimenti. Ma, negli anni, stillando di tanto in tanto qualche goccia di veleno su di lei, Krendler era riuscito a influenzare la direzione del personale dell'Fbi tanto da bloccare un certo numero di incarichi che volevano affidarle. L'atteggiamento indipendente e la lingua lunga della ragazza avevano fatto il resto.

Mason non avrebbe aspettato il verdetto della commissione sulla storia del mercato del pesce Feliciana. E non c'erano garanzie che almeno un po' di merda sarebbe rimasta incollata a Starling. Era evidente come l'uccisione di Evelda Drumgo e degli altri fosse dipesa da una falla nella segretezza dell'operazione. Era stato un miracolo che Starling fosse riuscita a salvare quel piccolo bastardo di neonato. Altra bocca da sfamare a spese dello stato. Magari era ancora possibile manipolare i fatti di quella brutta faccenda, ma sarebbe stato un modo troppo complicato per liberarsi di Starling.

Meglio dar retta a Mason. Tutto avrebbe avuto luogo velocemente, e lei si sarebbe trovata sbattuta fuori senza avere nemmeno il tempo di fiatare. Il momento era propizio.

Un assioma che vige a Washington, dimostratosi vero più volte del teorema di Pitagora, dice che, in presenza di ossigeno, una forte scorreggia con un inequivocabile colpevole coprirà molte altre flatulenze nella stessa stanza, purché siano quasi simultanee.

Ergo, il procedimento per l'impeachment del presidente distraeva il dipartimento della Giustizia abbastanza da consentire a lui di fottere Starling.

Mason voleva che uscisse qualche articolo importante perché il dottor Lecter potesse vederlo. Ma Krendler doveva fare in modo che l'interesse della stampa sembrasse un incidente. Per fortuna, stava per verificarsi un'occasione che gli sarebbe servita a pennello: il compleanno dello stesso Fbi.

Krendler aveva una coscienza addomesticata che lo assolveva sempre.

Anche ora lo consolò: se Starling perdeva il lavoro, alla peggio il lurido covo di lesbiche dove lei viveva avrebbe dovuto rinunciare al grosso padellone della tv satellitare. Alla peggio, lui avrebbe dato la possibilità a un cannone non assicurato al ponte di rotolare fuori bordo e non minacciare più nessuno.

Un "cannone non assicurato al ponte" che rotolava fuori bordo avrebbe smesso di "far beccheggiare la nave", pensò, soddisfatto e compiaciuto come se le due metafore navali producessero un'equazione logica. Che poi sia la nave che beccheggia a far muovere il cannone, non lo preoccupava minimamente.

Krendler viveva una vita impregnata di tutta la fantasia che la sua immaginazione gli consentiva. Ora, per il suo piacere personale, evocò l'immagine di Starling da vecchia, che inciampava sulle tette, le gambe snelle ridotte gonfie e segnate da vene livide. Starling che si trascinava su e giù per le scale con la biancheria da lavare, voltando la faccia per non vedere le macchie sulle lenzuola, mentre si guadagnava il pane lavorando per una pensione tenuta da due luride lesbiche, vecchie e pelose.

Immaginò che cosa le avrebbe detto sulle "passere piovute dalla campagna che sanno ancora di mais", quando fosse stato reduce dal suo trionfo.

Facendo sua la perspicacia del dottor Doemling, voleva mettersi vicino a lei, dopo che fosse stata liquidata, e dirle senza muovere la bocca: "Sei troppo vecchia per scoparti ancora tuo padre, perfino per una che è un rifiuto bianco del Sud". Ripeté mentalmente la frase, e considerò la possibilità di annotarla sul suo taccuino.

Krendler aveva gli strumenti, il tempo e il veleno necessari per stroncare la carriera di Starling, e mentre si preparava a farlo fu abbondantemente aiutato dal caso e dalle poste italiane.

## 68

In dicembre, il Battle Creek Cemetery fuori da Hubbard è come una piccola cicatrice sulla pelle color leone del Texas centrale. In questo momento, il vento fischia, come del resto continuerà per sempre a fischiare. Non possiamo aspettare che smetta.

Il nuovo settore del cimitero ha i nomi segnati su lapidi piatte, in modo che sia facile tosare l'erba. Sopra la tomba di una ragazza che oggi compirebbe gli anni danza un pallone d'argento a forma di cuore. Nella parte vecchia del cimitero vengono passati continuamente i tagliaerba sui viottoli e, appena possibile, anche fra le lapidi. Steli di fiori secchi e pezzi di nastro si mescolano sul terreno. In fondo al cimitero, un mucchio di concime dove finiscono i fiori appassiti. Fra il pallone a forma di cuore che volteggia nell'aria e il mucchio di concime, un'escavatrice con il motore al minimo, con un giovane nero ai comandi e un altro a terra che tiene la mano a coppa per riparare il fiammifero dal vento mentre si accende una sigaretta...

«Signor Closter, volevo che lei fosse presente, in modo che si rendesse conto della situazione. Sono sicuro che convincerà i dolenti a non chiedere di vedere il corpo» disse il signor Greenlea, direttore dell'Hubbard Funeral Home. «La bara... e voglio complimentarmi ancora con lei per il suo gusto... la bara si presenta in modo maestoso, e i parenti non hanno bisogno di vedere altro. Sarò lieto di praticarle lo sconto per professionisti. Mio padre, ormai defunto, riposa in una bara proprio come quella.»

Fece un cenno al manovratore dell'escavatrice, e le ganasce della macchina strapparono via un morso di terra dalla tomba coperta di erbacce.

«È sicuro riguardo alla lapide, signor Closter?»

«Sì» rispose il dottor Lecter. «I figli ne stanno facendo preparare una che servirà per entrambi i genitori.»

Rimasero in silenzio, con il vento che frustava i bordi dei loro calzoni, finché l'escavatrice non fu arrivata alla profondità di un metro.

«Da questo punto, è meglio usare la pala» spiegò il signor Greenlea. I due operai saltarono dentro la fossa e cominciarono a buttare fuori la terra con gesti coordinati, professionali.

«Fate attenzione» disse il signor Greenlea. «Tanto per cominciare, non è certo una buona bara. Niente a che vedere con quella in cui riposerà adesso.»

In effetti, l'economica bara di compensato si era incavata sul suo occupante. Greenlea chiese ai suoi becchini di rimuovere il terriccio che la copriva e di far scivolare un telo sotto il fondo della cassa, ancora intatto. In questo modo, la bara fu imbracata e caricata nel retro di un camion.

Sul tavolo a cavalletti, nella rimessa dell'Hubbard Funeral Home, vennero asportate le assi del coperchio imbarcato per rivelare uno scheletro piuttosto grosso.

Il dottor Lecter lo esaminò in fretta. Una pallottola aveva scheggiato la costola all'altezza del fegato, e in alto, sulla parte sinistra della fronte, era evidente il foro di un proiettile. Il teschio, coperto di muschio ed esposto solo in parte, aveva zigomi alti, che Lecter aveva già visto.

«La terra non lascia molto» disse il signor Greenlea.

Le ossa erano parzialmente coperte da ciò che restava dei calzoni e della camicia a scacchi, i cui automatici erano caduti fra le costole. Sul torace era posato un cappello da cowboy di feltro pesante, con il cocuzzolo diviso da un solco alla Fort Worth. Nella tesa c'era una dentellatura e nella fascia un buco.

«Conosceva il defunto?» chiese il dottor Lecter.

«L'abbiamo appena acquistata, questa impresa di pompe funebri, mentre abbiamo assunto la direzione del cimitero, in aggiunta al nostro gruppo, nel 1989» disse il signor Greenlea. «Ora io abito qui, ma la nostra casa madre è a St. Louis. Vuole che tentiamo di salvare gli indumenti? Certo, potrei procurarle un abito, ma non credo...»

«No» rispose il dottor Lecter. «Spazzoli le ossa, niente capi di vestiario tranne il cappello, la fibbia della cintura e gli stivali. Raccolga le piccole ossa delle mani e dei piedi e le avvolga nel migliore sudario di seta che ha insieme al teschio e alle ossa lunghe. Non c'è bisogno che le riordini, le raccolga e basta. Tenere la lapide la compenserà per la richiusura della fossa?»

«Sì, certo. Ora, se firma qui, le darò una copia degli altri documenti» disse il signor Greenlea, entusiasta per la bara che aveva venduto. La maggior parte dei direttori di imprese di pompe funebri che venivano a ritirare una salma avrebbero spedito le ossa in una cassetta e venduto alla famiglia una bara delle loro.

La documentazione del dottor Lecter per la riesumazione rispondeva perfettamente alle norme dell'Health and Safety Code del Texas, sezione 711.004, come lui sapeva bene, avendola preparata personalmente attingendo i requisiti e i facsimile dei moduli dalla consultazione rapida della biblioteca di giurisprudenza dell'associazione delle contee del Texas.

I due operai, soddisfatti che il camion noleggiato dal dottor Lecter avesse il cassone ribaltabile, caricarono la nuova bara e la lasciarono sul suo carrello accanto all'altro unico oggetto presente sul camion, un guardaroba di cartone per appendere gli abiti.

«Proprio una bella idea, portarsi dietro l'armadio. Così il vestito da cerimonia non si sgualcisce, vero?» esclamò il signor Greenlea.

A Dallas, il dottor Lecter estrasse dal guardaroba una custodia di viola, ci mise dentro il mucchio d'ossa avvolte nella seta, il cappello che entrava alla perfezione nella parte inferiore e il teschio sistemato dentro il cappello.

Abbandonò la bara dietro al Fish Trap Cemetery e restituì il camion noleggiato al Dallas-Fort Worth Airport, dove imbarcò la custodia della viola su un volo diretto per Filadelfia.

# PARTE QUARTA

# Occasioni importanti sul calendario della paura

## 69

Lunedì, Starling aveva da spulciare l'intera lista degli acquisti esotici effettuati nel fine settimana; per giunta, il suo computer faceva i capricci e richiedeva l'intervento di un esperto della divisione tecnica. Anche dopo aver sfrondato attentamente gli elenchi, riducendoli alle due o tre annate più rare vendute da cinque vinai, a due soli fornitori di *foie gras* americano e a cinque negozi di specialità gastronomiche, il materiale da verificare restava enorme. Le chiamate dei negozi di liquori che usavano il numero di telefono del bollettino diramato dall'Fbi dovevano essere annotate a mano.

Basandosi sull'identificazione del dottor Lecter come l'omicida del cacciatore di daini della Virginia, Starling eliminò gli acquisti effettuati sulla costa orientale, tranne che per il *foie gras* Sonoma. Fauchon di Parigi si rifiutò di collaborare. Starling non riuscì a capire una parola di quello che le dissero al telefono da Vera dal 1928 di Firenze, e inviò un fax alla Questura della città perché l'aiutasse a scoprire se il dottor Lecter aveva comprato tartufi bianchi.

Alla fine della giornata, lunedì 17 dicembre, Starling rimase con dodici possibili piste da seguire, tutti acquisti con carta di credito. Un uomo aveva comprato una cassa di Pétrus e una Jaguar con compressore, entrambe con l'American Express.

Un altro tizio aveva ordinato una cassa di Bâtard-Montrachet e una di ostriche verdi della Gironda.

Starling passò le dodici possibilità all'ufficio locale del Bureau perché le verificasse.

Starling ed Eric Pickford lavoravano separati, ma coordinando i turni, in modo che durante l'orario di apertura dei negozi l'ufficio fosse sempre aperto.

Erano quattro giorni che Pickford lavorava là, e aveva trascorso una parte del tempo programmando le chiamate automatiche sul suo telefono, senza mettere i nomi sui pulsanti.

Quando uscì per andare a bere un caffè, Starling premette il primo pulsante di quel telefono. Rispose Paul Krendler in persona.

Starling riattaccò e rimase seduta nel silenzio dell'ufficio. Era ora di andarsene. Facendo girare lentamente la poltroncina qua e là, osservò attentamente tutti gli oggetti della "Casa di Hannibal". Le radiografie, i libri, il tavolo apparecchiato per uno. Poi uscì, spostando le tende.

L'ufficio di Crawford era aperto e vuoto. Il maglione di lana che gli aveva fatto la sua defunta moglie era appeso a un attaccapanni in un angolo. Starling allungò la mano verso l'indumento, senza veramente toccarlo, si gettò il cappotto su una spalla e iniziò il lungo cammino verso la macchina.

Non avrebbe più rivisto Quantico.

## 70

La sera del 17 dicembre, il campanello della casa di Clarice Starling suonò. Poteva vedere nel vialetto la macchina di uno sceriffo federale posteggiata dietro la sua Mustang.

Lo sceriffo era Bobby, lo stesso che l'aveva accompagnata a casa dall'ospedale dopo la sparatoria del Feliciana.

«Ciao, Starling.»

«Ciao, Bobby. Entra.»

«Vorrei tanto, ma prima devo dirti una cosa. Ho qui un'ingiunzione da consegnarti.»

«Va bene, accidenti. Consegnamela in casa, dove fa più caldo» esclamò Starling, con lo stomaco che le si stringeva.

L'ingiunzione, su carta intestata dell'ispettore generale del dipartimento della Giustizia, richiedeva di presentarsi all'udienza che si sarebbe tenuta alle nove della mattina dopo, 18 dicembre, nel J. Edgar Hoover Building.

«Vuoi un passaggio, domani?» chiese lo sceriffo.

Starling scosse la testa. «Grazie, Bobby, vado con la mia macchina. Vuoi una tazza di caffè?»

«No, grazie. Mi dispiace, Starling.» Era evidente che lo sceriffo non vedeva l'ora di andarsene. «La tua macchina è proprio bella» disse alla fine.

Lei lo salutò con la mano, mentre usciva a marcia indietro dal vialetto.

L'ingiunzione diceva solo di presentarsi, senza fornire chiarimenti.

Ardelia Mapp, veterana di lotte intestine e di spine nel fianco conficcate dalla congrega dei cari-vecchi-ragazzi, preparò immediatamente il più forte tè medicinale di sua nonna, famoso come rimedio per sollevare lo spirito. Starling detestava i tè di Ardelia, ma non c'era modo di evitarli.

Mapp picchiettò il dito sull'intestazione del foglio. «L'ispettore generale non è tenuto a dirti un accidente» dichiarò fra una sorsata e l'altra. «Se fosse il nostro ufficio per la responsabilità professionale a sollevare qualche accusa, o se fosse quello del dipartimento della Giustizia ad avere qualcosa su di te, sarebbero tenuti a darti spiegazioni e a mostrarti la documentazione. Dovrebbero consegnarti un lurido 645 o un 644 con sopra scritte a chiare lettere le accuse, e se fossero accuse penali, avresti diritto a un avvocato e a una completa esposizione delle prove. Insomma, tutto quello che viene garantito ai criminali, giusto?»

«Giustissimo.»

«Be', a questo modo, ti legano le mani in anticipo. L'ispettore generale ha una carica politica, e può avocare a sé qualunque caso.»

«E ha avocato questo.»

«Grazie a tutta la merda che Krendler ti ha rovesciato addosso. Di qualunque cosa si tratti, se decidi di appellarti alle pari opportunità, guarda che io ho tutti i numeri. Ora stammi a sentire, Starling. Devi dire a quella gente che vuoi registrare tutto. L'ispettore generale non usa deposizioni firmate. È per questo che Lonnie Gains si è cacciato in quel pasticcio con loro. Tengono un verbale di ciò che dici, ma a volte cambia dopo che l'hai detto. Tu non la vedrai mai, la trascrizione.»

Quando Starling chiamò Jack Crawford, ebbe la sensazione di averlo svegliato.

«Non so di che cosa si tratti, Starling» disse lui. «Farò qualche telefonata. Ma una cosa la so: domani sarò là.»

## 71

Mattina. La gabbia di cemento armato dell'Hoover Building corrucciata sotto il cielo lattiginoso.

In quel periodo di attentati con macchine cariche di esplosivo, per la maggior parte dei giorni l'ingresso principale e il cortile erano chiusi, e l'edificio circondato da vecchie auto del Bureau disposte per formare un'estemporanea barriera d'urto.

La polizia di Washington insisteva nel suo comportamento dissennato e giorno dopo giorno continuava a mettere multe sulle macchine della barriera, con i foglietti che crescevano di numero sotto i tergicristalli e, strappati dal vento, volavano per le strade.

Un derelitto che si scaldava sopra una grata del marciapiede chiamò Starling, alzando la mano mentre passava. Una parte della sua faccia era arancione per il Betadine applicato in qualche pronto soccorso. L'uomo tese una tazza di polistirene con il bordo consumato. Starling frugò nella borsa per tirare fuori un dollaro e poi gliene diede due, chinandosi sulla maleodorante aria calda e sul vapore.

«Che Dio la benedica» disse l'uomo.

«Ne ho bisogno» rispose Starling. «Anche del più piccolo aiuto.»

Starling prese una grossa tazza di caffè all'Au Bon Pain, sul lato di Tenth Street dell'Hoover Building, come aveva fatto tante altre volte negli anni. Dopo una notte di sonno irrequieto aveva bisogno del caffè, ma non voleva dover andare a fare la pipì durante l'udienza. Decise di berne solo metà.

Vide Crawford attraverso la vetrina e lo raggiunse sul marciapiede. «Vuole dividere questo grosso caffè con me, signor Crawford? Posso chiedere un'altra tazza.»

«È decaffeinato?»

«No.»

«Allora è meglio lasciar perdere, se no schizzo fuori dalla pelle.» Aveva l'aria tesa e appariva invecchiato. Dalla punta del naso gli pendeva una goccia trasparente. Si tennero fuori dalla massa di pedoni che si riversava verso l'ingresso secondario del quartier generale dell'Fbi.

«Non so che cosa significhi questa riunione, Starling. Non è stato convocato nessun altro di quelli che hanno preso parte alla sparatoria del Feliciana, almeno a quanto sono riuscito a scoprire.» Starling gli passò un Kleenex e s'immerse con lui nella fiumana costante del turno di giorno.

Starling pensò che il personale impiegatizio appariva insolitamente inappuntabile.

«È il novantesimo anniversario dell'Fbi. Oggi, viene a parlare Bush» le ricordò Crawford.

Nella strada laterale erano posteggiati quattro furgoncini con collegamento tv satellitare.

Piazzata sul marciapiede, una troupe della Wful-Tv stava riprendendo un giovanotto dai capelli scolpiti a rasoio che parlava in un microfono. Un assistente della produzione, appostato sul tetto di un furgone, vide Starling e Crawford avanzare fra la folla.

«Eccola là, è lei. È quella con l'impermeabile blu» urlò dall'alto.

«Forza» esclamò Scolpito a Rasoio «muoviamoci.»

La troupe provocò un'onda nella fiumana di gente, quando la tagliò per portare la telecamera davanti alla faccia di Starling.

«Agente speciale Starling, che cosa pensa dell'inchiesta sul massacro del mercato del pesce Feliciana? Il suo rapporto è stato presentato? Sono state elevate accuse contro di lei per l'uccisione dei cinque...» Crawford si tolse il cappello da pioggia e, fingendo di proteggersi gli occhi dalla luce, riuscì a bloccare per un attimo l'obiettivo della telecamera. Solo la porta di sicurezza fermò la troupe.

*Quei figli di puttana erano stati preavvertiti.*

Superata la porta di sicurezza, Crawford e Starling si fermarono nell'atrio. Fuori, la nebbiolina li aveva ricoperti di minuscole goccioline. Crawford ingollò a secco una compressa di Ginkgo Biloba.

«Starling, potrebbero aver scelto la giornata di oggi per via dell'anniversario e di tutto il chiasso attorno all'impeachment. Qualunque cosa vogliano fare, scivolerà via nascosta dal resto.»

«Allora perché avvertire la stampa?»

«Perché non tutti, in questa udienza, cantano sullo stesso spartito. Ha dieci minuti, vuole andare a incipriarsi il naso?»

## 72

Starling era salita poche volte al settimo piano del J. Edgar Hoover Building, dov'erano gli uffici dirigenziali dell'Fbi. Lei e gli altri diplomandi della sua classe vi si erano riuniti sette anni prima ad ascoltare il direttore che si congratulava con Ardelia Mapp perché era stata scelta per pronunciare il discorso d'addio, e una volta un vicedirettore vi aveva convocato lei per consegnarle la medaglia di campionessa di tiro con pistola da combattimento.

La moquette dell'ufficio del vicedirettore Noonan era folta come Starling non ne aveva mai viste. La sala riunioni, con le sue poltroncine di pelle, aveva un'atmosfera da circolo privato e vi aleggiava un inequivocabile odore di sigarette. Starling si chiese se prima del suo arrivo avessero buttato i mozziconi nel gabinetto e spalancato le finestre.

Quando lei e Crawford entrarono, tre uomini si alzarono in piedi, un quarto restò seduto. In piedi erano l'ex capo di Starling, Clint Pearsall, dell'ufficio operativo di Washington a Buzzard's Point; il vicedirettore dell'Fbi, Noonan, e un uomo alto dai capelli rossi in completo di seta cruda. L'unico rimasto seduto era Paul Krendler, dell'ufficio dell'ispettore generale. Krendler voltò la testa verso Starling girando il lungo collo, come se potesse localizzarla attraverso l'odore.

Quando furono faccia a faccia, lei poté vedergli contemporaneamente quelle sue orecchie rotonde. Strano: in un angolo della stanza c'era uno sceriffo federale. Starling non lo conosceva.

In genere, i funzionari dell'Fbi e del dipartimento della Giustizia sono sempre ben vestiti, ma stavolta si erano agghindati per la tv. Starling ricordò che più tardi avrebbero dovuto scendere ai piani inferiori per partecipare alle cerimonie con l'ex presidente Bush. Altrimenti, lei sarebbe stata convocata al dipartimento della Giustizia, invece che all'Hoover Building.

Krendler si accigliò nel vedere Crawford al fianco di Starling.

«Signor Crawford, non penso che questa procedura richieda la sua presenza.»

«Sono l'immediato superiore dell'agente speciale Clarice Starling. Il mio posto è qui.»

«Non credo proprio» ribatté Krendler, e poi si rivolse a Noonan. «Formalmente, il superiore dell'agente Starling è Clint Pearsall, dato che l'agente è solo distaccata presso l'ufficio di Crawford. Ritengo che debba essere interrogata in via riservata. Ma possiamo chiedere al caposezione Crawford di rimanere a disposizione, nel caso avessimo bisogno di informazioni supplementari.»

Noonan fece un cenno d'assenso. «Apprezzeremo certo un tuo intervento, Jack, ma dopo che avremo ascoltato la testimonianza resa autonomamente da... dall'agente speciale Starling. Jack, voglio che tu resti nelle vicinanze. Se preferisci, puoi andare nella sala lettura della biblioteca e metterti comodo. Ti chiamerò.»

Crawford si alzò. «Direttore Noonan, posso dire...»

«Può andarsene, ecco che cosa può fare» esclamò Krendler.

Anche Noonan si alzò. «Un momento, signor Krendler. A meno che io non decida di passarla a lei, questa è una mia riunione. Jack, tu e io veniamo da lontano, mentre questo signore del dipartimento della Giustizia è stato nominato troppo di recente per capire certe cose. Avrai la possibilità di dire la tua. Ora va' pure, e lascia che Starling parli per se stessa.» Noonan si chinò su Krendler e gli bisbigliò all'orecchio qualcosa che lo fece arrossire.

Crawford guardò Starling. Tutto quello che poté fare fu di assumere un contegno dignitoso.

«Grazie per essere venuto, signore» disse Starling.

Lo sceriffo accompagnò fuori Crawford.

Quando sentì la porta che veniva chiusa alle sue spalle, Starling raddrizzò la schiena e si preparò ad affrontare i quattro uomini da sola.

Da quel momento, la riunione procedette con la stessa velocità con cui nel diciottesimo secolo si procedeva all'amputazione di un arto.

Noonan era la più alta autorità dell'Fbi presente nella stanza, ma l'ultima parola spettava all'ispettore generale e, a quanto pareva, l'ispettore aveva nominato Krendler suo plenipotenziario.

Noonan prese il dossier che aveva davanti. «Per favore, vuole dichiarare le sue generalità da mettere a verbale?»

«Agente speciale Clarice Starling. Esiste un verbale, direttore Noonan? Sarei felice che ci fosse.»

Dato che lui non rispondeva, Starling continuò: «Le dispiace se registro la seduta?» ed estrasse dalla borsa un piccolo registratore Nagra.

Intervenne Krendler: «Di solito, questo tipo di riunioni preliminari si tengono nell'ufficio dell'ispettore generale, al dipartimento della Giustizia. Siamo qui solo perché, con la cerimonia di oggi, è più conveniente per tutti, ma restano valide le stesse regole. La questione riveste una certa riservatezza diplomatica. Niente registrazioni».

«Formuli le accuse, signor Krendler» lo invitò Noonan.

«Agente Starling, lei è accusata di aver passato illegalmente informazioni riservate a un criminale in fuga.» L'espressione del viso era rigidamente controllata. «Nello specifico, è accusata di aver fatto pubblicare questa inserzione su due giornali italiani per avvertire il latitante Hannibal Lecter che correva il rischio di essere catturato.»

Lo sceriffo portò a Starling una pagina della «Nazione» con i caratteri di stampa dai contorni sbavati. Lei la voltò verso la finestra per leggere il trafiletto contrassegnato con un cerchio.

*A.A. Aaron. Si consegni alle autorità più vicine, i nemici le stanno addosso. Hannah.*

«Che cosa risponde?»

«Non sono stata io. Non l'ho mai vista prima.»

«E come spiega il fatto che il messaggio è firmato con il nome in codice "Hannah", noto solo al dottor Hannibal Lecter e a questo Bureau? È il nome in codice che il dottor Lecter le ha chiesto di usare?»

«Non ne so niente. Chi ha trovato questa roba?»

«Il servizio documentazione di Langley ci si è imbattuto per caso mentre traduceva gli articoli della "Nazione" su Lecter.»

«Se quel nome in codice è un segreto all'interno del Bureau, come ha fatto il servizio documentazione di Langley a riconoscerlo sul giornale? Il servizio documentazione è un organismo della Cia, chiediamo chi è stato ad attirare la loro attenzione su "Hannah".»

«Sono sicuro che il traduttore conosceva il caso Lecter.»

«Così bene? Ne dubito. Chiediamogli chi gli ha consigliato di tenere gli occhi aperti alla ricerca di quel nome. E poi, io come avrei fatto a sapere che il dottor Lecter era a Firenze?»

«È stata lei a trovare la richiesta d'accesso al file Vicap di Lecter partita dalla Questura di Firenze» disse Krendler. «Quella richiesta è stata inoltrata parecchi giorni prima dell'omicidio di Pazzi. Non sappiamo quando lei l'ha scoperta. Per quale altra ragione la Questura di Firenze avrebbe tentato di ottenere informazioni su Lecter?»

«Che ragione plausibile avrei avuto per metterlo sul chi vive? Direttore Noonan, perché di questa faccenda se ne occupa l'ufficio dell'ispettore generale? Sono disposta a sottopormi in qualunque momento alla macchina della verità. Anche subito.»

«Gli italiani hanno presentato una protesta per vie diplomatiche, lamentando il tentativo di mettere in guardia un noto criminale nel loro paese» rispose Noonan. Indicò l'uomo dai capelli rossi vicino a lui. «Questo è il signor Montenegro, dell'ambasciata italiana.»

«Buongiorno. E gli italiani come hanno fatto a scoprirlo?» chiese Starling. «Non da Langley.»

«La protesta diplomatica punta inequivocabilmente il dito su di noi» rispose Krendler, prima che Montenegro potesse aprir bocca. «Vogliamo che questa storia sia chiarita con piena soddisfazione delle autorità italiane, e con piena soddisfazione mia e dell'ispettore generale, inoltre vogliamo che avvenga nel più breve tempo possibile. Sarà meglio per tutti se esamineremo insieme ogni singolo fatto. Che rapporti ci sono fra lei e il dottor Lecter, signorina Starling?»

«Ho interrogato diverse volte il dottor Lecter per ordine del caposezione Crawford. Da quando il dottor Lecter evase, sette anni fa, mi sono arrivate due lettere da lui. Le avete entrambe» rispose Starling.

«In realtà, abbiamo qualcosa di più» dichiarò Krendler. «Ieri abbiamo ricevuto questa. Cos'altro può aver ricevuto lei, non sappiamo.» Allungò la mano dietro di sé per prendere una scatola di cartone piena di francobolli e di ammaccature lasciate dai vari uffici postali.

Krendler finse di godere delle fragranze che uscivano dalla scatola. Indicò con il dito l'etichetta della spedizione, senza preoccuparsi di mostrarla a Starling. «È stata spedita a lei al suo indirizzo di Arlington, agente speciale Starling. Signor Montenegro, vuole dirci che cosa sono questi prodotti?»

Il diplomatico esaminò gli oggetti avvolti nella carta

velina, e nel movimento i gemelli che aveva ai polsini scintillarono.

«Sì, queste sono lozioni, e questo è sapone di mandorle, il famoso sapone della Farmacia di Santa Maria Novella di Firenze. E qui ci sono alcuni profumi. Il tipo di cose che si mandano quando si è innamorati.»

«Questi prodotti sono stati analizzati alla ricerca di tossine e sostanze irritanti, vero, Clint?» chiese Noonan all'ex capo di Starling.

Pearsall aveva l'aria di vergognarsi. «Sì. Non è stato trovato niente di anomalo.»

«Un dono d'amore» esclamò Krendler con una certa soddisfazione. «E ora abbiamo il messaggio sentimentale.» Prese la pergamena dalla scatola, la srotolò e la tenne in alto, mostrando la foto di Starling ritagliata dal «Tattler» con il corpo alato di una leonessa. Poi, lesse la nitida calligrafia del dottor Lecter: «"Si è mai chiesta, Clarice, perché i Filistei non la capiscono? Perché lei è la risposta all'indovinello di Sansone: è il miele nella leonessa"».

«Il miele nella leonessa. Bello» esclamò Montenegro in italiano, memorizzando il messaggio per usarlo in seguito.

«Come dice?» chiese Krendler.

Il diplomatico liquidò la domanda con un cenno della mano, sapendo bene che Krendler non sarebbe mai stato in grado di sentire la musica nella metafora del dottor Lecter, né avrebbe mai captato qualunque altra evocazione poetica.

«L'ispettore generale vuole che partiamo da qui, per via delle implicazioni internazionali» disse Krendler. «Da che parte andremo poi, se verso imputazioni civili o penali, dipenderà da quello che scopriremo nel corso dell'indagine. Se risulterà di rilevanza penale, agente speciale Starling, il caso verrà trasferito alla sezione integrità pubblica del dipartimento della Giustizia, che istruirà un processo. Naturalmente, lei ne verrà informata con sufficiente anticipo perché possa prepararsi. Direttore Noonan...»

Noonan tirò un profondo respiro e calò l'ascia. «Clarice Starling, la sospendo dal servizio fino al momento in cui la questione sarà stata chiarita. Restituirà le armi e il tesserino dell'Fbi. Il suo accesso alle strutture federali è revocato, a tutte tranne che a quelle pubbliche. Sarà scortata fuori dall'Hoover Building. La prego di consegnare subito la pistola e i documenti di identificazione all'agente speciale Pearsall. Venga avanti.»

Avvicinandosi al tavolo, per un attimo Starling vide quegli uomini come le sagome che scattavano fuori all'improvviso nelle gare di tiro. Avrebbe potuto ucciderli tutti e quattro senza che nessuno facesse neppure in tempo a tirare fuori l'arma. L'attimo passò. Estrasse la .45 e fissò dritto Krendler negli occhi mentre si lasciava cadere in mano il caricatore, lo metteva sul tavolo e tirava indietro l'otturatore facendo schizzare il proiettile fuori dalla canna. Krendler lo prese al volo e lo strinse fra le dita fino a farsi venire le nocche bianche.

Poi toccò al distintivo e al tesserino.

«Ha una pistola supplementare?» chiese Krendler. «E un fucile?»

«Starling?» la sollecitò Noonan.

«Sono nella mia macchina.»

«Attrezzature tattiche?»

«Un casco e un giubbotto.»

«Sceriffo, prenderà tutto in consegna lei, quando accompagnerà la signorina Starling alla sua auto» disse Krendler. «Ha un cellulare schermato?»

«Sì.»

Krendler alzò un sopracciglio, guardando Noonan.

«Lo restituisca» ordinò quest'ultimo.

«Voglio dire una cosa, credo di averne il diritto.»

Noonan consultò l'orologio. «Vada avanti.»

«Questa è una montatura. So che Mason Verger vuole catturare il dottor Lecter a scopo di vendetta personale.

Penso che gli sia sfuggito di poco, a Firenze. Penso che il signor Krendler possa essere colluso con Verger e voglia che gli sforzi dell'Fbi contro il dottor Lecter vadano a favore dello stesso Verger. Penso che Paul Krendler del dipartimento della Giustizia ricavi quattrini da tutto questo e che sia disposto a distruggermi per ottenerli. In passato, il signor Krendler si è comportato in modo inappropriato con me, e ora agisce spinto dalla rabbia, oltre che dall'interesse economico. Solo questa settimana mi ha chiamata "passera campagnola che sa di mais". Sfido il signor Krendler, davanti a questo organismo, a sottoporsi insieme a me alla macchina della verità su ognuno di questi argomenti. Sono a vostra disposizione. Potremmo farlo subito.»

«Agente speciale Starling, per sua fortuna oggi non è sotto giuramento…» cominciò Krendler.

«Mi chieda pure di giurare. Ma dovrà giurare anche lei.»

«Voglio assicurarle che se non si dovessero trovare prove sufficienti, lei rientrerà in servizio a pieno titolo» esclamò Krendler con il tono più gentile di cui fu capace. «Nel frattempo, continuerà a ricevere lo stipendio e a godere dell'assistenza medica e dell'assicurazione. La sospensione dal servizio non è punitiva in se stessa, agente Starling, la usi a suo vantaggio.» Ora il tono si era fatto confidenziale. «Per esempio, se lei volesse approfittare di questa pausa per farsi togliere quel terriccio dalla guancia, sono sicuro che il nostro servizio medico…»

«Non è terriccio» ribatté Starling. «È polvere da sparo. Non mi meraviglia che lei non l'abbia riconosciuta.»

Lo sceriffo aspettava, con la mano protesa verso di lei.

«Mi dispiace, Starling» disse Pearsall, con le dita strette attorno al suo distintivo e alla sua pistola.

Lei lo guardò, poi distolse gli occhi. Paul Krendler le si avvicinò lentamente, mentre gli altri aspettavano che il diplomatico italiano lasciasse la stanza per primo. Krendler cominciò a dire qualcosa fra i denti, una frase che aveva già pronta: «Starling, è troppo vecchia per…».

«Mi scusi.» Era Montenegro. Il prestante diplomatico si era allontanato dalla porta per tornare verso Starling.

«Mi scusi» ripeté, fissando Krendler finché questi non se ne andò, con la faccia contratta.

«Mi dispiace per quello che le è accaduto» disse Montenegro. «Spero che lei sia innocente. Le prometto che farò pressioni sulla Questura di Firenze perché scopra chi ha pagato "La Nazione" per quell'annuncio. Se le viene in mente qualcosa che... che la mia posizione mi può permettere di seguire in Italia, la prego di comunicarmelo, e io farò del mio meglio.» Montenegro le porse un piccolo biglietto da visita, con i caratteri in rilievo, e mentre usciva dalla stanza parve non notare la mano tesa di Krendler.

I giornalisti, fatti entrare dall'ingresso principale per l'imminente cerimonia d'anniversario, erano ammassati nel cortile. Alcuni sembravano avere un'idea chiara su chi puntare l'attenzione.

«Deve proprio tenermi per il gomito?» chiese Starling allo sceriffo.

«No, signora, certo che no» rispose lui, e le fece strada fra i microfoni e le domande urlate.

Questa volta, Scolpito a Rasoio sembrava sapere bene che cosa fare. Le domande che gridò furono: «È vero che le hanno tolto il caso Hannibal Lecter? Pensa che contro di lei sarà istruito un processo penale? Che cosa risponde alle accuse degli italiani?»

Nel garage, Starling consegnò il giubbotto antiproiettile, il casco, il fucile e la pistola di riserva. Lo sceriffo aspettò, mentre lei vuotava la piccola rivoltella e la lubrificava con un panno.

«L'ho vista sparare a Quantico, agente Starling» disse. «Io arrivai ai quarti di finale, in rappresentanza dell'ufficio dello sceriffo. Ci penserò io a pulire la sua .45, prima di metterla via.»

«Grazie, sceriffo.»

Lo sceriffo si attardò, quando lei fu salita in macchina. Disse qualcosa coperto dal rombo della Mustang. Starling abbassò il finestrino e lui la ripeté.

«Detesto quello che le sta accadendo.»

«La ringrazio. Sono lieta che me l'abbia detto.»

Vicino all'uscita del garage era in attesa un'auto civetta di qualche giornale. Starling premette sull'acceleratore della Mustang per seminarla, e a tre isolati dal J. Edgar Hoover Building prese una multa per eccesso di velocità. I fotografi scattarono come forsennati, mentre il poliziotto scriveva.

Al termine della riunione, il vicedirettore Noonan restò seduto alla scrivania a strofinarsi i segni lasciati dagli occhiali ai lati del naso.

L'allontanamento di Starling non lo preoccupava molto... Era convinto che nelle donne ci fosse un elemento emotivo che spesso le rendeva inadatte al Bureau. Ma gli dispiaceva vedere Jack Crawford coinvolto in quella storia. Jack era sempre stato uno di loro. Forse aveva un debole per la ragazza Starling, ma questo era normale... dopotutto, la moglie di Jack era morta. Una volta, per una settimana Noonan non era riuscito a staccare gli occhi di dosso a una stenografa molto attraente e aveva dovuto liberarsi di lei prima che la ragazza facesse nascere qualche guaio.

Inforcò gli occhiali e prese l'ascensore per scendere nella biblioteca. Trovò Jack Crawford seduto nella zona lettura, con la testa appoggiata al muro. Noonan pensò che dormisse. Crawford aveva un colorito grigiastro ed era sudato. Aprì gli occhi ed emise un gemito.

«Jack?» Noonan gli batté la mano sulla spalla, poi gli toccò la faccia umida. La sua voce risuonò forte nella stanza: «Bibliotecario, chiami un medico!».

Crawford fu portato nell'infermeria dell'Fbi e poi nel reparto di terapia intensiva dell'unità coronarica del Jefferson Memorial.

## 73

Krendler non avrebbe potuto desiderare un servizio migliore da parte della stampa.

In occasione del novantesimo anniversario dell'Fbi, per i giornalisti era prevista una visita al nuovo centro direzionale anticrisi. I telegiornali approfittarono largamente di quell'insolito accesso al J. Edgar Hoover Building. La C-Span mandò in onda in diretta il discorso completo dell'ex presidente Bush, oltre a quelli dei direttori dell'Fbi. La Cnn ne trasmise alcuni estratti nelle edizioni del mattino e i network li ripeterono nei notiziari della sera. Fu quando i dignitari sfilarono giù dal palco che Krendler ebbe il suo momento. Il giovane Scolpito a Rasoio, in piedi vicino alla pedana, pose la domanda: «Signor Krendler, è vero che l'agente speciale Starling è stata sospesa dall'indagine su Hannibal Lecter?».

«Credo che, per il momento, rilasciare dichiarazioni in questo senso sia non solo prematuro, ma anche scorretto nei confronti dell'agente. Dirò semplicemente che della faccenda si sta occupando l'ufficio dell'ispettore generale. Non sono state formulate accuse contro nessuno.»

Anche la Cnn colse la palla al balzo. «Signor Krendler, fonti giornalistiche italiane sostengono che il dottor Lecter potrebbe aver ricevuto un indebito avvertimento da qualcuno all'interno delle agenzie governative che gli avrebbe consigliato di fuggire. È in base a questo che l'agente Starling è stata sospesa dal servizio? Ed è sempre per questo che del caso si occupa l'ufficio dell'ispettore generale invece che l'ufficio per la responsabilità professionale?»

«Non posso fare commenti sulla stampa straniera, Jeff. Ma posso dire che l'ufficio dell'ispettore generale sta indagando su indizi che ancora non sono supportati da prove. Nei confronti dei nostri agenti abbiamo le stesse responsabilità che abbiamo nei confronti dei nostri amici d'oltreoceano» rispose Krendler, agitando il dito nell'aria a imitazione di Kennedy. «La questione Hannibal Lecter è in buone mani, non solo quelle di Paul Krendler, ma anche di esperti scelti da tutte le discipline dell'Fbi e del dipartimento della Giustizia. Abbiamo in cantiere un progetto che riveleremo a tempo debito, quando avrà dato i suoi frutti.»

L'uomo d'affari tedesco dal quale il dottor Lecter aveva preso in affitto la casa l'aveva dotata di un enorme televisore Grundig. Nel tentativo di armonizzarlo con l'arredamento, aveva messo sull'apparecchio ultramoderno uno dei suoi piccoli bronzi raffiguranti Leda e il Cigno.

Il dottor Lecter guardava un documentario, intitolato *Una breve storia del tempo*, sul grande astrofisico Stephen Hawking e il suo lavoro. L'aveva già visto molte volte. Quella era la sua parte preferita, quando la tazza da tè cade dal tavolo e si frantuma sul pavimento.

Hawking, rattrappito sulla sedia a rotelle, parla con la sua voce generata dal computer.

"Da dove proviene la differenza fra passato e futuro? Le leggi della scienza non distinguono fra passato e futuro. Eppure, nella vita comune, fra passato e futuro c'è un'enorme differenza.

"Potete vedere una tazza da tè che cade da un tavolo e va in mille pezzi sul pavimento. Ma non vedrete mai la tazza ricomporsi e saltare di nuovo sul tavolo."

Il filmato, proiettato all'indietro, mostra la tazza che torna com'era e sale sul tavolo. Hawking continua:

"L'aumento del disordine o dell'entropia, ecco che cosa distingue il passato dal futuro, dando una direzione al tempo."

Il dottor Lecter ammirava molto il lavoro di Hawking e lo seguiva con tutta l'attenzione possibile attraverso le riviste matematiche. Sapeva che un tempo lo scienziato era stato convinto che l'universo avrebbe smesso di espandersi per contrarsi di nuovo, e che l'entropia poteva invertire il cammino. In seguito, però, aveva ammesso di essersi sbagliato.

Lecter era dotato di grandi capacità nel campo dell'alta matematica, ma Stephen Hawking è di un altro livello, rispetto a chiunque altro. Per anni, Lecter aveva esaminato il problema, sperando con tutto il cuore che Hawking avesse avuto ragione la prima volta, che l'universo la smettesse di espandersi, che l'entropia si correggesse e che Mischa, mangiata, tornasse intatta.

Era giunta l'ora. Il dottor Lecter fermò il videoregistratore e passò al telegiornale.

Le trasmissioni televisive e i notiziari che si occupano dell'Fbi vengono elencati quotidianamente sul sito Web pubblico del Bureau. Il dottor Lecter visitava il sito tutti i giorni, per assicurarsi che usassero ancora la sua vecchia fotografia per la pagina dei Pericoli pubblici. In questo modo, aveva saputo dell'anniversario dell'Fbi con sufficiente anticipo da potersi sintonizzare in tempo. Era seduto su una grande poltrona in giacca da casa e foulard, e guardava Krendler che mentiva. Lo guardava con gli occhi socchiusi, tenendo il bicchiere di cognac vicino al naso e facendone roteare delicatamente il contenuto. Non aveva più visto quella faccia pallida da quando, sette anni prima, Krendler era stato davanti alla sua gabbia, a Memphis, subito prima della sua evasione.

In un servizio locale da Washington, vide Starling ricevere una multa, con una selva di microfoni infilati nel finestrino della Mustang. Ormai i telegiornali la presentavano come "colpevole di aver violato la sicurezza degli Stati Uniti" nel caso del dottor Lecter.

Alla vista della ragazza spalancò gli occhi marrone e, nella profondità delle pupille, l'immagine del viso di Starling si accese di lampi. Il dottor Lecter conservò nella mente quell'immagine, integra e perfetta, anche quando fu scomparsa dal teleschermo, e ce ne sovrappose un'altra, quella di Mischa, e le premette insieme finché, dal cuore incandescente della loro fusione, le scintille sprizzarono verso il cielo, portando l'immagine unica verso est, nel cielo notturno, perché potesse confondersi con le stelle sopra il mare.

Nel caso l'universo si fosse contratto, il tempo avesse invertito la sua rotta e le tazze da tè fossero tornate intere, sarebbe stato possibile trovare un posto nel mondo per Mischa. Il più degno che il dottor Lecter conoscesse: il posto di Starling. Mischa poteva prendere il posto di Starling nel mondo. Se si fosse arrivati a questo, se il tempo fosse tornato indietro, la dipartita di Starling avrebbe lasciato a Mischa un posto lucido e pulito come la tinozza di rame nel giardino.

## 74

Il dottor Lecter posteggiò il furgoncino a un isolato dal Maryland-Misericordia Hospital e strofinò le monete, prima di infilarle nel parchimetro. Con indosso una tuta imbottita di quelle usate dagli operai quando fa freddo, e un berretto dalla visiera lunga per nascondersi alle telecamere di sorveglianza, entrò dall'ingresso principale.

Erano passati più di quindici anni, da quando era stato nel Maryland-Misericordia Hospital, ma la disposizione di base sembrava immutata. Rivedere il posto dove aveva iniziato la professione medica, per lui non significava niente. I reparti dei piani superiori avevano subito una ristrutturazione puramente estetica ma, stando alla piantina del dipartimento per l'Edilizia, dovevano essere quasi identici a quando ci lavorava lui.

Con un tesserino da visitatore che ritirò al banco d'ingresso salì ai piani dov'erano i degenti. Percorse il corridoio leggendo i nomi dei malati e dei medici sulle porte delle stanze. Quella era l'unità di convalescenza postoperatoria, dove venivano mandati i pazienti dimessi dalla terapia intensiva dopo aver subito operazioni chirurgiche al cuore o alla testa.

Guardando il dottor Lecter avanzare lungo il corridoio, si aveva la sensazione che leggesse molto lentamente: muoveva le labbra senza emettere alcun suono e, di tanto in tanto, si grattava la testa come uno sprovveduto. Poi si sedette nella sala d'attesa, da dove poteva controllare il corridoio. Aspettò un'ora e mezzo fra donne anziane che raccontavano i loro drammi familiari e sopportò il programma televisivo *Il prezzo è giusto*. Finalmente, vide ciò che aspettava, un chirurgo ancora vestito con il camice verde da sala operatoria che faceva il giro dei pazienti da solo. Doveva essere... il chirurgo stava entrando a visitare un paziente di... del dottor Silverman. Il dottor Lecter si alzò, grattandosi il capo. Raccolse un giornale sgualcito da un tavolo d'angolo e uscì dalla sala d'aspetto. Un'altra stanza con un paziente del dottor Silverman era due porte dopo. Il dottor Lecter scivolò dentro. La camera era immersa nella semioscurità, e il paziente, per fortuna addormentato, aveva la testa e parte della faccia nascoste da pesanti bendaggi. Sul monitor, un sottile tracciato luminoso palpitava con regolarità.

Il dottor Lecter si tolse in fretta la tuta e restò con camice e calzoni da sala operatoria. Si infilò i proteggiscarpe, il berrettino verde, una mascherina e i guanti. Tolse di tasca un sacchetto da immondizia bianco e lo aprì.

Entrò il dottor Silverman, continuando a parlare con qualcuno nel corridoio. *Che arrivasse un infermiere, dietro di lui? No.*

Il dottor Lecter prese il cestino della carta straccia e cominciò a vuotarlo nel sacchetto, restando con le spalle alla porta.

«Mi scusi, dottore, mi tolgo subito dai piedi» disse.

«Non si preoccupi» rispose il dottor Silverman, staccando la cartella clinica dai piedi del letto. «Faccia pure quello che deve fare.»

«Grazie» mormorò il dottor Lecter, e calò lo sfollagente di cuoio alla base del cranio del chirurgo. Appena uno scatto del polso, in realtà, e afferrò per il torace l'uomo mentre si afflosciava. È sempre sorprendente osservare il dottor Lecter sollevare un corpo: è forte come una formica. Trasportò il dottor Silverman nel bagno della camera e gli abbassò i calzoni, prima di metterlo a sedere sul water.

Il chirurgo rimase là, con la testa che gli penzolava sopra le ginocchia. Il dottor Lecter lo sollevò quanto bastava per guardargli le pupille, poi si impossessò dei vari cartellini di riconoscimento appuntati sul camice.

Sostituì le credenziali del chirurgo con il suo pass da visitatore girato al contrario, si appese intorno al collo lo stetoscopio come se fosse stato un boa, secondo la moda vigente, e si mise in alto sulla testa i complicati occhiali da microchirurgia con le lenti a ingrandimento. Lo sfollagente finì nella sua manica.

Ora era pronto a penetrare nel cuore del Maryland-Misericordia.

L'ospedale rispetta i rigidi regolamenti federali sui narcotici. Nei reparti dei degenti, gli armadietti dei medicinali di ogni postazione infermieristica sono chiusi a chiave, e le due chiavi, una delle quali per accedere alla stanza con l'armadietto, sono custodite dall'infermiera di turno e dalla sua assistente. Viene tenuto puntualmente un registro.

Tutte le sale operatorie, le zone più inaccessibili dell'ospedale, sono rifornite dei farmaci necessari pochi minuti prima che il paziente venga portato dentro. I farmaci per l'anestesia sono riposti accanto al tavolo operatorio in un armadietto che ha una parte refrigerata e l'altra a temperatura ambiente.

Il rifornimento di farmaci è tenuto in un dispensario chirurgico separato, vicino all'antisala operatoria. Contiene un certo numero di preparati impossibili da trovare nel dispensario generale del piano inferiore: i potenti sedativi che rendono possibili le operazioni a cuore aperto e i sedativi-ipnotici a effetto selettivo per gli interventi al cervello su pazienti vigili e reattivi.

Nei giorni feriali, c'è sempre qualcuno a sorvegliare

il dispensario, ma quando il farmacista è nella stanza, gli armadietti non sono chiusi. Negli interventi d'urgenza al cuore non c'è tempo per mettersi ad armeggiare con le chiavi. Il dottor Lecter, con la mascherina sulla faccia, spinse la porta a ventaglio che immetteva nel reparto chirurgia.

Nel tentativo di rallegrare l'ambiente, il reparto era stato dipinto in svariate combinazioni di colori vivaci, che perfino i moribondi avrebbero trovato insopportabili. Vicino al banco dell'infermiera, numerosi medici davanti al dottor Lecter firmarono la loro entrata e procedettero verso l'antisala. Il dottor Lecter prese la tavoletta con il foglio delle firme e mosse una penna facendo finta di scrivere.

Il programma operatorio affisso al muro annotava l'asportazione di un tumore al cervello nella sala B. Doveva cominciare di lì a venti minuti ed era il primo intervento della giornata. Nell'antisala, il dottor Lecter si tolse i guanti e se li cacciò in tasca, si lavò accuratamente fino ai gomiti, si asciugò le mani, le cosparse di borotalco e si infilò di nuovo i guanti. Nel corridoio, ora. Il dispensario doveva essere il secondo a destra. La porta A, verniciata di color albicocca e con la scritta GENERATORI DI EMERGENZA, e poi la porta a due battenti della sala operatoria B. Un'infermiera si fermò al suo fianco.

«Buongiorno, dottore.»

Il dottor Lecter tossì dietro la mascherina e mormorò buongiorno. Si avviò di nuovo verso l'antisala, borbottando come se avesse dimenticato qualche cosa. L'infermiera lo seguì con lo sguardo per un attimo e poi entrò nella sala operatoria. Il dottor Lecter si tolse i guanti e li gettò nel cestino. Nessuno gli prestò attenzione. Prese un altro paio di guanti. Il suo corpo era nell'antisala, ma in realtà correva attraverso l'atrio del suo palazzo della memoria, oltre il busto di Plinio e su per le scale fino alla sala dell'Architettura. Nella zona piena di luce dominata dal modello della cattedrale di St. Paul di Christopher Wren, la piantina dell'ospedale aspettava su un tavolo da disegno. Le sale operatorie del Maryland-Misericordia, tracciate linea per linea, così com'erano state copiate nel dipartimento per l'Edilizia di Baltimora. Lui era qui. Il dispensario era là. No. La piantina era sbagliata. Dovevano aver cambiato qualcosa dopo aver presentato i disegni. I generatori apparivano dall'altra parte, nell'immagine a specchio che dal corridoio portava alla sala operatoria A. Forse erano invertite le targhette. Doveva essere così. Lui non poteva permettersi di andare a caso.

Il dottor Lecter uscì dall'antisala e si avviò lungo il corridoio verso la sala operatoria A. Porta sulla sinistra. La scritta diceva RMN. Ancora avanti. La porta successiva era quella del dispensario. Rispetto al progetto iniziale, avevano diviso lo spazio in un laboratorio per la risonanza magnetica e un locale separato in cui tenere i farmaci.

La pesante porta del dispensario era tenuta aperta da un fermo. Il dottor Lecter si infilò in fretta nella stanza e si chiuse il battente alle spalle.

Un farmacista grassoccio era accoccolato a riporre qualcosa su una mensola in basso.

«Ha bisogno di qualcosa, dottore?»

«Sì, grazie.»

Il giovane fece per alzarsi, ma non ci riuscì. Botta dello sfollagente, e il farmacista si sentì mancare il fiato, mentre si ripiegava sul pavimento.

Il dottor Lecter alzò il bordo del camice e cacciò lo sfollagente nella cintura da giardiniere che portava sotto.

Su e giù per le mensole, rapidamente, leggendo le etichette con la velocità del lampo, Ambien, amobarbital, Amytal, idrato di cloralio, Dalmane, flurazepam, Halcion. Si cacciò in tasca decine di fialette. Poi aprì il frigorifero, a leggere cartellini, ad arraffare midozolina, Noctec, scopolamina, Pentothal, quazepam, solzidem. In meno di quaranta secondi, il dottor Lecter era di nuovo nel corridoio e chiudeva la porta del dispensario dietro di sé.

Ripassò dall'antisala e si guardò allo specchio per assicurarsi che non si notassero rigonfiamenti nel camice. Senza fretta, attraverso la porta a ventaglio, il cartellino di riconoscimento tenuto appositamente capovolto, mascherina sulla bocca e occhiali da microchirurgia con le lenti binocolari alzate, pulsazioni a settantadue; borbottò frasi di saluto agli altri dottori. Giù con l'ascensore, giù e giù, mascherina ancora sul viso, guardò una cartelletta presa a caso.

I visitatori che entravano avrebbero potuto trovare strano che continuasse a portare la mascherina fino in fondo alla scala e fuori dal raggio delle telecamere di sicurezza. E i passanti avrebbero potuto chiedersi come mai un medico guidasse un vecchio camioncino scassato come quello.

Nelle sale operatorie, un anestesista, dopo aver bussato impaziente alla porta del dispensario, trovò il farmacista ancora privo di sensi, e passarono altri quindici minuti prima che venisse notata l'assenza dei farmaci.

Quando tornò in sé, il dottor Silverman si trovò accasciato sul pavimento vicino al water, con i calzoni abbassati. Non ricordava di essere entrato nella stanza e non aveva idea di dove si trovasse. Pensò di aver avuto qualche guaio cerebrale, magari un lieve ictus causato dai premiti intestinali. Era molto restio a muoversi, per paura di mettere in circolo un embolo. Si trascinò sul pavimento finché riuscì a mettere le mani fuori nel corridoio. Gli esami rivelarono una leggera commozione cerebrale.

Prima di tornare a casa, il dottor Lecter fece altre due fermate. Passò velocemente da una casella postale alla periferia di Baltimora per ritirare un pacco che aveva ordinato via Internet a una ditta di forniture funerarie: una giacca da cerimonia con la camicia e la cravatta già sistemate all'interno, e il tutto tagliato lungo il retro.

Ora gli mancava solo il vino, qualcosa di veramente, veramente festoso. Per questo doveva andare ad Annapolis. Sarebbe stato bello avere la Jaguar per il viaggio.

## 75

Krendler si era vestito per fare jogging al freddo, e quando Eric Pickford lo chiamò nella sua casa di Georgetown dovette abbassare la chiusura lampo della tuta per non surriscaldarsi.

«Eric, va' alla caffetteria e chiamami da un telefono a pagamento.»

«Scusi, signor Krendler?»

«Fa' come ti dico.»

Krendler si tolse i guanti e la fascia antisudore, e li lasciò cadere sul pianoforte del soggiorno. Picchiettò sui tasti, suonando con un dito il motivo di *Dragnet,* finché la conversazione non riprese. «Starling è stata un agente tecnico, Eric, non sappiamo come può aver manomesso i telefoni. Così proteggiamo gli affari del governo.»

«Sì, signore.»

Una pausa.

«Mi ha chiamato Starling, signor Krendler. Voleva il vaso con la pianta e il resto della sua roba... compreso quello stupido uccello che beve dal bicchiere. Ma mi ha detto qualcosa che ha funzionato. Mi ha consigliato di confrontare l'ultimo numero dei codici postali degli abbonamenti sospetti a riviste, per vedere se la differenza è di tre o meno di tre. Dice che il dottor Lecter potrebbe usare caselle postali convenientemente vicine l'una all'altra.»

«E allora?»

«Credo di aver fatto centro. Il "Journal of Neurophysiology" va a un codice postale e "Physica Scripta" e "Icarus" vanno a un altro a una quindicina di chilometri di distanza. Gli abbonamenti sono stati sottoscritti con nomi diversi e pagati con assegni circolari.»

«Che cos'è "Icarus"?»

«È la rivista internazionale di studi sul sistema solare. Vent'anni fa, il dottor Lecter ne era un abbonato sostenitore. Le caselle postali sono a Baltimora. In genere, le riviste vengono consegnate il 10 del mese. Ho scoperto un'altra cosa, appena un minuto fa, la vendita di una bottiglia di Château di... come si chiama?»

«Si pronuncia *ikèm*. Dunque?»

«Un negozio di vini pregiati di Annapolis. Ho immesso nel computer le informazioni relative all'acquisto e ho attivato la comparazione con l'elenco di dati inseriti da Starling. Il programma è saltato fuori con l'anno di nascita di Starling. Cioè, l'anno sulla bottiglia corrisponde all'anno di nascita della ragazza. Il soggetto l'ha pagato centoventicinque dollari e...»

«È successo prima o dopo che hai parlato con Starling?»

«Subito dopo, appena un minuto fa...»

«Quindi, lei non lo sa.»

«No. Devo avvertire...»

«Mi stai dicendo che il negoziante ti ha chiamato per la vendita di un'unica bottiglia di vino?»

«Sì, signore. Qui ci sono gli appunti presi da Starling. Sulla costa orientale esistono solo tre bottiglie come quella. E lei le ha annotate tutt'e tre. Ammirevole.»

«Chi l'ha comprata... che tipo era?»

«Maschio bianco, altezza media e con la barba. Era tutto infagottato.»

«Il negozio di vini ha una telecamera?»

«Sì, signore, è la prima cosa che ho chiesto. Ho detto che manderemo qualcuno a ritirare la cassetta. Non l'ho ancora fatto. Il commesso del negozio non aveva letto il nostro comunicato, ma ne ha parlato con il proprietario perché si trattava di un acquisto molto insolito. Lui è corso fuori in tempo per vedere il soggetto – o almeno, pensa che fosse il soggetto – allontanarsi a bordo di un vecchio furgoncino grigio, con una struttura in metallo montata sul cassone. Se è Lecter, pensa che tenterà di consegnare la bottiglia a Starling? Sarà bene che avvertiamo la ragazza.»

«No» ribatté Krendler «non dirle niente.»

«Posso immettere in rete il bollettino Vicap e il file di Lecter?»

«No» esclamò Krendler. «Abbiamo avuto la risposta della Questura di Firenze sul computer di Lecter?»

«No, signore.»

«Allora non puoi immettere il Vicap finché non siamo sicuri che Lecter non possa consultarlo personalmente. Potrebbe essere in possesso del codice d'accesso di Pazzi. O potrebbe consultarlo Starling, e avvertire in qualche modo Lecter, come ha già fatto a Firenze.»

«Oh, certo, capisco. Potrebbe pensarci l'ufficio operativo di Annapolis a ritirare la videocassetta.»

«Tu lascia fare a me.»

Pickford dettò l'indirizzo del negozio di vini.

«Continua a lavorare sugli abbonamenti» ordinò Krendler. «Potrai informarne Crawford quando tornerà in ufficio. Organizzerà il controllo delle caselle postali dopo il 10.»

Krendler chiamò il numero di Mason, poi uscì di corsa da casa, trottando disinvoltamente verso Rock Creek Park.

Nel crepuscolo che si addensava, erano visibili solo la sua fascia bianca antisudore Nike, le scarpe bianche Nike e le strisce bianche lungo la tuta nera da jogging Nike, come se fra un'etichetta e l'altra non esistesse nessun uomo.

Fu una corsa veloce di mezz'ora. Udì il rotore dell'e-

licottero non appena spuntò sulla piattaforma d'atter-
raggio vicino allo zoo. Riuscì a infilarsi sotto le pale
che ancora giravano e a raggiungere il gradino per salire a bordo senza interrompere il ritmo. Il volo a reazione lo eccitò: la città, i monumenti illuminati che si allontanavano mentre l'elicottero lo portava alle altezze
che gli competevano, verso Annapolis per ritirare la videocassetta e poi da Mason.

## 76

«Cordell, vuoi mettere a fuoco quel cazzo di coso?»
Nella profonda voce radiofonica di Mason, con le sue
consonanti deturpate dalla mancanza di labbra, "mettere" e "fuoco" suonarono come "lettere" e "cuoco".

Krendler era in piedi vicino a Mason nella parte
buia della stanza per vedere meglio il monitor in alto.
Nel caldo della camera, si era abbassato la parte superiore della tuta da yuppie e aveva legato le maniche attorno alla vita, scoprendo la T-shirt di Princeton. La
bandana attorno alla fronte e le scarpe brillavano debolmente alla luce dell'acquario.

Secondo Margot, Krendler aveva le spalle di un
pollo. Quando lui era arrivato, si erano salutati a malapena.

La telecamera del negozio di vini non aveva sonoro
né segnava l'ora, e il locale era affollato per gli acquisti
natalizi. Cordell fece scorrere il nastro da cliente a
cliente, attraverso una lunga serie di acquisti, mentre
Mason passava il tempo a sputare sgradevolezze.

«Che cos'hai detto quando sei entrato nel negozio
con la tuta da ginnastica e hai tirato fuori il tuo distintivo di latta? Hai raccontato che stavi correndo delle
Olimpiadi speciali?» Mason era molto meno rispetto-
so, da quando Krendler aveva depositato gli assegni.

Lui non poteva offendersi, quando c'erano in gioco i

suoi interessi. «Ho detto che ero sotto copertura. Che tipo di sorveglianza hai organizzato attorno a Starling?»

«Margot, spiegaglielo tu.» Mason sembrava voler risparmiare il poco fiato che aveva per gli insulti.

«Abbiamo convocato dodici uomini del nostro servizio di sicurezza di Chicago. Ora sono a Washington. Tre squadre, ognuna con un membro residente nello stato dell'Illinois. Se la polizia li sorprende mentre catturano il dottor Lecter, diranno che l'hanno riconosciuto e che si tratta di un arresto di cittadini privati e bla bla. La squadra che l'acciuffa, lo consegna a Carlo. Poi tornano tutti a Chicago e non sanno altro.»

Il nastro continuava a girare.

«Un momento... Cordell, riavvolgilo per trenta secondi» esclamò Mason. «Guardate quello.»

La telecamera del negozio di vini copriva lo spazio fra la porta d'ingresso e la cassa.

Nella silenziosa immagine sgranata, entrò un uomo con il berretto a visiera, giaccone e guanti. Aveva lunghi basettoni e occhiali da sole. Voltò le spalle alla telecamera e chiuse con cura la porta dietro di sé.

Ci mise un momento a spiegare al commesso che cosa voleva, e poi lo seguì fuori vista, verso le rastrelliere con i vini.

Passarono lentamente tre minuti. Poi, i due tornarono nel raggio della telecamera. Il commesso tolse la polvere dalla bottiglia, che avvolse nella carta velina prima di metterla in una busta di plastica. Il cliente si tolse solo il guanto destro e pagò in contanti. La bocca del commesso si mosse, mentre diceva "grazie" alla schiena dell'uomo che stava uscendo.

Una pausa di pochi secondi, e il commesso chiamò qualcuno non inquadrato dalla telecamera. Nell'immagine comparve un uomo massiccio che corse alla porta.

«Quello è il proprietario, il tizio che ha visto il camioncino» spiegò Krendler.

«Cordell, puoi copiare quel nastro e sviluppare un ingrandimento della testa del cliente?»

«Ci metto un secondo, signor Verger. Ma verrà sfocato.»

«Fallo lo stesso.»

«Ha tenuto un guanto» esclamò Mason. «Potrebbero avermi fregato, con quella radiografia che ho pagato a caro prezzo.»

«Pazzi sosteneva che si era fatto operare la mano, no? Che gli avevano tagliato il dito in più» disse Krendler.

«Non so più a chi credere. L'hai visto, Margot, che ne pensi? Era Lecter?»

«Sono passati diciotto anni» rispose la donna. «Ho fatto solo tre sedute con lui, e se ne stava sempre dietro la scrivania, quando entravo. Non camminava mai per lo studio, rimaneva assolutamente immobile. Ricordo soprattutto la sua voce.»

Cordell all'interfono: «Signor Verger, è arrivato Carlo».

Carlo puzzava di maiale e anche peggio. Entrò nella stanza tenendo il cappello contro il petto, e l'odore di salsiccia di cinghiale rancida che emanava dalla testa costrinse Krendler a buttare fuori l'aria dal naso. Come segno di rispetto, il rapitore sardo ritirò completamente dentro la bocca il dente di maiale che stava masticando.

«Carlo, guarda questo. Cordell, torna indietro fino a quando l'uomo entra nel negozio.»

«È quello stronzo figlio di puttana» esclamò Carlo, prima che il soggetto sullo schermo avesse fatto quattro passi. «La barba è nuova, ma è così che si muove.»

«Gli hai visto le mani a Firenze, Carlo?»

«Sì.»

«Alla sinistra, cinque o sei dita?»

«... Cinque.»

«Hai esitato.»

«Solo per pensare a come si dice cinque in inglese. Ma erano cinque, ne sono sicuro.»

I pochi denti esposti di Mason si schiusero in un sorriso. «Mi piace. Tiene il guanto per far ritenere ancora valida l'indicazione delle sei dita.»

Forse l'odore di Carlo era penetrato nell'acquario attraverso la pompa dell'aerazione. L'anguilla uscì a vedere che cosa succedeva e rimase fuori, roteando, roteando, nel suo incessante otto di Möbius, i denti scoperti mentre respirava.

«Carlo, credo che questa storia finirà presto» disse Mason. «Tu, Piero e Tommaso siete la mia prima squadra. Mi fido di voi, anche se a Firenze vi ha fregato. Voglio che teniate Starling sotto stretta sorveglianza il giorno del suo compleanno, quello prima e quello dopo. Sarete sostituiti quando lei sarà in casa a dormire. Vi darò un furgone e un autista.»

«Padrone» disse Carlo.

«Sì.»

«Voglio passare un po' di tempo in privato con il dottore, per amore di mio fratello Matteo. Me l'aveva promesso.» Quando nominò il morto, Carlo si fece il segno della croce.

«Capisco bene quello che provi. Ti faccio le mie più sentite condoglianze. Carlo, voglio che il dottor Lecter venga consumato in due sedute. La prima sera, i maiali devono mangiargli i piedi, con lui che guarda attraverso lo steccato. E lo voglio in buone condizioni fisiche. Portamelo in buona forma. Niente colpi alla testa, niente ossa rotte, niente ferite agli occhi. Poi aspetterà tutta la notte senza piedi, e i maiali lo finiranno il giorno dopo. Gli parlerò per un po' e, prima della seduta finale, potrai averlo per un'ora. Ti chiederò di lasciargli un occhio e di fare in modo che non perda i sensi, così potrà vederli arrivare. Voglio che veda i loro grugni mentre gli mangiano il suo, di grugno. Se, diciamo, tu dovessi decidere di evirarlo, dipende solo da te, ma voglio che sia presente Cordell a controllare la perdita di sangue. E voglio che la scena venga ripresa.»

«E se muore dissanguato la prima volta che lo portiamo allo steccato?»

«Non morirà. Né morirà durante la notte. Durante la notte, semplicemente aspetterà, con i piedi mangiati. Ci penserà Cordell a questo e a rimpiazzare i suoi liquidi biologici. Penso che lo terremo tutta la notte con una flebo nel braccio, o forse due.»

«Anche quattro, se necessario» disse la voce incorporea di Cordell attraverso il microfono. «Posso fargliele anche nelle gambe.»

«Alla fine, prima di portarlo allo steccato, puoi anche pisciarci e sputarci, nella flebo» esclamò Mason con tono comprensivo, rivolto a Carlo. «O se preferisci, puoi venirci dentro.»

Al pensiero, Carlo fece un gran sorriso, ma poi si ricordò della signorina muscolosa nell'angolo e le diede uno sguardo di traverso. «Grazie mille, padrone. Lei potrà venire a vederlo morire?»

«Non lo so, Carlo. La polvere del fienile mi disturba. Seguirò la scena sul video. Puoi portarmi un maiale? Voglio toccarlo.»

«In questa stanza, padrone?»

«No, mi faccio portare giù per qualche minuto, con l'ascensore.»

«Devo addormentarne uno, padrone» mormorò Carlo, dubbioso.

«Addormenta una delle scrofe e mettila sul prato davanti all'ascensore. Puoi usare un carrello elevatore per trasportarla sull'erba.»

«Per questa storia, pensate di usare un furgone, o un furgone e una macchina con la quale andare addosso a quella di Lecter?» chiese Krendler.

«Carlo?»

«Il furgone basta e avanza. Mi dia solo qualcuno che lo guidi.»

«Ho qualcos'altro, qui» disse Krendler. «Potremmo avere un po' più di luce?»

Margot girò il reostato e Krendler mise lo zaino sul tavolo, vicino alla fruttiera. S'infilò un paio di guanti di cotone ed estrasse quello che sembrava un piccolo monitor con un'antenna e un supporto su cui montarlo, insieme a un *hard drive* esterno e a batterie di ricambio.

«Sorvegliare Starling è difficile, perché abita in una strada senza uscita dove è impossibile appostarsi. Ma dovrà pure uscire... È una maniaca dell'esercizio fisico» disse Krendler. «Si è dovuta iscrivere a una palestra privata, ora che non può più usare le strutture dell'Fbi. Giovedì abbiamo trovato la sua macchina posteggiata davanti alla palestra e ci abbiamo piazzato sotto un segnalatore. È un Ni-Cad e si ricarica quando il motore va, così lei non può trovarlo, nel caso usi un rivelatore di batterie. Il software copre questi cinque stati confinanti. Chi lo farà funzionare, quest'affare?»

«Cordell, vieni qui» chiamò Mason.

Cordell e Margot si chinarono vicino a Krendler, mentre Carlo rimase ritto, con il cappello in mano all'altezza delle loro narici.

«Guarda.» Krendler accese il monitor. «È come il sistema di navigazione di una macchina, tranne che questo indica dov'è l'auto di Starling.» Sullo schermo comparve un'immagine del centro di Washington. «Scegli un punto e poi ti sposti di zona usando il cursore, capisci? Okay, per ora non si vede niente di particolare. Il segnalatore sulla macchina di Starling accenderà questo dispositivo e sentirai un bip. Allora potrai captare la fonte sulla visione d'insieme e poi stringere in primo piano. Più ti avvicini, più il bip si fa veloce. Ecco il quartiere di Starling su scala stradale. Adesso non arriva nessun segnale dalla sua macchina perché sei fuori raggio. Se ti trovassi in qualunque punto del centro di Washington o di Arlington, lo sentiresti. Venendo qui, io l'ho captato dall'elicottero. C'è anche il convertitore per la spina a corrente alternata del furgone. Una cosa: dovete garantirmi che quest'affare non finirà mai nelle mani sbagliate. Potrebbe inchiodarmi, non è ancora nei negozi di attrezzature specialistiche. O torna a me o finisce in fondo al Potomac. Chiaro?»

«Hai capito, Margot?» disse Mason. «E tu, Cordell? Fa' guidare Mogli e istruiscilo.»

# PARTE QUINTA

# Una libbra di carne

## 77

Il bello del fucile ad aria compressa era che poteva sparare anche con la canna dentro il furgone senza assordare nessuno, non c'era bisogno di farla sporgere dal finestrino, dove la gente poteva vederla.

I finestrini a specchio si sarebbero aperti di pochi centimetri e il piccolo proiettile ipodermico con una grossa dose di acepromazina sarebbe volato nell'aria per andarsi a conficcare nella massa muscolare della schiena o delle natiche del dottor Lecter.

Ci sarebbe stato solo il piccolo schiocco proveniente dalla canna del fucile, simile a un ramo verde che si spezza; un missile subsonico senza botti né echi di detonazioni che avrebbero attirato l'attenzione.

Secondo gli accordi, non appena il dottor Lecter si fosse accasciato, Piero e Tommaso, vestiti di bianco, l'avrebbero "assistito" caricandolo sul furgone, assicurando i passanti che lo stavano portando in ospedale. Tommaso conosceva abbastanza bene l'inglese, dato che lo aveva studiato in seminario, ma l'*h* aspirata di "hospital" gli faceva venire i sudori freddi.

Mason aveva ragione a dare agli italiani la possibilità di catturare per primi il dottor Lecter. Malgrado il fallimento di Firenze, erano di gran lunga i più bravi ad abbrancare un uomo, e quelli con maggiori probabilità di prendere Lecter vivo.

Per la missione, oltre al fucile caricato con il tranquillante, Mason aveva permesso la presenza solo di una pistola, quella del guidatore, Johnny Mogli, un ex vicesceriffo dell'Illinois, da molto tempo creatura dei Verger. Mogli era cresciuto parlando italiano in famiglia. Era il tipo che accondiscendeva a tutto quello che dicevano le sue vittime, prima di ucciderle.

Carlo e i fratelli Piero e Tommaso avevano portato la solita rete, oltre al fucile a dardi, una bomboletta di Mace e una varietà di corde. Un'attrezzatura più che sufficiente.

Si misero in posizione all'alba, a cinque isolati dalla casa di Starling ad Arlington, posteggiando in una strada commerciale nello spazio riservato ai disabili.

Quel giorno il furgone aveva la scritta adesiva TRASPORTO MEDICO ANZIANI. Dallo specchietto pendeva un cartellino e sul paraurti era visibile una targhetta falsa con indicato: "Veicolo per disabili". Nel cassetto del cruscotto era riposta la ricevuta di una carrozzeria per una recente sostituzione del paraurti; nel caso che i numeri della targhetta venissero messi in discussione, loro avrebbero dato la colpa a un pasticcio combinato dall'officina e, e almeno in un primo momento avrebbero intorbidato le acque. I numeri d'identificazione e di registrazione del veicolo erano autentici, come le banconote da cento dollari per corrompere gli agenti, piegate dentro il libretto di circolazione.

Sul monitor, attaccato al cruscotto con strisce di velcro e alimentato elettricamente tramite la cavità dell'accendino, baluginava la cartina stradale del quartiere di Starling. Lo stesso satellite globale di posizionamento che indicava dov'era il furgone mostrava anche il veicolo di Starling, un puntino luminoso davanti a casa sua.

Alle nove, Carlo permise a Piero di mangiare qualcosa. Alle dieci e mezzo, poté mangiare Tommaso. Carlo non voleva che si ingozzassero insieme, nel caso si fosse resa necessaria una lunga caccia a piedi. Anche i pasti del pomeriggio furono scaglionati. Tommaso stava frugando nella borsa termica alla ricerca di un sandwich, quando sentirono un bip.

La testa maleodorante di Carlo si girò di scatto verso il monitor.

«Si sta muovendo» disse Mogli, e avviò il motore.

Tommaso rimise il coperchio sulla borsa termica.

«Ci siamo. Ci siamo... Quella sta dirigendosi verso Tindal sulla strada principale.» Mogli s'infilò nel traffico. Poteva concedersi il grande lusso di restare indietro di tre isolati, dove Starling non aveva nessuna possibilità di vederlo.

Così come Mogli non ebbe la possibilità di vedere il vecchio furgoncino grigio immettersi nel traffico dietro Starling, con un albero di Natale assicurato sul cassone scoperto.

La Mustang era uno dei pochi piaceri sui quali Starling poteva contare. Per la maggior parte dell'inverno, guidare sull'asfalto scivoloso quella macchina potente, priva di Abs e di controllo della trazione, era un'impresa impegnativa. Ma, sulle strade asciutte, era gradevole tirare un po' su di giri il V8 in seconda e ascoltare il rombo dei tubi di scappamento.

Mapp, abilissima nel raccogliere coupon, aveva messo insieme una grossa mazzetta di tagliandi sconto che aveva consegnato a Starling, appuntata insieme alla lista della spesa. Dovevano cucinare una spalla di maiale, uno stufato e una torta di formaggio. Gli altri avrebbero portato il tacchino.

Una cena per il suo compleanno era l'ultima cosa che Starling avrebbe voluto. Aveva dovuto accettarla perché Mapp e un sorprendente numero di agenti donne, alcune delle quali conosceva a malapena, e non le erano particolarmente simpatiche, avevano deciso di starle vicino in quel momento di sofferenza.

Starling era preoccupata per Jack Crawford. Non

poteva andare a fargli visita al reparto di terapia intensiva, né poteva telefonargli. Gli aveva lasciato alcuni biglietti al banco dell'accettazione, con divertenti immagini di cani e i messaggi più allegri che era riuscita a mettere insieme.

Cercò di scrollarsi la tristezza giocando con la Mustang, scalando le marce e usando la compressione del motore per rallentare, quando venne il momento di svoltare dalla superstrada per entrare nel posteggio del supermercato Safeway, sfiorando i freni quel tanto da accendere le luci posteriori per avvertire le auto dietro di lei.

Dovette fare quattro giri, ma alla fine riuscì a parcheggiare solo perché trovò un posto libero ostruito da un carrello abbandonato. Scese e lo spostò. Finita la manovra, un altro cliente si era già portato via il carrello.

Ne trovò un altro vicino all'ingresso e lo spinse dentro il supermercato.

Mogli la vide svoltare e fermarsi sullo schermo del monitor, e a distanza notò che alla sua destra compariva la grossa sagoma del Safeway.

«Sta andando al supermercato.» Mogli entrò nel posteggio. Ci mise pochi secondi a trovare la macchina di Starling. Vide una giovane donna spingere un carrello verso l'ingresso.

Carlo puntò il binocolo. «È lei, assomiglia alle fotografie.» Passò il binocolo a Piero.

«Mi piacerebbe fotografarla» disse Piero. «Ho lo zoom, qui.»

Dall'altra parte del passaggio rispetto all'auto di Starling c'era uno spazio riservato agli handicappati. Mogli ci si infilò, precedendo una grossa Lincoln con la targa dei disabili, il cui anziano autista suonò rabbiosamente il clacson.

Attraverso il finestrino posteriore del furgone potevano vedere la coda della macchina di Starling.

Forse perché abituato ai veicoli americani, Mogli fu il primo a notare il vecchio camioncino, fermo in un angolo lontano, in fondo al posteggio. Ne poteva scorgere solo il grigio della parte posteriore.

Lo indicò a Carlo. «Ha una struttura di metallo sul cassone? Non è così che ha detto il tizio del negozio di vini? Puntaci sopra il binocolo, io non riesco a vedere, con quel cazzo di albero in mezzo. Carlo, c'è una struttura o no?»

«Sì, la vedo. Dentro il camioncino non c'è nessuno.»

«Non dovremmo andare a sorvegliare la ragazza nel supermercato?» Non capitava spesso che Tommaso suggerisse qualcosa a Carlo.

«No. Se quello ha intenzione di farlo, lo farà qui» rispose Carlo.

Prima di tutto, i formaggi. Consultando i tagliandi sconto, Starling scelse quelli che servivano per la torta, più alcuni panini surgelati. *Non ci penso neanche a farli in casa, per quella gente*. Aveva raggiunto il banco della carne, quando si rese conto di aver dimenticato il burro. Lasciò il carrello e andò a prenderlo.

Al suo ritorno, il carrello era sparito. Qualcuno aveva tirato fuori i suoi pochi acquisti e li aveva messi su una mensola lì accanto. Si erano tenuti i tagliandi sconto e la lista della spesa.

«Che Dio li fulmini» esclamò Starling, a voce abbastanza alta da farsi sentire dai clienti più vicini. Si guardò attorno. Nessuno con una mazzetta di tagliandi in vista. Tirò un paio di profondi respiri. Avrebbe potuto appostarsi vicino alle casse e tentare di riconoscere la propria lista della spesa, ammesso che fosse ancora appuntata ai tagliandi. Al diavolo, erano solo un paio di dollari. Non farti rovinare la giornata.

Vicino alle casse non c'erano carrelli liberi. Starling uscì a cercarne uno nel posteggio.

«Eccolo!» Carlo lo vide arrivare fra le macchine con il suo passo leggero e veloce. Il dottor Hannibal Lecter, in cappotto di cammello e cappello di feltro, portava un pacchetto regalo, in un atto di puro capriccio. «Madonna! Sta andando alla macchina della ragazza.» Poi la sua indole di cacciatore ebbe la meglio. Cominciò a controllare il respiro e a prepararsi a colpire. Il dente di maiale che masticava gli spuntò per un attimo fra le labbra.

Il finestrino posteriore del furgone non poteva essere abbassato.

«Metti in moto! Gira in retromarcia e accostati a lui» esclamò Carlo.

Il dottor Lecter si fermò sul lato del passeggero della Mustang, poi cambiò idea e andò dalla parte del guidatore, con l'idea di annusare il volante.

Si guardò attorno ed estrasse dalla manica una lama sottile.

Ora il furgone era di fianco a lui. Carlo, con il fucile pronto, azionò il pulsante elettrico del finestrino. Non successe niente.

La voce di Carlo, di una calma innaturale ora che cominciava l'azione: «Mogli, il finestrino!».

Doveva trattarsi della chiusura di sicurezza per i bambini. Mogli la cercò a tentoni.

Il dottor Lecter infilò la lama nella fessura del finestrino e aprì la portiera della macchina di Starling. Fece per salirci.

Con un'imprecazione, Carlo socchiuse di qualche centimetro lo sportello laterale e imbracciò il fucile. Piero si spostò per fargli posto, facendo ondeggiare leggermente il furgone, mentre il fucile schioccava.

Il dardo sfrecciò nel sole e con un piccolo "toc" trapassò il colletto inamidato del dottor Lecter, penetrandogli nella nuca. Da quel punto critico, il narcotico entrò subito in circolo. Il dottor Lecter tentò di raddrizzarsi, ma le ginocchia gli si piegarono. Il pacco regalo scivolò dalle sue mani rotolando sotto la Mustang. Riuscì a estrarre un coltello dalla tasca e ad aprirlo, mentre si accasciava fra lo sportello e la macchina, con il tranquillante che gli trasformava gli arti in acqua. «Mischa» mormorò, con la vista che gli si offuscava.

Come due tigri, Piero e Tommaso gli balzarono addosso e lo bloccarono a terra finché non furono sicuri che non avesse la forza di reagire.

Starling, che spingeva attraverso l'area di parcheggio il secondo carrello della giornata, sentì lo schiocco del fucile ad aria; lo riconobbe immediatamente e si abbassò d'istinto, mentre la gente attorno a lei proseguiva tranquillamente, inconsapevole. Difficile dire da dove era venuto. Guardò in direzione della sua auto, vide le gambe di un uomo scomparire dentro un furgone e pensò a una rapina.

Si batté la mano sulla coscia dove la pistola non c'era più e scattò di corsa, schivando le macchine, diretta verso il furgone.

La Lincoln con il guidatore anziano era tornata indietro e strombazzava per entrare nel posto riservato ai disabili bloccato dal furgone, inghiottendo le grida di Starling.

«Fermi dove siete! Fbi! Fermi o sparo!» Forse sarebbe riuscita a dare un'occhiata alla targa.

Piero la vide arrivare e, con un movimento veloce, con il coltello del dottor Lecter tagliò la valvola del pneumatico anteriore della Mustang, dalla parte del volante, poi si tuffò nel furgone. Partendo, il veicolo sobbalzò su un cordolo di cemento e sfrecciò verso l'uscita. Starling riuscì a vedere la targa. Scrisse il numero con il dito nella polvere che copriva il cofano di una macchina.

Aveva già le chiavi in mano. Quando salì in macchina, sentì il sibilo dell'aria che usciva dalla valvola. Fece appena in tempo a vedere il tetto del furgone avvicinarsi all'uscita.

Batté la mano sul finestrino della Lincoln. Questa

volta era lei la destinataria dei colpi di clacson. «Ha un cellulare? Fbi. Per piacere, ha un cellulare?»

«Parti, Noel» disse la donna nella macchina, dando un colpo alla gamba del guidatore e pizzicandola. «Sono solo guai, scommetto che è un trucco. Non lasciamoci coinvolgere.» La Lincoln si allontanò.

Starling corse a un telefono pubblico e chiamò il 911.

Il vicesceriffo Mogli superò i limiti di velocità per quindici isolati.

Carlo tirò fuori il dardo dal collo del dottor Lecter e rimase sollevato quando vide che la ferita non sanguinava. Sotto la pelle c'era un ematoma grande quanto una moneta da venticinque centesimi. La dose di tranquillante era stata preparata per espandersi in una grossa massa muscolare. Quel figlio di puttana poteva ancora morire, prima che i maiali lo mangiassero.

Nel furgone nessuno parlava, si sentivano solo i respiri degli uomini e il gracidio dello scanner della polizia sotto il cruscotto. Il dottor Lecter era sul pavimento del veicolo nel suo bel cappotto, il cappello rotolato via dalla testa lucida, una macchiolina di sangue rosso vivo sul colletto, elegante come un fagiano nella cesta di un macellaio.

Mogli entrò in un parcheggio coperto e salì fino al terzo piano, fermandosi il tempo necessario per staccare le scritte dalle fiancate del furgone e cambiare la targa.

Non c'era di che preoccuparsi. Rise fra sé, quando lo scanner della polizia captò la comunicazione. A quanto pareva, il centralinista del 911 aveva frainteso la descrizione di Starling di un "furgone o minibus grigio" e lanciato l'allarme generale per un autobus delle linee Greyhound. Bisogna dire che il 911 aveva capito bene tutti i numeri della targa falsa, tranne uno.

«L'Illinois non si smentisce mai» disse Mogli.

«Quando ho visto il coltello, ho avuto paura che si ammazzasse per sottrarsi a quello che l'aspettava» disse Carlo a Piero e Tommaso. «Si pentirà di non essersi tagliato la gola.»

Mentre controllava le altre gomme, Starling vide il pacchetto sotto la macchina.

Una bottiglia da trecento dollari di Château d'Yquem e il biglietto, scritto nella grafia ormai familiare: "Buon compleanno, Clarice".

Solo allora Starling capì che cosa aveva visto.

## 78

Starling conosceva a memoria tutti i numeri di cui aveva bisogno. Doveva percorrere dieci isolati fino all'apparecchio di casa sua? No, tornò di corsa al telefono pubblico; scusandosi, strappò il ricevitore umidiccio dalla mano di una giovane donna e, mentre questa chiamava una guardia del supermercato, infilò una moneta.

Starling si mise in contatto con la squadra di pronto intervento dell'ufficio operativo di Washington, a Buzzard's Point.

Sapevano tutto di lei, alla squadra di cui aveva fatto parte per tanto tempo, e trasferirono la sua chiamata direttamente a Clint Pearsall. Intanto, Starling frugava nella borsetta alla ricerca di altri spiccioli e allo stesso tempo teneva testa alla guardia del supermercato, che continuava a chiederle un documento d'identità.

Finalmente, la voce familiare di Pearsall al telefono.

«Signor Pearsall, ho visto tre uomini, forse quattro, rapire Hannibal Lecter nel posteggio del Safeway, circa cinque minuti fa. Mi hanno sgonfiato una gomma e non ho potuto inseguirli.»

«È la stessa storia dell'autobus, quella dell'allarme lanciato dalla polizia?»

«Non so niente di autobus, questo era un furgone grigio con la targa dei disabili.» Starling gli diede il numero.

«Come fa a sapere che era Lecter?»

«Mi... mi ha lasciato un regalo, l'ho trovato sotto la mia macchina.»

«Capisco...» Pearsall fece una pausa e Starling saltò dentro quel silenzio.

«Signor Pearsall, lei lo sa che dietro c'è Mason Verger. Dev'essere così. Non l'avrebbe fatto nessun altro. È un sadico, farà torturare a morte il dottor Lecter e vorrà assistere alla scena. Dobbiamo lanciare un allarme rosso su tutti i veicoli di Verger e chiedere al procuratore di Baltimora di preparare un mandato che ci autorizzi a perquisire la sua casa.»

«Starling... Gesù, Starling. Senta, glielo chiedo una volta sola: è sicura di quello che ha visto? Ci pensi un secondo. Pensi a tutte le cose buone che ha fatto qui dentro. Pensi al giuramento che ha prestato. Non può dimenticare tutto questo. Che cos'ha visto?»

*Che devo dire... che non sono un'isterica? È la prima cosa che dicono gli isterici.* In quell'istante capì quanto era scesa nella fiducia di Pearsall, e di che misero materiale era fatta quella fiducia.

«Ho visto tre uomini, forse quattro, rapire un individuo nel posteggio del Safeway. Sulla scena ho trovato un regalo del dottor Lecter, una bottiglia di vino Château d'Yquem del mio stesso anno di nascita, insieme a un biglietto d'auguri con la sua grafia. Ho già descritto il veicolo. Sto denunciando il fatto a lei, Clint Pearsall, responsabile dell'ufficio operativo di Buzzard's Point.»

«Tratterò la faccenda come un rapimento, Starling.»

«Vengo là. Potrei essere distaccata alla squadra operativa e andare con loro.»

«Non venga, non mi è concesso di farla entrare.»

Peccato che Starling non se ne fosse andata prima che la polizia di Arlington arrivasse al posteggio. Ci vollero quindici minuti per correggere l'allarme generale lanciato sul veicolo. Una donna tozza con le scarpe di cuoio a tacco basso prese la deposizione di Starling. Il grosso blocco di carta e la radio della donna, la bomboletta di Mace, la pistola e le manette, sporgevano con varie angolature da dietro il massiccio sedere e gli spacchi laterali della giacca restavano aperti. L'agente non riusciva a decidere se relativamente al posto di lavoro di Starling dovesse scrivere "Fbi" o "nessuno". Quando Starling la fece infuriare anticipando le sue domande, rallentò ancora di più. E quando Starling indicò le tracce di pneumatici da neve nel punto in cui il veicolo aveva urtato il cordolo, si scoprì che nessuno tra coloro accorsi sulla scena aveva una macchina fotografica. Starling insegnò agli agenti come usare la sua.

Mentre ripeteva le sue risposte, nella testa continuava a ripetere a se stessa: avrei dovuto inseguirli, avrei dovuto inseguirli, avrei dovuto inseguirli. *Avrei dovuto tirare giù quella testa di cazzo dalla Lincoln e inseguirli.*

Krendler sentì il primo allarme sul rapimento. Fece un giro di telefonate alle sue fonti e poi chiamò Mason su un numero protetto.

«Starling ha assistito al fatto, non potevamo prevederlo. Sta facendo un gran casino con l'ufficio operativo di Washington e insiste perché si procurino un mandato per perquisire casa tua.»

«Krendler...» Mason aspettò il respiro, o forse era esasperato, Krendler non avrebbe saputo dirlo. «Ho già presentato diverse denunce alle autorità locali dicendo che Starling mi perseguita e mi chiama di notte formulando minacce incoerenti.»

«Ma è vero?»

«Certo che no, ma non può provare di non averlo fatto, e servirà a confondere le acque. Ora, in questa contea e in questo stato posso bloccare qualunque mandato. Ma voglio che tu chiami il procuratore degli Stati Uniti per ricordargli che quella troia isterica ce l'ha con me. Delle autorità locali posso occuparmene io, credimi.»

Finalmente libera dalla polizia, Starling sostituì la ruota e tornò a casa al suo telefono e al suo computer. Sentiva un'estrema mancanza del cellulare dell'Fbi, che ancora non aveva rimpiazzato.

Sulla segreteria telefonica trovò un messaggio di Mapp: "Starling, condisci lo stufato e mettilo in forno a fuoco basso. Non aggiungere le verdure, per il momento. Ricordati che cos'è successo l'ultima volta. Sarò a una maledetta udienza fino alle cinque".

Starling accese il computer portatile e tentò di accedere al file di Lecter sul Programma per la cattura dei criminali violenti, ma le fu negato l'accesso non solo al Vicap, ma all'intera rete dell'Fbi. Ormai, aveva meno privilegi del più derelitto dei poliziotti di contea.

Suonò il telefono.

Era Clint Pearsall. «Starling, ha molestato Mason Verger per telefono?»

«Mai, lo giuro.»

«Lui sostiene di sì. Ha invitato lo sceriffo ad andare a fare un giro della sua proprietà, anzi, gliel'ha praticamente imposto, e ora stanno dando un'occhiata in giro. Quindi, non c'è mandato, né ce ne sarà mai uno. E noi non siamo riusciti a trovare nessun altro testimone del rapimento, solo lei.»

«C'era una Lincoln bianca con a bordo una coppia

di anziani, signor Pearsall. Perché non controllate gli acquisti del Safeway con carta di credito effettuati poco prima dell'accaduto? Per le vendite viene annotata l'ora.»

«Lo faremo, ma...»

«... richiederà tempo» finì Starling.

«Starling?»

«Sì, signore?»

«Detto fra noi, la terrò informata sugli sviluppi. Ma lei ne resti fuori. È stata sospesa dal servizio, non è più un rappresentante della legge e non dovrebbe ricevere informazioni. Lei è Mister Nessuno.»

«Sì, signore, lo so.»

Che cosa guardiamo quando tentiamo di prendere una decisione? La nostra non è una cultura riflessiva, non alziamo gli occhi sulle colline. La maggior parte delle volte decidiamo le cose più importanti fissando il pavimento di linoleum del corridoio di un edificio istituzionale, o bisbigliamo affannosamente in una sala d'aspetto, mentre la televisione blatera assurdità.

Alla ricerca di qualcosa, di qualunque cosa, Starling attraversò la cucina per entrare nel silenzio e nell'ordine della parte di casa di Mapp. Guardò la fotografia della piccola nonna fiera, miscelatrice di tè. Guardò la polizza assicurativa di Nonna Mapp incorniciata sulla parete. Dalla parte di casa di Mapp si capiva che ci abitava Mapp.

Poi, Starling tornò nel proprio appartamento, dove sembrava che non vivesse nessuno. Lei che cos'aveva messo in cornice? Il diploma dell'Accademia dell'Fbi. Dei suoi genitori non le era rimasta neanche una fotografia. Era rimasta molto tempo senza di loro e li conservava solo nella sua mente. A volte, nei sapori della colazione o in un odore, in un frammento di conversazione o in un'espressione familiare ascoltata per caso, sentiva le loro mani su di sé. Ma ancor più sentiva la loro presenza nel suo senso del giusto e dell'ingiusto.

Chi diavolo era lei? Chi mai l'aveva riconosciuta?

*Lei è una guerriera, Clarice. Lei può essere forte quanto vuole.*

Starling riusciva a capire perché Mason voleva uccidere Hannibal Lecter. Se l'avesse ammazzato con le sue mani, o avesse pagato qualcuno perché lo facesse, lei l'avrebbe tollerato. Mason aveva subìto un torto.

Ma non riusciva a sopportare l'idea del dottor Lecter torturato a morte. Si ritraeva da quell'idea così come tanto tempo prima si era ritratta dall'uccisione degli agnelli e dei cavalli.

*Lei è una guerriera, Clarice.*

Orribile quanto l'azione in sé, c'era il fatto che Mason avrebbe compiuto la sua opera con il tacito accordo di uomini che avevano giurato di difendere la legge. Così andava il mondo.

Su questo pensiero, prese una semplice decisione:

*Il mondo non andrà così finché è a portata della mia mano.*

Si ritrovò nel guardaroba, su uno sgabello, che frugava in alto.

Prese la cassetta che in autunno le aveva consegnato l'avvocato di John Brigham. Sembrava che fosse passato un secolo.

Nel lascito delle armi personali a un compagno di battaglie che ci sopravvive sono insiti molta tradizione e molto misticismo. Ciò ha a che fare con la continuazione dei valori oltre la mortalità individuale.

Chi vive in un tempo reso sicuro da altri potrebbe trovare difficile capire tutto questo.

La cassetta che conteneva le armi di John Brigham era un dono in sé. Doveva averla comprata in Oriente quando militava ancora nei marines. Era una specie di cofanetto di mogano con il coperchio intarsiato di ma-

442

dreperla. Le armi erano esattamente come Brigham, molto usate, ben tenute e perfettamente pulite. Una pistola Colt .45 M1911A1, una Safari Arms, versione a canna corta della .45 per il trasporto nascosto, un pugnale con la lama dentellata da infilare nello stivale. Quanto alla fondina, Starling aveva la sua. Il distintivo dell'Fbi di John Brigham era montato su una placca di mogano. Il distintivo della Dea era libero nella cassetta.

Starling staccò il distintivo dell'Fbi dalla placca e se lo cacciò in tasca. La .45 andò nella cinghia yaqui dietro il fianco, nascosta dalla giacca.

La .45 a canna corta e il pugnale finirono alla caviglia, uno per lato, infilati negli scarponcini. Starling tolse il proprio diploma dalla cornice e lo piegò in modo che entrasse nella tasca. Al buio, qualcuno poteva scambiarlo per un mandato. Mentre maneggiava la carta pesante, sapeva di non essere se stessa, e ne era lieta.

Altri tre minuti al computer portatile. Dal sito Web Mapquest stampò una piantina su larga scala della Muskrat Farm e del parco nazionale che la circondava. Per un attimo fissò il regno della carne da macello di Mason, tracciandone i confini con la punta di un dito.

I grossi tubi di scappamento della Mustang soffiarono sull'erba fino ad appiattirla, quando Starling sfrecciò fuori dal vialetto per andare a far visita a Mason Verger.

## 81

Su Muskrat Farm regnava un silenzio simile alla quiete dell'antico Sabbath. Mason era eccitato, terribilmente orgoglioso di essere riuscito a tanto. Dentro di sé, paragonava la sua impresa alla scoperta del radio.

Il libro di scienze illustrato era il testo scolastico che ricordava meglio; era l'unico abbastanza voluminoso da permettergli di masturbarsi di nascosto in classe. Spesso, quando lo faceva, guardava un'illustrazione di Madame Curie, e anche ora pensò a lei, e alle tonnellate di pechblenda che aveva "bollito" per estrarre il radio. Gli sforzi di quella donna erano stati molto simili ai suoi.

Mason immaginò il dottor Lecter, il prodotto di tutte le sue ricerche e del dispendio di quattrini, baluginare nel buio come le fiale nel laboratorio di Madame Curie. Immaginò i maiali che dopo averlo divorato se ne andavano a dormire nel bosco, con le pance che brillavano simili a lampadine.

Era venerdì sera, quasi buio. Il personale della manutenzione se n'era andato. Nessuno di loro aveva visto arrivare il furgone, dato che non era entrato dal cancello principale, ma dalla strada antincendi del parco nazionale che Mason usava come accesso di servizio. Lo sceriffo e i suoi uomini avevano completato la loro superficiale perquisizione e se n'erano andati molto prima che il furgone raggiungesse il fienile. Ora il cancello principale era sorvegliato da guardie, e alla Muskrat Farm restava solo il ristretto drappello dei fidatissimi.

Cordell era alla sua postazione nella sala giochi; sarebbe stato sostituito a mezzanotte. Margot e Mogli, che portava ancora il distintivo con il quale aveva ingannato lo sceriffo, erano con Mason, e il gruppo di sequestratori di professione si dava da fare nel fienile.

Per la sera della domenica sarebbe finito tutto, con le prove bruciate o a macerare negli intestini di sedici maiali. Mason pensò che avrebbe potuto dare da mangiare all'anguilla qualche delicatezza del dottor Lecter, magari il naso. Poi, per gli anni a venire, avrebbe potuto guardare quel nastro feroce che continuava a girare formando un otto, consapevole che il simbolo dell'infinito disegnato dall'animale stava per Lecter morto per sempre, morto per sempre.

Nello stesso tempo, Mason sapeva che è pericoloso ottenere esattamente quello che si vuole. Che cos'avrebbe fatto, lui, dopo aver ucciso il dottor Lecter? Poteva distruggere qualche famiglia adottiva, tormentare qualche bambino. Poteva bere martini fatti di lacrime. Ma da dove avrebbe attinto il vero piacere?

Che stupido sarebbe stato a diluire quel momento di estasi con recriminazioni sul futuro. Aspettò che il minuscolo spray gli inumidisse l'occhio, aspettò che la specie di monocolo che lo proteggeva si schiarisse, poi soffiò il fiato nel comando di un tubo: in qualunque momento avesse voluto, poteva accendere il monitor e godersi il suo trofeo...

## 82

L'odore del fuoco di carbone nella stanza dei finimenti del fienile di Mason e gli odori pungenti degli uomini e degli animali. Il riflesso del fuoco sul teschio del cavallo da trotto Fleet Shadow, vuoto come una zucca in mezzo ai paraocchi, che osserva tutto.

Carboni roventi nella fornace da maniscalco, attizzati dal sibilo del mantice, mentre Carlo riscalda una reggetta di ferro già rosso ciliegia.

Il dottor Hannibal Lecter è appeso al muro sotto il teschio di cavallo, simile a un'orribile pala d'altare. Le sue braccia sono spalancate sui due lati all'altezza delle spalle, ben legate con corde a un unico ceppo, un pesante pezzo di quercia a forma di croce, tolto a un carretto da pony. Il ceppo corre dietro la schiena del dottor Lecter come un giogo ed è assicurato al muro con un gancio fabbricato da Carlo. I piedi non toccano il pavimento. Le gambe sono legate sopra i calzoni, tutt'intorno, con la stessa tecnica che si usa per arrotolare gli arrosti con lo spago: molti giri distanziati, ogni giro annodato. Né catene né manette, niente di metallico che possa danneggiare i denti dei maiali, scoraggiandoli.

Quando il ferro nella fornace raggiunge il calor bianco, Carlo lo porta all'incudine reggendolo con le pinze e comincia a forgiarlo a colpi di martello, trasformandolo in un gancio, mentre le scintille rosse volano nella semioscurità, rimbalzando sul suo torace, rimbalzando sulla figura appesa del dottor Hannibal Lecter.

La telecamera di Mason, una presenza bizzarra tra quei vecchi arnesi, spia il dottor Lecter dal suo treppiede di metallo con le zampe di ragno. Sul banco da lavoro c'è un monitor, per ora buio.

Carlo scalda di nuovo il gancio, e poi corre ad attaccarlo al carrello elevatore finché è rovente e malleabile. Il suo martello riecheggia nella vasta altezza del fienile, il colpo e la sua eco, BANG-*bang*, BANG-*bang*.

Dal loft arriva un suono gracchiante, quando Piero trova la replica di una partita di calcio sulla radio a onde corte. La sua squadra, il Cagliari, gioca contro l'odiata Juventus.

Tommaso è seduto su una poltroncina di vimini, il fucile caricato di tranquillante appoggiato al muro accanto a lui. I suoi occhi scuri da prete fissi sul dottor Lecter.

Tommaso avverte un cambiamento nell'immobilità dell'uomo legato. È un cambiamento sottile, dallo stato d'incoscienza a un innaturale autocontrollo, forse non più di una minima differenza nel suono del respiro.

Si alza e grida verso il fienile.

«Si sta svegliando.»

Carlo torna nella stanza dei finimenti, con il dente di maiale che gli entra ed esce dalla bocca. Porta con sé un paio di calzoni con le gambe imbottite di frutta, verdura e pollo, che sfrega contro il corpo e sotto le braccia del dottor Lecter.

Stando attento a tenere la mano lontano dalla sua faccia, lo afferra per i capelli e gli alza la testa.

«Buonasera, dottore.»

Un gracchio dal microfono del monitor. Il monitor si illumina e compare la faccia di Mason.

«Accendi la luce sulla telecamera» dice Mason. «Buonasera, dottor Lecter.»

Il dottore aprì gli occhi per la prima volta.

Carlo ebbe la sensazione che dietro quello sguardo demoniaco sprizzassero scintille, ma poteva essere il riflesso del fuoco. Si fece il segno della croce contro l'occhio del Maligno.

«Mason» disse il dottor Lecter, rivolto alla telecamera. Dietro di lui, intravedeva la silhouette di Margot, nera contro l'acquario. «Buonasera, Margot.» Il suo tono si era fatto cortese. «Sono lieto di rivederla.» Dalla nitidezza dell'eloquio, sembrava sveglio da un po' di tempo.

«Dottor Lecter» rispose la voce roca di Margot.

Tommaso trovò l'interruttore dell'effetto sole sopra la telecamera e lo accese.

La luce violenta li accecò tutti per un momento.

Mason, con la sua ricca voce radiofonica: «Dottore, fra una ventina di minuti lei servirà il primo piatto ai maiali, e cioè i suoi piedi. Dopodiché, faremo un piccolo pigiama party, lei e io. A quel punto, potrà indossare i calzoncini corti. Cordell la terrà in vita molto a lungo...»

Mason stava aggiungendo qualcos'altro, mentre Margot si chinava in avanti per vedere la scena nel fienile.

Il dottor Lecter scrutò nel monitor per essere sicuro che Mason lo guardasse. Poi bisbigliò a Carlo, con voce metallica che suonava pressante nell'orecchio del rapitore: «Ormai, tuo fratello Matteo deve puzzare più di te. Quando l'ho pugnalato, se l'è fatta addosso».

Carlo infilò la mano nella tasca posteriore ed estrasse il pungolo elettrico. Nella luce violenta della telecamera, lo calò su un lato della testa di Lecter. Poi, reggendo il dottore per i capelli, premette il pulsante sul manico e gli tenne il pungolo vicino alla faccia, mentre la corrente ad alto voltaggio s'inarcava in una linea spaventosa fra gli elettrodi alle due estremità.

«La troia di tua madre» gridò, e cacciò il pungolo nell'occhio del dottor Lecter.

Il dottor Lecter non emise alcun suono... il suono venne dall'altoparlante. Mason ruggì fin dove il respiro glielo permise, mentre Tommaso si sforzava di tirare via Carlo. Piero scese dal loft per dargli una mano. Misero Carlo a sedere sulla poltroncina di vimini e lo tennero fermo.

«Accecalo, e non vedremo un soldo!» gli gridarono nelle due orecchie contemporaneamente.

*Il dottor Lecter sistemò le tende del suo palazzo della memoria per attenuare il terribile bagliore. Aahhh. Appoggiò il viso contro il fresco fianco marmoreo di Venere.*

Poi girò la faccia per guardare diritto nella telecamera e disse: «Non mangerò la cioccolata, Mason».

«Quel figlio di puttana è pazzo, e questo lo sapevamo» esclamò il vicesceriffo Mogli. «Ma lo è anche Carlo.»

«Va' laggiù e cerca di calmarli» ordinò Mason.

«È sicuro che non hanno pistole?»

«E tu saresti quello che si vanta di essere un duro? No, hanno solo il fucile con il tranquillante.»

«Lascia fare a me» intervenne Margot. «E non cominciare con i tuoi soliti discorsi maschilisti di merda. Gli italiani rispettano le loro madri, e Carlo sa che sono io a maneggiare i quattrini.»

«Porta fuori la telecamera e fammi vedere i maiali» disse Mason. «Si cena alle otto!»

«Non sono tenuta ad assistere» esclamò Margot.

«Oh, sì, invece» rispose Mason.

## 83

Fuori dal fienile, Margot tirò un respiro profondo. Se era disposta a ucciderlo, doveva essere disposta a guardarlo. Sentì il tanfo di Carlo prima ancora di aprire la porta della stanza dei finimenti. Piero e Tommaso erano ai due lati di Lecter, di fronte a Carlo seduto nella poltroncina.

«Buonasera, signori» disse Margot. «I tuoi amici hanno ragione, Carlo. Se lo rovini, niente soldi. Anche se hai fatto un viaggio così lungo e ti sei comportato tanto bene.»

Lo sguardo di Carlo non smise di fissare la faccia del dottor Lecter.

Margot tirò fuori di tasca un telefonino. Batté sui tasti illuminati e porse l'apparecchio a Carlo. «Prendilo.» Glielo mise davanti agli occhi. «Leggi.»

La scritta sul display diceva: "Banco Steuben".

«È la tua banca di Cagliari, signor Deogracias. Domattina, quando sarà tutto finito, e tu gliel'avrai fatta pagare, a quello, per il tuo coraggioso fratello, chiamerò la Sardegna, darò al direttore della tua banca il mio numero di codice e dirò: "Consegni al signor Deogracias il resto dei soldi che custodisce per lui". Il direttore te lo confermerà per telefono. Domani sera sarai su un aereo diretto a casa, molto ricco. Anche la famiglia di Matteo sarà ricca. Per consolarli, puoi portargli i coglioni del dottore dentro una borsa termica. Ma se Lecter non potrà assistere alla propria morte, se non potrà veder arrivare i maiali che devono divorargli la faccia, non avrai niente. Sii uomo, Carlo. Va' a prendere i tuoi animali, resterò io con questo figlio di puttana. Fra mezz'ora potrai sentirlo gridare, mentre gli mangiano i piedi.»

Carlo piegò la testa all'indietro, respirando profondamente. «Piero, andiamo! Tu, Tommaso, resta qui.»

Tommaso si sedette sulla poltroncina di vimini vicino alla porta.

«Ho tutto sotto controllo, Mason» comunicò Margot rivolta alla telecamera.

«Voglio portarmi via il suo naso, quando torno in casa. Dillo a Carlo» dichiarò Mason. Lo schermo si fece scuro. Per Mason, uscire dalla sua stanza era uno sforzo enorme, e lo era anche per le persone attorno a lui, che dovevano ricollegare tutti i tubi agli apparecchi del lettino da trasporto e il respiratore a conchiglia rigida a un generatore a corrente alternata.

Margot scrutò la faccia del dottor Lecter.

L'occhio ferito era chiuso dal gonfiore fra i segni scuri delle bruciature lasciate dagli elettrodi ai due lati del sopracciglio.

Il dottor Lecter aprì l'occhio sano. Era capace di mantenere sul viso la sensazione fresca del fianco marmoreo di Venere.

«Mi piace l'odore di quella crema, sa di fresco e di limone» esclamò. «Grazie per essere venuta, Margot.»

«È esattamente quello che disse quando l'infermiera mi fece entrare la prima volta nel suo studio. Era il periodo in cui stavano per emettere la prima sentenza contro Mason.»

«Dissi così?» Appena tornato dal suo palazzo della memoria, dove aveva riletto i suoi colloqui con Margot, sapeva che era vero.

«Sì. Io piangevo, odiavo l'idea di raccontarle di Mason e me. Odiavo anche l'idea di dovermi sedere. Ma lei non mi chiese mai di farlo... sapeva che mi avevano dato i punti, vero? Passeggiammo in giardino. Si ricorda che cosa mi disse?»

«Che non era più colpevole di quello che le era accaduto...»

«... di quanto lo sarei stata se fossi stata morsa al sedere da un cane rabbioso, ecco che cosa mi disse. Mi rese tutto facile, quella volta, e anche durante le visite successive, e per un po' gliene fui grata.»

«Che altro le dissi?»

«Disse che lei era molto più imprevedibile di quanto lo sarei mai stata io, e anche che essere imprevedibili non è un male.»

«Se si sforza, ricorderà anche tutto il resto. Ricorderà...»

«La prego di non cominciare a supplicarmi, ora.» Le sfuggì all'improvviso, senza che avesse avuto l'intenzione di dirlo.

Il dottor Lecter si mosse leggermente e le corde scricchiolarono.

Tommaso si alzò per andare a controllare i nodi. «Attenta alla bocca, signorina.»

Margot non capì se Tommaso alludeva alla bocca o alle parole del dottor Lecter.

«Margot, è passato molto tempo da quando l'ho avuta in terapia, ma voglio parlarle della sua storia medica, solo per un momento, in privato.» Il dottor Lecter voltò l'occhio sano verso Tommaso.

Margot ci pensò per un attimo. «Tommaso, puoi lasciarci soli per un momento?»

«No, mi dispiace, signorina. Ma posso stare qua fuori con la porta aperta.» Tommaso uscì con il fucile e continuò a osservare il dottor Lecter da lontano.

«Non la metterei mai in imbarazzo supplicandola di qualcosa, Margot. Mi interessa solo capire perché fa questo. Me lo direbbe? Ha cominciato a mangiare la cioccolata, come amava dire Mason, dopo averlo combattuto tanto a lungo? Non ha bisogno di fingere che vuole vendicare la faccia di suo fratello.»

E lei glielo disse. Parlò di Judy, del desiderio di avere un bambino. Ci mise meno di tre minuti. Rimase sorpresa nello scoprire com'era facile sintetizzare i suoi problemi.

Un rumore lontano, un gemito profondo, poi un urlo spezzato. Fuori dal fienile, appoggiato allo steccato che aveva eretto dalla parte aperta dell'edificio, Carlo giocava con il suo registratore, preparandosi a chiamare i maiali dal pascolo fra gli alberi con le grida di dolore di vittime morte o rapite molto tempo prima.

Se il dottor Lecter le sentì, non lo diede a vedere. «Margot, crede che Mason le darà ciò che ha promesso? È lei quella che supplica. Ma supplicarlo l'aiutò, forse, quando lui la lacerò a quel modo? Lasciargli fare quello che vuole è lo stesso che accettare la sua cioccolata. Mason costringerà Judy a sottomettersi a lui, e Judy non è abituata a certe cose.»

Margot non rispose, ma strinse i denti.

«Sa che cosa succederebbe se, invece di strisciare di fronte a Mason, lei gli stimolasse la prostata con il pungolo elettrico di Carlo? Lo vede là, sul banco da lavoro?»

Margot fece per alzarsi.

«Mi ascolti» sibilò il dottore. «Mason le negherà quello che vuole. Lei lo sa che dovrà ucciderlo, lo sa da vent'anni, da quando le ordinò di mordere il cuscino e di non fare tanto chiasso.»

«Mi sta dicendo che lo farà lei per me? Non potrei mai fidarmi.»

«No, naturalmente no. Ma può credere che non negherò mai di averlo fatto. In realtà, sarebbe più terapeutico se lo uccidesse lei stessa. Ricorderà che glielo raccomandai, quando era ancora una ragazzina.»

«"Aspetti di poterlo fare impunemente" disse. Ne trassi un po' di conforto.»

«Dal punto di vista professionale, quello era il tipo di catarsi che ero tenuto a raccomandare. Ora, lei è abbastanza cresciuta. E che differenza farebbe, per me, un'altra accusa d'omicidio? Lo sa che deve ucciderlo. E quando lo farà, la polizia seguirà il movente del denaro... e risalirà a lei e al neonato. Margot, sono l'unico altro sospetto che ha a disposizione. Ma se muoio prima di Mason, chi verrà indagato al posto mio? Lei potrà farlo quando lo riterrà opportuno, e io le scriverò una lettera nella quale dirò quanto mi è piaciuto ucciderlo con le mie mani.»

«No, dottor Lecter, mi dispiace. È troppo tardi. Ho già i miei piani.» Lo guardò in faccia con i suoi occhi azzurri da macellaio. «Posso farlo e dopo dormirci sopra. Lei lo sa che ne sono capace.»

«Sì, lo so che ne è capace. È quello che mi è sempre piaciuto in lei. Lei è molto più interessante, più... capace di suo fratello.»

Margot si alzò per andarsene. «Mi dispiace, dottor Lecter. Per quello che vale.»

Prima che raggiungesse la porta, il dottor Lecter le chiese: «Margot, Judy quando avrà la prossima ovulazione?».

«Come? Fra due giorni, credo.»

«Ha tutto quello che le serve? Divaricatori, l'attrezzatura per il congelamento veloce?»

«Ho le stesse attrezzature di una clinica della fertilità.»

«Faccia una cosa per me.»

«Cioè?»

«Si metta a urlare e mi strappi una ciocca di capelli, lontano dall'attaccatura, se non le dispiace. Stacchi anche un lembo di pelle. Quando torna in casa, la tenga in mano. E pensi che potrebbe metterla fra le dita di Mason, dopo che sarà morto.

«Quando sarà su, chieda a Mason di darle quello che vuole. Veda che cosa risponde. Mi ha consegnato a

454

lui, ha rispettato la sua parte del patto. Stringa la ciocca in mano e gli chieda quello che vuole. Quando le riderà in faccia, torni qui. Non dovrà fare altro che prendere il fucile con il tranquillante e sparare all'uomo dietro di lei. O colpirlo con il martello. Lui ha in tasca un coltello. Potrà tagliare le mie corde da una parte sola e poi dare il coltello a me. E se ne andrà. Il resto potrò farlo da solo.»

«No.»

«Margot?»

Margot mise la mano sulla porta, decisa a resistere.

«È ancora capace di rompere una noce?»

Margot si mise una mano in tasca e ne tirò fuori due. I muscoli dell'avambraccio si gonfiarono e le noci si spezzarono.

Il dottore emise una risatina. «Eccellente. Con tutta quella forza, noci. Ma potrà sempre offrirle a Judy per aiutarla a togliersi di bocca il sapore di Mason.»

Margot tornò da lui, con la faccia indurita, gli sputò in faccia e gli strappò una ciocca di capelli alla sommità della testa. Fu difficile capire il vero significato del suo gesto.

Quando uscì dalla stanza, sentì che il dottor Lecter canticchiava.

Mentre si avviava verso la casa illuminata, il piccolo frammento di scalpo le si appiccicò al palmo della mano attraverso il sangue, e i capelli penzolarono senza che lei avesse bisogno di stringerlo fra le dita.

Cordell la superò a bordo di un golf cart sul quale aveva caricato le attrezzature mediche per la preparazione del paziente.

## 84

Dal cavalcavia dell'autostrada diretta a nord, all'uscita 30, Starling riusciva a vedere, quasi a un chilometro di distanza, il cancello illuminato che era il più lontano avamposto della Muskrat Farm. Starling aveva preso la sua decisione lungo il tragitto per il Maryland: sarebbe entrata dalla parte posteriore. Se si fosse presentata al cancello principale senza credenziali e senza mandato, sarebbe stata scortata dagli uomini dello sceriffo fuori dal paese, se non addirittura nella prigione della contea. E quando l'avessero rimessa in libertà, sarebbe già finito tutto.

Al diavolo i permessi. Proseguì fino all'uscita 29, ben oltre la Muskrat Farm, e poi tornò indietro verso l'ingresso secondario. Dopo le luci dell'autostrada, la via dall'asfalto scuro sembrava molto buia. Sulla destra confinava con l'autostrada, e sulla sinistra aveva un fossato e un'alta rete metallica che separavano la carreggiata dal nero minaccioso del parco nazionale. La cartina di Starling segnalava a poco più di un chilometro un viale di servizio che incrociava la strada asfaltata, impossibile a vedersi dal cancello. Era dove Starling aveva sbagliato a fermarsi la prima volta che era andata là. Sempre secondo la cartina, il viale attraversava il parco nazionale fino alla Muskrat Farm. Starling tenne il calcolo attraverso il contachilometri. La

Mustang sembrava più rumorosa del solito, mentre avanzava con il motore appena sopra il minimo, che rimbombava contro gli alberi.

Eccolo davanti ai fari, il pesante cancello di tubi di ferro protetto alla sommità da filo spinato. Il cartello INGRESSO DI SERVIZIO, che Starling aveva visto la prima volta, era scomparso. Davanti al cancello e sul fossato di scolo erano cresciute le erbacce.

Alla luce dei fari, Starling notò che quelle erbacce erano state schiacciate di recente. Nel punto in cui il terriccio e la sabbia, spazzati via dall'asfalto, avevano formato un piccolo cordone, erano visibili tracce di pneumatici da neve. Erano le stesse lasciate dal furgone nel posteggio del Safeway? Non poteva sapere se fossero esattamente uguali, ma non era da escludersi.

Il cancello era chiuso con una catena e un lucchetto di metallo cromato. Niente di cui preoccuparsi. Starling guardò i due lati della strada: non arrivava nessuno. Era necessaria una piccola effrazione. Le sembrava di stare per commettere un crimine. Controllò che nei cardini del cancello non vi fossero sensori. Niente. Dandosi da fare con due grimaldelli e tenendo la pila tascabile fra i denti, ci mise meno di quindici secondi ad aprire il lucchetto. Portò la Mustang attraverso l'apertura fino al folto degli alberi, prima di tornare a chiudere. Fece passare la catena fra le sbarre, con il lucchetto dalla parte esterna. Anche da poca distanza, sembrava tutto normale. Lasciò i capi sciolti della catena all'interno, in modo da poter spalancare più facilmente il cancello con la macchina in corsa, se fosse stata costretta.

Misurando la cartina con il pollice, calcolò di dover percorrere tre chilometri attraverso il bosco per arrivare alla fattoria. Guidò sotto la volta frondosa della strada di servizio, con il cielo notturno che di tanto in tanto compariva sopra di lei, ma più spesso restava nascosto dai rami che si chiudevano in alto. Avanzò in seconda, appena sopra il minimo e con le luci di posizione, sforzandosi di mantenere la Mustang il più silenziosa possibile, mentre le erbacce secche sfregavano contro il telaio della macchina. Quando il contachilometri parziale segnò due e ottocento, si fermò. Con il motore spento, sentì un corvo gracchiare nel buio. *Il corvo era incazzato per qualcosa.* Starling sperava in Dio che fosse proprio un corvo.

## 85

Cordell entrò nella stanza dei finimenti, efficiente come un boia, i flaconi delle fleboclisi sotto il braccio, con i deflussori che penzolavano. «Il famoso dottor Lecter!» esclamò. «Come avrei voluto quella sua maschera per il nostro club di Baltimora! Io e la mia ragazza abbiamo un completino in stile carcerario, tutto catene e cuoio.»

Depositò il suo carico vicino all'incudine e mise un attizzatoio ad arroventarsi sul fuoco.

«Buone e cattive notizie» disse poi, con la sua allegra voce da infermiere e il lieve accento svizzero. «Mason le ha spiegato la procedura? La procedura è che fra un po' porterò giù Mason, e i maiali le mangeranno i piedi. Poi lei aspetterà fino a domattina, quando Carlo e i due fratelli la infileranno fra le sbarre dello steccato a testa in avanti, in modo che i maiali possano mangiarle la faccia, proprio come i cani mangiarono quella di Mason. Io la terrò in vita sino alla fine con flebo reidratanti e lacci emostatici per fermare il sangue. Lei è proprio finito, sa? Questa è la brutta notizia.»

Cordell guardò la telecamera per assicurarsi che fosse spenta. «La buona notizia è che potrà essere non molto peggio di una seduta dal dentista. Guardi bene questa, dottore.» Mise davanti alla faccia di Lecter una siringa ipodermica con un lungo ago. «Parliamoci da gente pratica di medicina. Potrei farle un'iniezione alla spina dorsale che non le farebbe sentire niente laggiù ai piedi. Dovrebbe solo chiudere gli occhi e cercare di non ascoltare. Sentirebbe solo tirare e spingere. E quando Mason avrà finito di spassarsela e sarà tornato in casa, potrei darle qualcosa che le fermi il cuore. Vuole vederla?» Cordell prese una fiala di Pavulon e la mise davanti all'occhio aperto del dottor Lecter, ma non abbastanza vicino da essere morso.

Il bagliore del fuoco giocava sul lato della faccia avida di Cordell, che aveva gli occhi stralunati e felici. «Lei ha un sacco di quattrini, dottor Lecter. Lo dicono tutti. Lo so come funziona, anch'io ho nascosto i soldi da varie parti. Si tirano fuori, si spostano, ci si gioca. Io posso trasferire i miei con una telefonata, e scommetto che anche lei può farlo.»

Cordell estrasse un cellulare dalla tasca. «Chiameremo il direttore della sua banca, lei gli dirà un numero di codice, lui mi darà la conferma e io la sistemerò immediatamente.» Alzò la siringa per l'anestesia spinale. «Un bello spruzzo, e via. Dica qualcosa.»

Il dottor Lecter mormorò poche parole, con la testa bassa. Cordell riuscì a sentire solo "valigia" e "armadietto".

«E avanti, dottore, così dopo potrà dormire. Avanti.»

«Banconote da cento non segnate» disse il dottor Lecter, e la voce si spense.

Quando Cordell si avvicinò, il dottor Lecter allungò il collo al massimo e con i piccoli denti appuntiti gli azzannò il sopracciglio, strappandone un bel pezzo. Cordell fece un balzo all'indietro, mentre il dottor Lecter gli sputava il sopracciglio sulla faccia, come fosse stato la buccia di un chicco d'uva.

Cordell si tamponò la ferita e ci mise sopra uno dei cerotti per fleboclisi, che gli conferì una curiosa espressione.

Ripose la siringa. «Tutto questo sollievo, sprecato»

disse. «Prima dell'alba, vedrà le cose in modo diverso. Lo sa che ho degli stimolanti dall'effetto esattamente contrario. E la farò durare.»

Prese l'attizzatoio dal fuoco.

«Ora l'appendo a un gancio» disse. «Ogni volta che farà resistenza, la brucerò. Ecco che cosa si prova.»

Con la punta incandescente del ferro toccò il petto del dottor Lecter e gli fece sfrigolare il capezzolo attraverso la camicia. Dovette soffocare il cerchio di fuoco che si allargava sull'indumento.

Il dottor Lecter non emise suono.

A marcia indietro, Carlo portò il carrello elevatore nella stanza dei finimenti, poi, con Piero, staccò il dottor Lecter dal muro. Tommaso rimase con il fucile imbracciato, mentre lo caricavano sul carrello agganciando al davanti del veicolo il ceppo che aveva dietro la schiena. Ora il dottor Lecter era seduto, le braccia ancora legate al ceppo, le gambe distese, ognuna assicurata a un dente del carrello elevatore.

Cordell gli inserì due aghi da fleboclisi nel dorso delle mani e li fermò con un cerotto. Dovette salire su una balla di fieno per appendere i flaconi delle flebo al veicolo, ai lati del dottore. Poi si tirò indietro e ammirò il proprio lavoro. Che strano vedere il dottor Lecter crocifisso sul carrello elevatore con un ago conficcato in ogni mano, come la parodia di qualcosa che Cordell non riusciva a ricordare bene. Legò sopra ciascun ginocchio due lacci emostatici dotati di nodo scorsoio, con corde che potevano essere tirate da dietro la recinzione per impedire al dottore di morire dissanguato. Non andavano stretti subito, Mason si sarebbe infuriato se i piedi del dottor Lecter fossero rimasti intorpiditi.

Era l'ora di portare giù Mason e di metterlo sul furgone. Il veicolo, posteggiato dietro il fienile, era freddo, e i sardi ci avevano lasciato dentro i resti del pranzo. Cordell imprecò, buttando fuori la borsa termica. Doveva portare quel cazzo di coso vicino alla casa per passarci l'aspirapolvere. E doveva arieggiarlo. Quei dannati sardi avevano fumato, malgrado lui gliel'avesse proibito. Per giunta, avevano tolto l'accendino per collegare il filo elettrico dello scanner, che ancora pendeva dal cruscotto.

## 86

Starling spense la luce interna della Mustang e, prima di aprire la portiera, tirò la leva del portabagagli.

Se il dottor Lecter era là, e lei fosse riuscita a catturarlo, l'avrebbe messo nel baule con mani e piedi ammanettati, e sarebbe filata diritta alla prigione della contea. Aveva quattro paia di manette e corda sufficiente per incaprettarlo e impedirgli di scalciare. Meglio non pensare a quanto era forte.

Quando appoggiò il piede a terra, si accorse che il terreno era gelato. La macchina cigolò, non appena il corpo di Starling smise di pesare sulle sospensioni.

«Devi proprio lamentarti, vero, vecchia figlia di puttana?» disse Starling, parlando fra i denti. E all'improvviso ricordò che così aveva parlato ad Hannah, la cavalla sulla quale era fuggita nel buio per allontanarsi dalle grida degli agnelli che venivano uccisi.

Non chiuse completamente la portiera. Le chiavi finirono in una tasca aderente dei calzoni, in modo che non tintinnassero.

La notte era serena sotto il quarto di luna e, quando la strada non era coperta dagli alberi, Starling poteva proseguire senza accendere la torcia elettrica. Provò a camminare sul bordo della ghiaia, ma lo trovò friabile e irregolare. Meglio tenersi sulla solida traccia lasciata dal passaggio di veicoli. Guardò in avanti per tentare di capire come proseguiva la strada, la testa leggermente piegata su un lato. Era come passare a guado la morbida oscurità. Sentiva la ghiaia scricchiolare sotto i piedi, ma non poteva vederla.

Il momento difficile arrivò quando non poté più distinguere la Mustang, ma ancora ne avvertiva la presenza dietro di sé. Non avrebbe voluto lasciarla.

All'improvviso, era una donna di trentatré anni, sola, con una carriera rovinata alle spalle, e senza fucile, in mezzo a un bosco di notte. Riusciva a vedersi chiaramente, vedeva le piccole rughe che cominciavano a segnarle gli angoli degli occhi. Sentiva un bisogno disperato di tornare alla macchina. Il passo successivo fu più lento. Si fermò e poté ascoltare il proprio respiro.

Il corvo gracchiò, un soffio di vento fece crocchiare i rami sopra di lei, poi un urlo lacerò la notte. Un urlo orribile, disperato, che si levò, cadde e finì in una supplica espressa con una voce così spezzata che sarebbe potuta essere di chiunque: «Uccidimi!». E poi di nuovo l'urlo.

Il primo aveva raggelato Starling, il secondo la fece scattare di corsa, avanzare veloce nel buio, con la .45 ancora nella fondina, una mano stretta attorno alla torcia elettrica spenta, l'altra tesa verso la notte di fronte a lei. *No, non lo farai, Mason. No, non lo farai. Corri, corri.* Si accorse che per restare sulla pista compatta bastava ascoltare i propri passi e sentire la ghiaia smossa ai due lati. La strada svoltava per proseguire lungo una recinzione. Una buona recinzione, in tubi di ferro, alta due metri.

Arrivarono singhiozzi di dolore e suppliche, con l'urlo che saliva, e di fronte a sé, oltre la recinzione, Starling udì un movimento fra i cespugli, poi il movimento si tramutò in trotto, più leggero del battere degli zoccoli di un cavallo, più veloce nel ritmo. Udì anche dei grugniti, che riconobbe.

Adesso era più vicina alle grida disperate, senza

dubbio umane ma distorte, con un unico lamento della durata di un secondo che le copriva, e Starling capì che stava ascoltando una registrazione o una voce amplificata da un altoparlante. Luce attraverso gli alberi, e la massa del fienile. Starling appoggiò la faccia contro il ferro freddo e guardò attraverso la recinzione. Forme scure e allungate che correvano, alte circa un metro. Oltre una quarantina di metri di spazio aperto, un fienile dalle grandi porte spalancate, chiuso da uno steccato con un cancelletto di legno, sovrastato da uno specchio decorato, che rifletteva la luce dell'interno, formando una chiazza luminosa sul terreno. Sullo spiazzo davanti al fienile, un uomo tozzo con un cappello in testa e un mangianastri in una mano si copriva un orecchio con l'altra, mentre dall'apparecchio usciva una serie di grida e di singhiozzi.

Poi sbucarono dai cespugli i maiali selvatici dagli orribili grugni, veloci come lupi, con le lunghe zampe e i petti massicci, irsuti di grigie setole appuntite.

Carlo schizzò oltre il cancelletto di legno e lo chiuse, quando erano ancora a una trentina di metri da lui. I maiali si fermarono a semicerchio, in attesa, con le grandi zanne ricurve che forzavano le labbra in un ringhio perenne. Come guardialinee che anticipino il punto d'arrivo della palla, corsero in avanti, si fermarono, si urtarono, grugnendo e digrignando i denti.

Starling aveva visto molti animali, in vita sua, ma niente di simile a quei suini. In loro c'era una terribile bellezza, una sorta di grazia e velocità. Fissavano l'ingresso del fienile, spintonandosi e correndo in avanti per poi indietreggiare, sempre rivolti verso il lato aperto della costruzione.

Carlo disse qualcosa e scomparve all'interno dell'edificio.

Da dentro il fienile comparve il furgone, a marcia indietro. Starling riconobbe immediatamente il veicolo grigio, che si fermò di traverso vicino al cancelletto di legno. Scese Cordell, che aprì la portiera scorrevole. Prima che spegnesse la luce all'interno, Starling vide Mason con il suo respiratore a conchiglia, adagiato contro i cuscini, i capelli arrotolati sul petto. Un posto di prima fila. Sull'ingresso si accesero i fari.

Dal terreno accanto a lui, Carlo raccolse qualcosa che in un primo momento Starling non riconobbe. Sembravano le gambe di qualcuno, o la parte inferiore di un corpo. Se era veramente la metà di un corpo, Carlo doveva essere molto forte. Per un attimo, Starling temette che fossero i resti del dottor Lecter, ma le gambe si piegavano in modo anomalo, con un'angolatura impossibile per le giunture.

Sarebbero potute essere le gambe del dottor Lecter solo se lui fosse stato smembrato e disossato, pensò per un angoscioso momento Starling. Carlo gridò qualcosa verso l'interno del fienile. Starling sentì partire un motore.

Comparve il carrello elevatore, con Piero al volante. Il dottor Lecter sollevato in alto dal forcale, le braccia spalancate sul ceppo, con i flaconi delle flebo che ondeggiavano sopra le sue mani per il movimento del veicolo. In alto perché potesse vedere i maiali affamati, perché potesse vedere ciò che l'aspettava.

Il carrello, con moto spaventoso, avanzava a una velocità da processione, con Carlo che camminava da un lato e Johnny Mogli, armato, dall'altro.

Starling fissò per un attimo il distintivo da vicesceriffo di Mogli. Una stella, non il distintivo della polizia locale. Capelli bianchi, camicia bianca, come l'autista del furgone usato per il rapimento.

Dal veicolo uscì la voce risonante di Mason. Canticchiava *Pomp and Circumstance* e rideva.

I maiali, abituati al rumore, non si spaventarono, anzi, parvero contenti.

Il carrello si fermò vicino al cancelletto. Mason disse qualcosa al dottor Lecter che Starling non riuscì a sentire. Il dottor Lecter non mosse la testa, né diede segno di aver sentito. Era perfino più in alto di Piero, che si trovava alla guida. Guardò in direzione di Starling? Lei non lo seppe mai, perché stava procedendo veloce lungo la linea della recinzione, lungo il lato del fienile, fino a trovare la porta a due battenti da dov'era entrato a marcia indietro il furgone.

Carlo lanciò i calzoni imbottiti ai maiali. Le bestie balzarono in avanti come se fossero state una sola. A ogni gamba dei calzoni c'era posto solo per due, gli altri vennero allontanati a spinte. Strapparono, grugnirono, tirarono e dilaniarono; i polli morti dentro i calzoni vennero sbranati, con i maiali che scuotevano convulsamente la testa da una parte all'altra, facendo uscire le interiora. Una distesa ondeggiante di dorsi irsuti.

Carlo aveva servito solo un leggerissimo stuzzichino, tre polli e un po' d'insalata. In pochi minuti, i calzoni furono ridotti a stracci, e i maiali, sbavando, si voltarono verso il cancelletto.

Piero abbassò il forcale del carrello all'esatto livello del terreno. Per il momento, la parte superiore del cancelletto avrebbe tenuto i maiali lontani dagli organi vitali del dottor Lecter. Carlo tolse le scarpe e le calze al dottore.

«E i bei maialini fecero "iiii-iiii" per tutta la strada fino a casa» cantilenò Mason dal furgone.

Starling stava sopraggiungendo dietro di loro. Erano tutti voltati dall'altra parte, verso i maiali. Superò la porta della stanza dei finimenti e avanzò verso il centro del fienile.

«Non fatelo dissanguare» urlò Cordell dal furgone. «Tenetevi pronti per quando vi dirò di stringere i lacci emostatici.» Stava pulendo il monocolo di Mason con un panno.

«Niente da dire, dottor Lecter?» chiese Mason.

La .45 rimbombò nel chiuso del fienile, poi la voce

di Starling: «Mani in alto e non muovetevi. Spegnete il motore».

Piero sembrò non capire.

«Spegnete il motore» ripeté il dottor Lecter in italiano.

Ora, solo il grugnito impaziente dei maiali.

Starling vedeva una sola pistola, sul fianco dell'uomo dai capelli bianchi che portava la stella. Fondina ad apertura con scatto del pollice. *Falli sdraiare a terra, prima.*

Cordell s'infilò veloce dietro al volante, con Mason che gli strillava qualcosa, e il furgone partì. Starling si girò di scatto per seguirlo, ma con la coda dell'occhio colse il movimento dell'uomo dai capelli bianchi, allora si voltò di nuovo verso di lui, che stava estraendo la pistola, urlò «Polizia» e gli sparò due volte al petto, in rapida successione.

La .357 dell'uomo vomitò due colpi nel terreno, lui indietreggiò di mezzo passo, cadde sulle ginocchia e si guardò il torace, con la stella da sceriffo aperta a fiore dalla grossa pallottola calibro 45 che l'aveva trapassata, finendogli di traverso nel cuore.

Mogli ricadde all'indietro e restò immobile.

Nella stanza dei finimenti, Tommaso sentì gli spari. Afferrò il fucile ad aria, salì nel loft, si abbassò avanzando carponi verso il lato dal quale si dominava il fienile.

«Avanti» disse Starling, con una voce che non si conosceva. Doveva agire in fretta, mentre erano ancora paralizzati dalla morte di Mogli. «A terra, con la testa verso il muro. Anche tu a terra, con la testa da questa parte. Da questa parte!»

«Girati dall'altra parte» spiegò in italiano il dottor Lecter dal carrello elevatore.

Carlo guardò Starling, capì che l'avrebbe ucciso, e restò immobile. Velocemente, usando una sola mano, li ammanettò, con le teste in direzione opposta, il polso di Carlo assicurato alla caviglia di Piero, la caviglia di Piero al polso di Carlo. E per tutto il tempo tenne la .45 dietro un orecchio di uno dei due.

Estrasse il pugnale e si avvicinò al carrello e al dottor Lecter.

«Buonasera, Clarice» disse lui, quando poté vederla.

«Riesce a camminare? Le gambe le funzionano?»

«Sì.»

«Ora taglio le corde. Con tutto il rispetto, dottore, se tenta di fottermi, l'ammazzo, qui e subito. Mi ha capito?»

«Perfettamente.»

«Si comporti bene e sopravviverà a questa storia.»

«Discorso da vera protestante.»

Intanto, Starling continuava a lavorare. Il pugnale era affilato, ma scoprì che sulla rigida corda, nuova e scivolosa, funzionava meglio dalla parte dentellata.

Ora il braccio destro di Lecter era libero.

«Posso fare io il resto, se mi dà il pugnale.»

Starling esitò, poi indietreggiò fin dove poteva arrivare il braccio di lui e gli consegnò la corta lama. «La mia macchina è a un paio di centinaia di metri, sulla strada di servizio.» Doveva tenere d'occhio lui e gli uomini a terra.

Lecter si era liberato una gamba. Stava lavorando all'altra, costretto a tagliare ogni giro di corda separatamente. Non poteva vedere dietro di sé, dove Carlo e Piero erano sdraiati a faccia in giù.

«Quando sarà libero, non tenti di fuggire. Non arriverebbe mai alla porta. Le darò due paia di manette» disse Starling. «Ci sono due uomini ammanettati, alle sue spalle. Li faccia strisciare fino al carrello e ce li agganci, in modo che non possano raggiungere il telefono. Poi ammanetti se stesso.»

«Due?» esclamò Lecter. «Attenta, dovrebbero essere tre!»

Mentre parlava, il dardo del fucile di Tommaso volò nell'aria, una striscia argentea sotto la luce dei fari, e tremolò al centro della schiena di Starling. Lei girò su se stessa, già stordita, con la vista che si oscurava, tentando d'individuare un bersaglio, vide la canna sul bordo del loft e sparò, sparò, sparò. Tommaso che cercava di togliersi dalla linea di fuoco, con le schegge di legno che gli si conficcavano nella carne, il fumo azzurrognolo della pistola che si avvitava verso la luce. Starling sparò un'altra volta, mentre la vista le veniva meno, e si portò la mano al fianco alla ricerca di un caricatore, malgrado le ginocchia le si piegassero.

Il rumore parve eccitare ancora di più i maiali, che vedendo gli uomini a terra in una posizione così invitante, urlarono e grugnirono, ammassandosi contro il cancelletto.

Starling cadde in avanti, e la pistola scagliò lontano il caricatore vuoto che si era sganciato. Carlo e Piero alzarono la testa per guardare e cominciarono a muoversi, strisciando faticosamente, appaiati, verso il cadavere di Mogli, verso la sua rivoltella e la chiave delle manette. Il rumore di Tommaso che caricava di tranquillante il fucile. Gli era rimasto solo un dardo. Si alzò, si avvicinò al bordo del loft, guardando da sopra la canna, cercando il dottor Lecter dall'altra parte del carrello elevatore.

Ecco Tommaso arrivare al bordo del loft. Non c'era nessun posto in cui nascondersi.

Il dottor Lecter sollevò Starling sulle braccia e indietreggiò in fretta verso il cancelletto, tentando di tenere il carrello fra sé e Tommaso, osservando l'uomo che avanzava cautamente, seguendone i passi sul ciglio del loft. Tommaso sparò e il dardo, diretto al torace del dottor Lecter, colpì l'osso della tibia di Starling. Il dottor Lecter tirò il catenaccio del cancelletto.

Frenetico, Piero strappò da Mogli la catena con le chiavi, mentre Carlo cercava convulsamente di impadronirsi della pistola. I maiali avanzarono veloci verso il loro pasto che tentava di alzarsi. Carlo riuscì a sparare una volta con la .357, e un maiale crollò a terra, ma gli altri lo scavalcarono e si precipitarono su di loro e sul cadavere di Mogli. Alcuni attraversarono il fienile e sparirono nella notte.

Quando passò l'ondata di maiali, il dottor Lecter, con in braccio Starling, era dietro il cancelletto.

Dal loft, Tommaso vide per un momento la faccia del fratello giù in mezzo al branco, poi fu solo un ammasso sanguinolento. Lasciò cadere il fucile sul fieno. Il dottor Lecter, eretto come un ballerino e con Starling fra le braccia, sbucò dal cancello e uscì a piedi nudi dal fienile, attraversando l'orda di maiali. Camminò in quel mare in tempesta di schiene sussultanti e di spruzzi di sangue. Un paio dei maiali più grossi, tra cui la scrofa incinta, puntarono le zampe, chinando la testa per caricarlo.

Quando lui si voltò verso di loro, gli animali non sentirono odore di paura e tornarono sui loro passi verso il facile pasto sul terreno.

Il dottor Lecter non vide uscire nessun rinforzo dalla casa. Quando fu sotto gli alberi della strada di servizio, si fermò per estrarre i dardi da Starling e succhiare il sangue dalle ferite. L'ago che era entrato nella caviglia si era piegato contro l'osso.

I maiali irruppero nei cespugli, poco lontano.

Il dottor Lecter tolse gli scarponcini a Starling e se li infilò nei piedi nudi. Gli andavano un po' stretti. Non toccò la .45 che la ragazza aveva alla caviglia, dove poteva raggiungerla anche con Starling fra le braccia.

Dieci minuti dopo, la guardia al cancello principale alzò lo sguardo dal giornale per spostarlo verso un suono lontano, un rumore lacerante simile a quello di un caccia a reazione che scende in picchiata. Era una Mustang 5 litri che svoltava a 5800 giri sul cavalcavia della strada interstatale.

## 87

Mason gemeva e piangeva per essere stato riportato nella sua stanza, piangeva come capitava quando al campeggio alcuni dei bambini e delle bambine più piccoli riuscivano a mollargli qualche pugno, prima che lui riuscisse a schiacciarli sotto il suo peso.

Margot e Cordell lo caricarono sull'ascensore nella barella, poi lo assicurarono al letto, collegandolo alle sue permanenti fonti di energia.

Mason era furente come Margot non l'aveva mai visto, con i vasi sanguigni che gli pulsavano sulle ossa esposte della faccia.

«Sarà meglio che gli somministri qualcosa» disse Cordell, quando furono nella sala giochi.

«Non ancora. Per un po' deve pensare. Dammi le chiavi della tua Honda.»

«Perché?»

«Qualcuno deve pur andare laggiù a vedere se c'è qualcuno vivo. Vuoi andarci tu?»

«No, ma…»

«Con la tua macchina posso entrare nella stanza dei finimenti, il furgone non passa dalla porta. E ora dammi le chiavi, cazzo.»

Adesso era giù, sul viale. Tommaso arrivò dal bosco attraverso i prati, di corsa, guardando indietro. *Pensa, Margot.* Guardò l'orologio: le otto e venti. *A mezzanotte, sarebbe arrivato il sostituto di Cordell. Ce n'era di tempo per far venire gli uomini da Washington in elicottero perché dessero una ripulita.*

«Io tentato di raggiungerli, un maiale mi butta giù. Lui...» Tommaso imitò Lecter con Starling in braccio «la donna. Sono andati su macchina rumorosa. Lei ha...» alzò due dita «freccette.» Indicò la propria schiena e la gamba. Freccette. Dardi. «Messi dentro. Bam. Due freccette.» Imitò se stesso che sparava.

«Dardi» disse Margot.

«Dardi. Forse troppo narcotico. Forse è morta.»

«Sali» ordinò Margot. «Per saperlo, dobbiamo andare a vedere.»

Guidò oltre la doppia porta laterale del fienile, quella da dove era entrata Starling. Stridii, grugniti e schiene irsute ondeggianti. Proseguì, suonando il clacson, e riuscì a far arretrare i maiali quel tanto che bastava per vedere i resti di tre esseri umani. Nessuno di loro era più riconoscibile.

Entrarono nella stanza dei finimenti e chiusero la porta dietro di loro.

Margot considerò il fatto che Tommaso era l'unico rimasto ad averla vista nel fienile, senza contare Cordell.

Lo stesso pensiero doveva essere venuto anche a Tommaso, che si teneva a prudente distanza, gli intelligenti occhi scuri fissi su di lei. Aveva le guance rigate di lacrime.

*Pensa, Margot. Evita che i sardi possano romperti il cazzo. Lo sanno che sei tu a maneggiare i soldi. Possono ridurti senza il becco d'un quattrino, se vogliono.*

Lo sguardo di Tommaso seguì la sua mano che andava alla tasca.

Il cellulare. Margot chiamò il direttore del Banco Steuben, in Sardegna, alle due del mattino. Gli parlò brevemente e poi passò il telefono a Tommaso. Lui fece un cenno d'assenso, rispose, annuì ancora e le restituì l'apparecchio. I soldi erano suoi. Salì al loft e prese la sua sacca insieme al cappotto e al cappello del dottor Lecter. Mentre lui metteva insieme le sue cose, Margot raccattò il pungolo elettrico, provò la corrente e se lo infilò nella manica. Prese anche il martello da maniscalco.

## 88

Al volante della macchina di Cordell, Tommaso accompagnò Margot davanti alla casa. Avrebbe lasciato l'Honda al posteggio per soste prolungate del Dulles International Airport. Margot gli promise che avrebbe seppellito al meglio possibile quello che restava di Piero e di Carlo.

C'era una cosa che Tommaso sentiva di doverle dire. Si fece forza e mise insieme quel po' di inglese che conosceva. «Signorina, i maiali, lei deve saperlo, i maiali aiutano il dottore. Si tirano indietro e lo fanno passare, e si mettono intorno a lui. Uccidono mio fratello, uccidono Carlo, ma si tirano indietro dal dottor Lecter. Credo che lo adorano come un dio.» Tommaso si fece il segno della croce. «Non deve più dargli la caccia.»

Per tutta la sua lunga vita in Sardegna, così l'avrebbe raccontata Tommaso. E quando fosse arrivato a sessant'anni, avrebbe detto che il dottor Lecter, con in braccio la donna, era stato trasportato via su una marea di maiali.

Dopo che la macchina fu scomparsa lungo la strada di servizio, Margot rimase a guardare per un minuto le finestre illuminate di Mason. Vide l'ombra di Cordell muoversi sul muro, mentre l'uomo si dava da fare attorno a Mason, sistemando gli apparecchi che monitoravano il respiro e il polso di suo fratello.

Si infilò il manico del martello sul dietro dei calzoni e sistemò la giacca in modo da nasconderne la testa.

Quando Margot uscì dall'ascensore, Cordell stava arrivando dalla camera di Mason con alcuni cuscini fra le braccia.

«Cordell, preparagli un martini.»

«Non so se...»

«Lo so io. Preparagli un martini.»

Cordell posò i cuscini sul divanetto e si inginocchiò davanti al frigobar.

«C'è del succo di frutta, là dentro?» chiese Margot, avvicinandoglisi da dietro. Gli calò con forza il martello alla base del cranio e sentì come uno schiocco. La testa di Cordell sbatté contro il frigorifero, rimbalzò, e lui cadde all'indietro, fissando il soffitto con gli occhi sbarrati, mentre una pupilla si dilatava. Margot gli girò la testa di lato sul pavimento e calò di nuovo il martello, facendogli rientrare la tempia di un paio di centimetri. Dall'orecchio di Cordell uscì un fiotto di sangue.

Margot non provò niente.

Mason sentì aprirsi la porta della stanza e girò l'occhio protetto dal monocolo. Si era assopito per qualche minuto, con le luci abbassate. Anche l'anguilla dormiva sotto i sassi.

Margot riempiva il vano con il grosso corpo. Chiuse la porta dietro di sé.

«Ciao, Mason.»

«Che cos'è successo, laggiù? Perché cazzo ci hai messo così tanto?»

«Sono morti tutti, Mason.» Margot si avvicinò al letto e staccò la spina del telefono, lasciando cadere il filo a terra.

«Piero, Carlo, Johnny Mogli. Tutti morti. Il dottor Lecter è fuggito portandosi via la Starling.»

Mentre Mason imprecava, la saliva gli schiumò fra i denti.

«Ho rimandato a casa Tommaso con i suoi quattrini.»

«Che cos'hai fatto? Lurida puttana idiota, stammi a sentire, sistema tutto questo casino, poi ricominciamo da capo. Abbiamo tutto il fine settimana. Non dobbiamo preoccuparci di quello che ha visto la Starling. Se è nelle mani di Lecter, possiamo considerarla morta.»

Margot scosse le spalle. «A me non mi ha visto.»

«Mettiti in contatto con Washington e fa' venire quattro di quei bastardi. Manda l'elicottero. Gli mostrerai l'escavatrice... gli insegnerai a usarla. Cordell! Vieni subito qui!» Mason fischiò nei suoi tubi. Margot li spinse via e si chinò su di lui, in modo da guardarlo in faccia.

«Cordell non verrà, Mason. Cordell è morto.»

«Che cosa?»

«L'ho ucciso io, di là, nella sala giochi. Poco fa. Ora, Mason, mi darai ciò che mi devi.» Azionò la leva per sollevare il letto e, mentre anche il grande rotolo formato dalla treccia dei suoi capelli si alzava, strappò via la coperta dal corpo di Mason. Le gambe erano sottili come rotoli di pasta per sfilatini. La mano, l'unica estremità che Mason riusciva a muovere, arrancò verso il telefono. Il respiratore soffiava su e giù con ritmo regolare.

Dalla tasca, Margot estrasse un preservativo non spermicida e glielo mise davanti alla faccia per farglielo vedere. Dalla manica tirò fuori il pungolo elettrico.

«Ricordi, Mason, che avevi l'abitudine di sputarti sull'uccello per lubrificarlo? Pensi di riuscire a mettere insieme un po' di saliva, ora? No? Forse io sì.»

Mason urlò quando il respiro glielo permise, emettendo una serie di stridi scimmieschi, ma l'operazione finì in mezzo minuto, e anche con grande successo.

«Sei morta, Margot.» Suonò più come "norta, Nargot".

«Oh, Mason, lo siamo tutti. Non lo sapevi? Ma questi non lo sono» disse lei, abbottonando la camicetta sul suo caldo contenitore. «Guizzano. Ti farò vedere come. Ti farò vedere come guizzano... guarda e ammira.»

Margot raccolse da vicino all'acquario il guanto aculeato che serviva per maneggiare i pesci.

«Potrei adottare Judy» disse Mason. «Potrebbe diventare la mia erede, e potremmo istituire un fondo in suo favore.»

«Certo che potremmo» rispose Margot, tirando fuori una carpa dalla piccola cisterna. Andò a prendere una sedia nella zona salotto e, salendoci sopra, tolse il coperchio al grande acquario. «Ma non lo faremo.»

Si chinò, immergendo le braccia muscolose nell'acqua. Tenne la carpa per la coda giù vicino alla grotta di pietre e, quando l'anguilla sbucò dal suo nascondiglio, l'afferrò dietro la testa con la mano possente e la tirò fuori. La forte anguilla sbatté, lunga quanto Margot, e grossa, con la pelle lucida che baluginava. Margot la strinse anche con l'altra mano, e l'animale si arcuò. Fu l'unico movimento che riuscì a fare, con quei guanti aculeati che le serravano il corpo.

Margot scese con cautela dalla sedia e si avvicinò a Mason portando l'anguilla arcuata, dalla testa a forma di pinza, i denti che battevano come i tasti di un telegrafo, quei denti ricurvi all'indietro dai quali non si era mai salvato nessun pesce. Abbatté l'anguilla sul petto di Mason, sul respiratore, e, reggendola con una mano, le fece girare attorno la treccia di capelli.

«Guizza, guizza, Mason.»

Strinse l'animale dietro la testa con una mano e con l'altra spinse verso il basso la mascella di Mason, con il peso del corpo sul mento di lui, mentre Mason faceva resistenza con tutta la forza che aveva. La bocca si aprì con un lungo scricchio.

«Avresti dovuto mangiare la cioccolata» disse Margot, e gli cacciò in bocca la testa dell'anguilla, che gli afferrò la lingua con i denti appuntiti come avrebbe fatto con un pesce, e non la lasciò più andare, il corpo che sbatteva, prigioniero dei capelli di Mason. Dal naso gli spillò il sangue, mentre lui affogava.

Margot li lasciò insieme, Mason e l'anguilla, con la carpa che girava solitaria nell'acquario. Alla scrivania di Cordell, si ricompose e aspettò finché i tracciati sui monitor non si appiattirono.

Quando tornò nella stanza, l'anguilla si muoveva ancora. Il respiratore andava su e giù, e mentre pompava la schiuma insanguinata fuori dai polmoni di Mason, gonfiava d'aria la vescica dell'anguilla. Margot sciacquò il pungolo nell'acquario e se lo infilò in tasca.

Da un sacchetto che aveva in un'altra tasca, estrasse il brandello di cute con il ciuffo di capelli del dottor Lecter. Usando le unghie di Mason, grattò via un po' di sangue, lavoro difficile, con l'anguilla che si muoveva ancora, e infilò i capelli fra le dita del fratello. Come ultima cosa, cacciò un solo capello in uno dei guanti per i pesci.

Uscì senza guardare il cadavere di Cordell e tornò a casa da Judy con il suo caldo tesoro, riposto dove avrebbe mantenuto il calore.

# PARTE SESTA

# Un lungo cucchiaio

Lungo cucchiaio avrà chi col demonio
vuole aver convito.

GEOFFREY CHAUCER, "Il racconto dello Scudiero",
*I racconti di Canterbury*

## 89

Clarice Starling giace priva di conoscenza in un grande letto, sotto un lenzuolo di lino e una trapunta. Le braccia, avvolte nelle maniche di un pigiama di seta, sono posate sopra le coperte e legate con sciarpe, anche queste di seta, strette quel tanto che basta per tenerle lontane dal viso e proteggere il cerotto da flebo sul dorso della mano.

Nella stanza, tre punti di luce: la bassa lampada schermata e i puntini rossi al centro delle pupille del dottor Lecter, mentre lui la guarda.

È seduto in poltrona, con il mento appoggiato sulla punta delle dita. Dopo un po', si alza e le misura la pressione. Le esamina le pupille con una piccola pila. Infila la mano sotto le coperte, le prende un piede, lo tira fuori e, osservandola attentamente, stimola la pianta con la punta di una chiave. Rimane così per qualche minuto, apparentemente assorto nei suoi pensieri, tenendo il piede in mano con delicatezza, come se fosse un animaletto.

È riuscito a scoprire la composizione del tranquillante. Dato che il secondo dardo ha colpito Starling nell'osso della tibia, il dottor Lecter pensa che la dose non sia stata assorbita completamente. Somministra contromisure stimolanti con infinita prudenza.

Fra una somministrazione e l'altra, sta seduto in

poltrona a fare calcoli su un grosso blocco di carta da macellaio. I fogli sono pieni dei simboli dell'astrofisica e della fisica delle particelle. Compaiono anche ripetuti tentativi di elaborazione della teoria delle stringhe cosmiche. I pochi matematici in grado di seguirlo direbbero che le sue equazioni iniziano in modo geniale ma poi declinano, condannate da un sogno personale: il dottor Lecter vuole che il tempo inverta il suo corso... vuole che la direzione del tempo non debba più essere determinata dal crescere dell'entropia, bensì dal crescere dell'ordine. Vuole che i denti di latte di Mischa tornino fuori dalla latrina nel campo. Dietro i suoi calcoli disperati si nasconde il desiderio febbrile di trovare un posto nel mondo per Mischa, forse il posto ora occupato da Clarice Starling.

## 90

Mattina, e luce solare dorata nella sala giochi della Muskrat Farm. I grandi animali di pezza guardano con i loro occhi a bottone il cadavere di Cordell, ora coperto.

Anche se è pieno inverno, un moscone ha trovato il corpo e passeggia sul lenzuolo che lo nasconde, nei punti in cui il sangue l'ha inzuppato.

Se Margot Verger avesse mai saputo quale continua, pressante tensione devono sopportare i protagonisti di un omicidio che occupa le prime pagine dei giornali, forse non avrebbe mai cacciato l'anguilla in gola a suo fratello.

Ma la decisione di non ripulire Muskrat Farm da tutto quel carnaio e di aspettare che la tempesta passasse era stata saggia. Nessun essere vivente l'aveva vista alla fattoria quando Mason e gli altri erano stati uccisi.

La sua versione era stata che la frenetica telefonata dell'infermiere del turno di notte l'aveva svegliata nella casa in cui viveva con Judy. Era subito accorsa, arrivando poco dopo i primi agenti dello sceriffo.

Il responsabile delle indagini, l'agente investigativo Clarence Franks, dell'ufficio dello sceriffo, era un giovanotto dagli occhi un po' troppo ravvicinati, ma non era uno stupido come Margot aveva sperato che fosse.

«Non ci può salire chiunque, quassù, in ascensore. Per usarlo ci vuole la chiave, giusto?» le chiese Franks. L'agente e Margot erano seduti, con un certo imbarazzo, sul divanetto *boudeuse*.

«Credo proprio di sì, ammesso che siano saliti da qui.»

«"Siano", signorina Verger? Pensa che potessero essere più di uno?»

«Non ne ho idea, signor Franks.»

Lei aveva visto il cadavere del fratello ancora unito all'anguilla e coperto da un lenzuolo. Qualcuno aveva staccato il respiratore. I tecnici della scientifica stavano prelevando campioni d'acqua dalla vasca dell'acquario e di sangue dal pavimento. Margot vedeva la ciocca di capelli del dottor Lecter nella mano di Mason. Non l'avevano ancora trovata. A Margot, i due tecnici sembravano Bibì e Bibò.

L'agente investigativo Franks era impegnato a prendere appunti sul taccuino.

«Si sa chi sono quegli altri poveretti?» chiese Margot. «Avevano famiglia?»

«Ci stiamo lavorando» rispose Franks. «Abbiamo trovato tre armi delle quali possiamo risalire all'origine.»

In realtà, l'ufficio dello sceriffo non era sicuro di quante persone fossero morte nel fienile, dato che i maiali erano scomparsi nel folto del bosco trascinandosi dietro parte dei resti straziati da mangiare più tardi.

«Nel corso dell'indagine, potremmo dover chiedere a lei e alla sua... *compagna di vecchia data* di sottoporvi al test del poligrafo, cioè la macchina della verità. Acconsentirebbe, signorina Verger?»

«Signor Franks, farei qualsiasi cosa per acciuffare quella gente. Per rispondere più precisamente alla sua domanda, chiami pure me e Judy in qualunque momento le sembri necessario. Pensa che dovrei parlare con l'avvocato di famiglia?»

«No, se non ha niente da nascondere, signorina Verger.»

«Nascondere?» Margot riuscì a spremere due lacrime.

«La prego, signorina Verger, è il mio lavoro.» Franks fece per metterle la mano sulla spalla massiccia, ma decise che era meglio di no.

## 91

Starling si svegliò in una semioscurità che sapeva di fresco, e un istinto primario le disse che era vicina al mare. Si mosse lievemente nel letto. Sentì di avere tutto il corpo indolenzito, poi perse di nuovo conoscenza. Quando si svegliò la seconda volta, una voce sommessa vicino a lei le offriva una tazza calda. Bevve, e il sapore era simile al tè d'erbe che le aveva mandato la nonna di Mapp.

Ancora, giorno e sera, e nella casa profumo di fiori freschi, e la leggera puntura di un ago. Residui di paura e di dolore balzarono all'orizzonte, simili a schioppettanti fuochi d'artificio in lontananza, non vicini, mai vicini. Era nel giardino dell'occhio dell'uragano.

«Si svegli. Si svegli, tranquilla. Si sta svegliando in una stanza gradevole» disse una voce. Starling udiva anche una musica da camera in sottofondo.

Si sentiva pulita e la sua pelle profumava di menta per qualche linimento che le dava una profonda sensazione di calore.

Spalancò gli occhi.

Il dottor Lecter si teneva a una certa distanza da lei, immobile, così come la prima volta quando era andata al Manicomio criminale. Ormai siamo abituati a vederlo senza catene. Non è scioccante osservarlo in uno spazio libero con un'altra creatura mortale.

«Buonasera, Clarice.»

«Buonasera, dottor Lecter» rispose lei, senza però avere nessuna idea di che ora fosse.

«Se si sente indolenzita, è solo per via di alcune contusioni che si è provocata cadendo. Si rimetterà perfettamente. Ma vorrei essere sicuro di una cosa. Potrebbe guardare dentro questa luce?» Le si avvicinò con una piccola pila. Il dottor Lecter odorava di fine panno nuovo.

Starling si sforzò di tenere gli occhi aperti, mentre lui le esaminava le pupille per poi allontanarsi di nuovo.

«Grazie. Di là, c'è un bagno molto accogliente. Vuole provare a mettersi in piedi? Le pantofole sono vicino al letto. Temo di doverle dire che ho preso in prestito i suoi scarponcini.»

Starling era sveglia e non era sveglia. Il bagno era davvero accogliente e fornito di ogni comodità. Nei giorni seguenti, godette nel restare immersa a lungo nella vasca, ma non si curò della propria immagine riflessa nello specchio, tanto era lontana da se stessa.

## 92

Giorni di conversazioni, a volte ascoltando se stessa e chiedendosi chi parlava con tanta intima conoscenza dei suoi pensieri. Giorni di sonno profondo, di brodi ristretti e di omelette.

Poi, il dottor Lecter disse: «Clarice, dev'essere stanca del pigiama e della vestaglia. Nell'armadio ci sono alcune cose che potrebbero piacerle... se solo volesse indossarle». E, nello stesso tono: «Ho riposto i suoi oggetti personali, la borsetta, la pistola e il portafoglio, nel cassettone, se dovesse averne bisogno».

«Grazie, dottor Lecter.»

Nell'armadio, Starling trovò una varietà di indumenti: abiti, completi pantalone, uno scintillante vestito lungo con il corpetto tempestato di pietre. E poi pantaloni e maglie di cachemire che le piacquero in particolar modo. Scelse un insieme di cachemire color nocciola, e mocassini.

Nel cassetto, trovò la cinghia con la fondina yaqui, vuota della .45 andata perduta, ma vicino alla borsetta vide la fondina da caviglia con dentro la .45 automatica a canna corta. Il caricatore era pieno di grossi proiettili, ma niente colpo in canna, proprio com'era solita portarla alla caviglia. C'era anche il pugnale da infilare nello scarponcino, completo di fodero. Le chiavi della macchina erano nella borsetta.

Starling era se stessa e non lo era. Quando si interrogava sugli avvenimenti, era come se li vedesse da fuori, come se vedesse se stessa da lontano.

Fu felice di trovare la sua macchina nel garage, quando il dottor Lecter l'accompagnò là. Guardò i tergicristalli e decise che dovevano essere sostituiti.

«Clarice, come pensa che abbiano fatto, gli uomini di Mason, a seguirci fino al supermercato?»

Lei alzò lo sguardo sul soffitto del garage, pensando.

Ci mise meno di due minuti a trovare il filo dell'antenna che correva di traverso fra il sedile posteriore e il ripiano portaoggetti, e lo seguì fino al segnalatore nascosto.

Lo spense e lo portò in casa reggendolo per l'antenna, come avrebbe portato un topo tenendolo per la coda.

«Molto bello» disse. «Molto nuovo. Buona anche l'installazione. Sono sicura che sopra ci sono le impronte di Krendler. Posso avere un sacchetto di plastica?»

«Potrebbero essere in contatto con quest'affare da un aereo?»

«Ora è spento. E comunque, no, a meno che Krendler non ne abbia ufficializzato l'uso. E lei sa che non l'ha fatto. Mason avrebbe la possibilità di collegarsi dal suo elicottero.»

«Mason è morto.»

«Mmmm» fece Starling. «Suonerebbe qualcosa per me?»

## 93

Nei primi giorni dopo gli omicidi, Paul Krendler passò dalla noia a una crescente paura, e fece in modo di ricevere i rapporti direttamente dall'ufficio operativo dell'Fbi del Maryland.

Si sentiva ragionevolmente al sicuro da ogni esame dei registri di Mason perché il passaggio di denaro al suo conto nelle isole Cayman era protetto da uno schermo praticamente invalicabile. Per giunta, con Mason uscito di scena, poteva mandare avanti i suoi progetti senza nessuno a cui doverne rendere conto. Margot Verger sapeva dei quattrini, così come sapeva che su Lecter lui aveva violato la segretezza degli archivi dell'Fbi. Ma a Margot conveniva tenere la bocca chiusa.

Il monitor usato per il controllo della macchina di Starling lo preoccupava. L'aveva portato fuori dall'edificio della divisione tecnica di Quantico senza firmare l'apposito modulo, ma la sua presenza là proprio in quel giorno figurava sul registro degli ingressi.

Il dottor Doemling e il grosso infermiere, Barney, l'avevano visto alla Muskrat Farm, ma solo nel suo ruolo ufficiale, mentre discuteva con Mason Verger su come catturare Hannibal Lecter.

Il quarto pomeriggio dopo gli omicidi, quando Margot Verger poté far ascoltare agli investigatori dello sceriffo un nuovo messaggio registrato dalla sua segreteria telefonica, si diffuse un sollievo generale.

Nella camera di Margot, i poliziotti rimasero a fissare rapiti il letto che lei divideva con Judy e ad ascoltare la voce del supercattivo. Il dottor Lecter si vantava della morte di Mason e assicurava a Margot che era stata dolorosa e prolungata. Lei singhiozzò, con la faccia nascosta fra le mani, mentre Judy l'abbracciava. Alla fine, Franks l'accompagnò fuori dalla stanza, dicendo: «Non c'è bisogno che lei l'ascolti di nuovo».

Su insistenza di Krendler, il nastro della segreteria telefonica fu portato a Washington, e un esame comparativo confermò che si trattava della voce del dottor Lecter.

Ma, per Krendler, il più grande sollievo arrivò la sera del quarto giorno con una telefonata.

Chi chiamava era nientemeno che il membro del Congresso Parton Vellmore dell'Illinois.

Krendler aveva parlato con lui solo in un paio di occasioni, ma la sua voce gli era nota per tutte le volte che l'aveva sentita in tv. La telefonata era di per sé una rassicurazione; Vellmore faceva parte del sottocomitato giudiziario del Congresso ed era un famoso scansaguai. Se appena Krendler fosse stato in odore di scandalo, l'avrebbe sfuggito come la peste.

«Signor Krendler, so che conosceva bene Mason Verger.»

«Sì, signore.»

«Maledizione, è stata una faccenda orribile. Quel sadico figlio di puttana ha rovinato la vita di Mason, l'ha mutilato e poi è tornato a ucciderlo. Non so se ne è al corrente, ma nella tragedia è morto anche uno dei miei sostenitori. Johnny Mogli ha servito per anni il popolo dell'Illinois, lavorando nelle forze dell'ordine.»

«No, signore, non lo sapevo, e mi dispiace molto.»

«Il punto è, Krendler, che dobbiamo andare avanti. L'eredità filantropica dei Verger, il vivo interesse della famiglia per la politica non si fermeranno. È qualcosa che va al di là della morte di un uomo. Ho parlato con la Verger e con parecchie persone del ventisettesimo distretto. Margot Verger mi ha confermato il suo interesse per la cosa pubblica. Donna straordinaria, dotata di grande concretezza. Ci incontreremo molto presto, in modo del tutto informale e riservato, e parleremo di quello che potremo fare il prossimo novembre. La vogliamo con noi, Krendler. Pensa di poter venire alla riunione?»

«Sì, deputato Vellmore. Sicuramente.»

«Margot le telefonerà per comunicarle i particolari. Ci incontreremo nei prossimi giorni.»

Krendler riattaccò, completamente sollevato.

La scoperta nel fienile della Colt calibro 45 registrata a nome del defunto John Brigham, ora ufficialmente di proprietà di Clarice Starling, fu motivo di considerevole imbarazzo per l'Fbi.

Starling fu iscritta nell'elenco delle persone scomparse, ma il caso non venne trattato come rapimento, dato che nessuno aveva assistito al suo sequestro. Non era neanche un agente scomparso durante un'azione, solo un agente sospeso dal servizio, i cui spostamenti erano sconosciuti. Fu emessa una comunicazione per la ricerca della sua macchina, completa di numero di registrazione e di targa, ma senza particolare enfasi sull'identità del proprietario.

Rispetto ai casi di persone scomparse, i rapimenti richiedono uno sforzo di gran lunga maggiore da parte delle forze dell'ordine. La classificazione fece infuriare Ardelia Mapp al punto che scrisse una lettera di dimissioni dal Bureau, ma poi pensò che era meglio aspettare e lavorare dall'interno. Mapp si sorprese più volte a cercare Starling nella parte di villetta dove aveva abitato.

E s'infuriò, quando scoprì che il file Vicap su Lecter e i file del National Crime Information Center erano rimasti del tutto invariati, a parte le poche aggiunte marginali: finalmente la polizia italiana era riuscita a rintracciare il computer del dottor Lecter... i carabinieri ci giocavano a "Super Mario" nella loro sala di ricreazione. Il computer si era completamente autosvuotato non appena i carabinieri avevano toccato il primo tasto.

Da quando Starling era scomparsa, Mapp aveva avvicinato tutte le persone influenti del Bureau con le quali poteva avere qualche contatto.

Le ripetute telefonate che fece a casa di Jack Crawford rimasero senza risposta.

Chiamò Scienza del comportamento, da dove le dissero che Jack Crawford era ancora ricoverato al Jefferson Memorial Hospital perché accusava dolori al petto.

Mapp non gli telefonò all'ospedale. Nel Bureau, Crawford era l'ultimo angelo protettore di Starling.

## 94

Starling non aveva il senso del tempo. Di giorno e di notte c'erano le conversazioni. Si sentiva parlare per molti minuti consecutivi, e ascoltava.

A volte rideva di sé, quando faceva goffe rivelazioni che in genere l'avrebbero mortificata. Le cose che diceva al dottor Lecter potevano essere sorprendenti, oppure risultare disgustose per una sensibilità normale, ma erano sempre rigorosamente vere. Anche il dottor Lecter parlava. Con voce bassa, modulata. Esprimeva interesse e incoraggiamento, mai meraviglia o censura.

Le raccontò della propria infanzia e di Mischa.

Capitava spesso che, prima di iniziare le loro conversazioni, guardassero insieme un unico oggetto brillante, e quasi sempre nella stanza c'era una sola fonte di luce. Di giorno in giorno, l'oggetto brillante cambiava.

Quella mattina, cominciarono con un riflesso sul lato di una teiera, ma mentre il loro discorso proseguiva, il dottor Lecter parve intuire che stavano per arrivare in una galleria inesplorata della mente di Starling. Forse sentì gli gnomi litigare dall'altra parte di un muro. Sostituì la teiera con una fibbia d'argento.

«Quello è papà» disse Starling, e batté le mani come una bambina.

«Sì. Clarice, le piacerebbe parlare con suo padre? Suo padre è qui. Le piacerebbe parlare con lui?»

«Il mio papà è qui! Ehi! Che bello!»

Il dottor Lecter mise le mani ai lati della testa di Starling, in corrispondenza dei lobi temporali, e questo sarebbe bastato a darle tutto il padre di cui aveva bisogno. Lecter la guardò nel profondo, nel profondo degli occhi.

«So che preferisce parlargli in privato. Ora me ne vado. Guardi la fibbia, e tra poco lo sentirà bussare. D'accordo?»

«Sì. Che bello!»

«Bene, dovrà solo aspettare pochi minuti.»

La minuscola puntura di un ago sottilissimo, Starling non abbassò neppure lo sguardo, e il dottor Lecter lasciò la stanza.

Starling fissò la fibbia finché sentì bussare, due colpi decisi, e suo padre entrò, identico a come lei lo ricordava, alto nel vano della porta, il cappello in mano, i capelli allisciati con l'acqua, come lo erano sempre quando lui veniva a sedersi a tavola per la cena.

«Ehi, piccola, a che ora si mangia da queste parti?»

Nei venticinque anni trascorsi da quando era morto, non l'aveva più abbracciata, ma quando l'attirò a sé, i bottoni di metallo della camicia sulla sua guancia le dettero la stessa sensazione d'allora. Suo padre sapeva di sapone da bucato e tabacco, e Starling si sentì contro il petto il grande volume del suo cuore.

«Ehi, piccola. Ehi, piccola, sei caduta?» Proprio come quando l'aveva tirata su da terra nel cortile, dopo che lei, per sfida, aveva tentato di cavalcare una grossa capra. «Te la cavavi benissimo, finché quella non si è voltata di scatto. Andiamo in cucina a vedere che cosa riusciamo a trovare.»

Due cose, sul tavolo della piccola cucina nella casa della sua infanzia: una confezione di Sno Ball e un sacchetto di arance.

Il padre di Starling aprì il coltello Barlow dalla punta spezzata di netto e sbucciò due arance, con la scorza che si arrotolava sull'incerata. Si sedettero sulle sedie di legno della cucina, e lui divise gli spicchi in quattro parti, mangiandone a turno una lui e una Starling. Lei si sputò i semi in mano, tenendoli in grembo. Suo padre sembrava molto alto, sulla sedia, come John Brigham.

Masticava meglio da una parte che dall'altra, e uno degli incisivi era incapsulato con metallo bianco, di quello usato dai dentisti dell'esercito negli anni Quaranta. Quando rideva, la capsula brillava. Mangiarono due arance e uno Sno Ball a testa e si raccontarono delle storielle allegre. Starling aveva dimenticato la meravigliosa sensazione della glassa che si scioglieva attorno al cocco. Poi la cucina scomparve e cominciarono a parlare da adulti.

«Come va, piccola?» Era una domanda molto seria.

«Me ne fanno di tutti i colori, al lavoro.»

«Lo so. Sono quei tizi dalla mentalità persecutoria, tesoro. Non è mai... mai venuto al mondo un branco di uomini tanto miserabili. Tu non hai mai ammazzato nessuno senza che ne fossi costretta.»

«Proprio così. E c'è l'altra faccenda.»

«Tu non hai mai mentito, in quanto a questo.»

«No, signore.»

«Hai salvato quel bambino.»

«È uscito incolume.»

«Ne sono stato molto orgoglioso.»

«Grazie, signore.»

«Tesoro, devo andare. Parleremo ancora.»

«Non puoi fermarti...?»

Suo padre le mise la mano sulla testa. «Non possiamo mai fermarci, piccola. Nessuno può mai fermarsi come vorrebbe.»

La baciò sulla fronte e uscì dalla stanza. Starling vide il foro del proiettile nel cappello, quando lui si voltò per farle un cenno di saluto, alto nel vano della porta.

## 95

Starling amava il proprio padre tanto quanto chiunque ama il suo, e avrebbe reagito con violenza se qualcuno avesse tentato di macchiarne la memoria. Eppure, nei suoi colloqui con il dottor Lecter, sotto l'effetto di un forte farmaco ipnotico, ecco che cosa disse:

«Sono davvero arrabbiata con lui, però. Cioè... doveva proprio trovarsi dietro quel maledetto supermercato in piena notte e scontrarsi con quei due fetenti che l'uccisero? Fece inceppare il vecchio fucile a pompa e loro lo stesero. Non erano niente e lo stesero. Lui non sapeva quello che faceva. Non imparò mai un accidenti.»

Avrebbe preso a ceffoni chiunque altro l'avesse affermato.

Il mostro si mosse impercettibilmente sulla poltrona. *Ahhh, alla fine ci siamo arrivati. Quei ricordi da scolaretta cominciavano a diventare noiosi.*

Starling tentò di nascondere le gambe sotto la sedia, come una bambina, ma erano troppo lunghe. «Vede, aveva il suo lavoro, faceva quello che gli ordinavano, se ne andava in giro rispettando il suo lurido orario da guardiano notturno, e ci rimase secco. E la mamma lavò il sangue dal suo cappello, per seppellirlo con lui. Ma chi venne a darci una mano? Nessuno. Da quel giorno, ben pochi maledetti Sno Ball, gliel'assicuro. Io e la mamma cominciammo a pulire le camere dei motel. Con la gente che lasciava preservativi ancora umidi sul comodino. Fu ucciso e ci lasciò perché era maledettamente stupido. Avrebbe dovuto dire a quegli idioti di città di tenerselo, il loro lavoro.»

Cose che non avrebbe mai raccontato, cose bandite dalla parte consapevole del suo cervello.

Fin dall'inizio della loro conoscenza, il dottor Lecter l'aveva sempre stuzzicata sul padre, definendolo guardiano notturno. Ora diventò il protettore della memoria di quello stesso padre.

«Clarice, lui non desiderava altro che la sua felicità, il suo benessere.»

«Metti il desiderio in una mano e caga sull'altra, poi guarda quale delle due si riempie prima» esclamò Starling. L'adagio in uso nell'orfanotrofio, provenendo da quel viso attraente, sarebbe dovuto risultare particolarmente fastidioso, ma il dottor Lecter ne parve compiaciuto, addirittura incoraggiato.

«Clarice, le chiederò di seguirmi in un'altra stanza. Suo padre è venuto a farle visita. Come ha visto, malgrado il suo intenso desiderio di trattenerlo, lui non ha potuto fermarsi. Ma è venuto a farle visita. Ora è arrivato il momento che sia lei a fargli visita.»

Lungo il corridoio fino a una stanza per gli ospiti. La porta era chiusa.

«Aspetti un momento, Clarice.» Lecter entrò.

Starling rimase nel corridoio con le dita sulla maniglia e sentì sfregare un fiammifero.

Il dottor Lecter aprì la porta.

«Clarice, lei sa che suo padre è morto. Lo sa meglio di chiunque altro.»

«Sì.»

«Venga a vederlo.»

Le ossa di suo padre erano composte su uno dei letti gemelli, le ossa lunghe e la gabbia toracica nascoste da un lenzuolo. Il resto s'intravedeva in rilievo sotto la coperta bianca. Sembrava un angelo di neve costruito da un bambino.

Il teschio, che sulla spiaggia del dottor Lecter minuscoli animaletti oceanici avevano ripulito da ogni residuo, adesso era candido e levigato, e riposava sul cuscino.

«Dov'è finita la stella di suo padre, Clarice?»

«La rivollero indietro, dissero che costava sette dollari.»

«Questo è ciò che è, questo è tutto ciò che è rimasto di lui. Ecco come l'ha ridotto il tempo.»

Starling fissò le ossa, poi si voltò e lasciò la stanza. Non era una ritirata, e il dottor Lecter non la seguì. Aspettò nella semioscurità. Non aveva paura, e la sentì tornare, con il suo udito acuto come quello di una capra legata in attesa del macellaio. Qualcosa di metallo luccicante nella mano di lei. Un distintivo, il distintivo di John Brigham. Starling lo appoggiò sul lenzuolo.

«Clarice, che cosa significa, per lei, un distintivo? Nel fienile, ne ha perforato uno con un proiettile.»

«Per lui significava tutto. Ecco quanto ne capivaaaa.» L'ultima parola uscì distorta, e la bocca si piegò all'ingiù. Prese il teschio di suo padre e si sedette sull'altro letto, con le lacrime che le sgorgavano calde dagli occhi scorrendole sulle guance.

Come una bambina, prese il bordo della maglietta, se lo portò al viso e singhiozzò. Lacrime di disperazione caddero con un "tap-tap" sordo sulla calotta del teschio adagiato sul suo grembo, con il dente incapsulato che brillava. «Amo il mio papà, con me era buono come sapeva esserlo lui. Fu il miglior periodo della mia vita.» Ed era vero, non meno vero di quanto lo fosse prima di dar sfogo alla rabbia.

Quando il dottor Lecter le porse un fazzolettino di carta, Starling si limitò ad appallottolarlo nel pugno, e fu lui ad asciugarle la faccia.

«Clarice, la lascerò qui con questi resti. Rimanga,

Clarice. Gridi la sua disperazione in quelle orbite, e non avrà risposta.» Le mise le mani ai lati della testa. «Ciò che le serve di suo padre è qui, nella sua testa, soggetto al suo giudizio, non a quello di lui. Ora la lascio. Vuole le candele?»

«Sì, per piacere.»

«Quando uscirà di qui, porti solo ciò di cui avrà bisogno.»

Il dottor Lecter aspettò in soggiorno, davanti al camino. Passò il tempo suonando il teremin, muovendo le dita libere nel suo campo elettronico per creare la musica, quelle dita che aveva posato sulla testa di Clarice Starling e che ora dirigevano la musica. Si accorse che lei era alle sue spalle molto prima di finire il pezzo.

Quando si voltò, il sorriso di Starling era dolce e triste, e le sue mani vuote.

Il dottor Lecter analizzava sempre i modelli di comportamento.

Sapeva che, come qualunque essere vivente, anche Starling, dalle matrici delle sue prime esperienze, produceva strutture attraverso le quali interpretare le percezioni future.

Parlando con lei attraverso le sbarre del Manicomio criminale, tanti anni prima, il dottor Lecter ne aveva trovata una importante per Starling: l'uccisione degli agnelli e dei cavalli nella fattoria dove aveva vissuto in affido. Era rimasta segnata a fondo dalla loro sofferenza.

La caccia ossessiva e fortunata che aveva dato a Jame Gumb era stata sospinta dalla sofferenza della ragazza che l'uomo teneva prigioniera.

Starling aveva salvato lui dalla tortura per la stessa ragione.

Bene. Modelli di comportamento.

Sempre alla ricerca di situazioni ripetitive, il dottor Lecter era convinto che Starling avesse visto in John

Brigham le buone qualità del padre... e insieme alle virtù di quel padre, lo sfortunato Brigham si era visto assegnare anche il tabù dell'incesto. Brigham, e probabilmente anche Crawford, avevano le buone qualità di suo padre. E le cattive?

Il dottor Lecter cercò le tracce di questa matrice spezzata. Usando tecniche e farmaci ipnotici, con significative modifiche della terapia in studio, incontrava nella personalità di Clarice Starling solidi grumi di durezza e di resistenza, simili a nodi nel legno, e vecchi risentimenti ancora infiammabili come resina.

S'imbatté in immagini di spietata lucentezza, in memorie ormai lontane, ma vivide e dettagliate che facevano saettare nel cervello di Starling una collera furente simile ai lampi in un temporale.

La maggior parte di loro riguardava Paul Krendler. Il risentimento della ragazza per la più che reale ingiustizia subita per colpa di Krendler era carico anche di una rabbia contro il padre che non avrebbe mai, mai ammesso. Non riusciva a perdonargli di essere morto. Suo padre aveva lasciato la famiglia, aveva smesso di sbucciare arance in cucina, aveva condannato sua madre al secchio e allo straccio da pavimenti. E aveva smesso di abbracciare Starling, con il suo grande cuore che batteva come quello di Hannah quando loro due cavalcavano nella notte.

Krendler era l'icona del fallimento e della frustrazione. Le colpe potevano ricadere tutte su di lui. Ma era possibile sfidarlo? Oppure Krendler, e ogni altra autorità, ogni altro tabù, avevano il potere assoluto di imprigionare Starling in quella che, agli occhi del dottor Lecter, era una misera vita limitata?

Per lui, un segno positivo: malgrado l'imprinting del distintivo, Starling era ancora capace di forarne uno con una pallottola e di uccidere chi lo portava. Perché? Perché, impegnata in un'azione, aveva identificato chi lo portava come un criminale ed era arrivata a emettere immediatamente il giudizio, superando l'icona della stella impressa dentro di lei. Flessibilità potenziale. Le regole della corteccia cerebrale. Che questo significasse posto per Mischa "dentro" Starling? O era semplicemente un'altra buona qualità del posto che Starling doveva rendere vacante?

## 96

Barney, tornato nel suo appartamento di Baltimora, tornato alla ripetitività del lavoro al Maryland-Misericordia Hospital, aveva finito il turno dalle tre alle undici. Rientrando, lungo la strada si fermò a mangiare un piatto di minestra alla tavola calda e, quando accese la luce nel suo appartamento, era quasi mezzanotte.

Ardelia Mapp era seduta al tavolo della cucina e gli puntava contro la faccia una pistola semiautomatica. Dalla misura del foro della canna, Barney calcolò che fosse una calibro 40.

«Siediti, bell'infermiere» ordinò Mapp. Aveva la voce roca e, attorno alle pupille scure, gli occhi erano arancione. «Porta la sedia laggiù e mettiti contro il muro.»

Ciò che più spaventava Barney non era la grossa sputafuoco nella mano della donna, ma l'altra pistola posata davanti a lei, una Colt Woodsman .22 con un obiettivo di plastica da macchina fotografica assicurato alla canna con nastro adesivo perché fungesse da silenziatore.

La sedia scricchiolò sotto il peso di Barney. «Se le gambe della sedia si rompono, non spararmi. Non posso farci niente.»

«Sai qualcosa di Clarice Starling?»

«No.»

Mapp impugnò la pistola di calibro più piccolo dal

tavolo. «Non mi lascerò fottere da te, Barney. Nell'attimo in cui penserò che menti, ti faccio il culo nero. Mi credi?»

«Sì.» Barney sapeva che era vero.

«Te lo chiedo di nuovo. Sai niente che possa aiutarmi a trovare Clarice Starling? L'ufficio postale dice che per un mese ti sei fatto inoltrare la corrispondenza all'indirizzo di Mason Verger. Che cazzo è successo, Barney?»

«Ho lavorato là per un po' di tempo. Mi prendevo cura di Mason Verger, e lui mi faceva un sacco di domande su Lecter. Il posto non mi piaceva e me ne sono andato. Mason è un vero bastardo.»

«Starling è scomparsa.»

«Lo so.»

«Forse l'ha rapita Lecter, o forse l'hanno mangiata i maiali. Se l'ha rapita Lecter, che cosa le farà?»

«Sarò sincero con te... non lo so. Aiuterei Starling, se appena potessi. Perché non dovrei? In un certo senso, mi è simpatica, e mi stava facendo ripulire la fedina penale. Prova a cercare nei suoi rapporti, nei suoi appunti o...»

«Già fatto. Voglio che tu capisca bene, Barney. È un'offerta che ti farò una volta sola. Se sai qualcosa, è meglio che me lo dica subito. Se dovessi mai scoprire, non importa fra quanto tempo, che mi hai nascosto delle informazioni utili per questa ricerca, tornerò qui e la mia pistola sarà l'ultima cosa che vedrai in vita tua. Ti sparerò diritto in quel tuo grosso culo. Mi credi?»

«Sì.»

«Sai qualcosa?»

«No.» Il silenzio più lungo che Barney avrebbe mai ricordato.

«Resta fermo lì finché me ne sarò andata.»

Barney ci mise un'ora e mezzo ad addormentarsi. Rimase sdraiato nel letto con lo sguardo verso il soffitto, la fronte, larga come quella di un delfino, ora madida di sudore ora asciutta. Pensava ai visitatori che potevano arrivare. Prima di spegnere la luce, andò nel bagno e tirò fuori dal nécessaire uno specchietto da barba in acciaio inossidabile, un oggetto del corpo dei marines.

In cucina, aprì la scatola del contatore infissa nel muro e con il nastro adesivo attaccò lo specchio all'interno dello sportello.

Non poteva fare altro. Si agitò nel sonno come un cane.

Dopo il turno successivo, dall'ospedale portò a casa un kit per analisi che aveva preso nel laboratorio.

## 97

Dovendo conservare il mobilio del padrone di casa tedesco, il dottor Lecter non poteva fare più di così. I fiori erano d'aiuto. Era interessante vedere il colore contro gli scuri mobili massicci; formavano un antico, affascinante contrasto, come una farfalla nel pugno di una corazza.

A quanto pareva, l'assente padrone di casa aveva una fissazione per Leda e il Cigno. Le due specie che si accoppiavano erano rappresentate in non meno di quattro bronzi di varia qualità – il migliore era una riproduzione di Donatello – e in otto dipinti. Un quadro in particolare deliziava Lecter, un Anne Shingleton dalla geniale articolazione anatomica e con vero calore nella scopata. Gli altri erano nascosti da teli. Anche l'orribile collezione di bronzi di soggetto venatorio era stata coperta.

La mattina presto, il dottore apparecchiò accuratamente per tre, studiando il tavolo ovale da angolazioni diverse, con la punta del dito contro il naso. Spostò due volte i candelabri e, per ridurre il tavolo a una misura più consona, sostituì i sottopiatti di damasco con una più intima tovaglia.

La credenza, scura e massiccia, assomigliò di meno a una portaerei quando Lecter vi posò le zuppiere e gli scaldavivande di lucido rame. Ma fece di più: aprì alcuni cassetti e li riempì di fiori, con una sorta di effetto giardino pensile.

Si accorse che nella stanza c'erano troppi fiori; doveva aggiungerne degli altri perché tornasse l'equilibrio. Troppi erano troppi, ma un eccesso dell'eccesso ristabiliva l'effetto giusto. Decise due composizioni floreali per il tavolo: su un vassoio d'argento, un basso cuscinetto di peonie, bianche come Sno Ball, e un grande, alto mazzo di gigli, ireos, orchidee e tulipani rossi che mascherava le dimensioni creando uno spazio più raccolto.

Davanti ai piatti, la piccola tempesta di ghiaccio dei bicchieri di cristallo, mentre l'argenteria era in uno scaldavivande per essere tirata fuori all'ultimo momento.

La prima portata sarebbe stata preparata al tavolo, e per questo il dottor Lecter predispose i fornelletti ad alcol, il *fait-tout* di rame, il tegame e la padella, i condimenti e la sega per autopsie.

Si sarebbe procurato altri fiori quando fosse uscito. Clarice Starling non si scompose, quando lui le disse che andava fuori. Il dottor Lecter le suggerì di fare un sonnellino.

## 98

Il pomeriggio del quinto giorno dopo gli omicidi, Barney aveva finito di radersi e si picchiettava il dopobarba sulle guance quando sentì i passi sulle scale. Era quasi l'ora di andare a lavorare.

Un colpo deciso. Alla porta c'era Margot Verger, con una grossa borsa e una sacca.

«Ciao, Barney.» Aveva l'aria stanca.

«Ciao, Margot. Entra.»

Le offrì una sedia al tavolo di cucina. «Vuoi una Coca?» Poi ricordò che la testa di Cordell era stata spaccata contro un frigorifero e si pentì dell'offerta.

«No, grazie» disse lei.

Barney si sedette dall'altra parte del tavolo. Lei gli studiò le braccia con rivalità da bodybuilder, poi spostò lo sguardo sul viso.

«Stai bene, Margot?»

«Penso di sì.»

«A quanto pare, non hai problemi. Almeno da quello che ho letto.»

«A volte ricordo i discorsi che abbiamo fatto, Barney. Pensavo che ti saresti fatto vivo, prima o poi.»

Barney si chiese se tenesse il martello nella borsa o nella sacca.

«L'unica ragione per la quale mi sarei fatto vivo sarebbe stata perché avevo voglia di sapere come stavi e se ti andava tutto bene. Non ti chiederei mai niente, Margot. Sei stata corretta con me.»

«È che, sai, ci si preoccupa dei problemi rimasti in sospeso. Non che io abbia niente da nascondere.»

Barney capì che si era procurata lo sperma. Doveva essere stato quando le avevano annunciato la gravidanza – se erano riuscite a ottenerla – che aveva cominciato a preoccuparsi di lui.

«Voglio dire, la sua morte è stata una grazia di Dio. Non mentirò su questo.»

La velocità con cui parlava fece capire a Barney che la tensione cresceva, in lei.

«Forse una Coca me la berrei» disse Margot.

«Prima di andare a prendertela, voglio mostrarti una cosa che ho per te. Credimi, posso toglierti qualunque preoccupazione, e non ti costerà niente. Ci metto un attimo, abbi pazienza.»

Prese un cacciavite da una cassetta d'attrezzi sul banco. Poté farlo voltando il fianco a Margot.

Nella parete della cucina c'erano quelle che sembravano due scatole del contatore. In realtà, una aveva sostituito la vecchia, e funzionava solo quella a destra.

Quando fu là, Barney dovette voltare le spalle a Margot. Aprì in fretta lo sportello di sinistra. Ora poteva guardare Margot attraverso lo specchio assicurato all'interno. La vide infilare la mano nella grossa borsa. La mise dentro, ma non la tirò fuori.

Togliendo quattro viti, Barney poté estrarre il contatore scollegato. Dietro, scavata nel muro, c'era una cavità.

Allungando cautamente una mano all'interno, Barney tirò fuori una borsa di plastica.

Sentì una sospensione nel respiro di Margot, quando estrasse l'oggetto contenuto nella borsa. Era una famosa immagine bestiale: la maschera che il dottor Lecter era stato costretto a portare nel Manicomio criminale di stato di Baltimora perché non potesse mordere. Quello era l'ultimo e più importante reperto del bottino di oggetti ricordo di Lecter che Barney conservava.

«Uauu!» esclamò Margot.

Barney posò la maschera sul tavolo, a faccia in giù, su un pezzo di carta oleata sotto la forte luce della cucina. Sapeva che al dottor Lecter non era mai stato permesso di pulire la maschera. All'interno, l'apertura per la bocca era incrostata di saliva. Nel punto in cui le cinghie erano assicurate alla maschera c'erano tre capelli, rimasti impigliati nelle fibbie e strappati alla radice.

Un'occhiata a Margot gli disse che per il momento lei non aveva problemi a guardare quella roba.

Barney tolse dall'armadietto della cucina il kit per le analisi. La piccola scatola di plastica conteneva tamponi, acqua distillata, compresse di garza e flaconcini di pillole vuoti.

Con cura infinita, asportò i resti di saliva con la punta inumidita di un tampone, che poi ripose in un flaconcino. Staccò dalla maschera i capelli e li mise in un secondo flaconcino.

Posò il pollice dal lato appiccicoso di due pezzi di nastro adesivo, lasciando ogni volta un'impronta molto netta, e li usò per assicurare il coperchio ai flaconcini, che consegnò a Margot, in un sacchetto.

«Diciamo che mi caccio in qualche guaio, perdo la testa e cerco di salvarmi infamando te... Diciamo che, per alleggerire la mia posizione, tento di raccontare alla polizia qualche storia sul tuo conto. Qui hai la prova che sono stato, se non altro, complice nella morte di Mason Verger e magari anche quello che l'ha ucciso in prima persona. Se non altro, ti fornisco il Dna.»

«Otterresti l'immunità prima ancora di cominciare a parlare.»

«Forse per la complicità, ma non per aver preso parte fisicamente a un omicidio che ha destato grande scalpore. Mi prometterebbero l'immunità come complice, e poi, non appena si convincessero che ti ho aiutata a farlo, mi fotterebbero. E sarei fregato per sempre. È tutto qui, nelle tue mani.»

Barney non ne era proprio sicuro, ma pensò che suonava bene.

Margot avrebbe potuto trasferire il Dna di Lecter sul cadavere di Barney in qualunque momento avesse voluto, e lo sapevano tutti e due.

Lei lo guardò con i suoi occhi azzurri da macellaio per quello che sembrò un tempo molto lungo.

Mise la sacca sul tavolo. «Qui dentro ci sono un mucchio di soldi» disse. «Abbastanza per vedere tutti i Vermeer del mondo. Una volta.» Sembrava un po' stordita, e stranamente felice. «Ho il gatto di Franklin, in macchina. Devo andare. Franklin, la sua madre adottiva, sua sorella Shirley e un tizio di nome Stringbean e sa Dio quanti altri verranno alla Muskrat Farm non appena Franklin uscirà dall'ospedale. Mi è costato cinquanta dollari arrivare a quel cazzo di gatto. Viveva sotto falso nome accanto alla vecchia casa del bambino.»

Non mise il sacchetto di plastica nella borsa. Lo tenne nella mano libera. Barney pensò che non volesse fargli vedere l'altra opzione che nascondeva in quella borsa.

Sulla porta, chiese: «Pensi che potrei avere un bacio?».

Lei si alzò sulla punta dei piedi e gli posò un bacio veloce sulle labbra.

«Devi accontentarti di questo» disse con tono compassato. Le scale scricchiolarono sotto il suo peso, mentre scendeva.

Barney chiuse la porta e rimase per diversi minuti con la fronte appoggiata al frigorifero.

## 99

Starling si svegliò sull'eco di una lontana musica da camera, e in un profumo stuzzicante di cibo cucinato. Aveva riposato splendidamente ed era affamata. Un colpetto alla porta ed entrò il dottor Lecter in calzoni scuri, camicia bianca e foulard al collo. Reggeva una lunga custodia porta-abiti e un cappuccino caldo per lei.

«Ha dormito bene?»

«Meravigliosamente, grazie.»

«Lo chef mi dice che la cena sarà servita fra un'ora e mezzo. Aperitivi fra un'ora, va bene? Ho pensato che questo potesse piacerle... guardi se le sta bene.» Appese la custodia nell'armadio e uscì senza far rumore.

Starling non vi guardò dentro finché non si fu fatta un lungo bagno, e, quando guardò, rimase compiaciuta. Trovò un lungo abito da sera di seta color panna, dallo scollo stretto ma profondo, abbinato a una deliziosa giacca tempestata di piccole perle.

Sul cassettone c'era un paio di orecchini con pendenti di smeraldi cabochon. Le pietre avevano una luce molto intensa, malgrado il taglio privo di sfaccettature.

Con i capelli, Starling non aveva mai avuto difficoltà. Fisicamente, nel vestito si trovò molto a suo agio. Anche se era poco abituata a quel tipo di abbigliamento, non si esaminò a lungo nello specchio, ma si limitò a controllare che fosse tutto a posto.

Il padrone di casa aveva fatto costruire caminetti enormi. Nel soggiorno, Starling trovò un grosso ceppo sfavillante. Si avvicinò alla pietra calda in un frusciare di seta.

Musica dal clavicembalo nell'angolo. Seduto allo strumento, il dottor Lecter in abito scuro.

Alzò lo sguardo e, vedendola, il respiro gli si fermò in gola. Si fermarono anche le mani, ancora aperte sulla tastiera. Le note del clavicembalo non si diffondono e, nel silenzio improvviso del soggiorno, sentirono tutti e due quando lui ricominciò a respirare.

Davanti al fuoco aspettavano due bicchieri. Il dottor Lecter si diede da fare con gli aperitivi. Lillet con una fetta d'arancia. Ne porse uno a Clarice Starling.

«Anche se l'avessi sotto gli occhi ogni giorno, per sempre, ricorderei questo momento.» Il suo sguardo scuro tratteneva l'immagine completa di Starling.

«Quante volte mi ha vista, senza che io lo sapessi?»

«Solo tre.»

«Ma qui...»

«Qui è fuori dal tempo, e ciò che osservo mentre mi prendo cura di lei non compromette la sua intimità. Resta relegato nella sua cartella clinica. Confesso che, in realtà, è piacevole guardarla dormire. Lei è molto bella, Clarice.»

«L'aspetto è una dote casuale, dottor Lecter.»

«Anche se l'avvenenza dovesse essere guadagnata, lei sarebbe ugualmente bella.»

«Grazie.»

«Non dica "grazie".» Un minimo movimento della testa fu sufficiente a rivelare la sua irritazione, come un bicchiere scagliato nel camino.

«Dico quello che sento» rispose Starling. «Preferirebbe che rispondessi: "Sono lieta che mi trovi così"? Sarebbe un po' più elaborato, ma ugualmente vero.»

Starling alzò il bicchiere e fissò Lecter con il suo limpido sguardo da ragazza di campagna, senza tradire niente.

In quel momento, il dottor Lecter capì che, pur con tutta la sua conoscenza e le sue intromissioni, non avrebbe mai potuto prevedere Starling, né tanto meno possederla. Era in grado di nutrire il bruco, di bisbigliargli istruzioni su come diventare crisalide, ma ciò che ne sarebbe nato avrebbe seguito una sua propria natura e gli sarebbe rimasto irraggiungibile. Si chiese se lei avesse la .45 allacciata alla caviglia sotto la lunga gonna.

A quel punto, Clarice Starling gli sorrise, con gli smeraldi che catturavano il bagliore delle fiamme, e il mostro si perse nell'autocompiacimento per il proprio gusto squisito e per la propria astuzia.

«Clarice, il cibo colpisce il gusto e l'olfatto, e cioè i sensi più vecchi e più vicini al centro della mente. Il gusto e l'olfatto risiedono nella parte del cervello che presiede alla pietà, ma non c'è posto per la pietà, alla mia tavola. Nello stesso tempo, alla sommità della corteccia cerebrale, simili ai miracoli rappresentati sui soffitti delle chiese, si rincorrono i cerimoniali, le simbologie e gli scambi legati al cibo. Può essere molto più interessante del teatro.» Avvicinò il viso a quello di lei, leggendo qualcosa nei suoi occhi. «Voglio che capisca quale ricchezza lei porta in tutto questo, Clarice, e quali sono i suoi titoli di merito. Clarice, ha osservato la sua immagine, di recente? Non credo. Dubito che l'abbia mai fatto. Venga nell'ingresso, si metta davanti allo specchio.»

Il dottor Lecter prese un candelabro dalla mensola sopra il camino.

L'alto specchio era un buon pezzo d'antiquariato del diciottesimo secolo, ma lievemente fumé e screpolato. Proveniva dallo Château Vaux-le-Vicomte e sapeva Dio che cos'aveva visto.

«Guardi, Clarice. Quella deliziosa visione è lei. Stasera, per un po' vedrà se stessa da lontano. Vedrà che cos'è giusto, dirà che cos'è vero. Non le è mai mancato il coraggio di esprimere ciò che pensa, ma è stata ostacolata da mille pastoie. Glielo ripeterò una seconda volta, Clarice. Alla mia tavola non c'è posto per la pietà.

«Se verranno fatti commenti che in un primo momento le sembreranno sgradevoli, poi capirà che il contesto può trasformarli in qualcosa di bizzarro, di follemente divertente. Se verranno dette cose dolorosamente vere, si tratterà di verità transitorie, che cambieranno.» Bevve un sorso di aperitivo. «Se sentirà il dolore nascere dentro di lei, questo dolore sboccerà nel sollievo. Mi capisce?»

«No, dottor Lecter, ma ricorderò quello che ha detto. Al diavolo lo sforzo di migliorare se stessi. Voglio una cena piacevole.»

«E io gliela prometto.» Il dottor Lecter sorrise, uno spettacolo che alcuni trovavano pauroso.

Ora, nessuno dei due guardava il riflesso di lei nello specchio scuro; si osservavano l'uno con l'altra attraverso le fiammelle delle candele, mentre lo specchio osservava tutti e due.

«Mi fissi, Clarice.»

Starling vide le scintille rosse infisse nella profondità degli occhi di lui e si sentì eccitata come una bambina che si avvicina da lontano a una fiera.

Il dottor Lecter estrasse una siringa dalla tasca e, senza mai guardarla, andando solo a senso, le infilò nel braccio l'ago sottile come un capello. Quando lo ritirò, la minuscola ferita non sanguinò nemmeno.

«Che cosa stava suonando, quando sono arrivata?» chiese Starling.

«*If Love Now Reigned*.»

«È molto vecchia?»

«Fu composta da Enrico VIII intorno al 1510.»

«La suonerebbe per me? Arriverebbe sino alla fine, ora?»

## 100

Il lieve spostamento d'aria provocato dal loro ingresso nella sala da pranzo mosse le fiammelle delle candele e degli scaldavivande. Starling aveva visto la stanza solo di passaggio e la trovò meravigliosa, così trasformata. Luminosa, invitante. Ai loro posti, alti bicchieri di cristallo che riflettevano la luce delle candele sulla tovaglia color panna e lo spazio ridotto a una misura più intima da uno schermo di fiori che escludeva il resto del tavolo.

Il dottor Lecter aveva estratto l'argenteria dallo scaldavivande all'ultimo minuto, e quando Starling esaminò l'apparecchiatura al suo posto, sentì nel manico del coltello un calore quasi febbrile.

Il dottor Lecter versò il vino e per stuzzicarle l'appetito le offrì un minuscolo *amuse-gueule*, un'unica ostrica Belon e una fettina di salsiccia. In quanto a lui, voleva starsene con mezzo bicchiere di vino in mano ad ammirarla nell'insieme del tavolo.

L'altezza dei candelabri era quella giusta, illuminavano le profondità del décolleté di Starling, e lui non doveva temere che le bruciassero le maniche.

«Che cosa mangiamo?»

Il dottor Lecter si portò il dito alle labbra. «Non chieda, rovinerebbe la sorpresa.»

Parlarono del taglio delle penne di corvo e dell'effetto che avevano sulla voce del clavicembalo, e solo per un attimo Starling ricordò il corvo che molti anni prima, sul balcone di un motel, aveva rubato degli oggetti dal carrello di sua madre. A distanza, giudicò quel ricordo irrilevante, rispetto al gradevole momento che stava vivendo, e lo respinse con decisione.

«Ha fame?»

«Sì!»

«Allora passeremo al primo.»

Il dottor Lecter prese un vassoio dalla credenza e lo mise nello spazio vicino al suo piatto, poi spinse un carrello fino al tavolo. Sopra il carrello, i suoi tegami, il fornelletto e i condimenti in piccole coppe di cristallo.

Accese il fornelletto e cominciò con il mettere un bel pezzo di burro Charante nella casseruola *fait-tout*, facendolo girare sul fondo, sciogliere e rosolare per ottenere il *beurre-noisette*. Quando fu di un marrone nocciola, passò la casseruola sopra un treppiede.

Sorrise a Starling, scoprendo i denti bianchissimi.

«Clarice, ricorda che cosa ci siamo detti sui commenti piacevoli e spiacevoli e sulle cose che diventano divertenti a seconda del contesto?»

«Quel burro ha un profumo delizioso. Sì, ricordo.»

«E ricorda la donna che ha visto nello specchio, quanto era splendida?»

«Dottor Lecter, se non le dispiace che lo dica, questa storia sta diventando un po' troppo *Dick and Jane*. Ricordo perfettamente.»

«Bene, il signor Krendler mangerà il primo piatto insieme a noi.»

Il dottor Lecter spostò i mazzi di fiori dalla tavola alla credenza.

Paul Krendler, viceassistente dell'ispettore generale, era seduto in carne e ossa su una massiccia poltrona di quercia, vicino al tavolo. Krendler spalancò gli occhi e si guardò in giro. Attorno alla fronte aveva ancora la fascia antisudore, ma indossava un elegantissimo abito da cerimonia acquistato in un'impresa di pompe funebri, completo di camicia e cravatta. Dato che la giacca era tagliata sul dietro, il dottor Lecter era riuscito a ficcarne in qualche modo i lembi dietro le spalle di Krendler, nascondendo i metri di nastro isolante che lo tenevano legato alla poltrona.

Forse Starling abbassò le palpebre di una frazione di centimetro e sporse leggermente le labbra in avanti, come faceva a volte al poligono di tiro.

Il dottor Lecter prese un paio di pinze d'argento dalla credenza e strappò il nastro che tappava la bocca di Krendler.

«Di nuovo buonasera, signor Krendler.»

«Buonasera.» Krendler non sembrava completamente in sé. Il suo posto era apparecchiato con una zuppiera.

«Le dispiace dire buonasera alla signorina Starling?»

«Salve, Starling.» Krendler parve illuminarsi. «Ho sempre desiderato vederla mangiare.»

Starling lo studiò da lontano, come se lo vedesse attraverso lo specchio antico. «Salve, signor Krendler.» Alzò la faccia verso il dottor Lecter, indaffarato con i suoi tegami. «Come ha fatto a catturarlo?»

«Il signor Krendler stava andando a un importante incontro per discutere del suo futuro politico» rispose il dottor Lecter. «Era stato invitato da Margot Verger come favore a me. Una sorta di *quid pro quo*. Il signor Krendler ha fatto jogging fino all'eliporto di Rock Creek Park per raggiungere l'elicottero dei Verger. Invece, ha avuto un passaggio da me. Vorrebbe recitare una preghiera di ringraziamento prima che cominciamo a mangiare, signor Krendler? Signor Krendler?»

«Ringraziamento. Sì.» Krendler chiuse gli occhi. «Padre, Ti ringraziamo per il cibo che stiamo per ricevere e lo dedichiamo a Te. Starling è troppo vecchia per scoparsi suo padre, perfino per una del Sud. Ti prego di perdonarla per questo e di metterla al mio servizio. Nel nome di Gesù, amen.»

Starling notò che, per tutta la preghiera, il dottor Lecter tenne gli occhi devotamente chiusi.

Lei si sentiva vigile e calma. «Devo proprio dirlo, Paul, l'apostolo Paolo non avrebbe saputo fare di meglio. Anche lui odiava le donne. Avrebbe dovuto chiamarsi...»

«Questa volta l'ha fatta proprio grossa, Starling. Non rientrerà più in servizio» esclamò Krendler.

«Era un'offerta di lavoro, quella che ha inserito nel ringraziamento? Mai visto un tatto così squisito.»

«Andrò al Congresso.» Krendler fece un sorriso sgradevole. «Venga alla sede della campagna elettorale, e chissà che non trovi qualcosa per lei. Potrebbe fare l'impiegata. È capace di dattilografare e archiviare?»

«Certo.»

«Sa scrivere sotto dettatura?»

«Uso un software di riconoscimento vocale» rispose Starling. E continuò con tono giudizioso: «Se può scusarmi perché parlo di lavoro a tavola, lei non è abbastanza intelligente da rubare mentre è al Congresso. Non può compensare un'intelligenza di seconda tacca solo giocando sporco. Durerebbe di più come tirapiedi di qualche grosso criminale».

«Non aspetti noi, signor Krendler» lo sollecitò Lecter. «Beva il suo brodo finché è caldo.» Alzò il *potager* e la cannuccia fino alle labbra di Krendler.

Krendler fece una smorfia. «La minestra non è un granché.»

«In realtà, è soprattutto un infuso di prezzemolo e timo» disse il dottore. «È più nel nostro che nel suo interesse. Ne beva qualche altro sorso e lo lasci circolare.»

A quanto pareva, Starling stava soppesando un problema, usando le palme delle mani come la Bilancia della Giustizia. «Sa, signor Krendler, tutte le volte che mi ha derisa, ho avuto la dolorosa sensazione di aver fatto qualcosa per meritarlo.» Agitò le mani in su e in giù, con espressione intenta, in un movimento simile a quando si passa avanti e indietro la carta vetrata. «Non me lo meritavo, invece. Tutte le volte che scriveva qualcosa di negativo sul mio fascicolo personale, mi risentivo, ma continuavo a interrogarmi su me stessa. Per un attimo dubitavo del mio operato, e poi tentavo di estrarre la dolorosa spina che diceva "Papà sa quello che fa".

«Invece lei non sa affatto quello che fa, signor Krendler. Anzi, non sa niente di niente.» Starling bevve un sorso dello splendido borgogna bianco e disse a Lecter: «Adoro questo vino, ma credo che dovremmo toglierlo dal ghiaccio». Si rivolse di nuovo all'ospite, da attenta padrona di casa. «Lei resterà per sempre un... idiota, e per giunta del tutto insignificante» continuò nel suo tono più gentile. «E ora basta parlare di lei a questa bella tavola. Dato che è ospite del dottor Lecter, spero che si goda la cena.»

«Ma lei chi è?» chiese Krendler. «Lei non è Starling. Ha la macchia sulla guancia, ma non è Starling.»

Il dottor Lecter unì lo scalogno al burro fuso ancora caldo e, nell'attimo in cui il profumo si alzò nell'aria, aggiunse capperi tritati. Poi tolse il tegame dal fuoco e mise sulla fiamma la padella. Dalla credenza tirò fuori una grande coppa di cristallo piena d'acqua gelata e un vassoio d'argento, che mise davanti a Paul Krendler.

«Avevo dei progetti per quella sua bocca sfrontata» stava dicendo Krendler «ma ora non l'assumerò più di certo. E poi, chi le ha fissato un appuntamento?»

«Non mi aspetto che lei cambi completamente atteggiamento come l'altro Paolo, signor Krendler» intervenne il dottor Lecter. «Lei non è sulla via di Damasco, e neanche sulla via per l'elicottero dei Verger.»

Tolse la fascia antisudore dalla fronte di Krendler come si rimuoverebbe la banda di gomma da una lattina di caviale.

«Le chiediamo solo di mantenere la mente aperta.»

Con cautela, usando tutt'e due le mani, il dottor Lecter sollevò la calotta cranica dalla testa di Krendler e la mise sul vassoio, che riportò sulla credenza. Dall'incisione netta non cadde una sola goccia di sangue, dato che mezz'ora prima della cena, in cucina, i maggiori vasi sanguigni erano stati legati e gli altri chiusi accuratamente sotto l'effetto di un anestetico locale, dopo che il cranio era stato segato tutt'attorno.

Il metodo usato dal dottor Lecter per rimuovere la calotta cranica di Krendler era antico quanto la medicina egizia, con la differenza che lui aveva il vantaggio di una sega per autopsie dotata di lama e di leva da cranio, e di anestetici migliori. Il cervello in sé non sente dolore.

Alla sommità della testa scoperchiata era visibile la rotondità grigio-rosa del cervello di Krendler.

In piedi vicino al suo ospite, con uno strumento che sembrava un cucchiaio per tonsille, il dottor Lecter rimosse una fetta del lobo prefrontale di Krendler, poi un'altra, finché ne ebbe quattro. Gli occhi di Krendler guardavano in su, come se seguissero quello che succedeva. Il dottor Lecter mise le fette nella coppa d'acqua gelata, resa acidula con succo di limone, per farle rassodare.

«*Would you like to swing on a star...*» cantò all'improvviso Krendler. «*Carry moonbeams home in a jar.*»

Nella cucina classica, le cervella vengono immerse nell'acqua e poi schiacciate e lasciate nel ghiaccio per tutta la notte perché si rassodino. Con il prodotto fresco, la difficoltà maggiore sta nell'impedire che si disintegri, riducendosi a una manciata di grumosa gelatina.

Con splendida destrezza, il dottore trasferì le fette compatte su un piatto, le passò leggermente nella farina e poi in briciole di brioche fresche.

Grattò nella salsa un tartufo nero fresco e per finire aggiunse una strizzata di limone.

Saltò le fette in padella, velocemente, finché furono appena dorate su entrambi i lati.

«Che buon odore!» esclamò Krendler.

Il dottor Lecter adagiò il cervello rosolato sui grandi *croutons* che aveva disposto sui piatti scaldati e lo condì con la salsa e fettine di tartufo. Una guarnizione di prezzemolo e capperi interi, con tutto il gambo, e un unico fiore di nasturzio su un letto di crescione per raggiungere un certo spessore completarono la presentazione.

«Com'è?» chiese Krendler, di nuovo nascosto dai fiori. Parlava con voce smodatamente alta, come sono portate a fare le persone lobotomizzate.

«Eccellente» rispose Starling. «Non avevo mai mangiato i capperi.»

Il dottor Lecter trovò molto commovente il lucido del burro sulle sue labbra.

Krendler cantava dietro lo schermo fiorito, per lo più canzoncine infantili, e sollecitava richieste.

Dimentichi di lui, il dottor Lecter e Starling discutevano di Mischa. Starling aveva saputo del suo destino durante le loro conversazioni sul dolore causato dalla perdita di qualcuno, ma ora Lecter parlava con tono pieno di speranza del possibile ritorno di Mischa. In quella serata, a Starling non sembrava irragionevole che Mischa potesse veramente tornare.

Espresse la speranza di conoscerla.

«Non potresti mai neanche rispondere al telefono, nel mio ufficio. Parli come una passera campagnola che sa ancora di mais» urlò Krendler attraverso i fiori.

«Prova a sentire se sembro Oliver Twist, quando ne chiederò un altro pezzetto» rispose Starling, provocando nel dottor Lecter una gioia che quasi non riuscì a contenere.

Una seconda porzione consumò la maggior parte del lobo frontale, fino a sfiorare la corteccia della zona premotoria. Dietro i fiori, Krendler si ridusse a fare osservazioni irrilevanti su cose che rientravano nel suo immediato campo visivo e a stonare una lunga canzoncina oscena intitolata *Shine*.

Assorti nei loro discorsi, Starling e Lecter non ne furono disturbati più che se avessero ascoltato un canto di buon compleanno intonato a un altro tavolo di ristorante, ma quando il volume della voce di Krendler diventò eccessivo, il dottor Lecter recuperò la balestra che era in un angolo.

«Voglio che ascolti il suono di questo strumento a corda, Clarice.»

Aspettò che Krendler si azzittisse per un momento e scoccò la freccia attraverso gli alti fiori, diretta all'altra parte del tavolo.

«Questa particolare frequenza della corda della balestra, se mai dovesse ascoltarla in un altro contesto, per lei significherà solo completa libertà, pace e autosufficienza» disse il dottor Lecter.

L'impennatura e parte dell'asticella rimasero dalla parte visibile dello schermo di fiori e si mossero più o meno al ritmo di una bacchetta che dirigesse un cuore. La voce di Krendler si fermò immediatamente e dopo alcuni battiti si fermò anche la bacchetta.

«Qualcosa come un Re con un Do diesis?» chiese Starling.

«Esatto.»

Un attimo dopo, dietro ai fiori, Krendler emise un suono gorgogliante. Fu solo uno spasmo della laringe, causato dalla crescente acidità del sangue, dato che era appena morto.

«Passiamo al secondo piatto» disse il dottore. «Ma prima di gustare le quaglie, ci rinfrescheremo il palato con un piccolo sorbetto. Se lei mi scusa, il signor Krendler mi aiuterà a sparecchiare.»

Tutto avvenne molto in fretta. Dietro lo schermo di fiori, il dottor Lecter svuotò semplicemente gli avanzi nel teschio di Krendler e poi gli depositò in grembo i piatti. Rimise a posto la calotta cranica e, raccolta la corda collegata a un carrello sotto la sedia, tirò Krendler fino alla cucina.

Là, ricaricò la balestra. Per comodità, usò le stesse batterie che avevano alimentato la sega per autopsie.

Le quaglie avevano la pelle croccante ed erano ripiene di *foie gras*. Il dottor Lecter parlò di Enrico VIII come compositore e Starling gli parlò di come i computer possono essere d'aiuto nella creazione dei suoni, riproducendo gradevoli frequenze.

Il dessert sarebbe stato servito nel salotto, annunciò il dottor Lecter.

## 101

Un soufflé dolce e bicchieri di Château d'Yquem davanti al camino del salotto, il caffè pronto sul tavolinetto vicino al gomito di Starling.

Le fiamme danzavano sul vino dorato, il cui profumo si univa all'intenso odore del ceppo che bruciava.

Parlarono di tazze da tè e del tempo, e della regola del disordine.

«E così arrivai a credere» stava dicendo il dottor Lecter «che nel mondo doveva esistere un posto per Mischa, un posto importante reso libero per lei, e giunsi alla conclusione, Clarice, che il miglior posto sulla terra fosse il suo.»

Il riflesso del fuoco non esplorava le profondità della scollatura di Starling come aveva fatto la luce delle candele, ma giocava meravigliosamente con i suoi zigomi.

Starling si soffermò per un attimo a pensare. «Lasci che le chieda una cosa, dottor Lecter. Se è tassativo trovare un posto nel mondo per Mischa, e non sto dicendo che non lo sia, che cosa non va nel "suo" posto? È ben occupato, e so che lei non glielo negherebbe mai. Mischa e io potremmo essere come sorelle. E se, stando a quanto afferma, in me c'è posto per mio padre, perché in lei non c'è posto per Mischa?»

Il dottor Lecter sembrò soddisfatto. Difficile dire se più per l'idea o per l'abilità di Starling. Forse, provò la vaga preoccupazione di averla plasmata meglio di quanto credesse.

Quando lei posò il bicchiere sul tavolo accanto a sé, con il gomito spinse via la tazza del caffè, che si fracassò sul pavimento. Non abbassò gli occhi per guardarla.

Il dottor Lecter osservò i cocci, ed erano immobili.

«Non penso che debba decidere subito, in questo stesso istante» disse Starling. I suoi occhi e i cabochon brillavano ai bagliori del camino. Un crepitio del fuoco, il calore del fuoco attraverso la gonna, e nella mente di Starling passò un breve ricordo... *Il dottor Lecter, tanto tempo prima, che chiedeva alla senatrice Martin se aveva allattato la figlia al seno.* Un movimento prezioso vorticò nella calma innaturale di Starling: per un attimo, nel suo cervello molte finestre si allinearono e lei vide ben al di là della propria esperienza. «Hannibal Lecter» disse «sua madre l'ha allattata al seno?»

«Sì.»

«Ha mai sentito di dover essere costretto a cedere il seno a Mischa? Ha mai sentito che le venisse imposto di rinunciarci per lei?»

Un attimo. «Questo non lo ricordo, Clarice. Se ci rinunciai, lo feci volentieri.»

Clarice Starling infilò la mano a coppa nella profonda scollatura dell'abito e liberò un seno, che parve protendersi in avanti. «A questo non dovrà rinunciare» disse. Senza smettere di fissarlo negli occhi, con l'indice si tolse dalla bocca alcune gocce calde di Château d'Yquem e una dolce perla liquida le rimase sospesa al capezzolo, simile a un cabochon d'oro, e tremò con il suo respiro.

Lecter si alzò in fretta per andare da lei, si mise su un ginocchio davanti alla sua poltrona e alla luce delle fiamme chinò la testa scura ed elegante verso quel corallo e quella panna.

## 102

Buenos Aires, Argentina, tre anni dopo.

La sera era cominciata da poco, Barney e Lillian Hersh passeggiavano vicino all'Obelisco sull'Avenida 9 de Julio. La signora Hersh era una lettrice dell'università di Londra, in permesso sabbatico. Lei e Barney si erano incontrati nel museo di antropologia di Città del Messico, si erano piaciuti e ora viaggiavano insieme da due settimane, mettendosi alla prova un giorno alla volta, e divertendosi sempre di più. Non si stancavano l'uno dell'altra.

Erano arrivati a Buenos Aires a pomeriggio troppo inoltrato per andare al Museo Nacional, dove esponevano un Vermeer prestato da un altro museo. La missione di Barney di visitare tutti i Vermeer del mondo divertiva Lillian Hersh e non interferiva con il loro buonumore. Barney aveva già visto un quarto dei Vermeer, e ne mancavano ancora molti.

Cercavano un caffè piacevole dove mangiare qualcosa all'aperto.

Le limousine si susseguivano davanti al Colón, lo spettacoloso teatro dell'opera di Buenos Aires. Barney e Lillian si fermarono a guardare entrare gli amanti della lirica.

Davano il *Tamerlano*, con un cast eccellente, e a Buenos Aires vale sempre la pena di vedere la gente che va a una prima.

«Barney, ti senti pronto per l'opera? Penso che ti piacerebbe. Sgancio io.»

Lo divertiva, quando lei usava lo slang americano. «Se riesci a portarmi dentro, sarò io a sganciare» rispose Barney. «Pensi che ci faranno passare?»

In quel momento, una Mercedes Maybach blu scuro e argento frusciò vicino al marciapiede. Un portiere corse ad aprire la portiera.

Un uomo, snello ed elegante nell'abito da sera, scese e porse la mano a una donna. La vista di lei provocò un mormorio ammirato nella folla attorno all'ingresso. Portava i capelli acconciati in un elegante caschetto platinato e indossava un morbido tubino color corallo ammorbidito da un velo di tulle. Al suo collo scintillava il verde degli smeraldi. Barney la vide solo per un momento, da sopra le teste della gente, poi lei e il suo cavaliere furono accompagnati dentro il teatro.

Barney osservò meglio l'uomo, che aveva la testa lucida come una lontra e il naso arcuato, imperioso, come quello di Perón. Il portamento lo faceva sembrare più alto di quanto fosse in realtà.

«Barney? Oh, Barney» stava dicendo Lillian «quando torni su questa terra, ammesso che ci torni, dimmi se vuoi andare all'opera. Sempre che ci lascino entrare *in mufti*. Ecco, l'ho detto, anche se non è proprio il termine giusto... Ho sempre desiderato dire che ero *in mufti*.»

Quando Barney non le chiese che cosa significasse *mufti*, lei gli lanciò un'occhiata di traverso. Barney chiedeva sempre tutto.

«Sì» disse lui con tono assente «sgancio io.» Barney aveva un sacco di quattrini. Stava attento a come li spendeva, ma non era avaro. Gli unici posti rimasti erano in galleria, fra gli studenti.

In previsione dell'altezza dalla quale avrebbero seguito lo spettacolo, nell'atrio noleggiarono due binocoli.

L'enorme teatro, un insieme di stili Rinascimento italiano, greco e francese, sovrabbondava di ottone, oro e velluti rossi. Tra la folla, i gioielli brillavano come lampade stroboscopiche a una gara di ballo.

Mentre erano in attesa dell'ouverture, Lillian spiegò la trama parlando sottovoce nell'orecchio di Barney.

Un attimo prima che si abbassassero le luci in sala, scrutando il teatro dai loro posti economici, Barney li trovò, la signora biondo platino e il suo accompagnatore. Erano appena entrati nel palco vicino al proscenio attraverso i tendaggi dorati. Quando la donna si sedette, gli smeraldi che aveva al collo scintillarono alle luci brillanti della sala.

Barney ne aveva appena intravisto il profilo destro, mentre faceva il suo ingresso a teatro. Ora poteva studiare il sinistro.

Gli studenti attorno a loro, abituati ai posti ad alta quota, si erano portati dietro i più svariati aggeggi per vedere meglio. Uno di loro aveva un potente cannocchiale, così lungo che disturbava la persona di fronte. Barney contrattò per averlo. Fu difficile trovare di nuovo il palco nel limitato campo visivo del lungo tubo, ma quando lo inquadrò, la coppia parve sorprendentemente vicina.

La guancia della donna aveva una specie di voglia, nella posizione che i francesi chiamano *courage*. Lo sguardo di lei passò sulla platea, passò sulla galleria e proseguì. Sembrava animata e perfettamente capace di controllare la bocca color corallo. Si piegò verso il suo accompagnatore sussurrandogli qualcosa, e risero insieme. Mise la mano su quella di lui e gli prese il pollice.

«Starling» disse Barney, senza fiato.

«Come?» bisbigliò Lillian.

Barney fece molta fatica a seguire il primo atto dell'opera. Non appena si riaccesero le luci per l'intervallo, puntò di nuovo il binocolo verso il palco. L'uomo stava prendendo da un vassoio una flûte di champagne, che porse alla signora, poi ne prese una per sé.

Barney mise a fuoco il suo profilo, concentrandosi sulla forma delle orecchie.

Risalì la lunghezza delle braccia esposte della donna. Erano nude, senza segni e, all'occhio esperto di Barney, avevano un buon tono muscolare.

Mentre Barney guardava, l'uomo mosse la testa come per cogliere un suono lontano e la voltò verso di lui, poi si portò il binocolo agli occhi. Barney avrebbe giurato che fosse puntato nella sua direzione. Si coprì il viso con il programma e scivolò sul sedile, tentando di sembrare di altezza normale.

«Lillian» disse «voglio che tu mi faccia un piacere.»

«Mmmm» rispose lei. «Se assomiglia ad alcuni degli altri, sarà bene che prima sappia di che si tratta.»

«Quando si spengono le luci, ce ne andiamo. Prendiamo l'aereo per Rio stasera stessa. Niente domande.»

Il Vermeer di Buenos Aires è l'unico che Barney non vide mai.

Vogliamo seguire la bella coppia che esce dal teatro dell'opera? D'accordo, ma con molta prudenza...

Alla fine del millennio, Buenos Aires è posseduta dal tango e la notte pulsa. La Mercedes, con i finestrini abbassati per lasciar entrare la musica dei locali notturni, ronfa attraverso il quartiere Recoleta fino all'Avenida Alvear e scompare nel giardino di uno squisito edificio Beaux-Arts vicino all'ambasciata francese.

L'aria è tiepida e sulla terrazza dell'ultimo piano è pronta la cena.

Fra i domestici della casa il morale è alto, malgrado regni una disciplina ferrea. Vige la proibizione assoluta di entrare all'ultimo piano della residenza prima di mezzogiorno. O dopo aver servito in tavola il primo piatto, la sera.

A cena, il dottor Lecter e Clarice Starling parlano spesso in lingue diverse dal nativo inglese di lei. Starling, che sta lavorando per migliorare il francese e lo spagnolo che ha imparato all'università, ha scoperto di avere un buon orecchio. Durante i pasti conversano spesso anche in italiano. Starling trova una strana forma di libertà nelle sfumature musicali di questa lingua.

A volte, dopo cena la nostra coppia balla. Altre volte, non finisce di mangiare ciò che è in tavola.

Per Clarice Starling, il loro rapporto ha molto a che

fare con la penetrazione, che lei incoraggia e accoglie avidamente. Per Hannibal Lecter, invece, ha molto a che fare con il profondo coinvolgimento, che va ben oltre i confini della sua esperienza. È possibile che Clarice Starling riesca a spaventarlo. Il sesso è una splendida struttura che loro arricchiscono giorno dopo giorno.

Clarice Starling sta sviluppando anche un suo palazzo della memoria. Condivide alcune stanze con quello del dottor Lecter – lui l'ha scoperta là molte volte – ma cresce in modo indipendente. È pieno di cose nuove. Starling può visitarvi suo padre. Hannah vi pascola. C'è anche Jack Crawford, quando lei vuole vederlo chino sulla scrivania... Una notte, a un mese dal suo ritorno a casa dall'ospedale, a Crawford erano tornati i dolori al petto. Invece di chiamare un'ambulanza e rivivere tutto da capo, aveva scelto di scivolare semplicemente dalla parte del letto che era stata di sua moglie.

Starling ha saputo della morte di Crawford durante una delle visite regolari che il dottor Lecter fa al sito Web pubblico dell'Fbi per ammirare la poca rassomiglianza fra sé e il suo ritratto esposto nella pagina dei Pericoli pubblici maggiormente ricercati. La fotografia usata dal Bureau rimane in modo rassicurante due facce indietro, rispetto a quella attuale.

Dopo aver letto l'annuncio mortuario di Crawford, Starling aveva camminato da sola per la maggior parte della giornata, e la sera era stata contenta di tornare a casa.

Un anno prima, aveva fatto incastonare in un anello uno dei suoi smeraldi. All'interno, l'anello portava l'incisione AM-CS. Ardelia Mapp l'aveva ricevuto in un involucro che rendeva impossibile risalire al mittente, insieme a un biglietto. "Cara Ardelia, sono contenta, più che contenta. Non cercarmi. Ti voglio bene. Scusami se ti ho causato tanta pena. Brucia questa lettera. Starling."

Mapp portò l'anello allo Shenandoah River, dove Starling era solita andare a correre. Camminò a lungo, tenendolo stretto nel pugno, furibonda, con gli occhi che le bruciavano, pronta a gettarlo nel fiume, immaginando la pietra scintillare nell'aria e poi il piccolo "plop". Alla fine se lo infilò al dito e si cacciò la mano in tasca. Mapp non pianse molto. Camminò ancora finché non si sentì più calma. Era buio, quando tornò alla macchina.

È difficile sapere che cosa ricorda Starling della sua vecchia esistenza, che cosa sceglie di conservare. Le droghe che l'hanno tenuta sotto controllo durante i primi giorni, da molto tempo non fanno più parte della sua vita con il dottor Lecter. Così come non ne fanno più parte i lunghi colloqui con una sola fonte di luce nella stanza.

Di tanto in tanto, volutamente, il dottor Lecter lascia cadere una tazza perché si frantumi sul pavimento. Rimane soddisfatto, quando i frammenti non tornano insieme. Ormai, da molti mesi, non vede più Mischa nei suoi sogni.

Forse, un giorno, una tazza si ricomporrà e tornerà intera. O, da qualche parte, Starling sentirà la nota della corda di una balestra e avrà un indesiderato risveglio, ammesso che dorma veramente.

Ora ci ritireremo, mentre loro danzano sulla terrazza... Il saggio Barney ha già lasciato la città e noi dobbiamo seguire il suo esempio. Per ognuno dei due, scoprirci sarebbe fatale.

Ci è concesso di sapere solo fin qui, se vogliamo continuare a vivere.

## Ringraziamenti

Nel tentativo di capire la struttura del palazzo della memoria del dottor Lecter, sono stato aiutato dallo straordinario libro di Frances A. Yates *L'arte della memoria*, oltre che da *Il palazzo della memoria di Matteo Ricci* di Jonathan D. Spence.

"Nel giardino dell'occhio dell'uragano" è una frase di John Ciardi, oltre che il titolo di una sua poesia.

I versi della poesia che Clarice Starling ricorda nel Manicomio criminale sono tratti da "Burnt Norton", nei *Quattro quartetti* di T.S. Eliot.

Ringrazio Pace Barnes per il suo incoraggiamento, il suo appoggio e i suoi saggi consigli.

Carole Baron, mio editore, oltre che mio editor e amica, mi ha aiutato a migliorare questo libro.

Athena Varounis e Bill Trible negli Stati Uniti e Ruggero Perugini in Italia mi hanno mostrato il lato migliore e più accattivante delle forze dell'ordine. Nessuno di loro è un personaggio di questo libro, così come non lo è nessun'altra persona vivente. La malvagità infusa nel romanzo è esclusivamente farina del mio sacco.

Niccolò Capponi ha diviso con me la sua profonda conoscenza di Firenze e dell'arte e ha concesso al dottor Lecter di usare il suo palazzo di famiglia. I miei ringraziamenti anche a Robert Held per la sua erudizione e a Caroline Michahelles per la sua competenza su Firenze.

Il personale della Carnegie Public Library di Coahoma County, Mississippi, ha svolto ricerche per anni. Grazie.

Devo molto a Marguerite Schmitt: con un solo tartufo bianco e la magia del suo cuore e delle sue mani ci ha introdotti alle meraviglie di Firenze. È troppo tardi per ringraziare Marguerite ma, giunti alla fine, voglio almeno ricordare il suo nome.

# Indice

7  PARTE PRIMA
   Washington, D.C.

127  PARTE SECONDA
     Firenze

245  PARTE TERZA
     Verso il Nuovo Mondo

383  PARTE QUARTA
     Occasioni importanti sul calendario della paura

425  PARTE QUINTA
     Una libbra di carne

481  PARTE SESTA
     Un lungo cucchiaio

Questo volume è stato stampato
presso Mondadori Printing S.p.A.
Via Bianca di Savoia n. 12 – Milano
Stabilimento NSM
Viale De Gasperi n. 120 – Cles (TN)
Stampato in Italia – Printed in Italy


I MITI
Periodico quindicinale:
N. 18 del 6/6/2000
Direttore responsabile: Stefano Magagnoli
Registr. Trib. di Milano n. 560 del 17/9/1999


ISSN 1123-8356

48256
2000